DICTIONNAIRE
FRANÇAIS•ANGLAIS
ANGLAIS•FRANÇAIS

	Abbreviations	**Abréviations**
abrev	abbreviation	abréviation
adj	adjective	adjectif
adv	adverb	adverbe
art	article	article
auto	automobile	automobile
aux	auxiliary	auxiliaire
bot	botany	botanique
chem, chim	chemistry	chimie
col	colloquial term	expression familière
com	commerce	commerce
compd	compound	mot composé
comput	computers	informatique
conj	conjunction	conjonction
excl	exclamation	exclamation
f	feminine noun	substantif féminin
fam	colloquial term	expression familière
fig	figurative	figuré
geol	geology	géologie
gr	grammar	grammaire
imp	impersonal	impersonnel
inform	computers	informatique
interj	interjection	interjection
invar	invariable	invariable
irr	irregular	irrégulier
jur	law term	juridique
law	law term	droit
ling	linguistics	linguistique
m	masculine noun	substantif masculin
mar	marine term	vocabulaire marin
mat, math	mathematics	mathématiques
med	medicine	médecine
mil	military term	vocabulaire militaire
mus	music	musique
n	noun	substantif

orn	ornithology	ornithologie
pej	pejorative	péjoratif
pl	plural	pluriel
pn	pronoun	pronom
poet	poetical term	vocabulaire poétique
prep	preposition	préposition
rad	radio	radio
rail	railway	chemin de fer
sl	slang	argot
thea	theatre	théâtre
tec	technology	technologie
TV	television	télévision
vi	intransitive verb	verbe intransitif
vr	reflexive verb	verbe réfléchi
vt	transitive verb	verbe transitif
zool	zoology	zoologie

A

à *prép* (in) to; at; on; by, per; **aller ~ l'école** to go to school; **~ neuf heures** at nine o'clock; **c'est ~ toi** it's yours; it's your turn.

abaissement *m* fall, drop.

abaisser *vt* to lower; **s'~ à faire qch** to stoop to doing sth.

abandon *m* abandonment, desertion.

abandonné *adj* deserted.

abandonner *vt to* abandon, leave.

abasourdi *adj* stunned.

abasourdir *vt* to stun.

abats *mpl* giblets.

abat-jour *m* lampshade.

abattement *m* despondency; exhaustion.

abattoir *m* abattoir, slaughterhouse.

abattre *vt* to shoot; slaughter.

abattu *adj* despondent; exhausted.

abbaye *f* abbey.

abbé *m* abbot.

abbesse *f* abbess.

abcès *m* abscess.

abdiquer *vt vi* to abdicate.

abdomen *m* abdomen.

abdominal *adj* abdominal.

abeille *f* bee.

aberrant *adj* aberrant; absurd.

aberration *f* aberration.

abêtissant *adj* mindless.

abêtissement *m* mindlessness.

abîme *m* chasm.

abîmer *vt* spoil, damage; * **s'~** *vr* to get spoiled *ou* damaged.

abject *adj* abject.

abjection *f* abjectness.

abjurer *vt* to abjure.

ablatif *m* ablative.

ablation *f (med)* removal.

abnégation *f* abnegation.

aboiement *m* bark.

abolir *vt* to abolish.

abolition *f* abolition.

abominable *adj* abominable;

~ment *adv* abominably.

abondamment *adv* abundantly.

abondance *f* abundance.

abondant *adj* abundant, plentiful.

abonder *vi* to be abundant *ou* plentiful.

abonné *m* **-ée** *f* subscriber.

abonnement *m* subscription.

abonner *vt* **~ qn** to subscribe, take out a subscription (à to); * **s'~** *vr* to subscribe, take out a subscription *(à to)*.

abord *m*: **d'~** first (of all).

abordable *adj* affordable.

aborder *vt* to approach.

aborigène *mf* aborigine; * *adj* aboriginal.

aboutir *vi* to succeed.

aboutissement *m* outcome; success.

abrasif *adj* abrasive.

abrégé *m* summary; **en ~** briefly.

abréger *vt* to shorten; abridge.

abreuver *vt* to water.

abreuvoir *m* drinking trough.

abréviation *f* abbreviation.

abri *m* shelter.

abricot *m* apricot.

abriter *vt* to shelter; * **s'~** *vr* to shelter.

abroger *vt* to repeal.

abrupt *adj* abrupt; **~ement** *adv* abruptly.

abruti *m* **-e** *f* idiot; * *adj* idiotic.

abrutir *vt* to make stupid.

abrutissant *adj* stunning; mind-numbing.

abscisse *f (math)* abscissa.

absence *f* absence.

absent *adj* absent.

absenter (s') *vr* to leave, go out.

abside *f* apse.

absolu *adj* absolute; **~ment** *adv* absolutely; * *m* absolute.

absolution *f* absolution.

absolutisme *m* absolutism.

absorbant *adj* absorbent.

absorber *vt* to absorb.

absorption *f* absorption.

absoudre *vt* to absolve.

abstenir (s') *vr* to abstain (from).

abstention *f* abstention.

abstentionniste *mf* abstainer.

abstinence *f* abstinence.

abstraction *f* abstraction.

abstrait *adj* abstract; **~ement** *adv* in the abstract; * *m* abstract; abstract art.

absurde *adj* absurd; **~ment** *adv* absurdly.

absurdité *f* absurdity.

abus *m* abuse.

abuser *vt* **~ de** to exploit; abuse.

abusif *adj* improper.

académicien *m* **-ne** *f* academician.

académie *f* academy; learned society.

académique *adj* academic.

acajou *m* mahogany.

acariâtre *adj* cantankerous.

accablant *adj* overwhelming.

accabler *vt* to overwhelm.

accalmie *f* lull, calm.

accéder *vi*: **~ à** to reach.

accélérateur *m* accelerator.

accélération *f* acceleration.

accélérer *vi* to speed up, accelerate.

accent *m* accent.

accentuation *f* accentuation.

accentué *adj* pronounced.

accentuer *vt* to accentuate.

acceptable *adj* acceptable.

accepter *vt* to accept.

accès *m* access.

accessible *adj* accessible.

accessoire *adj* secondary; **~ment** *adv* secondarily; if need be; * *m* accessory.

accident *m* accident.

accidentel *adj* accidental; **~lement** *adv* accidentally.

acclamations *fpl* cheers; acclamation.

acclamer *vt* to acclaim, cheer.

acclimater *vt* to acclimatise; **s'~** *vr* to become acclimatised.

accolade *f* embrace.

accommodant *adj* accommodating.

accommoder *vt* to prepare; adapt.

accompagnateur *m* **-trice** *f* (*mus*) accompanist;guide.

accompagnement *m* accompaniment.

accompagner *vt* to accompany.

accomplir *vt* to achieve, accomplish.

accomplissement *m* accomplishment.

accord *m* agreement; **d'~!** okay!, all right!; **être d'~** to agree.

accordéon *m* accordion.

accorder *vt* to grant; **s'~** *vr* to agree.

accoster *vt* to accost.

accouchement *m* (*med*) delivery.

accoucher *vi* to give birth.

accoudoir *m* armrest.

accouplement *m* coupling; joining.

accourir *vi* to run up (*à, vers* to).

accoutrement *m* (*pej*) outfit, dress.

accréditer *vt* to accredit.

accroc *m* tear, breach.

accrocher *vt* to hang up (*à* on).

accroissement *m* increase.

accroître *vt* to increase.

accroupir (s') *vr* to crouch.

accueil *m* welcome, reception.

accueillant *adj* welcoming.

accueillir *vt* to welcome.

accumulateur *m* battery.

accumulation *f* accumulation.

accumuler *vt* to accumulate.

accusateur *m* **-trice** *f* accuser; * *adj* accusing.

accusatif *m* accusative (case).

accusation *f* accusation.

accusé *m* **-e** *f* (*jur*) accused, defendant.

accuser *vt* to accuse.

acerbe *adj* harsh; acrid.

acétate *m* acetate.

acétone *f* acetone.

acharné *adj* bitter, fierce; unrelenting.

acharnement *m* relentlessness; determination.

acharner (s') *vr* ~ **à faire qch** to try desperately to do sth; ~ **contre qn** to hound sb.

achat *m* purchase.

acheminer *vt* to convey.

acheter *vt* to buy.

acheteur *m* **-euse** *f* buyer, purchaser.

achèvement *m* completion.

achever *vt* to finish; complete.

acide *adj* acid, sour; * *m* acid.

acidité *f* acidity.

acidulé *adj* acid, acidulous.

acier *m* steel.

aciérie *f* steelworks.

acné *f* acne.

acompte *m* deposit, downpayment.

à-côté *m* side issue.

à-coup *m* jolt.

acoustique *adj* acoustic; * *f* acoustics.

acquéreur *m* buyer, purchaser.

acquérir *vt* to buy, purchase.

acquiescer *vi* to agree; acquiesce.

acquis *adj* acquired; * *m* experience.

acquisition *f* acquisition; purchase.

acquittement *m* payment; (*jur*) acquittal.

acquitter *vt* to acquit; pay.

acre *f* acre.

âcre *adj* acrid.

acrobate *mf* acrobat.

acrobatie *f* acrobatics.

acrobatique *adj* acrobatic.

acrylique *m, adj* acrylic.

acte *m* act; deed.

acteur *m*, **actrice** *f* actor.

actif *adj* active; * *m* (*ling*) active (voice).

action *f* act, action; share.

actionnaire *mf* shareholder.

actionner *vt* to activate; drive.

activement *adv* actively.

activer *vt* to speed up; **s'~** *vr* to bustle about.

activité *f* activity; hustle and bustle.

actualité *f*: **l'actualité** current events.

actuel *adj* current, present; **~lement** *adv* currently, at present.

acuité *f* acuteness; shrillness.

acuponcture *f* acupuncture.

adaptable *adj* adaptable.

adaptateur *m* adaptor.

adaptation *f* adaptation.

adapter *vt* to adapt (*à* to); **s'~** *vr* to adapt o.s. (*à* to).

additif *m* additive.

addition *f* addition; bill.

additionnel *adj* additional.

additionner *vt* to add up.

adepte *mf* follower; enthusiast.

adéquat *adj* suitable, appropriate.

adhérence *f* adhesion.

adhérent *m* **-e** *f* member, adherent; * *adj* : ~ **à** which adheres *ou* sticks to.

adhérer *vi* to adhere, stick.

adhésif *adj* adhesive.

adhésion *f* adherence; membership.

adjacent *adj* adjacent (*à* to).

adjectif *m* adjective.

adjoint *m* **-e** *f* assistant, deputy.

adjudant *m* warrant officer.

adjudication *f* sale by auction.

adjuger *vt* to auction.

admettre *vt* to admit; accept; assume.

administrateur *m* **-trice** *f* administrator.

administratif *adj* administrative.

administration *f* management; administration.

administrer *vt* to run; administer.

admirable *adj* admirable; **-ment** *adv* admirably, brilliantly.

admiratif *adj* admiring.

admiration *f* admiration.

admirativement *adv* admiringly.

admirer *vt* to admire.

admissible *adj* allowable.

admission *f* admission.

adolescence *f* adolescence.

adolescent *m* **-e** *f* adolescent.

adopter *vt* to adopt; pass.

adoption *f* adoption; passing.

adorable *adj* adorable; **~ment** *adv* delightfully.

adorer *vt* to adore, worship.

adoucir *vt* to soften.

adrénaline *f* adrenalin.

adresse *f* address; skill.

adresser *vt* to address; send; **s'~ vr s'~ à** to apply to; to speak to.

adroit *adj* deft, skilful; **~ement** *adv* deftly, skilfully.

aduler *vt* to flatter.

adulte *mf* adult, grown-up; *adj* adult, full-grown.

adultère *m* adultery.

adverbe *m* adverb.

adverbial *adj*, *f* **-e** adverbial; **~ement** *adv* adverbially.

adversaire *mf* adversary, opponent.

adversité *f* adversity.

aération *f* ventilation.

aérer *vt* to air.

aérien *adj*, *f* **-ne** air, airy; aerial.

aérodrome *m* aerodrome, airfield.

aérodynamique *adj* aerodynamic; * *f* aerodynamics.

aérogare *f* (air) terminal.

aéroglisseur *m* hovercraft.

aéronautique *adj* aeronautic; * *f* aeronautics.

aéronaval *adj* air and sea.

aéroport *m* airport.

aérospatial adj aerospace.

affable *adj* affable.

affaiblir *vt* to weaken; **s'~ vr** to weaken, grow weaker.

affaiblissement *m* weakening.

affaire *f* matter.

affaissement *m* subsidence.

affaisser *vt* to cause to subside *ou* cave in; **s'~ vr** to subside; to cave in.

affamé *adj* starving.

affamer *vt* to starve.

affectation *f* allocation *(à* to); affectation.

affecté *adj* affected.

affecter *vt* to affect.

affectif *adj* emotional.

affection *f* affection.

affectueux *adj* affectionate.

affectueusement *adv* affectionately.

affermir *vt* to strengthen; to make firm.

affermissement *m* strengthening.

affichage *m* bill posting.

affiche *f* poster.

afficher *vt* to post *ou* put up.

affiner *vt* to refine.

affinité *f* affinity.

affirmatif *adj* affirmative.

affirmation *f* assertion.

affirmativement *adv* in the affirmative.

affirmer *vt* to assert.

affluent *m* tributary.

affluer *vi* to rush *(à* to).

afflux *m* influx, rush.

affolant *adj* alarming.

affolement *m* panic.

affoler *vt* to throw into a panic; **s'~ vr** to get into a panic.

affranchir *vt* to frank, stamp; free.

affranchissement *m* stamping, franking; freeing.

affréter *vt* to charter.

affreux *adj* horrible; awful.

affreusement *adv* horribly, dreadfully.

affrontement *m* confrontation.

affronter *vt* to confront; **s'~ vr** to confront one another.

afin *prép* **~ de** (in order) to; **~ que** in order that, so that.

africain *adj*, *mf* African.

Afrique *f* Africa.

agaçant *adj* annoying.

agacer *vt* to annoy, irritate.

âge *m* age; **quel ~ as-tu?** how old are you?

âgé *adj* old; **~ de 10 ans** 10 years old.

agence *f* agency; branch; offices.

agencement *m* organisation, arrangement; equipment.

agencer *vt* to arrange; equip.

agenda *m* diary.

agenouiller (s') *vr* to kneel (down).

agent *m* agent; policeman.

agglomération *f* town, urban area.

aggravant *adj* aggravating.

aggravation *f* worsening, aggravation; increase.

aggraver *vt* to make worse; increase; **s'~** *vr* to get worse, worsen; increase.

agile *adj* agile, nimble; **~ment** *adv* nimbly.

agilité *f* agility.

agir *vi* to act.

agitateur *m* **-trice** *f* agitator.

agitation *f* agitation.

agiter *vt* to shake; wave; **s'~** *vr* to move about; fidget.

agneau *m* lamb.

agonie *f* death throes.

agrafe *f* staple; hook.

agrafer *vt* to staple (together); fasten up.

agrafeuse *f* stapler.

agraire *adj* agrarian; land.

agrandir *vt* to make bigger; widen; expand; **s'~** *vr* to get bigger; widen; expand.

agrandissement *m* enlargement.

agréable *adj* agreeable, pleasant; **~ment** *adv* agreeably, pleasantly.

agresser *vt* to attack.

agresseur *m* attacker.

agressif *adj* aggressive.

agression *f* attack.

agressivement *adv* aggressively.

agressivité *f* aggressiveness.

agricole *adj* agricultural.

agriculteur *m* farmer.

agriculture *f* agriculture, farming.

agripper *vt* to grab (hold of); **s'~ à** *vr* to grab on to.

agronome *m* agronomist.

agronomie *f* agronomy.

agrumes *mpl* citrus fruits.

ahuri *adj* stunned; stupefied.

ahurissant *adj* staggering.

aide *f* help; aid.

aider *vt* to help.

aigle *m* eagle.

aigre *adj* sour, bitter; **~ment** *adv* sourly.

aigreur *f* sourness; acidity.

aigri *adj* bitter, embittered.

aigu *adj*, *f* **aiguë** shrill; acute; sharp.

aiguillage *m* shunting.

aiguille *f* needle.

aiguiller *vt* to direct; shunt.

aiguiser *vt* to sharpen.

ail *m* garlic.

ailé *adj* winged.

aileron *m* fin; aileron.

ailleurs *adv* elsewhere; **partout ~** everywhere else; **nulle part ~** nowhere else; **d'~** moreover; by the way.

aimable *adj* kind; **~ment** *adv* kindly.

aimant *m* magnet.

aimanter *vt* to magnetise.

aimer *vt* to love.

aîné *m*, **aînée** *f* eldest *ou* oldest child; * *adj* elder, older; eldest, oldest.

ainsi *adv* so, thus; **puisque c'est ~** since this is the way it is *ou* things are.

air *m* air; **avoir l'~** content to look happy; **d'un ~ moqueur** in a mocking fashion.

aire *f* area.

aise *f* ease, comfort.

aisé *adj* easy; well-off; **~ment** *adv* easily.

aisselle *f* armpit.

ajournement m adjournment; postponement.

ajourner vt to adjourn; defer, postpone.

ajout m addition.

ajouter vt to add.

ajuster vt to adjust.

alarmant adj alarming.

alarme f alarm.

alarmer vt to alarm; **s'~** vr to get alarmed (de at, about).

albâtre m alabaster.

album m album.

albumine f albumen.

alcalin adj alkaline.

alcaloïde m alkaloid.

alchimie f alchemy.

alchimiste m alchemist.

alcool m alcohol.

alcoolique adj alcoholic; * mf drunkard.

alcoolisme m alcoholism.

aléatoire adj uncertain; risky.

alentours mpl surroundings, neighbourhood.

alerte adj alert; agile; * f alarm, alert.

alerter vt to alert; notify; warn.

algèbre f algebra.

algébrique adj algebraic; ~ment adv algebraically.

algorithme m algorithm.

algue f seaweed.

alibi m alibi.

aliénation f alienation.

aliéner vt to alienate.

alignement m alignment; aligning.

aligner vt to align, line up.

aliment m food.

alimentaire adj alimentary, food.

alimentation f feeding; diet; food industry.

alimenter vt to feed; **s'~** vr to eat.

alinéa m paragraph.

allée f avenue; path.

alléger vt to make lighter; alleviate.

allégorie f allegory.

allégresse f cheerfulness.

alléguer vt to allege, put forward.

aller vi to go; **comment allez-vous?** how are you?; **allons-y** let's go; **s'en aller** to go away, leave; * m outward journey; single ticket.

allergie f allergy.

allergique adj allergic (à to).

alliage m alloy.

alliance f alliance; marriage; wedding ring.

allié m -e f ally; * adj allied.

allier vt to combine.

allô excl hello!

allocation f allocation; allowance.

allongé adj être allongé to be lying (down).

allonger vt to lengthen; **s'~** vr to lengthen; lie down.

allouer vt to allocate.

allumage m ignition.

allumer vt to light; turn ou switch on.

allumette f match.

allure f speed; look.

allusion f allusion (à to).

alluvions fpl alluvium, alluvial deposits.

alors adv then; ~ **que** while; whereas.

alouette f lark.

alourdir vt to make heavy; increase.

alphabet m alphabet.

alphabétique adj alphabetical; ~ment adv alphabetically.

alpinisme m mountaineering.

alpiniste mf mountaineer.

altération f alteration, change.

altercation f altercation.

altérer vt to change, alter.

alternance f alternation.

alternatif adj alternate.

alternative f alternative.

alternativement adv in turn, alternately.

alterner vt vi to alternate.(avec with).

altitude f altitude, height.

altruisme *m* altruism.
aluminium *m* aluminium.
alvéole *f* cell.
amabilité *f* kindness.
amaigrir *vt* to make thin(ner).
amaigrissant *adj* slimming.
amalgame *m* mixture, amalgam.
amalgamer *vt* to combine.
amande *f* almond.
amant *m* lover.
amarrer *vt* to moor.
amas *m* pile, heap.
amasser *vt* to amass, pile up.
amateur *m* amateur; connaisseur.
ambassade *f* embassy.
ambassadeur *m* **-drice** *f* ambassador.
ambiance *f* atmosphere.
ambigu *adj*, *f* **ambiguë** ambiguous.
ambiguïté *f* ambiguity.
ambitieux *adj* ambitious.
ambition *f* ambition.
ambivalence *f* ambivalence.
ambre *m* amber.
ambulance *f* ambulance.
ambulant *adj* travelling, mobile.
âme *f* soul.
amélioration *f* improvement.
améliorer *vt* to improve; **s'~** *vr* to improve.
aménagement *m* fitting out; adjustment; development.
aménager *vt* to fit out; adjust; develop.
amende *f* fine.
amendement *m* amendment.
amener *vt* to bring.
amer *adj* bitter.
amèrement *adv* bitterly.
Américain *m* **-e** *f* American.
américain *adj* American.
Amérique *f* America.
amertume *f* bitterness.
ameublement *m* furniture.
ami *m* **-e** *f* friend.
amiante *m* asbestos.
amibe *f* amoeba.

amical *adj* friendly; **~ement** *adv* in a friendly manner.
amincir *vt* to thin (down).
amiral *m* admiral.
amitié *f* friendship.
ammoniac *m* ammonia.
amnésie *f* amnesia.
amnistie *f* amnesty.
amnistier *vt* to grant an amnesty to.
amoindrir *vt* to weaken; reduce.
amoindrissement *m* weakening; reduction.
amoncellement *m* pile; accumulation.
amorcer *vt* to bait; begin.
amorphe *adj* apathetic.
amortir *vt* to soften; deaden.
amortissement *m* paying off.
amour *m* love.
amoureux *adj* in love *(de* with*)*.
amovible *adj* detachable.
ampère *m* ampere, amp.
amphibie *adj* amphibious.
amphithéâtre *m* amphitheatre.
ample *adj* roomy; wide; **~ment** *adv* amply, fully.
ampleur *f* fullness; range.
amplifier *vt* to increase; amplify.
amplitude *f* amplitude; magnitude.
ampoule *f* bulb; phial; blister.
amputation *f* amputation.
amputer *vt* to amputate.
amusant *adj* amusing.
amuser *vt* to amuse.
an *m* year; **avoir vingt ~s** to be 20 (years old).
anabolisant *m* anabolic steroid.
anachronisme *m* anachronism.
anagramme *m* anagram.
analgésique *adj* analgesic.
analogie *f* analogy.
analogique *adj* analogical.
analogue *adj* analogous *(à* to*)*.
analphabète *adj* illiterate.
analyse *f* analysis; test.
analyser *vt* to analyse.
analyste *mf* analyst; psychoanalyst.

analytique *adj* analytical;
~**ment** *adv* analytically.
ananas *m* pineapple.
anarchie *f* anarchy.
anarchiste *mf* anarchist.
anathème *m* anathema.
anatomie *f* anatomy.
anatomique *adj* anatomical;
~**ment** *adv* anatomically.
ancestral *adj* ancestral.
ancêtre *m* ancestor.
anchois *m* anchovy.
ancien *adj* old; former; ~**nement**
adv formerly.
ancienneté *f* (years of) service; seniority; age.
ancrage *m* anchorage.
ancre *f* anchor.
ancrer *vt* to anchor.
âne *m* ass, donkey.
anéantir *vt* to annihilate.
anéantissement *m* annihilation.
anecdote *f* anecdote.
anémie *f* anemia.
anémone *f* anemone.
anesthésie *f* anaesthetic; anaes-
thesia.
anesthésique *m* anaesthetic.
ange *m* angel.
angélique *adj* angelic; * *f* angel-
ica.
angine *f* tonsillitis.
Anglais *m* -e *f* Englishman; Eng-
lishwoman.
anglais *adj* English; * *m (ling)*
English.
angle *m* angle; corner.
Angleterre *f* England.
anglophone *adj* English-speak-
ing; *mf* English speaker.
angoissant *adj* agonising.
angoisse *f* anguish.
angoisser *vt* to cause anguish.
animal *m* animal.
animateur *m* -**trice** *f* host,
compère; leader.
animation *f* animation; hustle
and bustle.
animé *adj* busy; lively.

animer *vt* to lead; host; liven up;
s'~ *vr* to liven up.
animisme *m* animism.
animosité *f* animosity.
annales *fpl* annals.
anneau *m* ring.
année *f* year; **les** ~**s soixante** the
Sixties.
annexe *f* annexe; * *adj* subsidiary.
annexer *vt* to annex; append.
annihiler *vt* to annihilate.
anniversaire *m* birthday; **joyeux** ~**!** happy birthday!
annonce *f* advertisement; announcement.
annoncer *vt* to announce (*à* to).
annoter *vt* to annotate.
annuaire *m* telephone directory,
phone book.
annuel *adj* annual; ~**lement** *adv*
annually.
annulation *f* cancellation; nulli-
fication.
annuler *vt* to cancel; nullify.
anode *f* anode.
anodin *adj* insignificant.
anomalie *f* anomaly.
anonyme *adj* anonymous; impersonal; ~**ment** *adv* anony-
mously.
anorexie *f* anorexia.
anorexique *adj*, *mf* anorexic.
anormal *adj* abnormal; ~**ement**
adv abnormally.
anse *f* handle.
antagonisme *m* antagonism.
antagoniste *adj* antagonistic.
antécédent *m* antecedent.
antenne *f* (*rad, TV*) aerial; (zool)
feeler.
antérieur *adj* earlier, previous;
~**ement** *adv* earlier, previously.
anthologie *f* anthology.
anthracite *m* anthracite.
anthropologie *f* anthropology.
anthropologue *m* anthropolo-
gist.
antiaérien *adj* antiaircraft.
anticancéreux *adj* cancer.

antichambre f antechamber.
anticipation f anticipation.
anticonceptionnel adj contraceptive.
anticonformiste adj, mf nonconformist.
anticorps m antibody.
anticyclone m anticyclone.
antidater vt to backdate.
antidépresseur adj, m antidepressant.
antidote m antidote.
antigel m antifreeze.
antimilitariste adj, mf antimilitarist.
antinucléaire adj, mf antinuclear.
antipathie f antipathy.
antipathique adj unpleasant.
antipode m antipodes; **aux ~s de** the polar opposite of.
antiquaire mf antique dealer.
antique adj ancient.
antiquité f antiquity; antique.
antirouille adj invar rustproof.
antisémite mf anti-semite; adj anti-semitic.
antiseptique adj antiseptic.
antisocial adj antisocial.
antitétanique adj (anti-)tetanus.
antithèse f antithesis.
antitoxine f antitoxin.
antivol m invar anti-theft ou security device; lock; * adj invar anti-theft.
antonyme m antonym.
antre m den.
anus m anus.
anxiété f anxiety.
anxieux adj anxious.
aorte f aorta.
août m August.
apaisant adj soothing.
apaisement m calm(ing down); relief.
apaiser vt to calm (down); relieve.
apathie f apathy.
apathique adj apathetic.
apercevoir vt to see; catch a glimpse of.

aperçu m (overall ou general) idea.
apéritif m aperitif.
apesanteur f weightlessness.
apeuré adj frightened.
aphone adj voiceless, hoarse.
aphrodisiaque adj, m aphrodisiac.
apiculteur m beekeeper.
apitoyer vt to move to pity; **s'~** vr to feel pity (sur for).
aplanir vt to level (out); smooth away.
aplati adj flat.
aplatir vt to flatten (out).
apocalypse f apocalypse.
apocalyptique adj apocalyptic.
apogée m apogee, peak.
apolitique adj apolitical; non-political.
apologie f apology.
apoplexie f apoplexy.
apostrophe f apostrophe.
apothéose f apotheosis.
apôtre m apostle.
apparaître vi to appear.
appareil m device; appliance; (tele)phone;**~-photo** camera.
appareillage m casting off; equipment.
appareiller vi (mar) to cast off.
apparemment adv apparently.
apparence f appearance.
apparent adj apparent.
apparition f appearance; apparition.
appartement m flat, appartment.
appartenance f membership.
appartenir vi: **~ à** to belong to.
appât m bait.
appâter vt to lure; bait.
appauvrir vt to impoverish; **s'~** vr to grow poorer.
appauvrissement m impoverishment.
appel m call; appeal.
appeler vt to call; call out; **s'~** vr **je m'appelle Léon** my name is Leon.

appellation *f* appelation; name.

appendicite *f* appendicitis.

appesantir *vt* to weigh down; strengthen; **s'~** *vr* to grow heavier; grow stronger.

appétissant *adj* appetizing.

appétit *m* appetite *(de* for).

applaudir *vt vi* to applaude.

applaudissements *mpl* applause.

applicable *adj* applicable *(à* to).

application *f* application; use.

appliqué *adj* thorough, industrious.

appliquer *vt* to apply *(à* to); **s'~** *vr* to apply o.s.

apport *m* supply.

apporter *vt* to bring.

apposer *vt* to append; affix.

appréciable *adj* appreciable.

appréciatif *adj* evaluative; appreciative.

appréciation *f* estimation, assessment

apprécier *vt* to appreciate; to assess

appréhender *vt* to apprehend; dread.

appréhension *f* apprehension.

apprendre *vt* to learn; **~ à lire** to learn to read; **~ à lire à un enfant** to teach a child to read.

apprenti *m* **-e** *f* apprentice.

apprentissage *m* apprenticeship.

apprêter *vt* to dress; to size; **s'~** *vr* to get ready.

apprivoiser *vt* to tame.

approbateur *adj*, *f* **-trice** approving.

approbation *f* approval.

approche *f* approach.

approcher *vt* to move near; approach; **s'~** *vr* to approach.

approfondir *vt* to deepen.

approfondissement *m* deepening.

approprier (s') *vr* to appropriate.

approuver *vt* to approve of.

approvisionnement *m* supplying.

approvisionner *vt* to supply; **s'~** *vr* to stock up *(de, en* with*)*.

approximatif *adj* approximate.

approximation *f* approximation.

approximativement *adv* approximately.

appui *m* support.

appuie-tête *m invar* headrest.

appuyer *vt* to press; lean; support *vi* to press; *vr* **s'~** to lean against; *vr* **s'~ sur** to lean on; rely on.

âpre *adj* bitter, harsh; **~ment** *adv* bitterly.

après *prép* after; **après tout** after all; **d'~ elle** according to her; **collé ~ la vitre** stuck on the window; * *adv* after(wards); **tout de suite ~** immediately after *ou* afterwards.

après-demain *adv* the day after tomorrow.

après-midi *m/f invar* afternoon.

âpreté *f* bitterness.

a priori *m* apriorism; * *adv* a priori.

apte *adj* capable *(à* of*)*.

aptitude *f* aptitude; ability.

aquarium *m* aquarium.

aquatique *adj* aquatic.

aqueduc *m* aqueduct.

aqueux *adj* aqueous, watery.

arabesque *f* arabesque.

arable *adj* arable.

arachide *f* peanut, groundnut.

araignée *f* spider.

arbalète *f* crossbow.

arbitrage *m* arbitration.

arbitraire *adj* arbitrary; **~ment** *adv* arbitrarily.

arbitre *m* arbiter; referee.

arbitrer *vt* to arbitrate; referee.

arborer *vt* to wear; bear.

arborescence *f* arborescence.

arboriculture *f* arboriculture, tree cultivation.

arbre *m* tree.

arbrisseau *m* shrub.

arbuste *m* bush.

arc *m* bow; arc; arch.

arcade *f* arcade.

arc-bouter (s') *vr* to lean.

arc-en-ciel *m*, *pl* **arcs-en-ciel** rainbow.

archaïque *adj* archaic.

archange *m* archangel.

arche *f* arch.

archéologie *f* archaeology.

archéologue *mf* archaeologist.

archétype *m* archetype.

archevêque *m* archbishop.

archipel *m* archipelago.

architecte *mf* architect.

architectonique *adj* architectonic.

architectural *adj* architectural.

architecture *f* architecture.

archiver *vt* to file, archive.

archives *fpl* archives, records.

archiviste *mf* archivist.

ardemment *adv* ardently.

ardent *adj* ardent, burning.

ardeur *f* ardour.

ardoise *f* slate.

ardu *adj* difficult.

are *f* are, a hundred square metres.

arène *f* arena.

arête *f* (fish)bone.

argent *m* silver; money.

argenté *adj* silver; silver-plated.

argenterie *f* silverware.

argile *f* clay.

argot *m* slang.

argument *m* argument.

argumentation *f* argumentation.

argumenter *vi* to argue (*sur* about).

aride *adj* arid.

aridité *f* aridity.

aristocrate *mf* aristocrat.

aristocratie *f* aristocracy.

aristocratique *adj* aristocratic.

arithmétique *f* arithmetic; * *adj* arithmetical; ~**ment** *adv* arithmetically.

armature *f* (frame)work.

arme *f* arm, weapon.

armée *f* army.

armement *m* ' arms, weapons; armaments.

armer *vt* to arm; **s'~** *vr* to arm o.s.

armistice *m* armistice.

armoire *f* cupboard; wardrobe.

armure *f* armour.

aromate *m* herb; spice.

aromatique *adj* aromatic.

aromatiser *vt* to flavour.

arôme *m* aroma; flavour.

arpenteur *m* (land) surveyor.

arqué *adj* curved, arched.

arquebuse *f* arquebus.

arrachement *m* wrench; pulling *ou* tearing off.

arracher *vt* to pull (out); tear off.

arrangeant *adj* obliging.

arrangement *m* arrangement.

arranger *vt* to arrange; fix; **cela m'arrangerait** that would suit me; **s'~** *vr* to come to an arrangement; manage; get better.

arrestation *f* arrest.

arrêt *m* stopping; stop (button).

arrêté *m* order.

arrêter *vt* to stop; **s'~** *vr* to stop.

arrhes *fpl* deposit.

arrière *m invar* back; **en ~** back(wards); **à l'~** at the back; * *adj invar* back, rear.

arriéré *adj* backward.

arrière-goût *m* aftertaste.

arrière-grand-mère *f* great-grandmother.

arrière-grand-père *m* great-grandfather.

arrière-pays *m* hinterland.

arrière-pensée *f* ulterior motive.

arrière-petits-enfants *mpl* great grandchildren.

arrière-plan *m* background.

arrimer *vt* to stow.

arrivage *m* delivery.

arrivant *m* -e *f* newcomer.

arrivée *f* arrival, coming.

arriver *vi* to arrive, come.

arriviste *mf* careerist; social climber.

arrogance *f* arrogance.

arrogant *adj* arrogant.

arroger (s') *vr* to assume (without rights to).

arrondi *adj* round(ed).

arrondir *vt* to make round; round off.

arrondissement *m* district.

arrosage *m* watering.

arroser *vt* to water.

arsenal *m* arsenal.

arsenic *m* arsenic.

art *m* art.

artère *f* artery; road.

artériel *adj* arterial.

arthrite *f* arthritis.

artichaut *m* artichoke.

article *m* article.

articulation *f* joint; knuckle.

articuler *vt* to articulate.

artifice *m* trick.

artificiel *adj* artificial; ~lement *adv* artificially.

artillerie *f* artillery.

artisan *m* artisan, craftsman.

artisanal *adj* craft.

artisanat *m* craft industry.

artiste *mf* artist.

artistique *adj* artistic; ~ment *adv* artistically.

as *m* ace.

ascendance *f* ancestry.

ascendant *adj* upward, rising; * *m* (strong) influence, ascendancy (*sur* over).

ascenseur *m* lift, elevator.

ascension *f* ascent.

ascète *mf* ascetic.

ascétique *adj* ascetic.

aseptiser *vt* to sterilise; disinfect.

asexué *adj* asexual.

asiatique *adj* Asian.

asile *m* refuge; asylum.

aspect *m* appearance, look.

asperge *f* asparagus.

asperger *vt* to splash (*de* with).

aspérité *f* bump.

asphalte *m* asphalt.

asphyxie *f* asphyxiation, suffocation.

asphyxier *vt* to asphyxiate, suffocate.

aspirateur *m* vacuum cleaner.

aspiration *f* inhalation.

aspirer *vt* to inhale.

aspirine *f* aspirin.

assagir *vt* to quieten (down); s'~ *vr* to quieten (down).

assaillant *m* assailant.

assaillir *vt* to assail.

assainir *vt* to clean up; purify.

assainissement *m* cleaning up.

assaisonnement *m* seasoning.

assaisonner *vt* to season.

assassin *m* murderer; assassin.

assassinat *m* murder; assassination.

assassiner *vt* to assassinate.

assaut *m* assault, attack (*de* on).

assécher *vt* to drain; s'~ *vr* to dry (up *ou* out).

assemblage *m* assembly; assembling.

assemblée *f* meeting.

assembler *vt* to assemble; s'~ *vr* to assemble.

assentiment *m* assent.

asseoir (s') *vr* to sit down.

assermenté *adj* on oath.

assertion *f* assertion.

asservissement *m* enslavement; slavery.

assez *adv* enough; quite, rather; **avoir ~ d'argent** to have enough money; ~ **bien** quite well; **j'en ai ~!** I've had enough!; I'm fed up.

assidu *adj* assiduous; regular.

assiduité *f* assiduity; regularity.

assiéger *vt* to besiege.

assiette *f* plate.

assigner *vt* to assign.

assimilation *f* assimilation; comparison; classification.

assimiler *vt* to assimilate.

assis *adj* seated, sitting (down).

assistance *f* audience; assistance.

assistant *m* -e *f* assistant.

assister *vt* to attend; assist.

association *f* association.

associé *m* -e *f* associate, partner.

associer *vt* to associate (*à* with); **s'~** *vr* to join together.

assombrir *vt* to darken; **s'~** to darken.

assommer *vt* to stun.

Assomption *f* : **l'~** *the Assumption.*

assortiment *m* assortment.

assortir *vt* to match; **s'~** *vr* to go well together.

assoupir (s') *vr* to doze off.

assoupissement *m* doze.

assouplir *vt* to make supple; relax.

assouplissement *m* softening; relaxing.

assourdir *vt* to deafen; muffle.

assourdissant *adj* deafening.

assouvir *vt* to satisfy.

assouvissement *m* satisfying, satisfaction.

assujettir *vt* to subjugate.

assumer *vt* to assume.

assurance *f* (self-)assurance; assurance; insurance (policy).

assuré *m* -e *f* assured; * *adj* confident.

assurer *vt* to assure; **s'~** *vr* to insure o.s.

assureur *m* (insurance) agent; insurer(s), insurance company.

astérisque *m* asterisk.

asthmatique *adj, mf* asthmatic.

asthme *m* asthma.

asticot *m* maggot.

astigmate *adj* astigmatic.

astiquer *vt* to polish.

astre *m* star.

astreignant *adj* demanding.

astreindre *vt* to force, compel; **s'~** *vr* **s'~ à faire** to force *ou* compel o.s. to do.

astrologie *f* astrology.

astrologique *adj* astrological.

astrologue *m* astrologer.

astronaute *m* astronaut.

astronome *m* astronomer.

astronomie *f* astronomy.

astronomique *adj* astronomical.

astuce *f* shrewdness; (clever) trick; pun.

astucieux *adj* astute.

asymétrique *adj* asymmetric(al).

atelier *m* workshop; studio.

atermoyer *vi* to procrastinate.

athée *mf* atheist; *adj* atheistic.

athéisme *m* atheism.

athlète *mf* athlete.

athlétique *adj* athletic.

athlétisme *m* athletics.

atlas *m* atlas.

atmosphère *f* atmosphere.

atmosphérique *adj* atmospheric.

atome *m* atom.

atomique *adj* atomic.

atomiseur *m* spray; atomiser.

atout *m* trump; advantage, asset.

âtre *m* hearth.

atroce *adj* atrocious; dreadful; **~ment** *adv* atrociously; dreadfully.

atrocité *f* atrocity.

atrophié *adj* atrophied.

attachant *adj* endearing.

attache *f* fastener.

attaché *m* -e *f* attaché; assistant.

attachement *m* attachment (*à* to).

attacher *vt* to tie together; tie up; fasten; attach (*à* to).

attaque *f* attack.

attaquer *vt* to attack; tackle.

attarder (s') *vr* to linger.

atteindre *vt* to reach; affect; contact.

atteinte *f* attack (*à* on); **hors d'~** beyond *ou* out of reach.

attenant *adj* adjoining.

attendre *vt* to wait; **en attendant** meanwhile, in the meantime; **s'~** *vr* : **s'~ à qch** to expect sth.

attendrir *vt* to fill with pity; move; tenderise; **s'~** *vr* to be moved (*sur* by).

attendrissant *adj* touching, moving.

attendrissement *m* emotion.

attendu *adj* expected; long-awaited.

attentat *m* attack *(contre* on*);* murder attempt.

attente *f* wait; expectation.

attentif *adj* attentive; careful.

attention *f* attention; care.

attentionné *adj* considerate, thoughtful *(pour* towards*).*

attentivement *adv* attentively; carefully.

atténuation *f* alleviation; easing.

atténuer *vt* to alleviate; ease.

atterrir *vi* to land, touch down.

atterrissage *m* landing, touch down.

attester *vt* to testify to.

attirail *m* gear.

attirant *adj* attractive.

attirer *vt* to attract; **~ des ennuis à qn** to cause sb trouble.

attiser *vt* to stir up.

attitude *f* attitude; bearing.

attraction *f* attraction.

attrait *m* attraction, appeal.

attraper *vt* to catch.

attrayant *adj* attractive.

attribuer *vt* to attribute; award.

attribut *m* attribute.

attribution *f* attribution.

attrister *vt* to sadden.

attroupement *m* crowd, gathering.

au = à le.

aube *f* dawn, daybreak.

auberge *f* inn; **~ de jeunesse** youth hostel.

aubergine *f* aubergine.

aucun *adj* no; not any; any; **sans ~ doute** without (any) doubt; **~ement** *adv* in no way; not in the least; * *pn* none; not any; any (one); **~ d'entre eux** none of them.

audace *f* audacity; daring.

audacieux *adj* audacious, bold; daring.

audience *f* audience; hearing.

audiovisuel *adj* audio-visual.

auditeur *m* **-trice** *f* listener; auditor.

auditoire *m* audience.

augmentation *f* increase, rise *(de* in*);* increasing, raising *(de* of*).*

augmenter *vt* to increase, raise.

augure *f* omen; oracle.

aujourd'hui *adv* today.

aumône *f* alms; **demander/faire l'~** to beg for/give alms.

auparavant *adv* before, previously; before, first.

auprès *prép:* **~ de** next to; (compared) with.

auquel = à lequel.

auréole *f* halo, aureole; ring (mark).

auriculaire *adj* auricular; * *m* little finger.

aurore *f* dawn, first light.

ausculter *vt* to auscultate.

aussi *adv* too, also; so; **nous ~** us too; **une ~ belle journée** such a beautiful day; **il est ~ petit qu'elle** he is as small as she is.

aussitôt *adv* immediately; **~ dit, ~ fait** no sooner said than done; **~ que** as soon as.

austère *adj* austere; **~ment** *adv* austerely.

austérité *f* austerity.

autant *adv* as much; as many; so much; such; so many; such a lot of; the same; **~ que je sache** as far as I know; **~ que possible** as much as possible; **elle n'est pas plus heureuse pour ~** she's not any happier for it *ou* for all that.

autel *m* altar.

auteur *m* author.

authenticité *f* authenticity.

authentifier *vt* to authenticate.

authentique *adj* authentic; **~ment** *adv* authentically.

autobiographie *f* autobiography.

autobiographique *adj* autobiographical.

autocar *m* coach.

autocollant *adj* self-adhesive.

autocuiseur *m* pressure cooker.

autodéfense *f* self-defence.

autodestruction *f* self-destruction.

autodidacte *mf* self-taught.

auto-école *f* driving school.

automate *m* automaton.

automatique *adj* automatic; **~ment** *adv* automatically.

automatiser *vt* to automate.

automatisme *m* automatism.

automne *m* autumn.

automobile *f* (motor) car.

automobiliste *mf* motorist.

autonome *adj* autonomous; self-governing.

autonomie *f* autonomy; self-government.

autoportrait *m* self-portrait.

autopsie *f* autopsy, post-mortem (examination).

autoradio *m* car radio.

autorisation *f* authorisation, permission; permit.

autoriser *vt* to authorise, give permission for; allow.

autoritaire *adj* authoritarian.

autorité *f* authority.

autoroute *f* motorway.

autosatisfaction *f* self-satisfaction.

auto-stop *m* hitch-hiking; **faire de l'~** to hitch-hike.

auto-stoppeur *m* **-euse** *f* hitch-hiker.

autour *prép* **~ de** (a)round; * *adv* (a)round; **il y en a tout ~** there is/are some all around.

autre *adj* other; **~ chose** something else *ou* different; **~ part** somewhere else; **d'~ part** on the other hand; moreover; * *pn* another (one); **j'en veux un ~** I'd like another (one); **encore deux ~s** another two; **les cinq ~s** the five others; the other five.

autrefois *adv* in the past, in days gone by.

autrement *adv* differently; otherwise; **je n'ai pas pu faire ~** I couldn't do differently *ou* otherwise.

autruche *f* ostrich.

autrui *pn* others.

aux = **à les**.

auxiliaire *adj* auxiliary; * *m* auxiliary; * *mf* assistant.

avachir (s') *vr* to become *ou* grow limp.

avalanche *f* avalanche.

avaler *vt* to swallow.

avance *f* advance; lead; **arriver en ~** to arrive early; **payer d'~** to pay in advance; **réserver à l'~** to book in advance; **avoir de l'~ sur** to have the lead over.

avancement *m* promotion; progress; forward movement.

avancer *vt* to move forward; bring forward; put forward; **s'~** *vr* to advance, move forward; * *vi* to move forward, advance; make progress; project, stick out.

avant *prép* before; **~ peu** shortly; **~ tout** above all; * *adv* before; **en ~** in front, ahead; * *m* front; (*mar*) bow; forward.

avantage *m* advantage.

avantager *vt* to favour; flatter.

avantageux *adj* profitable, worthwhile; attractive; flattering.

avant-bras *m invar* forearm.

avant-coureur *adj* precursory.

avant-dernier *m* **-ière** *f*, *adj* next to last, second last, last but one.

avant-garde *f* avant-garde; vanguard.

avant-goût *m* foretaste.

avant-hier *adv* the day before yesterday.

avant-première *f* preview.

avare *mf* miser; *adj* miserly.

avarice *f* avarice, miserliness.

avarie *f* damage.

avarié *adj* rotting; damaged.

avec *prép* with; to.

avènement *m* accession *(à to)*; advent.

avenir *m* future.

aventure *f* adventure; venture; experience; affair.

aventurer (s') *vr* to venture.

aventurier *m* **-ière** *f* adventurer.

avenue *f* avenue.

avérer (s') *vr* to turn out, prove to be.

averse *f* shower (of rain).

aversion *f* aversion *(pour* to*)*; loathing *(pour* for*)*.

avertir *vt* to warn; inform *(de* of*)*.

avertissement *m* warning.

aveu *m* admission, confession.

aveuglant *adj* blinding.

aveugle *adj* blind; * *mf* blind person.

aveuglement *m* blindness.

aveugler *vt* to blind.

aviateur *m* **-trice** *f* pilot, aviator.

aviation *f* flying; aviation.

avide *adj* greedy; eager; **~ment** *adv* greedily; eagerly.

avidité *f* greed; eagerness.

avilir *vt* to degrade.

avilissant *adj* degrading.

avion *m* (air)plane, aircraft.

aviron *m* oar; rowing.

avis *m* opinion.

avisé *adj* wise, sensible.

aviser *vt* to advise, inform; notice; **s'~** *vr* **s'aviser de** to realise suddenly.

aviver *vt* to sharpen; deepen; arouse.

avocat *m* **-e** *f* lawyer, advocate; * *m* avocado (pear).

avoine *f* oats.

avoir *vt* to have; **il y a** there is/are; **il y a deux mois** two months ago; **qu'as-tu?** what's wrong (with you)?; **il n'avait qu'à le dire** he only had to say (the word); * *m* resources; credit.

avortement *m* abortion.

avorter *vi* to abort; fail.

avoué *m* solicitor.

avouer *vt* to admit (to); confess (to).

avril *m* April.

axe *m* axis; axle; main road.

axial *adj* axial.

azote *m* nitrogen.

B

babines *fpl* chops.

babiole *f* trinket, trifle.

bâbord *m (mar)* port.

babouin *m* baboon.

bac *m* ferry.

bâche *f* tarpaulin, cover.

bâcler *vt* to botch.

bactérie *f* bacterium.

badaud *m* idle onlooker.

badge *m* badge.

bafouer *vt* to scorn.

bafouiller *vi* to stammer; babble.

bagage *m* luggage; stock of knowledge.

bagarre *f* fight, brawl.

bagarrer (se) *vr* to fight; riot.

bagatelle *f* trinket; trifling sum.

bagne *m* penal servitude; *(fig)* grind.

bague *f* ring.

baguette *f* stick; loaf of French bread.

baie *f (geog)* bay.

baigner *vt vi* to bathe; * **se ~** *vr* to have a bath, swim.

baignoire *f* bath(tub).

bâiller *vi* to yawn.

bâillon *m* gag.

bâillonner *vt* to gag.

bain *m* bath; bathe; swim.
baiser *m* kiss; * *vt* to kiss.
baisse *f* fall, drop.
baisser *vi* to fall, drop; *vt* to lower.
bal *m* dance.
balade *f* (*fam*) walk; drive.
balader (se) *vr* (*fam*) to go for a walk; to go for a drive.
balai *m* broom, brush.
balance *f* scales; balance.
balancement *m* sway; rocking.
balancer *vt* to swing; to balance.
balançoire *f* swing; seesaw.
balayer *vt* to sweep, brush.
balbutiement *m* stammering, babbling.
balbutier *vt* to stammer, babble.
balbuzard *m* osprey.
balcon *m* balcony.
baleine *f* whale.
balistique *f* ballistics.
ballast *m* ballast.
balle *f* bullet; ball.
ballet *m* ballet.
ballon *m* ball; balloon.
ballotter *vt* jolt, shake about.
balourd *adj* stupid; clumsy.
balustrade *f* balustrade; handrail.
bambou *m* bamboo.
banal *adj* banal, trite; **~ement** *adv* tritely.
banalisation *f* vulgarising; standardisation.
banalité *f* banality, triteness.
banane *f* banana.
bancaire *adj* banking, bank.
bancal, *pl* **bancals** *adj* lame; rickety.
bandage *m* bandage.
bande *f* band; tape; **~ dessinée** strip cartoon.
bandeau *m* headband; blindfold.
bander *vt* to bandage; stretch.
banderole *f* banner streamer.
bandit *m* bandit.
banlieue *f* suburbs.
bannière *f* banner.
bannir *vt* to banish; prohibit.

bannissement *m* banishment.
banque *f* bank; banking.
banqueroute *f* bankruptcy.
banquet *m* banquet.
banquette *f* seat, stool.
banquier *m* banker.
banquise *f* ice floe.
baptême *m* baptism.
baptiser *vt* to baptise.
bar *m* bar; (*zool*) bass.
barbare *adj* barbarian; barbaric.
barbarie *f* barbarism; barbarity.
barbarisme *m* (*gr*) barbarism.
barbe *f* beard.
barbelé *adj* barbed.
barbiturique *adj* barbituric; * *m* barbiturate.
barboter *vi* to dabble; splash.
barbouillage *m* scribble; daub.
barbouiller *vt* to smear; scrawl.
barbu *adj* bearded; * *m* bearded man.
barème *m* list, schedule.
baril *m* barrel, cask.
bariolé *adj* multicoloured, motley.
baromètre *m* barometer.
baron *m* baron -**ne** *f* baroness.
baroque *adj* baroque; * *m* baroque.
barque *f* small boat.
barrage *m* barrage, barrier, dam.
barre *f* bar, rod.
barré *adj* barred, blocked.
barreau *m* rung; bar (cage).
barrer *vt* to bar, block.
barrette *f* (hair) slide, brooch.
barricader *vt* to barricade; **se ~** *vr* to barricade o.s.
barrière *f* barrier; fence.
baryton *m* baritone.
bas *adj* low, base; * *n* stocking; sock; **~sement** *adv* basely, meanly.
basalte *m* basalt.
bas-côté *m* verge; aisle.
bascule *f* weighing machine, scales.
basculer *vi* to tip up, topple over.
base *f* base; basis.

baser *vt* to base; **se ~ sur** *vr* to depend on, rely on.

bas-fond *m (naut)* shallow, shoal.

basilic *m (bot)* basil.

basilique *f* basilica.

basket *m* basketball.

basketteur *m* **-euse** *f* basketball player.

bas-relief *m* bas-relief.

basse *f (mus)* bass.

basse-cour *f* poultry-yard.

bassesse *f* meanness; vulgarity.

bassin *m* pond, pool; dock.

bassine *f* bowl.

basson *m* bassoon.

bastion *m* bastion.

bas-ventre *m* lower abdomen.

bataille *f* battle.

batailler *vi (fig)* to fight, battle.

batailleur *adj* combative, aggressive.

bataillon *m (mil)* battalion.

bâtard *adj* bastard, illegitimate.

bateau *m* boat, ship.

batelier *m* boatman.

bâtiment *m* building; ship.

bâtir *vt* to build.

bâtisse *f* building, house.

bâton *m* stick, staff.

batracien *m* batrachian.

battant *m* clapper (bell); shutter.

batte *f* bat.

battement *m* banging; beating.

batterie *f* battery.

batteur *m* drummer; batsman.

battre *vt* to beat, defeat.

battu *adj* beaten.

baudet *m* donkey.

baume *m* balm, balsam.

bauxite *f* bauxite.

bavard *m* **-e** *f* chatterbox; * *adj* talkative, loquacious.

bavardage *m* chatting, gossiping.

bavarder *vi* to chat, gossip.

bave *f* dribble, slobber.

baver *vi* to dribble, drool.

bavure *f* smudge, blunder.

bazar *m* bazaar; general store.

B.D. *f* **(bande dessinée)** strip cartoon.

béant *adj* gaping, wide open.

béat *adj* blissful; **~ement** *adv* rapturously.

béatitude *f* beatitude; bliss.

beau, *f* **belle** *adj* beautiful, lovely.

beaucoup *adv* a lot, a great deal; **~ de monde** a lot of people; **~ de temps** a great deal of time.

beau-fils *m* son-in-law; stepson.

beau-frère *m* brother-in-law.

beau-père *m* father-in-law; stepfather.

beauté *f* beauty, loveliness.

beaux-arts *mpl* fine arts.

beaux-parents *mpl* parents-in-laws.

bébé *m* baby.

bec *m* beak, bill.

béchamel *f* béchamel (sauce).

bée *adj* open-mouthed, flabbergasted.

bégaiement *m* stammering, faltering.

bégayer *vi* to stammer, stutter.

bégonia *m* begonia.

beige *adj* beige; * *m* beige.

beignet *m* fritter; doughnut.

bêlement *m* bleating.

bêler *vi* to bleat.

Belge *mf* Belgian.

belge *adj* Belgian.

Belgique *f* Belgium.

belle-fille *f* daughter-in-law, stepdaugher.

belle-mère *f* mother-in-law, stepmother.

belle-sœur *f* sister-in-law.

belligérant *m* **-e** *f* belligerent; * *adj* belligerent.

belliqueux *adj* aggressive; warlike.

bémol *m (mus)* flat.

bénédictin *m* **-e** *f* Benedictine.

bénédiction *f* benediction, blessing.

bénéfice *m* profit; benefit.

bénéficiaire *mf* beneficiary.

bénéficier *vi* to benefit; enjoy.

bénévole *adj* voluntary; unpaid; **~ment** *adv* voluntarily.

bénin, *f* **bénigne** *adj* benign; minor; harmless.

bénir *vt* to bless.

bénit *adj* consecrated, holy.

benne *f* skip; tipper.

benzène *m* benzene.

béquille *f* crutch; prop.

berceau *m* cradle.

bercement *m* rocking.

bercer *vt* to rock, cradle.

berceuse *f* lullaby; rocking chair.

béret *m* beret.

berge *f* riverbank.

berger *m* shepherd, **-ère** *f* shepherdess.

bergerie *f* sheepbarn.

berner *vt* to fool, hoax.

besogne *f* work; job.

besoin *m* need; want; **avoir ~ de** to need.

bestial *adj* bestial; **~ement** *adv* bestially.

bestialité *f* bestiality; brutishness.

bétail *m* livestock; cattle.

bête *adj* stupid, silly; **~ment** *adv* stupidly, foolishly; * *f* animal.

bêtifier *vt* to play the fool; prattle stupidly.

bêtise *f* stupidity, foolishness.

béton *m* concrete.

betterave *f* beetroot, beet.

beurre *m* butter.

beurrer *vt* to butter.

bévue *f* blunder.

biais *m* slant angle; bias.

biathlon *m* biathlon.

bibelot *m* curio.

biberon *m* baby's bottle.

bible *f* bible.

bibliographie *f* bibliography.

bibliothécaire *mf* librarian.

bibliothèque *f* library; bookcase.

bicarbonate *m* bicarbonate.

bicentenaire *m* bicentenary.

biceps *m* biceps.

biche *f* doe; darling, pet.

bicolore *adj* bi-coloured, two-tone.

bicyclette *f* bicycle.

bidon *m* tin, can; flask.

bidonville *m* shanty town.

bien *adv* well; properly; very; **c'est ~ cela** that's right; * *n* property, estate.

bien-être *m* well-being.

bienfaisant *adj* beneficial, kind.

bienfaiteur *m* benefactor, **-trice** *f* benefactress.

bienheureux *adj* blessed; lucky; happy.

bientôt *adv* soon.

bienveillant *adj* benevolent, kindly.

bienvenu *adj* welcome.

bienvenue *f* welcome.

bière *f* beer; coffin.

bifteck *m* steak.

bifurcation *f* bifurcation, fork.

bifurquer *vi* to fork, branch off.

bigot *adj* bigoted.

bihebdomadaire *adj* twice-weekly.

bijou *m* jewel.

bijouterie *f* jewellery.

bijoutier *m* **-ière** *f* jeweller.

bilan *m* balance sheet; assessment.

bilatéral *adj* bilateral.

bile *f* bile.

bilingue *adj* bilingual.

billard *m* billiards.

bille *f* marble; billiard ball.

billet *m* ticket; note.

billetterie *f* cash dispenser.

billion *m* billion.

bimensuel *adj* fortnightly.

bimestriel *adj* every two months.

binaire *adj* binary.

biochimie *f* biochemistry.

biochimiste *mf* biochemist.

biodégradable *adj* biodegradable.

bioéthique *f* bioethics.

biographie *f* biography.

biologie *f* biology.

biologique *adj* biological.

biologiste *mf* biologist.

biosphère *f* biosphere.

bioxyde *m* dioxide.

bipède *m* biped.

bipolaire *adj* bipolar.

bisannuel *adj* biennial.

biscornu *adj* crooked, misshapen; odd, outlandish.

biscuit *m* cake; biscuit.

bisexuel *adj* bisexual.

bissextile *adj* bissextile, leap (year).

bistouri *m* bistoury.

bitume *m* bitumen.

bitumer *vt* to asphalt, tarmac.

bizarre *adj* bizarre, strange; ~**ment** *adv* strangely, oddly.

bizarrerie *f* strangeness, singularity.

blafard *adj* pale, pallid.

blague *f* joke, trick.

blaguer *vi* to joke.

blagueur *m* -**euse** *f* joker, wag; * *adj* jokey, teasing.

blaireau *m* badger.

blâme *m* blame, rebuke.

blâmer *vt* to blame, rebuke.

blanc *adj*, *f* **blanche** white; * *m* white; blank; * *mf* white person; * *f* (*mus*) minim.

blancheur *f* whiteness.

blanchir *vi* to turn white; to become lighter; * *vt* to whiten; to lighten.

blanchissage *m* laundering; refining.

blanchisserie *f* laundry.

blasé *adj* blasé.

blason *m* blazon, coat of arms.

blasphème *m* blasphemy.

blasphémer *vi* to blaspheme.

blé *m* wheat.

blême *adj* pale, wan.

blêmir *vi* to turn pale.

blessant *adj* cutting, hurtful.

blessé *adj* injured, wounded.

blesser *vt* to injure, wound.

blessure *f* injury, wound.

bleu *adj* blue; * *m* blue; bruise.

bleuet *m* cornflower.

bleuir *vt* *vi* to turn blue.

bleuté *adj* bluish.

blindage *m* armour plating.

blindé *adj* armoured, reinforced.

bloc *m* block, group, unit.

blocage *m* blocking, freezing.

blocus *m* blockade.

blond *adj* blond, fair.

blondir *vi* to turn blond, turn golden; * *vt* to bleach.

bloquer *vt* to block, blockade.

blottir (se) *vr* to curl up, snuggle up.

blouse *f* blouse; overall.

blouson *m* windcheater, bomber jacket.

bobine *f* reel, bobbin.

bocal *m* jar; bowl.

bœuf *m* ox, bullock.

bohémien *m* -**ne** *f* Bohemian.

boire *vt* to drink; * *vi* to drink, tipple.

bois *m* wood.

boisé *adj* wooded.

boisson *f* drink.

boîte *f* box.

boiter *vi* to limp.

boiteux *adj* lame.

boîtier *m* case, body.

boitillant *adj* limping.

boitiller *vi* to hobble slightly.

bol *m* bowl.

bolet *m* boletus.

bombardement *m* bombardment, bombing.

bombarder *vt* to bombard, bomb.

bombe *f* bomb.

bombé *adj* rounded, domed.

bon *adj*, *f* **bonne** good; * *m* slip, coupon, bond.

bonbon *m* sweet, candy.

bond *m* leap; bounce.

bonde *f* stopper, plug.

bondé *adj* packed.

bondir *vi* to jump, leap; to bounce.

bonheur *m* happiness; luck.

bonhomme *m*, *pl* **bonshommes** chap, fellow.

bonification *f* improvement; bonus.

bonifier *vt* to improve; * **se** ~ *vr* to improve.

bonjour *m* hello, good morning.
bonnet *m* bonnet, hat.
bonneterie *f* hosiery.
bonsoir *m* good evening.
bonté *f* goodness, kindness.
bon vivant *m* bon vivant.
bord *m* side, edge.
bordé *adj* edged, bordered.
bordée *f* broadside, volley.
border *vt* to edge, border.
bordereau *m* note; invoice.
bordure *f* frame, border.
borgne *adj* one-eyed.
borne *f* boundary; milestone.
borné *adj* narrow-minded.
borner *vt* to restrict, limit.
bosse *f* hump, knob.
bosseler *vt* to dent, emboss.
bossu *m* -**e** *f* hunchback; * *adj*
  hunchbacked.
botanique *f* botany; * *adj* botani-
  cal.
botaniste *f* botanist.
botte *f* boot.
bottine *f* ankle boot, bootee.
bouche *f* mouth.
bouché *adj* cloudy, overcast.
bouchée *f* mouthful.
bouche-à-bouche *m* kiss of life.
boucher *vt* to block, clog up; * *se*
  ~ *vr* to become cloudy; *m*, -**ère** *f*
  (woman) butcher.
boucherie *f* butcher's; butchery.
bouchon *m* cork.
boucle *f* curl; buckle.
boucler *vt* to buckle; to surround.
bouclier *m* shield.
bouddhisme *m* Buddhism.
boudeur *adj* sullen, sulky.
boudin *m* (black) pudding.
boue *f* mud.
bouée *f* buoy.
boueur *m* dustman.
bouffée *f* whiff, puff.
bouffi *adj* swollen, puffed up.
bouffon *m* buffoon, clown.
bougeoir *m* candlestick.
bouger *vi* to move; * *vt* to move,
  shift.
bougie *f* candle.

bouillant *adj* boiling.
bouillir *vi* to boil.
bouilloire *f* kettle.
bouillon *m* broth.
bouillonner *vi* to bubble, foam.
bouillotte *f* hot-water bottle.
boulanger *m* -**ère** *f* baker.
boulangerie *f* bakery.
boule *f* ball, bowl.
boulet *m* cannonball; (*fig*) millstone.
boulevard *m* boulevard.
bouleversant *adj* upsetting, confusing.
bouleversement *m* confusion,
  disruption.
bouleverser *vt* to confuse, disrupt.
boulimie *f* bulimia.
boulimique *adj* bulimic.
boulon *m* bolt.
bouquet *m* bouquet, posy.
bouquin *m* (*fam*) book.
bouquiniste *mf* second-hand
  bookseller.
bourbeux *adj* muddy.
bourbier *m* quagmire.
bourdon *m* bumblebee.
bourdonnement *m* buzz, buzz-
  ing.
bourdonner *vi* to buzz, hum.
bourg *m* market-town.
bourgeois *m* -**e** *f* bourgeois, middle-class person; * *adj* bourgeois, middle-class.
bourgeoisie *f* bourgeoisie, middle
  classes.
bourgeon *m* bud.
bourgeonner *vi* to bud.
bourrasque *f* squall, gust.
bourreau *m* torturer, executioner.
bourrelet *m* pad, cushion.
bourrer *vt* to stuff, cram.
bourse *f* purse; **la Bourse** stock
  exchange.
boursier *m* -**ière** *f* broker; speculator.
boursouflé *adj* bloated, swollen.
bousculade *f* hustle, scramble.
bousculer *vt* to jostle, hustle.

boussole *f* compass.
bout *m* end; piece, scrap.
boutade *f* whim, caprice; jest.
bouteille *f* bottle.
boutique *f* shop, store.
bouton *m* button.
boutonner *vt* to button.
boutonnière *f* buttonhole.
bouture *f* cutting.
bovin *m* bovine.
boxe *f* boxing.
boxer *vi* to box.
boxeur *m* boxer.
boyau *m* guts, insides.
boycottage *m* boycotting.
boycotter *vt* to boycott.
bracelet *m* bracelet.
braconnier *m* poacher.
brader *vt* to sell at a discount.
braderie *f* discount sale.
braguette *f* fly (trousers).
braise *f* embers.
brancard *m* shaft, stretcher.
branche *f* branch.
branchement *m* branching; connection.
brancher *vt* to connect, link.
branchies *fpl* gills.
brandir *vt* to brandish, flourish.
branlant *adj* loose; shaky.
bras *m* arm.
brasier *m* brazier, furnace.
brasse *f* breaststroke.
brassée *f* armful.
brasser *vt* to brew; to mix.
brasserie *f* bar; brewery.
bravade *f* bravado.
brave *adj* brave, courageous;
 ~**ment** *adv* bravely, courageously.
braver *vt* to brave, defy.
bravoure *f* bravery, courage.
brebis *f* ewe.
brèche *f* breach, gap.
bredouillant *adj* mumbling.
bredouille *adj* empty-handed.
bredouiller *vi* to mumble.
bref *adj*, *f* **brève** brief, concise; **en**
 ~ *adv* in short.
bretelle *f* strap, sling.

brevet *m* licence, patent.
breveté *adj* patented.
bribe *f* bit, scrap.
bric-à-brac *m* bric-a-brac.
bricolage *m* DIY, odd jobs.
bricole *f* small job.
bricoler *vi* to do odd jobs.
bricoleur *m* handyman, **-euse** *f*
 handywoman.
bride *f* bridle.
bridé *adj* restrained, restricted.
brider *vt* to restrain, restrict.
brièvement *adv* briefly, concisely.
brièveté *f* brevity.
brigade *f* brigade.
brigadier *m* corporal, sergeant
 (police).
brillamment *adv* brilliantly.
brillant *adj* brilliant, shining.
briller *vi* to shine.
brin *m* stalk, strand.
brindille *f* twig.
brique *f* brick, slab.
briquet *m* lighter.
brise *f* breeze.
briser *vt* to smash, shatter.
brocante *f* second-hand dealing.
brocanteur *m* **-euse** *f* second-
 hand dealer.
broche *f* brooch.
brochure *f* brochure, booklet.
broder *vt* to embroider, *vi* to embellish, elaborate.
broderie *f* embroidery.
bronche *f* bronchus.
bronchite *f* bronchitis.
bronzage *m* tan.
bronze *m* bronze.
bronzer *vi* to get a tan.
brosse *f* brush.
brosser *vt* to brush.
brouette *f* wheelbarrow.
brouillard *m* fog, mist.
brouiller *vt* to blur, confuse.
brouillon *m* rough copy, draft; *
 adj* untidy.
broussaille *f* brushwood, undergrowth.
broussailleux *adj* bushy, overgrown.

brousse *f* undergrowth, bush.
brouter *vt vi* to graze.
broyer *vt* to grind, pulverise.
broyeur *adj* crushing, grinding.
bruine *f* drizzle.
bruissement *m* rustle.
bruit *m* noise, sound.
bruitage *m* sound-effects.
brûlant *adj* burning, scorching.
brûler *vt vi* to burn.
brûlure *f* burn.
brume *f* haze, mist.
brumeux *adj* hazy, misty.
brun *m* dark-haired man, **brune** *f* brunette; * *adj* brown.
brusque *adj* brusque, abrupt; ~**ment** *adv* brusquely, abruptly.
brusquer *vt* to offend; hasten.
brut *adj* crude, raw.
brutal *adj* brutal, rough; ~**ement** *adv* brutally, roughly.
brutaliser *vt* to brutalise; to bully.
brutalité *f* brutality.
brute *f* brute; beast.
bruyamment *adv* noisily.
bruyant *adj* noisy.
bruyère *f* heather.
bûche *f* log.

bûcheron *m* -**ne** *f* woodcutter, lumberjack.
budget *m* budget.
budgétaire *adj* budgetary.
buée *f* condensation; steam.
buffet *m* sideboard, buffet.
buisson *m* bush.
bulbe *m* bulb.
bulle *f* bubble; blister.
bulletin *m* bulletin.
buraliste *mf* tobacconist.
bureau *m* office; desk.
bureaucrate *mf* bureaucrat.
bureaucratie *f* bureaucracy.
bureaucratique *adj* bureaucratic.
burin *m* chisel.
bus *m* bus.
buste *m* bust, chest.
but *m* objective, goal.
butane *m* butane.
buté *adj* stubborn.
butin *m* booty, loot.
butte *f* knoll, mound.
buvable *adj* drinkable.
buvard *m* blotting paper.
buvette *f* refreshment-room.
buveur *m* -**euse** *f* drinker.

C

ça *pn* that; it; ~ **va?** How goes it?; ~ **y est** that's it; **qui** ~**?** who (do you mean)?; **comment** ~**?** how (do you mean)?; ~ **alors!** you don't say!
cabale *f* cabal, intrigue.
cabane *f* cabin, shed.
cabanon *m* cottage; chalet.
cabaret *m* cabaret; tavern.
cabine *f* cabin, cab; cockpit.
cabinet *m* surgery; office, study.
câble *m* cable.
câbler *vt* to cable.
cabosser *vt* to dent.
cabotage *m* coastal navigation.

cabriolet *m* convertible.
cacahuète *f* peanut.
cacao *m* cocoa.
cache *m* cache; mask; hiding place.
caché *adj* hidden, secluded.
cache-col *m invar* scarf.
cache-nez *m invar* scarf, muffler.
cacher *vt* to hide, conceal; **se** ~ *vr* to hide o.s.
cacheter *vt* to seal.
cachette *f* hideout, hiding place.
cachot *m* dungeon, prison cell.
cachottier *m* -**ière** *f* secretive.
cactus *m* cactus.

cadavre *m* corpse.
cadeau *m* present.
cadenas *m* padlock.
cadenasser *vt* to padlock.
cadence *f* rhythm, time, cadence.
cadet *m* -te *f* youngest child.
cadrage *m* framing.
cadran *m* dial, face.
cadre *m* frame; context; scope.
cadrer *vt* to centre, fit with.
caduc *adj*, *f* **caduque** null and void; obsolete.
cafard *m* hypocrite; cockroach.
café *m* coffee.
cafétéria *f* cafeteria.
cafetière *f* coffeepot.
cage *f* cage.
cageot *m* crate.
cagoule *f* cowl; balaclava.
cahier *m* notebook.
cahot *m* jerk, jolt.
caillot *m* clot.
caillou *m* stone; pebble.
caisse *f* box; till; fund.
caissier *m* -ière *f* cashier.
cajoler *vt* to cajole, coax; to pet.
cajou *m* cashew.
calamité *f* calamity.
calcaire *m* calcareous, chalky.
calcination *f* calcination.
calciner *vt* to calcine; to char.
calcium *m* calcium.
calcul *m* sum, calculation.
calculateur *adj*, *f* **-trice** calculating.
calculatrice, calculette *f* calculator.
calculer *vt* to calculate, reckon; *vi* to budget carefully.
cale *f* (*mar*) wedge, hold.
caleçon *m* shorts, pants.
calembour *m* pun.
calendrier *m* calendar.
calepin *m* notebook.
caler *vi* to stall; to give up; to wedge.
calfeutrer *vt* to make airtight, draughtproof.
calibre *m* calibre, bore.
calibrer *vt* to calibrate.

calice *m* chalice.
câlin *m* cuddle; * *adj* cuddly.
câliner *vt* to cuddle.
calligraphie *f* calligraphy.
callosité *f* callosity.
calmant *m* tranquilliser, sedative; * *adj* tranquillising.
calmar *m* squid.
calme *m* calm, stillness; * *adj* calm, still; ~ment *adv* calmly, quietly.
calmer *vt* calm, soothe, pacify.
calomnie *f* slander, calumny.
calomnier *vt* to slander; libel.
calomnieux *adj* slanderous, calumnious.
calorie *f* calorie.
calorifique *adj* calorific.
calque *m* tracing; copy.
calquer *vt* to trace; to copy.
calvaire *m* calvary; ordeal.
calvitie *f* baldness.
camarade *mf* companion, friend.
camaraderie *f* camaraderie, friendship.
cambouis *m* dirty grease.
cambré *adj* arched.
cambriolage *m* burglary.
cambrioler *vt* to burgle.
cambrioleur *m* -euse *f* burglar.
caméléon *m* chameleon.
camélia *m* camelia.
caméra *f* camera.
camion *m* lorry.
camionneur *m* lorry driver, trucker.
camomille *f* camomile.
camouflage *m* camouflage.
camoufler *vt* to camouflage.
camp *m* camp.
campagnard *m* countryman, -e *f* countrywoman; * *adj* country, rustic.
campagne *f* country, countryside.
campement *m* camp, encampment.
camper *vi* to camp.
campeur *m* -euse *f* camper.
canal *m* canal, channel.

canalisation *f* canalisation; mains.

canaliser *vt* to channel, funnel.

canapé *m* sofa, settee.

canard *m* duck.

cancer *m* cancer.

cancéreux *adj* cancerous.

candeur *f* ingeniousness.

candidat *m* **-e** *f* candidate.

candidature *f* candidature, candidacy.

candide *adj* guileless, ingenuous; **~ment** *adv* openly, ingenuously.

canevas *m* canvas; framework.

canicule *m* heatwave.

canif *m* penknife.

canine *f* eye tooth.

caniveau *m* gutter.

canne *f* cane, rod.

cannelle *f* cinnamon.

canoë *m* canoe.

canon *m* cannon, gun.

canot *m* boat, dinghy.

cantate *f* cantata.

cantatrice *f* opera singer.

cantine *f* canteen.

cantique *m* canticle, hymn.

canton *m* canton.

cantonner (se) *vr* to take up position in.

caoutchouc *m* rubber.

cap *f* cape; course.

capable *adj* capable, competent.

capacité *f* capacity.

cape *f* cloak.

capillaire *adj* capillary.

capitaine *m* captain.

capital *adj* capital, cardinal, major; * *m* capital, stock.

capitale *f* capital (letter, city).

capitalisme *m* capitalism.

capitaliste *mf* capitalist.

capiteux *adj* heady, strong.

capitonner *vt* to pad.

capitulation *f* capitulation.

capituler *vt* to capitulate.

caporal *m* corporal.

capot *m* bonnet, hood.

capote *f* great-coat, hood.

capoter *vt* to capsize, overturn.

câpre *m* caper.

caprice *m* caprice, whim.

capricieusement *adv* capriciously.

capricieux *adj* capricious.

capricorne *m* capricorn.

capsule *f* capsule.

capter *vt* to catch; to pick up.

capteur *m* captor; pick-up.

captif *m* **-ive** *f* captive; * *adj* captive.

captivant *adj* enthralling, captivating.

captiver *vt* to captivate, enthrall.

captivité *f* captivity.

capture *f* capture.

capturer *vt* to capture.

capuche *f* hood.

car *conj* for; because; * *m* bus; van.

carabine *f* carbine, rifle.

caractère *m* character, disposition.

caractérisé *adj* marked, blatant.

caractériser *vt* to characterise.

caractérisque *f* characteristic, feature; * *adj* characteristic.

carafe *f* carafe.

carambolage *m* pile-up (car).

caramel *m* caramel.

caraméliser *vt* to caramelise.

carapace *f* carapace, shell.

carat *m* carat.

caravane *f* caravan.

caravelle *f* caravel.

carbonate *m* carbonate.

carbone *m* carbon.

carbonique *adj* carbonic.

carboniser *vt* to carbonise; to char.

carburant *m* motor-fuel.

carburateur *m* carburettor.

carburation *f* carburation.

carbure *m* carbide.

carcasse *f* carcass.

carcéral *adj* prison.

cardiaque *adj* cardiac.

cardigan *m* cardigan.

cardinal *m* cardinal; * *adj* cardinal.

cardiologie *f* cardiology.

cardiologue *m* cardiologist.

cardio-vasculaire *adj* cardiovascular.

carême *m* fast, fasting.

carence *f* deficiency; insolvency.

caressant *adj* affectionate.

caresse *f* caress.

caresser *vt* to caress, fondle.

cargaison *f* cargo, freight.

cargo *m* cargo-boat.

caricatural *adj* caricatural; grotesque.

caricature *f* caricature.

caricaturer *vt* to caricature.

caricaturiste *m* caricaturist.

carie *f* decay; caries.

carié *adj* decayed.

carillon *m* carillon, chime, peal.

caritatif *adj* charitable.

carnage *m* carnage.

carnassier *m* carnivore, **-ière** *f* gamebag; *adj* carnivorous.

carnaval *m* carnival.

carnet *m* notebook.

carnivore *mf* carnivore; *adj* carnivorous.

carotide *f* carotid.

carotte *f* carrot.

carpe *f* carp.

carpette *f* rug, doormat.

carré *m* square; * *adj* square; straightforward.

carreau *m* tile; pane.

carrefour *m* crossroads.

carrelage *m* tiling.

carrément *adv* bluntly, directly.

carrière *f* career.

carrosse *m* coach.

carrosserie *f* bodywork, coachwork.

carrossier *m* coachbuilder.

carrure *f* build, stature.

cartable *m* satchel.

carte *f* card; map.

cartel *m* cartel.

cartésien *adj* Cartesian.

cartilage *m* cartilage.

cartilagineux *adj* cartilagineux.

cartomancien *m* **-ne** *f* fortune-teller.

carton *m* cardboard.

cartonner *vt* to bind (book).

cartouche *f* cartridge.

cas *m* case; circumstance.

casanier *m* **-ière** *f* homebody.

cascade *f* waterfall; stunt.

cascadeur *m* **-euse** *f* acrobat, stuntman.

case *f* square; box.

caser *vt* (*fam*) to set up (job, marriage).

caserne *f* barracks.

casier *m* compartment; filing cabinet.

casino *m* casino.

casque *m* helmet.

casquette *f* peaked cap.

cassant *adj* brittle.

casse-croûte *m invar* snack.

casser *vt* to break; **se ~** *vr* to break.

casserole *f* saucepan.

casse-tête *m invar* puzzle, conundrum.

cassette *f* cassette; cash-box.

cassis *m* blackcurrant.

cassure *f* break, crack.

caste *f* caste.

castor *m* beaver.

castration *f* castration.

castrer *vt* to castrate.

cataclysme *m* cataclysm.

catacombe *f* catacomb.

catalogue *m* catalogue.

cataloguer *vt* to catalogue.

catalyseur *m* catalyst.

catalytique *adj* catalytic.

cataplasme *m* cataplasm.

catapulte *f* catapult.

cataracte *f* cataract.

catastrophe *f* catastrophe.

catastrophique *adj* catastrophic.

catéchisme *m* catechism.

catégorie *f* category.

catégorique *adj* categorical; **~ment** *adv* categorically.

cathédrale *f* cathedral.

cathode *f* cathode.
cathodique *adj* cathodic.
catholicisme *m* Catholicism.
catholique *adj* Catholic.
cauchemar *m* nightmare.
cause *f* cause, reason.
causer *vt* to cause; to chat; * *vi* to talk, chat.
caustique *adj* caustic.
caution *f* deposit; guarantee.
cautionner *vt* to guarantee.
cavalerie *f* cavalry.
cavalier *m* **-ière** *f* rider.
cave *f* cellar.
caveau *m* tomb; small cellar.
caverne *f* cave, cavern.
caverneux *adj* cavernous.
caviar *m* caviar.
cavité *f* cavity.
ce *adj* **cet** (*before vowel and mute h*), *f* **cette**, *pl* **ces** this, these; **cet homme-là** that man; * *pn*; **c'est le facteur** it's the postman; ~ **sont mes lunettes** these are my glasses; ~ **que tu veux** what you want; **c'est ~ dont je vous parle** that's what I am speaking to you about.
ceci *pn* this.
cécité *f* blindness.
céder *vi* to give in; * *vt* to give up, transfer.
ceindre *vt* to put round, encircle.
ceinture *f* belt, girdle.
ceinturer *vt* to surround.
ceinturon *m* belt.
cela *pn* that; *emphasis* **qui ~?** who? (do you mean)?; **comment ~?** how? (do you mean?).
célébration *f* celebration.
célèbre *adj* famous.
célébrer *vt* to celebrate.
célébrité *f* fame, celebrity.
célérité *f* celerity, speed.
céleste *adj* celestial.
célibat *m* celibacy.
célibataire *mf* single person; * *adj* single, unmarried.

cellulaire *adj* cellular.
cellule *f* cell, unit.
cellulite *f* cellulite.
celluloïd *m* celluloid.
cellulose *f* cellulose.
celui *pn*, *f* **celle** this one, *pl* **ceux** these ones.
cendre *f* ash.
cendrier *m* ashtray.
censé *adj* supposed; deemed.
censure *f* censorship.
censurer *vt* to censor.
cent *adj* a hundred; **tu as ~ fois raison** you are absolutely right; **faire les ~ pas** to walk up and down; * *m* a hundred; ~ **pour ~** per cent.
centaine *f* about a hundred, a hundred or so.
centenaire *m* centenarian; * *adj* a hundred years old.
centésimal *adj* centesimal.
centième *mf* hundredth; * *adj* hundredth.
centigrade *m* centigrade.
centigramme *m* centigram.
centime *m* centime.
centimètre *m* centimetre.
central *adj* central.
centraliser *vt* to centralise.
centre *m* centre.
centrer *vt* to centre, focus.
centrifuge *adj* centrifugal.
centuple *adj* centuple, hundred-fold; * *mf* centuple.
cependant *conj* however.
céramique *f* ceramic.
cerceau *m* hoop.
cercle *m* circle, ring.
cercueil *m* coffin.
céréale *f* cereal.
cérébral *adj* cerebral.
cérémonial *adj* ceremonial.
cérémonie *f* ceremony.
cérémonieux *adj* ceremonious.
cerf-volant *m* kite.
cerise *f* cherry.
cerisier *m* cherry tree.
cerne *f* ring.
cerner *vt* to circle, encompass.

certain *adj* certain, sure; **~ement** *adv* certainly, most probably; **~s** *pn* some, certain people.

certificat *m* certificate.

certifier *vt* to certify; to guarantee.

certitude *f* certainty, certitude.

cerveau *m* brain.

cervelle *f* brains.

cervical *adj* cervical.

césarienne *f* Caesarean.

cesser *f* to cease, stop.

cessez-le-feu *m* cease-fire.

cet *adj*, *f* **cette** *see* **ce**.

cétacé *m* cetacean.

ceux *see* **ce**.

chacun *pn* each one; **~e d'entre elles** each of them; **~ son tour** each in turn.

chagrin *m* sorrow, grief.

chahut *m* row, uproar.

chahuter *vi* to make a row.

chaîne *f* chain.

chaînon *m* link.

chair *f* flesh.

chaise *f* chair.

châle *m* shawl.

châlet *m* chalet.

chaleur *f* heat.

chaleureusement *adv* warmly.

chaleureux *adj* warm, cordial.

chalumeau *m* blowlamp.

chalutier *m* trawler.

chambre *f* room.

chameau *m* camel.

champ *m* field.

champêtre *adj* rural, country.

champignon *m* mushroom.

champion *m* **-ne** *f* champion.

championnat *m* championship.

chance *f* luck.

chancelant *adj* staggering, tottering.

chanceler *vi* to stagger, totter.

chancelier *m* chancellor.

chanceux *adj* lucky, fortunate.

chandail *m* sweater.

chandeleur *f* Candlemas.

chandelier *m* candlestick.

chandelle *f* candle.

changeant *adj* changeable, variable.

changement *m* change, changing.

changer *vi* to change; * *vt* to change.

chanson *f* song.

chant *m* song; singing.

chantage *m* blackmail.

chanter *vt vi* to sing.

chanteur *m* **-euse** *f* singer.

chantier *m* building site.

chantonner *vt vi* to hum.

chanvre *m* hemp.

chaos *m* chaos.

chaotique *adj* chaotic.

chapeau *m* hat.

chapelet *m* rosary; string.

chapelle *f* chapel.

chapiteau *m* capital (column).

chapitre *m* chapter.

chaque *adj* each.

char *m* (*mil*) tank; chariot.

charabia *m* gibberish.

charbon *m* coal.

charcuterie *f* pork meat trade.

charcutier *m* **-ière** *f* pork butcher.

chardon *m* thistle.

charge *f* load; responsibility.

chargé *adj* loaded.

chargement *m* loading; freight.

charger *vt* to load; **se ~ de** to take responsibility for, attend to.

chariot *m* waggon; freight car.

charisme *m* charisma.

charitable *adj* charitable, kind; **~ment** *adv* charitably.

charité *f* charity.

charlatan *m* charlatan.

charmant *adj* charming, delightful.

charme *m* charm.

charmer *vt* to charm, beguile.

charmeur *m* **-euse** *f* charmer; * *adj* winning, enchanting.

charnel *adj* carnal.

charnière *f* hinge, pivot.

charnu *adj* fleshy.

charogne *f* carrion.

charpente *f* structure, framework.

charpentier *m* carpenter.

charrette *f* cart.

charrier *vt* to cart, carry.

charrue *f* plough.

chasse *f* hunting; chase.

chasse-neige *m invar* snowplough.

chasser *vt* to hunt, chase.

chasseur *m* **-euse** *f* hunter.

châssis *m* chassis.

chaste *adj* chaste; **~ment** *adv* chastely.

chasteté *f* chastity.

chat *m*, **chatte** *f* cat.

châtaigne *f* chestnut.

châtain *adj* chestnut brown.

château *m* castle.

châtiment *m* chastisement, punishment.

chaton *m* kitten.

chatouiller *vt* to tickle.

chatoyant *adj* shimmering.

châtrer *vt* to castrate.

chaud *adj* warm, hot; **~ement** *adv* warmly, hotly.

chaudière *f* boiler.

chaudron *m* cauldron.

chauffage *m* heating.

chauffard *m* road-hog.

chauffe-eau *m invar* waterheater.

chauffer *vi* to heat; * *vt* to heat up.

chauffeur *m* driver.

chaumière *f* cottage.

chaussée *f* road, street.

chausse-pied *m* shoehorn.

chaussette *f* sock.

chausson *m* slipper.

chaussure *f* shoe.

chauve *adj* bald.

chauve-souris *f* bat.

chauvin *adj*, *f* **chauvine** chauvinistic.

chauvinisme *m* chauvinism.

chaux *f* lime.

chavirer *vi* to capsize, overturn.

chef *m* head, boss; chef.

chef-d'œuvre *m* masterpiece.

chemin *m* way, road; **~ de fer** railway.

cheminée *f* chimney.

cheminement *m* progress; course.

chemise *f* shirt.

chemisier *m* shirtmaker.

chêne *m* oak.

chenil *m* kennel.

chenille *f* caterpillar.

chèque *m* cheque.

chéquier *m* chequebook.

cher *adj*, *f* **chère** dear; expensive.

chercher *vt* to look for.

chercheur *m* **-euse** *f* researcher; seeker.

chéri *m* **-ie** *f* darling, dearest; * *adj* beloved, cherished.

chétif *adj* puny, paltry.

cheval *m* horse.

chevalet *m* easel.

chevalier *m* knight.

chevelu *adj* long-haired.

chevelure *f* hair, head of hair.

chevet *m* chevet; bedside.

cheveu *m* hair.

cheville *f* ankle.

chèvre *f* goat.

chèvrefeuille *m* honeysuckle.

chevreuil *m* roe deer.

chez *prép* at home: **je rentre ~ moi** I'm going home; **~ ta tante** at your aunt's.

chic *m* style, stylishness; **avoir le ~ pour** to have the knack for.

chicorée *f* chicory.

chien *m*, **chienne** *f* dog.

chiffon *m* rag, cloth.

chiffonné *adj* crumpled, rumpled.

chiffre *m* figure.

chignon *m* chignon, bun.

chimère *f* chimera.

chimérique *adj* chimerical, fanciful.

chimie *f* chemistry.

chimique *adj* chemical; **~ment** *adv* chemically.

chimiste *mf* chemist.
chimpanzé *m* chimpanzee.
chiot *m* puppy.
chipoteur *m* **-euse** *f* haggler.
chirurgical *adj* surgical.
chirurgie *f* surgery.
chirurgien *m* surgeon.
chlore *m* chlorine.
chloroforme *m* chloroform.
chlorophyle *f* chlorophyll.
chlorure *m* chloride.
choc *m* shock, crash.
chocolat *m* chocolate.
chœur *m* choir, chorus.
choir *vi* to fall.
choisir *vt* to choose.
choix *m* choice.
choléra *m* cholera.
chômage *m* unemployment.
chômeur *m* **-euse** *f* unemployed person.
choquant *adj* shocking, appalling.
choquer *vt* to shock.
chorale *f* choral.
chorégraphe *mf* choreographer.
choréraphie *f* choreography.
choriste *mf* chorister.
chose *f* thing, matter, object.
chou *m* cabbage.
chouette *f* owl.
chou-fleur *m* cauliflower.
choyer *vt* to cherish.
chrétien *m* **-ne** *f* Christian, *adj* christian.
christianisme *m* Christianity.
chrome *m* chromium.
chromosome *m* chromosome.
chronique *adj* chronic; * *f* chronicle, column, page.
chronologie *f* chronology.
chronologique *adj* chronological; **~ment** *adv* chronologically.
chronomètre *m* chronometer.
chronométrer *vt* to time.
chrysanthème *m* chrysanthemum.
chuchotement *m* whisper, rustling.

chuchoter *vi* to whisper.
chuintement *m* hissing.
chuinter *vi* to hiss.
chute *f* fall, drop.
chuter *vi* to fall.
ci *adv*: **ces fleurs-ci** these flowers; **ci-joint** enclosed; **ci-dessous** below; **ci-contre** opposite; in the margin; annexed.
cible *f* target.
cibler *vt* to target.
cicatrice *f* scar.
cicatrisation *f* cicatrisation, healing.
cicatriser *vt* to heal; **se ~** *vr* to heal, form a scar.
cidre *m* cider.
ciel *m*, *pl* **cieux, ciels** sky.
cierge *m* candle.
cigale *f* cicada.
cigare *m* cigar.
cigarette *f* cigarette.
cil *m* eyelash.
ciller *vi* to blink.
cime *f* summit.
ciment *m* cement.
cimenter *vt* to cement.
cimetière *m* cemetery.
cinéaste *mf* film-maker.
cinéma *m* cinema.
cinémathèque *f* film library.
cinématographique *adj* film, cinema.
cinéphile *mf* film enthusiast.
cinétique *adj* kinetic.
cinglant *adj* bitter, lashing, cutting.
cingler *vt* to lash, sting.
cinq *m* five.
cinquantaine *f* about fifty.
cinquante *m* fifty.
cinquantenaire *m* fiftieth anniversary.
cinquantième *mf* fiftieth, *adj* fiftieth.
cinquième *mf* fifth, *adj* fifth; * **~ment** *adv* in fifth place.
cintre *m* arch.
cirage *m* polish.
circonférence *f* circumference.

circonscription f division, constituency.
circonspect adj circumspect.
circonstance f circumstance.
circuit m circuit, tour.
circulaire adj circular; **~ment** adv circularly.
circulation f circulation; traffic.
circuler vi to circulate, move.
cire f wax.
cirer vt to polish.
cirque m circus.
ciseau m chisel; **~x** pl scissors.
citadelle f citadel.
citadin m **-e** f city dweller; * adj town, urban.
citation f citation, summons.
cité f city.
citer vt to quote, cite.
citerne f water tank.
citoyen m **-ne** f citizen.
citron m lemon.
citrouille f pumpkin.
civière f stretcher.
civil adj civil; **~ement** adv civilly.
civilisation f civilisation.
civilisé adj civilised.
civiliser vt to civilise.
civique adj civic.
clair adj clear, bright; **~ement** adv clearly.
clairière f clearing, glade.
clairsemé adj scattered.
clairvoyance f perspicacity; clairvoyance.
clairvoyant adj perceptive; clairvoyant.
clameur f clamour.
clan m clan.
clandestin adj clandestine; **~ement** clandestinely.
clandestinité f secrecy.
clapoter vi to lap (water).
clapotis m lapping.
claque f slap, smack.
claquement m clapping, slamming.
claquer vi to bang, slam.
clarifier vt to clarify; **se ~** vr to become clear.

clarinette f clarinet.
clarté f light, brightness.
classe f class, standing.
classement m filing; grading.
classer vt to file, classify.
classeur m filing cabinet.
classification f classification.
classique adj classical, standard; **~ment** adv classically.
clause f clause.
claustrer vt to confine.
claustrophobie f claustrophobia.
clavecin m harpsichord.
clavicule f collarbone.
clavier m keyboard.
clé, clef f key.
clémence f clemency, mildness.
clergé m clergy.
cliché m cliché; negative.
client m **-e** f client.
clientèle f clientele; customers.
cligner vi to blink.
clignotant adj blinking, flickering; * m indicator.
clignotement m blinking, flickering.
clignoter vi to blink, flicker.
climat m climate.
climatique adj climatic.
climatisation f air conditioning.
climatiser vt to air condition.
clin d'œil m wink.
clinique f clinic.
cliqueter vi to jingle, clink.
clitoris m clitoris.
clochard m **-e** f tramp.
cloche f bell.
clocher m steeple, bell tower.
clochette f hand-bell.
cloison f partition.
cloîtrer (se) vr to enter the monastic life.
clore vt to close, conclude.
clos adj closed, enclosed.
clôture f fence, hedge.
clou m nail.
clouer vt to nail.
club m club.
coagulation f coagulation.
coaguler vi to coagulate.

coaliser *vt vi* to form a coalition.
coalition *f* coalition.
cobalt *m* cobalt.
cobaye *m* guinea-pig.
cobra *m* cobra.
cocaïne *f* cocaine.
coccinelle *f* ladybird.
coccyx *m* coccyx.
cocher *vt* to notch, tick off.
cochon *m* **-ne** *f* pig.
code *m* code.
coder *vt* to code.
codifier *vt* to codify.
coefficient *m* coefficient.
coéquipier *m* **-ière** *f* team mate.
cœur *m* heart.
coexister *vi* to coexist.
coffre *m* chest; **--fort** safe.
coffret *m* casket.
cogner *vi* to hammer, bang.
cohabitation *f* cohabitation.
cohabiter *vi* to cohabit.
cohérence *f* coherence.
cohérent *adj* coherent.
cohésion *f* cohesion.
cohue *f* crowd.
coiffer *vt* to arrange so's hair; **se ~** *vr* to do one's hair.
coiffeur *m* **-euse** *f* hairdresser.
coiffure *f* hairstyle.
coin *m* corner.
coincer *vt* to wedge, jam.
coïncidence *f* coincidence.
coït *m* coitus.
col *m* collar; neck.
colère *f* anger.
colérique *adj* quick-tempered, irascible.
colibri *m* hummingbird.
colique *f* diarrhoea.
colis *m* parcel.
collaborateur *m* **-trice** *f* collaborator, colleague.
collaboration *f* collaboration.
collaborer *vi* to collaborate.
collant *adj* clinging, sticky; * *m* leotard.
collecte *f* collection.
collectif *adj* collective.
collection *f* collection.

collectionner *vt* to collect.
collectionneur *m* **-euse** *f* collector.
collectivement *adv* collectively.
collectivité *f* community; collective ownership.
collège *m* secondary school.
collègue *mf* colleague.
coller *vt* to stick, glue; * *vi* to stick, be sticky.
collier *m* necklace.
colline *f* hill.
collision *f* collision.
colloque *m* colloquium.
colocataire *mf* co-tenant.
colombe *f* dove.
colon *m* colonist.
colonel *m* colonel.
colonie *f* colony.
colonisation *f* colonisation.
coloniser *vt* to colonise.
colonne *f* column.
colorant *m* colouring.
coloration *f* colouring, staining.
coloré *adj* coloured.
colorier *vt* to colour in.
coloris *m* colouring, shade.
colossal *adj* colossal.
colporter *vt* to peddle.
colza *m* rape seed.
coma *m* coma.
comateux *adj* comatose.
combat *m* combat, fight.
combatif *adj* combative.
combativité *f* combativeness.
combattant *adj* fighting, combatant.
combattre *vt* to fight, combat; * *vi* to fight.
combien *adv* how much, how many; **~ de temps?** how much time?; **~ sont-ils?** how many are they?
combinaison *f* combination.
combiner *vt* to combine.
comble *m* height, peak.
combler *vt* to fill; to fulfil.
combustible *m* fuel.
combustion *f* combustion.
comédie *f* comedy.

comédien *m* **-ne** *f* actor.
comestible *adj* edible.
comète *f* comet.
comique *adj* comic; **~ment** *adv* comically.
comité *m* committee.
commandant *m* commander.
commande *f* command, order.
commandement *m* command, commandment.
commander *vt vi* to order, command.
commanditer *vt* to finance, sponsor.
commando *m* commando.
comme *conj* as, like; **~ ci ~ ça** so-so; **~ il faut** properly; *adv* how.
commémoration *f* commemoration.
commémorer *vt* to commemorate.
commencement *m* beginning, start.
commencer *vt vi* to begin, start.
comment *adv* how; **~ dire?** how shall we say?; **~ cela?** what do you mean?
commentaire *m* comment; commentary.
commentateur *m* **-trice** *f* commentator.
commenter *vt* to comment.
commérage *m* piece of gossip.
commerçant *m* **-e** *f* merchant, trader.
commerce *m* business, commerce.
commercial *adj* commercial; **~ement** *adv* commercially.
commercialiser *vt* to market.
commère *f* gossip.
commettre *vt* to commit.
commissaire *m* representative; commissioner.
commissariat *m* police station; commissionership; commissariat.
commission *f* commission, committee.

commissionnaire *m* messenger; agent.
commode *adj* convenient, comfortable.
commodité *f* convenience.
commun *adj* common, joint; **~ément** *adv* commonly.
communal *adj* council; common, communal.
communautaire *adj* community.
communauté *f* community; joint estate.
commune *f* town, district.
communication *f* communication.
communier *vi* to receive communion.
communion *f* communion.
communiqué *m* communiqué.
communiquer *vt* to communicate, transmit; * *vi* to communicate.
communisme *m* communism.
communiste *mf* communist.
compact *adj* compact, dense.
compagne *f* companion.
compagnie *f* company.
compagnon *m* companion.
comparable *adj* comparable.
comparaison *f* comparison.
comparaître *vi* to appear.
comparativement *adv* comparatively.
comparer *vt* to compare.
compartiment *m* compartment.
compartimenter *vt* to compart, partition.
compas *m* compass.
compassion *f* compassion.
compatibilité *f* compatibility.
compatible *adj* compatible.
compatir *vi* to sympathise.
compatissant *adj* compassionate.
compatriote *mf* compatriot.
compensation *f* compensation.
compenser *vt* to compensate; offset; **se ~** *vr* to balance each other, make up for.
compétence *f* competence.

compétent *adj* competent, capable.

compétitif *adj* competitive.

compétition *f* competition.

compétitivité *f* competitiveness.

complaisance *f* kindness; complacency.

complaisant *adj* kind; complacent.

complément *m* complement; extension.

complémentaire *adj* complementary, supplementary.

complet *adj* complete, full.

complètement *adv* completely, fully.

compléter *vt* to complete; **se ~** *vr* to complement one another.

complexe *adj* complex, complicated.

complexé *adj* mixed up.

complication *f* complication.

complice *mf* accomplice.

complicité *f* complicity, collusion.

compliment *m* compliment.

complimenter *vt* to compliment, congratulate.

compliqué *adj* complicated, intricate.

compliquer *vt* to complicate.

complot *m* plot.

comportement *m* behaviour; performance.

comporter *vt* to consist of, comprise; **se ~** *vr* to behave.

composant *m* component, constituent.

composante *f* component.

composer *vt* to compose, make up; **se ~** *vr*: **se ~ de** to be made up of.

compositeur *m* **-trice** *f* composer; typesetter.

composition *f* composition, formation.

compréhensible *adj* comprehensible.

compréhensif *adj* comprehensive, understanding.

compréhension *f* comprehension, understanding.

comprendre *vt* to understand; consist of.

compresse *f* compress.

compresseur *m* compressor.

compression *f* compression; reduction.

comprimé *adj* compressed; restrained; * *m* tablet.

comprimer *vt* to compress; to restrain.

compromettant *adj* compromising.

compromettre *vt* to compromise.

compromis *m* compromise.

comptabilité *f* accountancy.

comptable *adj* accounting; * *mf* accountant.

compte *m* account.

compter *vt* *vi* to count.

compteur *m* meter.

comptoir *m* counter, bar.

comte *m* count, **comtesse** *f* countess.

concave *adj* concave.

concéder *vt* to grant, concede.

concentration *f* concentration.

concentré *adj* concentrated; reserved.

concentrer *vt* to concentrate; **se ~** *vr* to concentrate.

concept *m* concept.

conception *f* conception, design.

concerner *vt* to concern, regard.

concert *m* concert.

concertation *f* dialogue, consultation.

concession *f* concession; privilege.

concessionnaire *mf* concessionaire, grantee.

concevoir *vt* to imagine, conceive.

concierge *mf* caretaker, concierge.

conciliant *adj* conciliatory.

conciliation *f* conciliation; reconciliation.

concilier *vt* to reconcile; to attract.

concis *adj* concise.

concision f conciseness, brevity.

concluant adj conclusive, decisive.

conclure vt to conclude; to decide; **se ~** vr to conclude, come to an end.

conclusion f conclusion.

concombre m cucumber.

concordance f agreement, accord.

concorder vi to agree, coincide.

concours m competition; conjuncture.

concret adj concrete, solid.

concrètement adv concretely.

concrétiser vt to put in concrete form.

concubin m **-e** f concubine; cohabitant.

concubinage m concubinage; cohabitation.

concurrence f competition.

concurrent m **-e** f concurrent; competitor.

condamnation f condemnation; sentencing.

condamné m **-e** f convict; sentenced person; * adj sentenced.

condamner vt to condemn; to sentence.

condensation f condensation.

condensé adj condensed, evaporated.

condenser vt to condense, compress.

condescendant adj condescending.

condiment m condiment.

condition f condition, term.

conditionné adj conditioned; packaged.

conditionnement m conditioning; packaging.

conditionner vt to condition; to package.

condoléances fpl condolences.

conducteur m **-trice** f driver; operator.

conduire vt vi to lead; to drive.

conduit m conduit, pipe.

conduite f conduct; driving; behaviour.

cône m cone.

confédération f confederation.

conférence f conference.

conférencier m **-ière** f speaker; lecturer.

confesser vt to confess; **se ~** vr to go to confession.

confession f confession.

confiance f confidence, trust.

confiant adj confident; confiding.

confidence f confidence; disclosure.

confident m **-e** f confidant.

confidentiel adj confidential; **~lement** adv confidentially.

confier vt to confide, entrust; **se ~** vr to confide in.

confiner vt to confine; **se ~** to be confined; vr: **se ~ à** to confine o.s. to.

confirmation f confirmation.

confirmer vt to confirm; **se ~** vr to be confirmed.

confiserie f confectionery.

confisquer vt to confiscate, impound.

confiture f jam.

conflictuel adj conflicting.

conflit m conflict, contention.

confondre vt to confuse, mingle.

conforme adj consistent; true.

conformément adv in accordance with.

conformer vt to model; **se ~** vr to conform.

conformiste mf conformist.

conformité f conformity; likeness.

confort m comfort.

confortable adj comfortable, cosy; **~ment** adv comfortably.

confrère m colleague.

confrontation f confrontation; comparison.

confronter vt to confront.

confus adj confused, indistinct; **~ément** adv confusedly, vaguely.

confusion *f* confusion, disorder.
congé *m* leave; holiday.
congédier *vt* to dismiss.
congélateur *m* freezer.
congeler *vt* to freeze.
congestion *f* congestion; stroke.
congratulation *f* congratulation.
congratuler *vt* to congratulate.
congrégation *f* congregation.
congrès *m* congress, conference.
conifère *m* conifer.
conjoint *m* -e *f* spouse; * *adj* joint; linked; ~ement *adv* jointly.
conjonctivite *f* conjunctivitis.
conjoncture *f* conjuncture; situation.
conjugaison *f* conjugation.
conjugal *adj* conjugal.
conjuguer *vt* to conjugate; to combine.
conjuration *f* conspiracy, plot.
conjurer *vt* to conspire; to implore; to ward off.
connaissance *f* knowledge; consciousness.
connaisseur *m* -euse *f* connoisseur; expert.
connaître *vt* to know, be acquainted with.
connecter *vt* to connect.
connecteur *m* connective.
connexion *f* connection, link.
connivence *f* connivance.
connotation *f* connotation.
connu *adj* known; famous.
conquérant *m* -e *f* conqueror; * *adj* conquering.
conquérir *vt* to conquer.
conquête *f* conquest.
conquis *adj* conquered, vanquished.
consacrer *vt* to devote, dedicate; **se ~** *vr* to dedicate o.s. to.
consciemment *adv* consciously, knowingly.
conscience *f* consciousness; conscience.
consciencieusement *adv* conscientiously.

consciencieux *adv* conscientious.
conscient *adj* conscious, aware.
consécration *f* consecration.
consécutif *adj* consecutive.
consécutivement *adv* consecutively.
conseil *m* advice, counsel.
conseiller *m* -ère *f* counsellor, adviser; * *vt* to advise, counsel.
consentant *adj* consenting, willing.
consentement *m* consent.
consentir *vi* to consent, acquiesce.
conséquence *f* consequence, result.
conséquent *adj* consequent; substantial.
conservateur *m* -trice *f* conservative; curator.
conservation *f* conservation.
conservatoire *m* conservatory; academy.
conserve *f* canned food.
conserver *vt* to keep, preserve; **se ~** *vr* to keep.
considérable *adj* considerable; notable; ~ment *adv* considerably.
considération *f* consideration, respect.
considérer *vt* to consider, regard.
consigne *f* orders, instructions.
consistance *f* consistency; strength.
consister *vi*: ~ **en** to consist of; **cela consiste à** that consists in doing.
consolation *f* consolation, solace.
console *f* console.
consoler *vt* to console, comfort.
consolidation *f* consolidation, reinforcement.
consolider *vt* to consolidate, reinforce.
consommateur *m* -trice *f* consumer.
consommation *f* consumption; accomplishment.

consommé *adj* consummate, accomplished; * *m* consommé.

consommer *vt* to consume, use.

consonne *f* consonant.

conspirateur *m* **-trice** *f* conspirator.

conspiration *f* conspiracy, plot.

conspirer *vi* to conspire, plot.

constamment *adv* constantly, continually.

constant *adj* constant, continuous.

constante *f* constancy.

constat *m* report; acknowledgement.

constatation *f* authentication, verification.

constater *vt* to record; to verify.

constellation *f* constellation, galaxy.

consternation *f* consternation, dismay.

consterner *vt* to dismay.

constipation *f* constipation.

constituer *vt* to constitute, form.

constitution *f* constitution, formation.

constitutionnel *adj* constitutional; **~lement** *adv* constitutionally.

constructeur *m* **-trice** *f* builder, maker.

constructif *adj* constructive.

construction *f* building, construction.

construire *vt* to construct, build.

consul *m* consul.

consulaire *adj* consular.

consulat *m* consulate.

consultant *m* **-e** *f* consultant; * *adj* consulting.

consultation *f* consultation, advice.

consulter *vt* to consult, take advice from.

consumer *vt* to consume, spend; **se ~** *vr* to be burning, waste away.

contact *m* contact, touch.

contacter *vt* to contact, approach.

contagieux *adj* contagious, infectious.

contamination *f* contamination, pollution.

contaminer *vt* to contaminate, pollute.

conte *m* story, tale.

contemplation *f* contemplation, meditation.

contempler *vt* to contemplate, meditate.

contemporain *adj* contemporary.

contenance *f* capacity, volume.

contenir *vt* to contain.

contentement *m* contentment, satisfaction.

contenter *vt* to please, satisfy; **se ~** *vr*: **se ~ de** to content o.s. with.

contenu *m* contents, enclosure.

contestation *f* dispute, controversy.

contester *vt* to contest, dispute.

contexte *m* context.

contigu *adj*, *f* **contiguë** contiguous, adjacent.

continent *m* continent.

continental *adj* continental.

contingent *m* quota; draft *(mil)*.

continu *adj* continuous, incessant.

continuation *f* continuation.

continuel *adj* continual, continuous; **~lement** *adv* continuously, continually.

continuer *vt* to continue, proceed with; * *vi* to continue, go on.

contour *m* contour, outline.

contourner *vt* to bypass, skirt.

contraceptif *adj* contraceptive.

contraception *f* contraception.

contracter *vt* to contract, acquire; **se ~** *vr* to contract, shrink.

contraction *f* contraction.

contradiction *f* contradiction, discrepancy.

contradictoire *adj* contradictory, conflicting.

contraindre *vt* to constrain, compel.

contrainte *f* constraint, compulsion.

contraire *m* opposite, contrary; * *adj* opposite, contrary; ~**ment** *adv* contrarily.

contrariant *adj* contrary; perverse.

contrarier *vt* to annoy; to oppose.

contrariété *f* annoyance, disappointment.

contraste *m* contrast.

contrat *m* contract, agreement.

contre *prép* against; **parier à 10 ~ 1** to bet at 10 to 1; ~ **toute attente** contrary to all expectations; **par ~** on the other hand.

contre-attaque *f* counter-attack.

contre-attaquer *vi* to counter-attack.

contrebalancer *vt* to counterbalance.

contrebande *f* contraband, smuggling.

contrebandier *m* **-ière** *f* smuggler.

contrebasse *f* double bass.

contrecarrer *vt* to thwart, oppose.

contrecœur: à ~ reluctantly.

contrecoup *m* rebound, repercussion.

contredire *vt* to contradict, refute.

contrefaçon *f* counterfeit, forgery.

contrefaire *vt* to counterfeit, forge.

contre-indication *f* contraindication.

contremaître *m* foreman.

contre-offensive *f* counter-offensive.

contrepartie *f* compensation; consideration.

contre-plaqué *m* plywood.

contrepoison *m* antidote, counter-poison.

contresens *m* nonsense; misunderstanding; mistranslation.

contretemps *m* mishap; contretemps; (*mus*) syncopation.

contribuable *mf* taxpayer.

contribuer *vt vi* to contribute.

contribution *f* contribution; tax.

contrôle *m* control, check.

contrôler *vt* to control, check.

contrôleur *m* **-euse** *f* inspector; auditor.

controverse *f* controversy.

controversé *adj* disputed.

contusion *f* bruise, contusion.

convaincant *adj* convincing.

convaincre *vt* to convince, persuade.

convaincu *adj* convinced, persuaded.

convalescence *f* convalescence.

convenable *adj* fitting, suitable; ~**ment** *adv* suitably, fitly.

convenir *vi* to agree, accord.

convention *f* convention, agreement.

conventionnel *adj* conventional; contractual; ~**lement** *adv* conventionally.

convenu *adj* agreed; stipulated.

convergent *adj* convergent.

converger *vi* to converge.

conversation *f* conversation, talk.

conversion *f* conversion.

convertir *vt* to convert; **se ~** *vr* to be converted.

convexe *adj* convex.

conviction *f* conviction.

convier *vt* to invite; to urge.

convivial *adj* convivial; user-friendly.

convocation *f* convocation, summoning.

convoi *m* convoy; train.

convoiter *vt* to covet.

convoquer *vt* to convoke, convene.

convulsion *f* convulsion.

coopératif *adj* cooperative.

coopération *f* cooperation.

coopérative *f* cooperative.

coopérer *vi* to cooperate, collaborate.

coordinateur *m* -**trice** *f* coordinator.

coordination *f* coordination; committee.

coordonnées *fpl* coordinates.

coordonner *vt* to coordinate.

copain *m* friend, pal.

copeau *m* shaving, chip.

copie *f* copy, reproduction.

copier *vt* to copy, reproduce.

copieusement *adv* copiously, abundantly.

copieux *adj* copious, abundant.

copilote *m* co-pilot.

copine *f* friend, mate.

coproduction *f* coproduction.

copropriété *f* co-ownership, joint ownership.

coq *m* cock, rooster.

coque *f* (*mar*) hull; shell.

coquelicot *m* poppy.

coquet *adj* stylish, smart; ~**tement** *adv* stylishly, smartly.

coquetterie *f* smartness, stylishness.

coquillage *m* shellfish.

coquille *f* shell, scallop.

coquin *m* -**e** *f* naughty, mischievous.

cor *m* (*mus*) horn; corn.

corail *m* coral.

coran *m* Koran.

corbeau *m* crow.

corbeille *f* basket.

corbillard *m* hearse.

cordage *m* rope; rigging.

corde *f* rope; string.

cordée *f* roped mountaineering party.

cordial *adj* cordial, warm; ~**ement** *adv* cordially, warmly.

cordialité *f* cordiality, warmth.

cordon *m* cord, string; cordon.

cordonnerie *f* shoemending.

cordonnier *m* -**ière** *f* shoemender, cobbler.

coriace *adj* tough; tight.

coriandre *m* coriander.

corne *f* horn, antler.

cornée *f* cornea.

corneille *f* crow.

cornemuse *f* bagpipes.

cornet *m* cone, cornet.

corniche *f* cornice; ledge.

cornichon *m* gherkin; greenhorn.

corporatif *adj* corporative, corporate.

corporation *f* corporation, guild.

corporatisme *m* corporatism.

corporel *adj* corporal, bodily.

corps *m* body, corpse.

corpulence *f* corpulence.

corpulent *adj* corpulent.

corpus *m* corpus.

correct *adj* correct, accurate; ~**ement** *adv* correctly, accurately.

correcteur *m* -**trice** *f* examiner; proofreader.

correction *f* correction; proofreading.

corrélation *f* correlation.

correspondance *f* correspondence, communication.

correspondant *m* -**e** *f* correspondent; * *adj* corresponding.

correspondre *vi* to correspond, communicate.

corridor *m* corridor, passage.

corrigé *m* corrected version, fair copy.

corriger *vt* to correct.

corroborer *vt* to corroborate.

corroder *vt* to corrode.

corrompre *vt* to corrupt, debase.

corrompu *adj* corrupt.

corrosif *adj* corrosive.

corrosion *f* corrosion.

corruption *f* corruption, debasement.

corsage *m* blouse, bodice.

corsaire *m* corsair.

corsé *adj* rich, full-bodied.

corset *m* corset.

cortège *m* cortège, procession.

cortex *m* cortex.

cortical *adj* cortical.

cortisone *f* cortisone.

corvée f fatigue duty; forced labour.
cosmétique m cosmetic.
cosmique adj cosmic.
cosmonaute mf cosmonaut.
cosmopolite adj cosmopolitan.
cosmos m cosmos.
costume m costume, dress.
cotation f quotation, valuation.
côte f coast; rib; slope.
côté m side; point.
coteau m hill.
côtelé adj ribbed.
côtelette f cutlet.
coter vt to quote; to classify.
côtier adj coastal, inshore.
coton m cotton.
cotonneux adj fleecy, fluffy.
côtoyer vt to mix with, skirt.
cou m neck.
couchant adj setting.
couche f layer, coat.
coucher vt to put to bed; **se ~** vr to go to bed.
coucou m cuckoo.
coude m elbow.
coudé adj angled, bent.
coudoyer vt mix with, rub shoulders with.
coudre vt vi to sew.
couette f duvet.
coulant adj flowing; smooth.
couler vi to flow, run.
couleur f colour, shade.
couleuvre f grass snake.
coulis m sauce, purée.
coulissant adj sliding.
coulisse f groove; (thea) wings.
coulisser vi to slide, run.
couloir m corridor, passage.
coup m blow; shot; **~ sur ~** one after another, incessantly; **tout à ~** suddenly; **après ~** afterwards, after the event; **~ de feu** shot; **jeter un ~ d'œil** to glance; **~ de coude** nudge; **~ de téléphone** phone call; **~ de soleil** sunstroke.
coupable mf culprit; * adj guilty.
coupant adj cutting, sharp.

coupe f cut; cutting.
coupe-papier m invar paper knife.
couper vt to cut, slice.
couple m couple, pair.
couplet m couplet, verse.
coupole f dome.
coupon m coupon, voucher, ticket.
coupure f cut; break.
cour f court, yard, courtyard.
courage m courage, daring.
courageusement adv courageously.
courageux adj courageous.
couramment adv fluently; commonly.
courant adj current; present; * m stream, current.
courbature f stiffness; ache.
courbaturé adj aching.
courbe f curve; contour.
courbé adj curved, stooped.
courber vt to curve, bend.
coureur m **-euse** f runner.
courgette f courgette.
courir vi to run, race.
couronne f crown, wreath.
couronnement m coronation.
couronner vt to crown.
courrier m mail, post.
courroie f strap, belt.
cours m course; flow; path.
course f running; race; flight; journey.
coursier m **-ière** f courier, messenger.
court adj short, brief.
court-bouillon m court-bouillon, wine sauce.
court-circuit m short-circuit.
court-circuiter vt to short-circuit.
courtier m **-ière** f broker, agent.
courtiser vt to court.
courtois adj courteous; **~ement** adv courteously.
courtoisie f courtesy, courteousness.
cousin m **-e** f cousin.

coussin *m* cushion, pillow.

coussinet *m* pad; bearing.

coût *m* cost, charge.

couteau *m* knife.

coûter *vt vi* to cost.

coûteusement *adv* expensively.

coûteux *adj* costly, expensive.

coutume *f* custom, habit.

coutumier *adj* customary, usual.

couture *f* sewing, needlework.

couturier *m* couturier, fashion designer.

couturière *f* dressmaker.

couvent *m* convent.

couver *vt* to hatch, incubate; * *vi* to smoulder, lurk.

couvercle *m* lid, cap.

couvert *m* shelter; cover; pretext; * *adj* covered; secret; obscure.

couverture *f* blanket; cover; roofing.

couvre-feu *m* curfew.

couvreur *m* roofer.

couvrir *vt* to cover; **se ~** *vr* to cover up; to become overcast.

crabe *m* crab.

crachement *m* spitting.

cracher *vt* to spit.

crachin *m* drizzle.

craie *f* chalk.

craindre *vt* to fear.

crainte *f* fear, dread.

craintif *adj* timid, cowardly.

crampe *f* cramp.

crampon *m* stud, spike, crampon.

cramponner *vt* to cramp, clamp; **se ~** *vr* to cling, hang on.

cran *m* notch, cog.

crâne *m* cranium, skull.

crânien *adj* cranial.

crapaud *m* toad.

crapule *f* villain.

crapuleux *adj* villainous, vicious.

craquellement *m* cracking.

craquement *m* crack, creaking, snap.

craquer *vi* to creak, squeak, crack.

crasseux *adj* grimy, filthy.

cratère *m* crater.

cravate *f* tie.

créancier *m* **-ière** *f* creditor.

créateur *m* **-trice** *f* creator, author.

créatif *adj* creative.

création *f* creation.

créativité *f* creativity.

créature *f* creature.

crèche *f* crèche; crib.

crédibilité *f* credibility.

crédible *adj* credible.

crédit *m* credit, trust.

crédit-bail *m* lease; leasing.

crédule *adj* credulous, gullible.

crédulité *f* credulity, gullibility.

créer *vt* to create, produce.

crémaillère *f* rack, chimney hook.

crème *f* cream.

crémerie *f* dairy.

crémeux *adj* creamy.

crémier *m* dairyman, **-ière** *f* dairywoman.

créneau *m* battlement.

crêpe *f* pancake; * *m* crepe, crape.

crêperie *f* pancake restaurant.

crépitement *m* crackling; rattling.

crépiter *vi* to crackle; to rattle.

crépu *adj* frizzy, woolly.

crépuscule *m* twilight, dusk.

cresson *m* watercress.

crête *f* crest, comb.

crétin *m* **-e** *f* cretin, idiot.

creuser *vi* to dig, burrow; * *vt* to dig, hollow.

creuset *m* crucible.

creux *adj* hollow, empty.

crevaison *f* puncture, flat.

crevé *adj* burst, punctured.

crever *vt* to burst; to gouge; *vi* to burst; to split.

crevette *f* prawn.

cri *m* cry, howl, yell.

criant *adj* crying; striking, glaring.

criard *adj* yelling; scolding.

crible *m* riddle, sieve; **passer au ~** to riddle; to examine closely.

cribler *vt* to sift, riddle.

cric *m* (*auto*) jack.
crier *vi* to cry, shout.
crime *m* crime, offence.
criminel *m* -le *f* criminal; * *adj* criminal.
crin *m* horsehair.
crinière *f* mane.
criquet *m* locust.
crise *f* crisis, attack.
crisper *vt* to shrivel; to clench.
cristal *m* crystal, glassware.
cristallin *adj* crystalline.
cristallisation *f* crystallisation.
cristalliser *vt* to crystallise.
critère *m* criterion, standard.
critiquable *adj* censurable, open to criticism.
critique *adj* critical, censorious; * *f* criticism; critique.
critiquer *vt* to criticise, censure.
croc *m* fang; hook.
croche *f* quaver.
crochet *m* hook, clasp.
crochu *adj* hooked, claw-like.
crocodile *m* crocodile.
croire *vt* to believe, think.
croisade *f* crusade.
croisement *m* crossing, junction.
croiser *vt* to cross; to fold; se ~ *vr* to cross, intersect.
croisière *f* cruise.
croissance *f* growth, increase.
croissant *adj* growing, increasing; * *m* croissant; crescent.
croître *vi* to grow, rise.
croix *f* cross.
croque-monsieur *m* toasted cheese and ham sandwich.
croquer *vt* to crunch.
croquette *f* croquette.
croquis *m* sketch, outline.
crosse *f* (*rel*) crozier; butt, grip.
crotte *f* manure, dung.
croupir *vi* to stagnate, wallow.
croustillant *adj* crusty, crisp.
croustiller *vi* to be crusty, crispy.
croûte *f* crust.
croûton *m* crust, crouton.
croyance *f* belief.
croyant *adj* believing.

cru *adj* raw, uncooked; * *m* vineyard; wine.
cruauté *f* cruelty, inhumanity.
cruche *f* pitcher.
crucial *adj* crucial, decisive.
crucifix *m* crucifix.
crucifixion *f* crucifixion.
crudité *f* crudity, coarseness.
crue *f* flood.
cruel *adj* cruel; ~lement *adv* cruelly.
crustacé *m* crustacean, shellfish.
crypte *m* crypt.
crypter *vt* to encode, scramble.
cube *m* cube, block.
cubique *adj* cubic.
cubisme *m* cubism.
cueillette *f* picking, gathering.
cueillir *vt* to pick, gather.
cuiller, cuillère *f* spoon, spoonful.
cuir *m* leather, hide.
cuirasse *f* (*zool*) cuirass, breastplate.
cuirassé *adj* armoured; * *m* battleship.
cuire *vi* to cook.
cuisine *f* kitchen; cookery.
cuisiner *vt* *vi* to cook.
cuisinier *m* -ière *f* cook.
cuisinière *f* cooker, stove.
cuisse *f* thigh.
cuisson *f* cooking, baking.
cuit *adj* cooked.
cuivre *m* copper.
cul *m* (*col*) bottom, ass.
culasse *f* cylinder-head; breech.
cul-de-jatte *mf* legless cripple.
cul-de-sac *m* blind alley, cul-de-sac.
culinaire *adj* culinary.
culminer *vi* to culminate, tower.
culot *m* cheek, nerve.
culotte *f* knickers; underpants; shorts.
culpabiliser *vt* to make someone feel guilty; se ~ *vr* to feel guilty.
culpabilité *f* guilt, culpability.
culte *m* cult, veneration.
cultivable *adj* cultivable.
cultivateur *m* -trice *f* farmer.

cultivé *adj* cultured.
cultiver *vt* to cultivate; **se ~** *vr* to improve o.s.
culture *f* culture; cultivation.
culturel *adj* cultural.
culturisme *m* body-building.
cumin *m* cumin.
cumul *m* pluralism; accumulation.
cumuler *vt* to accumulate; to hold concurrently.
cupide *adj* greedy; **~ment** *adv* greedily.
cupidité *f* greed, cupidity.
cure *f* cure; treatment.
curé *m* parish priest, parson.
cure-dents *m* toothpick.
curieusement *adv* curiously.
curieux *m* **-euse** *f* inquisitive person; onlooker; * *adj* curious, inquisitive.
curiosité *f* curiosity, inquisitiveness.
cursus *m* degree course.

cutané *adj* skin, cutaneous.
cuve *f* vat, tank.
cuvette *f* basin, bowl.
cyanure *m* cyanide.
cybernétique *f* cybernetics.
cyclable *adj* cycle, for cycling.
cyclamen *m* cyclamen.
cycle *m* cycle; stage.
cyclique *adj* cyclical.
cyclisme *m* cycling.
cycliste *mf* cyclist; * *adj* cycle.
cyclomoteur *m* moped.
cyclone *m* cyclone.
cyclope *m* Cyclops.
cygne *m* swan.
cylindre *m* cylinder.
cylindrée *f* capacity (engine).
cylindrique *adj* cylindrical.
cymbale *f* cymbal.
cynique *adj* cynical; **~ment** *adv* cynically.
cynisme *m* cynicism.
cytologie *f* cytology.
cytoplasme *m* cytoplasm.

D

dactylographe *mf* typist.
dactylographie *f* typing, typewriting.
dactylographier *vt* to type.
dada *m* (*fam*) hobbyhorse; gee-gee.
dahlia *m* dahlia.
daigner *vt* to deign, condescend.
daim *m* deer.
dalle *f* flagstone, slab.
dalmatien *m* Dalmatian.
daltonien *adj* colour-blind.
dame *f* lady; dame.
damier *m* draughtboard.
damnation *f* damnation.
damné *adj* damned.
damner *vt* to damn.
danger *m* danger, risk.
dangereusement *adv* dangerously.

dangereux *adj* dangerous, risky.
dans *prép* in; into; **il a ~ les trente ans** he's thirty or so.
dansant *adj* dancing.
danse *f* dance; dancing.
danser *vi* to dance.
danseur *m* **-euse** *f* dancer.
dard *m* sting.
datation *f* dating.
date *f* date.
dater *vt* to date.
datif *m* dative.
datte *f* (*bot*) date.
dattier *m* date palm.
dauphin *m* dolphin.
daurade *f* sea bream.
davantage *adv* more.
de *prép* of; from; **une femme ~ quarante ans** a forty-year-old woman; **~ bonne heure** early;

deux ~ plus two more; * *art* some, any.

dé *m* dice; thimble.

déambuler *vi* to stroll.

débâcle *f* disaster; collapse.

déballage *m* unpacking; display.

déballer *vt* to unpack; to display.

débandade *f* rout, stampede.

débarbouiller *vt* to wash; **se ~** *vr* to wash o.s.

débarcadère *m* landing; wharf.

débardeur *m* docker, stevedore.

débarquement *m* landing, disembarkment.

débarquer *vt* to land, unship; * *vi* to disembark, land.

débarrasser *vt* to clear, rid; **se ~** *vr*: **se ~ de** to rid o.s. of.

débat *m* debate; dispute, contest.

débattre *vi* to debate, discuss.

débauche *f* debauchery, dissoluteness.

débaucher *vt* to debauch, corrupt.

débile *adj* weak, feeble.

débilitant *adj* debilitating, weakening.

débit *m* debit; turnover; flow.

débiter *vt* to debit; to produce.

débiteur *m* **-trice** *f* debtor.

déblayer *vt* to clear away, remove.

déblocage *m* unblocking; freeing, releasing.

débloquer *vt* to release, unlock.

déboisement *m* deforestation.

déboiser *vt* to deforest.

déboîtement *m* dislocation.

débordant *adj* exuberant, overflowing.

débordé *adj* overwhelmed.

débordement *m* overflowing; outflanking.

déborder *vi* to overflow; to outflank.

débouché *m* outlet; issue.

déboucher *vt* to open, uncork; * *vi* to pass out, emerge.

debout *adv* upright, standing; **être ~** to stand.

déboutonner *vt* to unbutton.

débraillé *adj* untidy, disordered.

débrancher *vt* to disconnect.

débrayer *vi* to declutch; to stop work.

débris *m* debris, waste.

débrouiller *vt* to disentangle, unravel; **se ~** *vr* to cope, manage.

début *m* beginning, outset.

débutant *adj* novice.

débuter *vi* to start, begin; * *vt* to lead, start.

décadence *f* decadence, decline.

décadent *adj* decadent.

décaféiné *adj* decaffeinated.

décagone *m* decagon.

décalage *m* gap, interval; discrepancy.

décalcifier *vt* to decalcify.

décaler *vt* to shift; to stagger.

décalitre *m* decalitre.

décamètre *m* decametre.

décaper *vt* to clean, scour.

décapotable *adj* convertible; * *f* convertible.

décapsuler *vt* to take the lid off.

décapsuleur *m* bottle-opener.

décathlon *m* decathlon.

décéder *vi* to die.

décelable *adj* detectable.

déceler *vt* to detect; to disclose.

décembre *m* December.

décemment *adv* decently.

décence *f* decency.

décennal *adj* decennial.

décennie *f* decade.

décent *adj* decent, proper.

décentralisation *f* decentralisation.

décentraliser *vt* to decentralise.

déception *f* disappointment; deceit.

décerner *vt* to award, confer.

décès *m* death, decease.

décevant *adj* disappointing; deceptive.

décevoir *vt* to disappoint; to deceive.

déchaîné *adj* wild, unbridled.

déchaîner *vt* to unleash; **se ~** *vr* to break loose, run wild.

décharge *f* discharge; receipt.

déchargement *m* unloading.

décharger *vt* to unload, discharge.

décharné *adj* lean, emaciated.

déchausser *vt* to take off footwear; **se ~** *vr* to take one's shoes off.

déchéance *f* decay, decline.

déchet *m* loss, waste.

déchiffrer *vt* to decipher, decode.

déchiqueter *vt* to tear; to slash; to shred.

déchirant *adj* harrowing, excruciating.

déchirement *m* tearing, ripping.

déchirer *vt* to tear, rip.

déchirure *f* tear, rip.

déchoir *vi* to decline; to sink.

déchu *adj* fallen; declined; deposed.

décibel *m* decibel.

décidé *adj* decided; determined; **~ment** *adv* positively; resolutely; certainly.

décigramme *m* decigram.

décilitre *m* decilitre.

décimal *adj* decimal.

décimètre *m* decimetre.

décisif *adj* decisive, conclusive.

décision *f* decision.

déclamation *f* declamation.

déclamer *vt* to declaim.

déclaré *adj* professed, avowed.

déclarer *vt* to declare, announce; **se ~** *vr* to speak one's mind.

déclenchement *m* release, setting off.

déclencher *vt* to release, set off; **se ~** *vr* to release itself, go off.

déclic *m* click; trigger.

déclin *m* decline, deterioration.

déclinaison *f* declension; declination.

déclinant *adj* declining.

décliner *vi* to decline, refuse.

déclivité *f* declivity, slope.

décloisonner *vt* to decompartmentalise.

décoder *vt* to decode, decipher.

décodeur *m* decoder, decipherer.

décoiffer *vt* to disarrange so's hair.

décoincer *vt* to loose, release.

décollage *m* take-off, lift-off.

décoller *vi* to unpaste, steam off; to take off; * *vt*; **se ~** *vr* to come unstuck, become detached.

décolleté *adj* low-necked, low-cut; *m* decolletage, low neckline.

décolorant *adj* bleaching, decolorising; * *m* bleaching substance.

décolorer *vt* to decolour, bleach.

décombres *mpl* rubble, debris.

décomposer *vt* to decompose; to break up; to dissect; **se ~** *vr* to decompose, decay.

décomposition *f* decomposition, breaking up.

décompression *f* decompression.

décomprimer *vt* to decompress.

décompte *m* discount; deduction.

déconcentrer *vt* to devolve; to disperse; **se ~** *vr* to lose concentration.

déconcertant *adj* disconcerting.

déconcerter *vt* to disconcert.

décongeler *vt* to thaw, defrost.

déconnecter *vt* to disconnect.

déconnexion *f* disconnection.

décontenancé *adj* embarrassed; disconcerted.

décontracté *adj* relaxed.

décontracter *vt* to relax; **se ~** *vr* to relax.

décontraction *f* relaxation.

décor *m* scenery; setting.

décorateur *m* -**trice** *f* decorator; set designer.

décoratif *adj* decorative, ornamental.

décoration *f* decoration, embellishment.

décorer *vt* to decorate, adorn.

décortiquer *vt* to husk, shell.

découler *vi* to flow; to ensue.

découpage *m* cutting up, carving.

découper *vt* to carve, cut up.

décourageant *adj* discouraging, disheartening.

découragement *m* discouragement.

décourager *vt* to discourage, dishearten; **se ~** *vr* to become discouraged.

décousu *adj* unsewn; loose; disconnected.

découvert *adj* uncovered; open; * *m* overdraft.

découverte *f* discovery.

découvrir *vt* to discover.

décret *m* decree, enactment.

décréter *vt* to decree, enact.

décrire *vt* to describe.

décrocher *vt* to take down; to unhook.

décroissant *adj* decreasing, lessening.

décroître *vi* to decrease, diminish.

déçu *adj* disappointed.

décupler *vi* to increase tenfold.

dédaigner *vt* to disdain, scorn.

dédaigneusement *adv* disdainfully.

dédaigneux *adj* disdainful, scornful.

dédain *m* disdain, scorn.

dedans *adv* inside, indoors; * *m* inside; **au ~** inside.

dédicace *f* dedication.

dédier *vt* to consecrate, dedicate to.

dédommagement *m* compensation, damages.

dédommager *vt* to compensate, indemnify.

dédouanement *m* customs clearance.

dédoubler *vt* to divide in two; to remove lining.

déduction *f* deduction.

déduire *vt* to deduct; to deduce.

déesse *f* goddess.

défaillance *f* faintness; exhaustion; blackout.

défaillant *adj* faint; weakening.

défaillir *vi* to faint; to weaken.

défaire *vt* to undo, dismantle.

défaite *m* defeat, overthrow.

défaitiste *adj*, *mf* defeatist.

défaut *m* defect, fault.

défavorable *adj* unfavourable; **~ment** *adv* unfavourably.

défavoriser *vt* to penalise, treat unfairly.

défection *f* defection.

défectueux *adj* defective, faulty.

défendeur *m* **-eresse** *f* defendant.

défendre *vt* to defend, protect; to prohibit; **se ~** *vr* to defend o.s.

défense *f* defence; prohibition.

défenseur *m* defender.

défensif *adj* defensive.

défi *m* defiance; challenge.

défiant *adj* mistrustful, distrustful.

déficience *f* deficiency.

déficient *adj* deficient; weak.

déficit *m* deficit, shortfall.

déficitaire *adj* deficient, in deficit.

défier *vt* to challenge, defy.

défilé *m* procession, parade.

défiler *vi* to parade, march.

défini *adj* definite, precise.

définir *vt* to define, specify.

définitif *adj* definitive, final.

définition *f* definition.

définitivement *adv* definitively, finally.

déflagration *f* deflagration, explosion.

déflation *f* deflation.

défoncer *vt* to smash in; to dig deeply.

déformation *f* deformation, distortion.

déformer *vt* to deform, distort; **se ~** *vr* to bend; to lose its shape.

défoulement *m* outlet; release.

défouler *vt* to unwind, relax; **se ~** *vr* to get rid of one's inhibitions.

défricher *vt* to clear; to reclaim.

défunt *m* -e *f* deceased; * *adj* late, deceased.

dégagé *adj* clear; open.

dégagement *m* freeing, clearance.

dégager *vt* to free, clear; **se ~** *vr* to free o.s., extricate o.s.

dégarnir *vt* to empty; to clear.

dégât *m* havoc, damage.

dégel *m* thaw.

dégeler *vt vi* to thaw, melt.

dégénérer *vi* to degenerate, decline.

dégivrer *vt* to de-ice, defrost.

dégonfler *vt* to deflate, empty.

dégourdir *vt* to warm up, revive.

dégourdissement *m* reviving, return of circulation.

dégoût *m* disgust, distaste.

dégoûter *vt* to disgust.

dégradant *adj* degrading.

dégradation *f* degradation, debasement.

dégradé *m* shading off; gradation.

dégrader *vt* to degrade, debase; **se ~** *vr* to become degraded, debased.

dégrafer *vt* to unfasten, unhook.

dégraisser *vt* to remove grease.

degré *m* degree; grade.

dégrèvement *m* reduction; redemption.

dégripper *vt* to unblock; to unchoke.

déguisement *m* disguise.

déguiser *vt* to disguise; **se ~** *vr* to disguise o.s.

dégustation *f* tasting, sampling.

dehors *adv* outside, outdoors; **au ~** outwardly; **en ~ de** outside; apart from; * *m* outside, exterior.

déjà *adv* already.

déjeuner *vi* to lunch; * *m* lunch.

déjouer *vt* to elude; to thwart.

delà *adv*: **au ~ de** beyond; **par ~** beyond.

délabré *adj* dilapidated, ramshackle.

délacer *vt* to unlace, undo.

délai *m* delay; respite; time limit.

délaisser *vt* to abandon, quit.

délassant *adj* relaxing, refreshing.

délasser *vt* to refresh, relax; **se ~** *vr* to rest, relax.

délateur *m* -**trice** *f* informer.

délation *f* denouncement; informing.

délavé *adj* diluted; faded.

délayage *m* dragging-out, spinning-out.

délayer *vt* to thin; to drag out.

délectation *f* delectation, delight.

délecter (se) *vr* to delight, revel.

délégation *f* delegation.

délégué *m* -**e** *f* delegate, representative; * *adj* delegate, delegated.

déléguer *vt* to delegate.

délibération *f* deliberation; resolution.

délibéré *adj* deliberate; resolute; **~ment** *adv* deliberately.

délicat *adj* delicate, dainty; **~ement** *adv* delicately.

délicatesse *f* delicacy, daintiness.

délice *m* delight, pleasure.

délicieux *adj* delicious, delightful.

délier *vt* to unbind, untie.

délimitation *f* delimitation.

délimiter *vt* to delimit, demarcate.

délinquance *f* delinquency.

délinquant *m* -**e** *f* delinquent, offender; * *adj* delinquent.

délirant *adj* delirious, frenzied.

délire *m* delirium, frenzy.

délirer *vi* to be delirious.

délit *m* offence, misdemeanour.

délivrance *f* deliverance; release; delivery.

délivrer *vt* to deliver; to release; **se ~** *vr* to free o.s.

déloger *vt* to evict, dislodge.

déloyal *adj* disloyal, unfaithful; **~ement** *adv* disloyally.

déloyauté *f* disloyalty, treachery.

delta m delta.

deltaplane m hang-glider.

démagogie f demagogy.

démagogique adj demagogic.

démagogue m demagogue.

demain adv tomorrow.

demande f request, petition; question.

demander vt to ask, request; **se ~** vr to wonder.

démangeaison f itch; longing.

démaquillant m make-up remover; * adj make-up removing.

démaquiller vt to remove make-up; **se ~** vr to take one's make-up off.

démarche f gait, walk, step.

démarrage m moving off, casting off.

démarrer vi to start up, move off; * vt to start, get started.

démarreur m starter.

démasquer vt to unmask, uncover.

démêlage m disentangling; combing.

démêler vt to disentangle, unravel; comb.

déménagement m removal; moving (house).

déménager vi to move house.

déménageur m removal man.

démener (se) vr to struggle, strive.

dément adj mad, insane, crazy.

démenti m denial, refutation.

démentir vt to deny, refute.

démesuré adj excessive, inordinate; **~ment** adv excessively, inordinately.

démettre vt to dislocate; to dismiss.

demeure f residence, dwelling place.

demeurer vi to live at, reside, stay.

demi adj half; **à ~** halfway; * m half.

demi-cercle m semicircle.

demi-douzaine f half-dozen.

demi-droite f half-line.

demi-finale f semi-final.

demi-frère m half-brother.

demi-heure f half-hour.

demi-jour m half-light.

démilitariser vt to demilitarise.

demi-litre m half-litre.

demi-lune f half-moon.

demi-mesure f half-measure.

demi-mot m: **à ~** without spelling out.

demi-pension f half-board.

demi-sœur f half-sister.

démission f resignation.

démissionner vi to resign.

demi-tarif m half-fare.

demi-tour m half-turn.

démocrate mf democrat.

démocratie f democracy.

démocratique adj democratic; **~ment** adv democratically.

démocratiser vt to democratise.

démodé adj old-fashioned, out-of-date.

démographie f demography.

démographique adj demographic.

demoiselle f young lady; spinster; damsel.

démolir vt to demolish, knock down.

démolition f demolition.

démon m demon, fiend.

démoniaque adj demoniac, fiendish.

démonstrateur m **-trice** f demonstrator.

démonstratif adj demonstrative.

démonstration f demonstration; proof.

démontable adj collapsible, that can be dismantled.

démonte-pneu m tyre lever.

démonter vt to dismantle, take down, dismount; **se ~** vr to come apart, be nonplussed.

démontrer vt demonstrate; to prove.

démoralisant adj demoralising.

démoraliser vt to demoralise; **se ~** vr to become demoralised.

démouler *vt* to take out of a mould.

démunir *vt* to deprive; to divest.

démystifier *vt* to demystify, disabuse.

dénaturé *adj* denatured, disfigured.

dénégation *f* denial.

déneiger *vt* to clear snow from.

déni *m* denial, refusal.

dénicher *vt* to dislodge; to unearth.

dénier *vt* to deny, disclaim.

dénigrer *vt* to denigrate, disparage.

dénivellation *f* difference in level, unevenness.

dénombrer *vt* to number, enumerate.

dénomination *f* denomination, designation.

dénoncer *vt* to denounce; to inform against.

dénonciation *f* denunciation.

dénouement *m* dénouement; unravelling; outcome.

dénouer *vt* to unravel, untie, undo.

dénoyauter *vt* to stone (fruit).

denrée *f* commodity, provisions, foodstuff.

dense *adj* dense, thick.

densité *f* density, denseness.

dent *f* tooth.

dentaire *adj* dental.

dentelé *adj* jagged, perforated.

dentelle *f* lace.

dentier *m* denture, dental plate.

dentifrice *m* toothpaste.

dentiste *mf* dentist.

dentition *f* dentition, teething.

dénuder *vt* to bare, denude; **se ~** *vr* to strip off.

dénué *adj* devoid, bereft.

dénuement *m* destitution; deprivation.

déodorant *m* deodorant.

déontologie *f* deontology.

dépannage *m* repairing, fixing.

dépanner *vt* to repair, fix.

dépanneur *m* -euse *f* breakdown mechanic.

dépanneuse *f* breakdown lorry.

dépareillé *adj* unmatched; odd.

déparer *vt* to spoil; to disfigure.

départ *m* departure; start.

département *m* department.

dépasser *vt* to exceed; to go past.

dépaysé *adj* disoriented, out of one's element.

dépaysement *m* disorientation.

dépêcher *vt* to dispatch, send; **se ~** *vr* to hurry, rush.

dépendance *f* dependence; dependency.

dépendant *adj* dependent.

dépendre *vi* to depend on, be dependent on.

dépens *mpl*: **aux ~ de** at the expense of.

dépense *f* expenditure, outlay.

dépenser *vt* to expend, spend; **se ~** *vr* to exert o.s.

dépérir *vi* to decline, waste away.

dépeupler *vt* to depopulate; to clear.

dépistage *m* tracking; detection.

dépister *vt* to track.

dépit *m* spite; grudge; **en ~ de** in spite of.

dépité *adj* vexed; frustrated.

déplacé *adj* misplaced; ill-timed.

déplacement *m* displacement; removal.

déplacer *vt* to displace; to move; **se ~** *vr* to change residence.

déplaire *vi* to displease; to offend.

déplaisant *adj* disagreeable, unpleasant.

dépliant *m* prospectus, leaflet; * *adj* extendible; folding.

déplier *vt* to unfold; to open out.

déploiement *m* (*mil*) deployment; display.

déplorable *adj* deplorable, disgraceful.

déplorer *vt* to deplore, bewail.

déployer *vt* to deploy; to display.

dépopulation *f* depopulation.

déportation f deportation, transportation.

déporté m -e f deportee.

déporter vt to deport, transport.

déposer vt to lodge, deposit.

dépositaire mf depository; trustee.

déposition f deposition; evidence.

dépôt m deposit; warehouse.

dépouillement m scrutiny, perusal; despoiling.

dépouiller vt to strip; to despoil; to peruse.

dépourvu adj lacking, wanting; **au ~** off guard.

dépoussiérer vt to dust.

dépravation f depravity, corruption.

dépravé adj depraved, corrupt.

dépréciation f depreciation.

déprécier vt to depreciate; to disparage; **se ~** vr to depreciate, fall in value.

dépressif adj depressive.

dépression f depression, slump; dejection.

déprimant adj depressing.

déprimer vt to depress; to discourage.

depuis prép since, from; after.

député m deputy, delegate.

déracinement m uprooting.

déraciner vt to uproot.

déraillement m derailment.

dérailler vi to be derailed, run off the rails.

dérailleur m derailleur, derailer (rail).

déraisonner vi to talk irrationally, rave.

dérangement m derangement; inconvenience.

déranger vt to upset, unsettle; **se ~** vr to move; to put o.s. out.

dérapage m skid.

déraper vi to skid, slip.

déréglé adj out of order; irregular; unruly.

dérèglement m disturbance; irregularity; dissoluteness.

dérégler vt to disturb; to put out of order; to upset.

dérision f derision, mockery.

dérisoire adj derisory; pathetic.

dérivation f derivation; diversion.

dérive f drift; **aller à la ~** to drift away.

dériver vi to drift.

dermatologie f dermatology.

dermatologue mf dermatologist.

derme m dermis.

dernier adj last; latest; back; * m -ière f last one; latter.

dernièrement adv recently; lately.

dérobade f sidestepping; evasion.

dérober vt to steal; to hide; **se ~** vr to steal away, escape.

dérogation f derogation; dispensation.

déroger vi to derogate; to detract.

déroulement m unfolding; progress, development.

dérouler vt to unwind, uncoil; **se ~** vr to develop; to unfold.

déroutant adj disconcerting.

déroute f rout, overthrow.

dérouter vt to rout, overthrow.

derrière prép behind; * adv; **par ~** at the back; * m bottom; back; **de ~** back, rear.

des art = **de les**; see **un, une**.

dès prép from, since; **~ que** when; as soon as.

désabusé adj disenchanted; disabused.

désaccord m disagreement, discord.

désaffecté adj disused.

désagréable adj disagreeable, unpleasant; **~ment** adv disagreeably, unpleasantly.

désagréger vt to break up, disintegrate; **se ~** vr to break up, disintegrate

désagrément m displeasure, annoyance.

désaltérant adj thirst-quenching.

désaltérer *vt* to refresh; **se ~** *vi* to quench one's thirst.

désamorcer *vt* to unprime, defuse.

désapprobateur *adj* disapproving.

désapprobation *f* disapproval.

désapprouver *vt* to disapprove, object.

désarçonner *vt* to unsaddle; to nonplus, baffle.

désarmant *adj* disarming.

désarmement *m* disarmament.

désarmer *vt* to disarm; to unload.

désarroi *m* disarray, confusion.

désarticuler *vt* to dislocate; to upset.

désastre *m* disaster.

désastreux *adj* disastrous, unfortunate.

désavantage *m* disadvantage; prejudice.

désavantager *vt* to disadvantage, handicap.

désaveu *m* disavowal, retraction.

désavouer *vt* to disavow, retract.

descendance *f* descent, lineage.

descendant *m* -e *f* descendant; * *adj* falling, descending.

descendre *vi* to descend, go down; * *vt* to take down, bring down.

descente *f* descent, way down.

descriptif *adj* descriptive, explanatory.

description *f* description.

désemparé *adj* helpless; distraught.

désenchantement *m* disenchantment; disillusion.

désenfler *vi* to become less swollen.

désensibiliser *vt* to desensitise.

déséquilibre *m* imbalance, unbalance.

déséquilibré *adj* unbalanced, unhinged.

déséquilibrer *vt* to unbalance, throw off balance.

désert *m* desert, wilderness; * *adj* deserted.

déserter *vt* to desert.

déserteur *m* deserter.

désertification *f* desertification.

désertion *f* desertion.

désertique *adj* desert; barren.

désespérant *adj* desperate, hopeless; discouraging.

désespéré *adj* desperate, hopeless; **~ment** *adv* desperately.

désespérer *vi* to despair, give up hope.

désespoir *m* despair, despondency.

déshabiller *vt* to undress; **se ~** *vr* to undress.

désherbage *m* weeding.

désherbant *m* weed killer.

désherber *vt* to weed.

déshériter *vt* to disinherit.

déshonorant *adj* dishonourable, disgraceful.

déshonorer *vt* to dishonour, disgrace.

déshydraté *adj* dehydrated.

déshydrater *vt* to dehydrate; **se ~** *vr* to become dehydrated.

désignation *f* designation, nomination; name.

désigner *vt* to designate, indicate.

désillusion *f* disillusion; disappointment.

désillusionner *vt* to disillusion; to disappoint.

désincarné *adj* disincarnate, disembodied.

désinfectant *m* disinfectant; * *adj* disinfectant.

désinfecter *vt* to disinfect.

désinfection *f* disinfection.

désinformation   *f* disinformation.

désintégration *f* disintegration.

désintégrer *vt* to split, break up; **se ~** *vr* to disintegrate.

désintéressé *adj* disinterested, unselfish.

désintéressement *m* disinterestedness, unselfishness.

désintéresser (se) *vr* to lose interest in.

désintoxiquer vt to detoxify; to dry out; **se faire ~** vr to dry out.

désinvolte adj easy, offhand, casual.

désinvolture f casualness, offhandedness.

désir m desire, wish, longing.

désirable adj desirable.

désirer vt to desire, wish, long.

désobéir vi to disobey.

désobéissance f disobedience.

désobéissant adj disobedient.

désobligeant adj disobliging; uncivil.

désodorisant m deodorant; * adj deodorising, deodorant.

désodoriser vt to deodorise.

désœuvré adj unoccupied, idle.

désœuvrement m idleness.

désolation f desolation; ruin; grief.

désolé adj desolate; disconsolate, grieved.

désordonné adj untidy; inordinate; reckless.

désordre m disorder, confusion, disturbance.

désorganisation f disorganisation.

désorienté adj disorientated.

désormais adv from now on, henceforth.

désossé adj boned.

despote m despot.

despotique adj despotic; **~ment** adv despotically.

dessèchement m dryness, drying up, withering.

dessécher vt to dry, parch, wither; **se ~** vr to dry out, become parched.

dessein m design, plan, scheme; **à ~** intentionally.

desserrer vt to loosen; to unscrew; to slacken; **se ~** vr to work loose, come undone.

dessert m dessert, sweet.

desservir vt to clear (table); to do a disservice to.

dessin m drawing, sketch; draft.

dessinateur m **-trice** f drawer, draughtsman.

dessiner vt to draw, sketch; to design.

dessous adv under, beneath; * m underside, bottom.

dessus adv over, above; * m; **prendre le ~** to gain the upper hand; **le ~ du panier** the upper crust, the pick of the bunch.

déstabiliser vt to destabilise.

destin m destiny, fate, doom.

destinataire mf addressee, consignee.

destination f destination; purpose.

destinée f destiny, fate.

destiner vt to determine; to intend, destine, aim.

destituer vt to dismiss, depose.

destructeur adj destructive, ruinous.

destruction f destruction.

désuétude f disuse **tomber en ~** to fall into disuse.

détachable adj detachable.

détachant m cleaner, stain remover.

détaché m (mus) detached.

détachement m detachment, indifference.

détacher vt (mus) to detach; to unfasten; **se ~** vr to become detached.

détail m detail, particular.

détaillant m **-e** f retailer.

détailler vt to detail; to sell retail.

détartrage m descaling.

détartrant m descaling substance; * adj descaling.

détartrer vt to descale.

détaxe f reduction in tax.

détecter vt to detect.

détecteur m detector.

détection f detection.

détective m detective.

déteindre vi to lose colour, fade.

détendre vt to release, loosen; **se ~** to relax, calm down.

détendu adj slack; relaxed.

détenir *vt* to detain; to hold.

détente *f* relaxation, easing.

détenteur *m* **-trice** *f* holder, possessor.

détergent *m* detergent.

détérioration *f* deterioration.

détériorer *vt* to damage, impair; **se ~** *vr* to deteriorate, worsen.

déterminant *adj* determining, deciding.

détermination *f* determination; resolution.

déterminé *adj* determined, resolute.

déterminer *vt* to determine, decide.

déterrer *vt* to dig up, disinter.

détestable *adj* detestable, odious; **~ment** *adv* detestably.

détester *vt* to detest, hate.

détonateur *m* detonator.

détonation *f* detonation, explosion.

détonner *vi* to clash (colour); to go out of tune.

détour *m* detour; curve; evasion.

détourné *adj* indirect, oblique.

détournement *m* diversion, rerouting.

détourner *vt* to divert, reroute.

détracteur *m* **-trice** *f* detractor, disparager.

détraquer *vt* to upset; to disorder; **se ~** *vr* to become upset; to go wrong.

détresse *f* distress, trouble.

détriment *m*: **au ~ de** to the detriment of.

détritus *m* refuse, rubbish.

détroit *m* strait.

détrôner *vt* to dethrone, depose.

detruire *vt* to destroy, demolish.

dette *f* debt.

deuil *m* mourning, bereavement, grief.

deux *adj* two; * *m* two; **entre les ~** so-so, fair to middling; **en moins de ~** in a jiffy.

deuxième *adj* second; **~ment** *adv* secondly; * *mf* second.

deux-points *m* colon.

deux-roues *m* two-wheeled vehicle.

dévaler *vt vi* to hurry down, tear down.

dévaliser *vt* to burgle; to rifle.

dévalorisation *f* depreciation.

dévaloriser *vt* to depreciate, reduce the value of.

dévaluation *f* devaluation.

devancer *vt* to outstrip, outrun; to precede.

devant *prép* in front of, before; * *adv* in front; * *m* front; **prendre les ~s** to make the first move, pre-empt; **aller au~ de** to anticipate.

devanture *f* display; shop-front.

dévaster *vt* to devastate, lay waste.

développement *m* development; growth; progress.

développer *vt* to develop, expand; **se ~** *vr* to develop, grow.

devenir *vi* to become, grow.

déverrouiller *vt* to unbolt, unlock.

déverser *vt* to pour; to dump.

dévêtir *vt* to undress; **se ~** *vr* to get undressed.

déviation *f* deviation; diversion.

dévier *vi* to deviate; to turn aside; to swerve.

devin *m* **-eresse** *f* seer, soothsayer.

deviner *vt* to guess; to solve; to foretell.

devinette *f* riddle.

devis *m* estimate, quotation.

dévisager *vt* to stare at.

devise *f* currency.

dévisser *vt* to unscrew, undo.

dévoiler *vt* to unveil, disclose.

devoir *m* duty; homework; *vt* to owe; to have to.

dévorer *vt* to devour, consume.

dévot *adj* devout, pious.

dévotion *f* devotion, piety.

dévoué *adj* devoted, dedicated.

dévouement *m* devotion, dedication.

dévouer (se) *vr* to devote o.s., sacrifice o.s.

dextérité *f* dexterity, adroitness.

diabète *m* diabetes.

diabétique *adj* diabetic.

diable *m* devil.

diablotin *m* imp; cracker (Christmas).

diabolique *adj* diabolical, devilish; ~ment *adv* diabolically.

diagnostic *m* diagnosis.

diagnostiquer *vt* to diagnose.

diagonale *f* diagonal.

diagramme *m* diagram; graph.

dialecte *m* dialect.

dialectique *f* dialectic; * *adj* dialectic.

dialogue *m* dialogue, conversation.

dialoguer *vt* to write in dialogue form; *vi* to have talks (with).

dialyse *f* dialysis.

diamant *m* diamond.

diamètre *m* diameter.

diaphragme *m* diaphragm.

diarrhée *f* diarrhoea.

dictaphone *m* dictaphone.

dictateur *m* -**trice** *f* dictator.

dictatorial *adj* dictatorial.

dictature *f* dictatorship.

dictée *f* dictating; dictation.

dicter *vt* to dictate, impose.

dictionnaire *m* dictionary.

dicton *m* saying, dictum.

didactique *adj* didactic.

dièse *f* sharp *(mus)*.

diesel *m* diesel.

diète *f* light diet.

diététicien *m* -**ne** *f* dietician.

diététique *adj* dietary.

dieu *m* god.

diffamation *f* defamation, slandering.

diffamer *vt* to defame, slander.

différé *adj* postponed; *(rad, TV)* pre-recorded.

différemment *adv* differently.

différence *f* difference.

différenciation *f* differentiation.

différencier *vt* to differentiate.

différend *m* disagreement, difference of opinion.

différent *adj* different; various.

différer *vt* to differ; to vary.

difficile *adj* difficult; awkward, tricky; ~ment *adv* with difficulty.

difficulté *f* difficulty; problem.

difforme *adj* deformed, misshapen.

difformité *f* deformity.

diffuser *vt* to diffuse, circulate, broadcast.

diffusion *f* diffusion, circulation, broadcasting.

digérer *vt* to digest.

digeste *adj* easily digestible.

digestif *adj* digestive.

digestion *f* digestion.

digital *adj* digital.

digne *adj* worthy; dignified; ~ment *adv* worthily, deservedly.

dignité *f* dignity.

digression *f* digression.

digue *f* dyke; sea wall.

dilapider *vt* to squander; to embezzle.

dilatation *f* dilation, distension.

dilater *vt* to dilate, distend; **se** ~ *vr* to dilate, distend.

dilemme *m* dilemma.

dilettante *mf* dilettante.

diluer *vt* to dilute.

dilution *f* dilution.

dimanche *m* Sunday.

dimension *f* dimension, size.

diminuer *vt* to diminish, reduce; * *vi* to diminish, lessen.

diminutif *m* diminutive.

diminution *f* reduction, lessening.

dinde *f* turkey hen.

dindon *m* turkey cock.

dindonneau *m* young turkey.

dîner *vi* to dine; * *m* dinner.

dinosaure *m* dinosaur.

diocèse *m* diocese.

diode *f* diode.

dioxyde m dioxide.

diphtérie f diphtheria.

diphtongue f diphthong.

diplomate mf diplomat.

diplomatie f diplomacy.

diplomatique adj diplomatic; ~ment adv diplomatically.

diplôme m diploma, certificate.

diplômé m -e f graduate; * adj qualified.

dire vt to say; to tell; **se** ~ to say to o.s.; to call o.s; vr: **se** ~ **que** to tell o.s. that.

direct adj direct; ~ement adv directly; * m (rail) express.

directeur m -trice f director.

direction f direction, management.

directive f directive, order.

dirigeant m -e f leader, ruler; * adj ruling, executive.

diriger vt to run, direct; **se** ~ vr: **se** ~ **vers** to head for, make for.

discernement m discernment, judgment.

discerner vt to discern, distinguish.

disciple m disciple.

disciplinaire adj disciplinary.

discipline f discipline.

discipliné adj disciplined.

discontinu adj discontinuous.

discordant adj discordant, conflicting.

discorde f discord, dissension.

discothèque f discotheque.

discours m speech, talking.

discourtois adj discourteous.

discréditer vt to discredit.

discret adj discreet.

discrétion f discretion, prudence.

discrétionnaire adj discretionary.

discrimination f discrimination.

discriminer vt to distinguish; to discriminate.

disculper vt to excuse, exonerate; **se** ~ vr to justify o.s., excuse o.s.

discussion f discussion, debate.

discutable adj debatable, questionable.

discuter vt vi to discuss, debate.

disgrâce f disgrace.

disgracieux adj awkward, ungraceful.

disjoncter vi to cut off, disconnect.

disjoncteur m cutout, circuit breaker.

disparaître vi to disappear, vanish.

disparate adj disparate, incongruous.

disparité f disparity, incongruity.

disparition f disappearance; death; extinction.

disparu adj vanished; bygone; missing.

dispensaire m dispensary.

dispense f dispensation, exemption.

dispenser vt to dispense, exempt; **se** ~ vr: **se** ~ **de** to dispense with; to avoid.

disperser vt to spread, scatter; **se** ~ vr to disperse, scatter.

dispersion f dispersal, scattering.

disponibilité f availability.

disponible adj available; transferable.

dispos adj refreshed; alert; in form.

disposer vt to arrange, dispose; **se** ~ vr: **se** ~ **à** to prepare to do; * vi to leave.

dispositif m device, mechanism.

disposition f arrangement, layout.

disproportionné adj disproportionate.

dispute f dispute, argument.

disputer vt to dispute, rival; **se** ~ vr to quarrel, argue.

disquaire mf record-dealer.

disqualifier vt to disqualify.

disque m disk; record.

disquette f diskette.

dissection f dissection.

dissemblable adj dissimilar; different.

disséminer *vt* to disseminate, scatter.

dissentiment *m* disagreement, dissent.

disséquer *vt* to dissect.

dissertation *f* dissertation.

dissidence *f* dissidence, dissent.

dissident *adj* dissident.

dissimulation *f* dissimulation, double-dealing.

dissimulé *adj* double-faced, dissembling.

dissimuler *vt* to dissemble, conceal; **se ~** *vr* to conceal o.s.

dissipation *f* dissipation, waste.

dissipé *adj* dissipated, undisciplined.

dissiper *vt* to dispel; to dissipate; **se ~** *vr* to disperse, become undisciplined.

dissociation *f* dissociation.

dissocier *vt* to dissociate.

dissolution *f* dissolution.

dissolvant *m* solvent, dissolvent.

dissonant *adj* dissonant; discordant.

dissoudre *vt* to dissolve.

dissuader *vt* to dissuade.

dissuasif *adj* dissuasive, deterrent.

dissuasion *f* dissuasion.

distance *f* distance, interval.

distancier (se) *vr* to distance o.s. from.

distant *adj* distant.

distendre *vt* to distend, strain; **se ~** *vr* to slacken.

distillation *f* distillation.

distiller *vt* to distil.

distillerie *f* distillery.

distinct *adj* distinct, different; **~ement** *adv* distinctly.

distinctif *adj* distinctive.

distinction *f* distinction.

distingué *adj* distinguished.

distinguer *vt* to distinguish; to discern; **se ~** *vr* to distinguish o.s.

distorsion *f* distortion.

distraction *f* inattention; absentmindedness; abstraction.

distraire *vt* to distract; to amuse; **se ~** *vr* to enjoy o.s.

distrait *adj* inattentive, absentminded; **~ement** *adv* absentmindedly.

distrayant *adj* entertaining, diverting.

distribuer *vt* to distribute.

distributeur *m* distributor.

distribution *f* distribution.

district *m* district.

diurétique *adj* diuretic; * *m* diuretic.

divagation *f* wandering, rambling.

divaguer *vi* to ramble, rave.

divan *m* divan.

divergence *f* divergence.

divergent *adj* divergent.

diverger *vi* to diverge, differ.

divers *adj* diverse, varied; **~ement** *adv* diversely.

diversification *f* diversification.

diversifier *vt* to vary, diversify; **se ~** *vr* to diversify.

diversion *f* diversion.

diversité *f* diversity, variety.

divertir *vt* to amuse, entertain; **se ~** *vr* to amuse o.s.

divertissant *adj* amusing, entertaining.

divertissement *m* entertainment, recreation.

dividende *m* dividend.

divin *adj* divine, exquisite; **~ement** *adv* divinely.

divination *f* divination.

divinité *f* divinity.

diviser *vt* to divide, split; **se ~** *vr* to split up, divide into.

division *f* division.

divorce *m* divorce.

divorcé *m* -e *f* divorcee; * *adj* divorced.

divorcer *vi* to divorce.

divulgation *f* disclosure, divulgence.

divulguer *vt* to divulge, disclose.

dix *adj, m* ten.

dix-huit *adj, m* eighteen.
dix-huitième *adj, mf* eighteenth.
dixième *adj* tenth; ~**ment** *adv* tenthly; * *mf* tenth.
dix-neuf *adj, m* nineteen.
dix-neuvième *adj, mf* nineteenth.
dix-sept *adj, m* seventeen.
dix-septième *adj, mf* seventeenth.
dizaine *f* ten, ten or so.
docile *adj* docile, submissive; ~**ment** *adv* docilely.
docilité *f* docility, submissiveness.
dock *m* dock, dockyard.
docteur *m* doctor.
doctorat *m* doctorate.
doctrine *f* doctrine.
document *m* document.
documentaire *adj* documentary.
documentaliste *mf* researcher.
documentation *f* documentation; information.
documenter *vt* to document; **se** ~ *vr* to gather information on.
dogmatique *adj* dogmatic.
dogme *m* dogma.
doigt *m* finger; **être à deux ~s de** to come very close to doing; **obéir au ~ et à l'œil** to obey (sb) slavishly.
doigté *m* touch; fingering technique.
domaine *m* domain, estate; to sphere.
domanial *adj* state-owned.
dôme *m* dome, vault.
domestique *adj* domestic, household.
domestiquer *vt* to domesticate, tame.
domicile *m* domicile, address.
domicilié *adj* domiciled.
dominant *adj* dominant, prevailing.
dominante *f* dominant characteristic.
dominateur *adj* governing; domineering.

domination *f* domination.
dominer *vt* to dominate; to prevail; **se** ~ to control o.s.
dominical *adj* Sunday.
dommage *m* damage; harm; **c'est** ~ it's a pity.
dompter *vt* to tame, train.
dompteur *m* -**euse** *f* trainer, tamer.
don *m* gift; talent.
donateur *m* -**trice** *f* donor.
donation *f* donation.
donc *conj* so, therefore, thus; **pourquoi** ~? why was that?
donné *adj* given; fixed; **étant** ~ seeing that, in view of.
donnée *f* datum.
donner *vt* to give; * *vi* to yield (crop).
donneur *m* -**euse** *f* giver, donor; dealer.
dont *pn* whose, of which.
dopage *m* doping.
doper *vt* to dope; **se** ~ *vr* to take drugs, dope o.s.
doré *adj* gilded; tanned.
dorénavant *adv* from now on, henceforth.
dorer *vt* to gild; to tan.
dorloter *vt* to pamper, pet.
dormir *vi* to sleep, be asleep; to be still.
dortoir *m* dormitory.
dos *m* back; top; ridge.
dosage *m* mixture; balance; proportioning.
dose *f* dose; amount; quantity.
doser *vt* to measure out, proportion; to strike a balance.
dossier *m* dossier, file; case.
dot *f* dowry.
doter *vt* to provide with a dowry; to endow.
douane *f* customs.
douanier *m* customs officer.
double *adj* double, duplicate, dual; ~**ment** *adv* doubly; * *m* copy, double, replica; twice as much.
doubler *vt vi* to double, duplicate.

doublure *f* lining; (*thea*) understudy.

doucement *adv* softly, gently.

doucereux *adj* sugary; mawkish; suave.

douceur *f* softness, gentleness.

douche *f* shower.

doucher *vt* to give a shower to; **se ~** *vr* to take a shower.

doué *adj* gifted, endowed with.

douille *f* case; cartridge.

douillet *adj* delicate, tender; soft.

douleur *f* pain, ache; anguish.

douloureusement *adv* painfully, grievously.

douloureux *adj* painful, grievous.

doute *m* doubt; **sans ~** without doubt.

douter *vi* to doubt, question; **se ~** *vr* **se ~ de** to suspect someone; **se ~ que** to suspect that, expect that.

douteux *adj* doubtful, dubious.

doux *adj*, *f* **douce** soft; sweet; mild.

douzaine *f* dozen.

douze *adj*, *m* twelve.

douzième *adj* twelfth; **~ment** *adv* twelfthly; * *mf* twelfth.

doyen *m* **-ne** *f* dean; doyen.

draconien *adj* draconian, drastic.

dragée *f* bonbon, sugared almond.

dragon *m* dragon.

dramatique *adj* dramatic, tragic; **~ment** *adv* dramatically.

dramatiser *vt* to dramatise.

dramaturge *mf* playwright.

drame *m* drama.

drap *m* sheet; **~-housse** fitted sheet; **être dans de beaux ~s** to be in a fine mess.

drapeau *m* flag.

draper *vt* to drape.

dressage *m* taming; pitching.

dresser *vt* to draw up; to put up; **se ~** *vr* to stand up; to rear up.

dresseur *m* **-euse** *f* trainer, tamer.

dribbler *vi* to dribble.

drogue *f* drug.

drogué *m* **-e** *f* drug addict; * *adj* drugged.

droguer *vt* to drug, administer drugs; **se ~** *vr* to dose up; to take drugs.

droguerie *f* hardware trade.

droguiste *mf* hardware storekeeper.

droit *adj* right; straight; sound; honest; **~ement** *adv* uprightly, honestly; * *adv* straight, straight ahead; * *m* right; law; tax.

droite *f* right side; right (wing); straight line.

droitier *adj* right-handed.

droiture *f* uprightness, honesty.

drôle *adj* funny, amusing; peculiar; **~ment** *adv* funnily, peculiarly.

dromadaire *m* dromedary.

dru *adj* thick, dense; sturdy.

du *art* of the.

dû *adj* owed; due; **~ment** *adv* duly.

dualité *f* duality.

dubitatif *adj* doubtful, dubious.

dubitativement *adv* doubtfully, dubiously.

duc *m* duke, **duchesse** *f* duchess.

duché *m* duchy.

duel *m* duel; dual.

duettiste *mf* duettist.

dune *f* dune.

duo *m* duo; duet.

duodénum *m* duodenum.

dupe *adj* easily duped; * *f* dupe.

duper *vt* to dupe, take in.

duplex *m* duplex, two-way.

dupliquer *vt* to duplicate.

dur *adj* hard, tough; difficult; **~ement** *adv* harshly, severely.

durable *adj* durable, lasting; **~ment** *adv* durably.

duralumin *m* duralumin.

durant *prép* during, for.

durcir *vt* *vi* to harden; **se ~** *vr* to become hardened.

durcissement *m* hardening.

durée *f* duration, length.
durer *vi* to last.
dureté *f* hardness; austerity, harshness.
durillon *m* callus, corn.
duvet *m* down.
duveté *adj* downy.
dynamique *f* dynamic; dynamics; * *adj* dynamic; ~**ment** *adv* dynamically.
dynamiser *vt* to energise; to potentiate.
dynamisme *m* dynamism.
dynamitage *m* dynamiting.
dynamite *f* dynamite.
dynamiter *vt* to dynamite.
dynamo *f* dynamo.
dynastie *f* dynasty.
dynastique *adj* dynastic.
dysenterie *f* dysentery.
dyslexie *f* dyslexia.
dyslexique *adj* dyslexic.

E

eau *f* water; rain.
eau-de-vie *f* brandy.
ébahir *vt* to astonish, stupefy, dumbfound.
ébahissement *m* astonishment, amazement.
ébauche *f* rough draft, rough outline.
ébaucher *vt* to sketch; to roughcast.
ébène *f* ebony.
ébéniste *m* cabinetmaker.
éblouir *vt* to dazzle; to fascinate.
éblouissant *adj* dazzling; amazing.
éblouissement *m* dazzle; bedazzlement.
ébouillanter *vt* to scald; to blanch; **s'~** *vr* to scald oneself.
éboulement *m* collapse, caving in; fall.
ébouriffé *adj* tousled, ruffled.
ébranler *vt* to shake; to unsettle, disturb.
ébrécher *vt* to chip, indent; to break into (fortune).
ébriété *f* intoxication.
ébrouer (s') *vr* to shake oneself.
ébruiter *vt* to disclose, divulge; **s'~** *vr* to spread, be noised abroad.
ébullition *f* boiling; effervescence; turmoil.

écaille *f* scale; shell.
écailler *vt* to scale; to chip; **s'~** *vr* to flake off, peel off.
écarlate *adj* scarlet.
écart *m* distance; interval; discrepancy; **rester à l'~** to steer clear of.
écarteler *vt* to tear apart; to quarter.
écarter *vt* to separate; to avert; to dismiss; **s'~** *vr* to make way; to swerve.
ecchymose *f* bruise, ecchymosis.
ecclésiastique *adj* ecclesiastical; * *m* ecclesiastic, clergyman.
échafaud *m* scaffold.
échafaudage *m* scaffolding.
échange *m* exchange, barter, trade.
échanger *vt* to exchange.
échantillon *m* sample.
échappée *f* breakaway; glimpse.
échappement *m* exhaust; release.
échapper *vi* to escape, avoid, elude; **s'~** *vr* to escape from; to leak.
écharde *f* splinter, sliver.
écharpe *f* scarf; arm-sling.
échassier *m* wader.
échauffement *m* heating; warmup; constipation.
échauffer *vt* to heat, overheat; to

excite; **s'~** *vr* to warm up; to get worked up.

échéance *f* expiry; maturity date.

échec *m* failure, defeat; chess.

échelle *f* ladder; scale.

échelon *m* rung; grade.

échelonner *vt* to grade; to stagger, set at intervals; **s'~** *vr* to be graduated, staggered.

échine *f* backbone, spine; **courber l'~** to submit.

échiquier *m* chessboard.

écho *m* echo; rumour.

échographie *f* ultrasound scan.

échoir *vi* to fall due; to befall, fall to so's lot.

échouer *vi* to fail; to end up; to run aground.

éclabousser *vt* to splash, spatter.

éclair *m* flash; lightning flash; spark.

éclairage *m* lighting, light.

éclairagiste *m* electrician; lighting engineer.

éclaircie *f* clear interval, bright spot; glade.

éclaircir *vt* to lighten; to thin; to brighten up; **s'~** *vr* to clear (up).

éclaircissement *m* clearing up, explanation, elucidation.

éclairer *vt* to light, illuminate; clarify, explain.

éclat *m* brightness, glare; splinter; splendour.

éclatant *adj* bright, blazing; resounding; blatant.

éclatement *m* explosion, bursting, rupture.

éclater *vi* to explode; to break out; to exclaim.

éclectique *adj* eclectic.

éclipse *f* eclipse.

éclipser *vt* to eclipse, overshadow; **s'~** *vr* to disappear, vanish.

éclore *vi* to hatch out; to blossom.

éclosion *f* hatching; blooming; birth.

écluse *f* lock.

écœurant *adj* disgusting, nauseating.

écœurement *m* nausea, disgust; discouragement.

écœurer *vt* to nauseate, disgust.

école *f* school, schooling; sect, doctrine.

écolier *m* schoolgirl, **-ière** *f* schoolgirl.

écologie *f* ecology.

écologique *adj* ecological.

écologiste *mf* ecologist.

économe *adj* thrifty; * *mf* steward, treasurer; (*mar*) bursar.

économie *f* economy, thrift; economics.

économique *adj* economic; **~ment** *adv* economically.

économiser *vt* to economise, save.

écorce *f* bark, peel, skin.

écorchure *f* scratch; graze.

Écossais *m* Scotsman, **-e** *f* Scotswoman.

écossais *adj* Scottish.

Écosse *f* Scotland.

écoulement *m* flow, discharge, outlet; disposal, selling.

écouler *vt* to flow, discharge; to sell; **s'~** *vr* to leak, flow out; to pass by; to sell.

écoute *f* listening, audience.

écouter *vt* to listen to.

écran *m* screen.

écrasant *adj* crushing; overwhelming.

écraser *vt* to crush; to overwhelm; to run over; **s'~** *vr* to crash; to get crushed.

écrémer *vt* to skim, cream.

écrevisse *f* crayfish.

écrin *m* box, casket.

écrire *vt* to write; to spell.

écrit *adj* written; * *m* document; piece of writing.

écriteau *m* notice, sign.

écriture *f* writing; handwriting; script.

écrivain *m* writer.

écrou *m* nut.

écroulement *m* collapse, caving in.

écrouler (s') *vr* to collapse, crumble.

écru *adj* raw; unbleached; untreated.

ectoplasme *m* ectoplasm.

écueil *m* reef, shelf; peril.

écume *f* foam, froth; scum.

écureuil *m* squirrel.

écurie *f* stable.

écusson *m* badge, shield.

eczéma *m* eczema.

édification *f* erection, construction.

édifice *m* edifice, building.

édifier *vt* to build, construct; to edify.

éditer *vt* to publish, produce; to edit.

éditeur *m* **-trice** *f* publisher; editor.

édition *f* publishing; edition; editing.

éditorial *m* leading article, editorial.

éducatif *adj* educational.

éducation *f* education; upbringing.

édulcorant *m* sweetener; * *adj* sweetening.

éduquer *vt* to educate; to bring up, raise.

effacer *vt* to delete, erase, wipe off; **s'~** *vr* to wear away, become obliterated.

effaré *adj* alarmed, bewildered.

effaroucher *vt* to frighten off; to alarm.

effectif *m* staff; size, complement; * *adj* effective, positive.

effectivement *adv* effectively, positively.

effectuer *vt* to effect, execute, carry out.

effervescence *f* effervescence; excitement, ferment.

effervescent *adj* effervescent; excited.

effet *m* effect, impression; spin; bill, note.

efficace *adj* effective; efficient; **~ment** *adv* effectively, efficiently.

efficacité *f* effectiveness, efficiency.

effleurer *vt* to touch lightly, skim across.

effondrement *m* collapse, caving in.

effondrer (s') *vr* to collapse, cave in.

efforcer (s') *vr* to endeavour, do one's best.

effort *m* effort, exertion; stress, strain.

effraction *f* breaking and entering.

effrayant *adj* frightening, fearsome.

effrayer *vt* to frighten, scare.

effriter *vt* to crumble; to exhaust (land); **s'~** *vr* to crumble away, disintegrate.

effroi *m* terror, dismay.

effronté *adj* shameless, impudent, cheeky; **~ment** *adv* shamelessly, impudently.

effroyable *adj* horrifying, appalling; **~ment** *adv* horrifyingly, appallingly.

égal *adj* equal; even, level; equable; **~ement** *adv* evenly; equally; also, as well.

égaler *vt* to equal, match.

égalisation *f* equalisation; levelling.

égaliser *vt* to equalise; to level out.

égalitaire *adj* egalitarian.

égalité *f* equality; equableness; evenness.

égard *m* consideration, respect; **à l'~ de** concerning, regarding; **à tous ~s** in all respects.

égarer *vt* to mislead, lead astray; **s'~** *vr* to get lost; to wander from the point.

égayer *vt* to enliven, cheer up.

églantine *f* dog-rose, wild rose.

église *f* church.

égocentrique *adj* egocentric, self-centred.

égoïsme *m* selfishness, egoism.

égoïste *mf* egotist; * *adj* egotistic; **~ment** *adv* egotistically.

égout *m* sewer.

égoutter *vt* to strain; to wring out.

égratignure *f* scratch, scrape.

éjecter *vt* to eject, throw out.

élaboration *f* elaboration, development.

élaborer *vt* to elaborate, develop.

élan *m* surge, momentum, speed; spirit, elan.

élancer (s') *vr* to rush, spring, hurl oneself.

élargir *vt* to widen, stretch; **s'~** *vr* to get wider.

élargissement *m* widening, stretching, enlarging.

élastique *adj* elastic; flexible; * *m* elastic, elastic band.

électeur *m* -trice *f* voter, elector.

élection *f* election; choice.

électoral *adj* electoral.

électorat *m* electorate; constituency; franchise.

électricien *m* electrician.

électricité *f* electricity.

électrique *adj* electric.

électrocardiogramme *m* electrocardiogram.

électrode *f* electrode.

électrolyse *f* electrolysis.

électroménager *m* household appliance; * *adj* electrical (household).

électron *m* electron.

électronicien *m* electronics engineer.

électronique *f* electronics; * *adj* electronic.

élégance *f* elegance, stylishness.

élégant *adj* smart, elegant, stylish.

élément *m* element, component; cell; fact.

élémentaire *adj* elementary; basic.

éléphant *m* elephant.

élevage *m* rearing, breeding.

élève *mf* pupil, student.

élevé *adj* high; heavy; lofty, exalted.

élever *vt* to bring up, raise; to put up, lift up; **s'~** *vr* to rise, go up.

éleveur *m* -euse *f* stockbreeder.

éligible *adj* eligible.

élimination *f* elimination.

éliminatoire *adj* eliminatory; * *f* preliminary heat.

éliminer *vt* to eliminate, discard.

élire *vt* to elect.

élite *f* elite.

élitisme *m* elitism.

elle *pn* she; it; her; **c'est à ~** it's up to her; it's hers; **~-même** herself.

elliptique *adj* elliptic; **~ment** *adv* elliptically.

élocution *f* elocution, diction.

éloge *m* praise; eulogy.

élogieux *adj* laudatory, eulogistic.

éloigné *adj* distant, remote.

éloigner *vt* to move away, take away; **s'~** *vr* to go away; to grow distant.

éloquence *f* eloquence.

éloquent *adj* eloquent.

élu *adj* chosen, elected.

élucider *vt* to elucidate, clear up.

émacié *adj* emaciated, wasted.

émail *m* enamel.

émailler *vt* to enamel.

émancipation *f* emancipation, liberation.

émanciper *vt* to emancipate, liberate; **s'~** *vr* to become emancipated, liberated.

émaner *vi* to emanate, issue.

emballage *m* packing paper, wrapping paper.

emballer *vt* to pack up, wrap up.

embarcadère *m* landing stage, pier.

embarcation *f* boat, craft.

embargo *m* embargo.

embarquement *m* loading; embarkation.

embarquer *vt* to embark; to load; * *vi* to embark, go aboard.

embarras *m* embarrassment, confusion; trouble.

embarrassant *adj* embarrassing, uncomfortable.

embarrassé *adj* embarrassed, self-conscious.

embarrasser *vt* to embarrass; to hinder, hamper; **s'~** *vr* to burden oneself with; to be troubled by.

embaucher *vt* to take on, hire.

embellir *vt* to beautify, make more attractive.

embellissement *m* embellishment, improvement.

embêter *vt* (*fam*) to bore; to get on one's nerves; **s'~** *vr* to be bored, fed up.

emblème *m* symbol, emblem.

emboîter *vt* to fit together; **s'~** *vr* to fit together; to fit into each other.

embonpoint *m* stoutness, plumpness.

embouchure *f* mouth (river); mouthpiece.

embouteillage *m* traffic jam; bottling.

embranchement *m* junction; side road.

embrasser *vt* to kiss, embrace.

embrayage *m* clutch.

embrayer *vi* to engage the clutch.

embrouiller *vt* to tangle up, mix up; **s'~** *vr* to become muddled, confused.

embryon *m* embryo.

embryonnaire *adj* embryonic.

embuscade *f* ambush.

émeraude *f* emerald.

émerger *vi* to emerge; to stand out.

émeri *m* emery.

émerveiller *vt* to astonish, amaze; **s'~** *vr* to marvel at.

émetteur *adj*, *f* **-trice** transmitting.

émettre *vt* to send out, emit, transmit.

émeute *f* riot.

émietter *vt* to crumble; to disperse, break up; **s'~** *vr* to crumble; to disperse, break up.

émigration *f* emigration.

émigré *m* **-e** *f* émigré, expatriate.

émigrer *vi* to emigrate.

éminence *f* hill, elevation; eminence, distinction.

éminent *adj* eminent, distinguished.

émir *m* emir.

émission *f* sending out; transmission; broadcast; emission.

emmêler *vt* to entangle; confuse; **s'~** *vr* to tangle.

emménager *vi* to move in.

emmener *vt* to take away; to lead.

émoi *m* agitation, emotion.

émotif *adj* emotional; emotive.

émotion *f* emotion; commotion.

émotivité *f* emotionalism.

émouvant *adj* moving, touching.

émouvoir *vt* to move, disturb, upset; **s'~** *vr* to be moved; to get worried, upset.

empailler *vt* to stuff.

empaqueter *vt* to parcel up, pack.

emparer (s') *vr* to seize, grab; to take possession of.

empêchement *m* obstacle, hitch; impediment.

empêcher *vt* to prevent, stop; **s'~** *vr*: **s'~ de** to refrain from doing something.

empereur *m* emperor.

empester *vt* to stink out; to poison, infect.

empêtrer *vt* to entangle,; **s'~** *vr* to get involved in, get mixed up in.

emphase *f* pomposity; emphasis, stress.

empiéter *vi* to encroach, overlap.

empiler *vt* to pile up, stack.

empire *m* empire; influence, ascendancy.

empirer *vi* to get worse, deteriorate.

empirique *adj* empirical; **~ment** *adv* empirically.

emplacement *m* site, location.

emploi *m* use; job, employment.

employé *m* **-e** *f* employee.

employer *vt* to use, spend; to employ.

employeur *m*, **euse** *f* employer.

empoisonner *vt* to poison; to annoy.

emporter *vt* to take; to carry off; to involve; **s'~** *vr* to lose one's temper.

empreinte *f* imprint, impression, stamp.

empresser (s') *vi* to rush to; to press around, fuss around.

emprise *f* hold, ascendancy.

emprisonner *vt* to imprison, trap.

emprunt *m* borrowing, loan.

emprunter *vt* to borrow; to assume; to derive.

ému *adj* moved, touched, excited.

émulsion *f* emulsion.

en *prép* in; to; by; on; **~ tant que** as; *pn* from there; of it, of them; **je n'~ veux plus** I don't want any more of them; **s'~ faire** to worry; **il ~ va de même pour** the same goes for.

encadré *m* box; framed text.

encadrement *m* framing; training; managerial staff.

encadrer *vt* to frame; to train; to surround.

encaissement *m* collection; receipt; cashing.

encaisser *vt* to collect, receive; to cash.

encastrer *vt* to embed, fit in, encase.

enceinte *f* pregnant.

encens *m* incense.

encenser *vt* (*rel*) to cense; to shower praise on.

encercler *vt* to encircle, surround.

enchaînement *m* linking; link; sequence.

enchaîner *vt* to chain.

enchanté *adj* enchanted, delighted.

enchantement *m* enchantment, delight.

enchanter *vt* to enchant, delight.

enchâsser *vt* to set, imbed.

enchère *f* bid, offer.

enchevêtrement *m* entanglement, confusion.

enclave *f* enclave.

enclencher *vt* to engage; to set in motion.

enclin *adj* inclined, prone.

enclore *vt* to enclose, shut in.

enclume *f* anvil; engine block.

encoder *vt* to encode.

encolure *f* neck; collar size.

encombrant *adj* unwieldy, cumbersome.

encombrement *m* congestion; jumble; obstruction.

encombrer *vt* to clutter, obstruct; **s'~** *vr* to burden oneself.

encore *adv* still; only; again; more; **~ que** even though.

encourageant *adj* encouraging, heartening.

encouragement *m* encouragement.

encourager *vt* to encourage; to incite.

encre *f* ink.

encyclopédie *f* encyclopaedia.

endettement *m* indebtedness; debt.

endetter *vt* to get so into debt; **s'~** *vr* to get into debt.

endive *f* chicory.

endoctrinement *m* indoctrination.

endoctriner *vt* to indoctrinate.

endommager *vt* to damage.

endormir *vt* to put to sleep; **s'~** *vr* to fall asleep.

endossement *m* endorsement.

endosser *vt* to put on; to shoulder; to endorse.

endroit *m* place; side part; **à l'~** regarding.

enduire *vt* to coat, smear.

enduit *m* coating.

endurance *f* endurance, stamina.

endurci *adj* hardened; hard-hearted.

endurcir *vt* to harden; **s'~** *vr* to become hardened.

endurer *vt* to endure, bear.

énergétique *adj* energy; energising.

énergie *f* energy; spirit, vigour.

énergique *adj* energetic, vigorous; **~ment** *adv* energetically.

énervant *adj* enervating; irritating.

énervement *m* irritation; nervousness.

énerver *vt* to irritate, annoy; to get on one's nerves; **s'~** *vr* to get excited, worked up.

enfance *f* childhood; infancy.

enfant *mf* child; native.

enfanter *vt* to give birth to.

enfantillage *m* childishness.

enfantin *adj* childish, infantile.

enfer *m* hell.

enfermer *vt* to lock up; to confine; to box in.

enfiévrer *vt* to stir up, inflame.

enfiler *vt* to string, thread; to put on.

enfin *adv* at last; in short; after all.

enflammer *vt* to set on fire; to inflame, kindle; **s'~** *vr* to catch fire, ignite.

enflé *adj* swollen; bombastic, turgid.

enfler *vi* to swell up, inflate.

enfoncer *vt* to stick in, thrust; to break open; **s'~** *vr* to sink into, disappear into.

enfouir *vt* to bury.

enfuir (s') *vr* to run away, flee.

engagement *m* agreement, commitment, undertaking; engaging; opening.

engager *vt* to bind; to involve; to insert; to open; **s'~** *vr* to undertake to; to take a job.

engelure *f* chilblain.

engendrer *vt* to create, engender; to father.

engin *m* machine; instrument; contraption.

englober *vt* to include, encompass.

engloutir *vt* to wolf down; to engulf.

engorgement *m* obstruction, clogging; glut.

engouement *m* infatuation; fad, craze.

engouffrer *vt* to devour, swallow up, engulf; **s'~** *vr* to rush into, sweep, surge.

engourdi *adj* numb; dull.

engourdir *vt* to numb; to dull, blunt; **s'~** *vr* to become numb, to grow sluggish.

engourdissement *m* numbness; sleepiness.

engrais *m* fertiliser; manure.

engraisser *vi* to get fatter; * *vt* to fatten; to fertilise.

engrenage *m* gears, gearing.

énigmatique *adj* enigmatic; **~ment** *adv* enigmatically.

énigme *f* enigma, riddle.

enivrer *vt* to intoxicate, make drunk; **s'~** *vr* to get drunk.

enjeu *m* stake.

enjoliver *vt* to ornament; to embroider (truth).

enlacer *vt* to embrace, intertwine.

enlaidir *vt* to make ugly; **s'~** *vr* to become ugly.

enlèvement *m* abduction, kidnapping; removal.

enlever *vt* to remove; to take off; to deprive; to abduct.

enliser *vt* to get stuck (car); **s'~** *vr* to get bogged down, get sucked into.

enneigé *adj* snowy, snowbound.

enneigement *m* snow coverage.

ennemi *m* **-e** *f* enemy.

ennui *m* boredom, tedium, weariness.

ennuyer *vt* to bore, bother; **s'~** *vr* to get bored.

ennuyeux *adj* boring, tedious.

énorme *adj* enormous, huge.

énormément *adv* enormously.

énormité *f* enormity, hugeness; howler.

enquête *f* inquiry, investigation; survey.

enquêter *vi* to hold an inquiry; to investigate.

enraciner *vt* to implant, root; **s'~** *vr* to take root; to settle down somewhere.

enragé *adj* furious; keen.

enregistrement *m* recording; registration.

enregistrer *vt* to record; to register.

enrichi *adj* improved, enriched; nouveau riche.

enrichir *vt* to enrich, expand; **s'~** *vr* to get rich.

enrichissant *adj* enriching.

enrichissement *m* enrichment.

enrober *vt* to wrap, cover, coat.

enrôler *vt* to enlist, enrol.

enrouement *m* hoarseness.

enrouer *vt* to make hoarse.

enrouler *vt* to roll up, wind up.

enseignant *m* -e *f* teacher.

enseigne *f* sign; (*mil*) ensign.

enseignement *m* education, training, instruction.

enseigner *vt* to teach.

ensemble *adv* together, at the same time; * *m* unity; whole.

ensoleillé *adj* sunny.

ensorceler *vt* to bewitch, enchant.

ensuite *adv* then, next, afterwards.

entaille *f* cut, gash.

entamer *vt* to start, open, make a hole in.

entassement *m* piling up, heaping up.

entasser *vt* to pile up, heap up.

entendement *m* understanding, comprehension.

entendre *vt* to hear; to intend, mean; to understand; **s'~** *vr* to

agree; to know how to.

entendu *adj* agreed; **bien ~** of course.

entente *f* harmony, understanding; accord.

enterrement *m* burial; funeral.

enterrer *vt* to bury, inter.

en-tête *m* heading, header.

entêté *adj* stubborn, obstinate.

entêtement *m* stubbornness, obstinacy.

entêter *vt* to go to the head of; **s'~** *vr* to persist in.

enthousiasme *m* enthusiasm.

enthousiasmer *vt* to fill with enthusiasm; **s'~** *vr* to be enthusiastic about.

enthousiaste *adj* enthusiastic; * *mf* enthusiast.

entier *adj* entire, whole; intact.

entièrement *adv* entirely, wholly, completely.

entité *f* entity.

entonnoir *m* funnel; swallow hole; shell-hole.

entorse *f* sprain.

entortiller *vt* to twist, twine; to hoodwink, wheedle.

entourage *m* set, circle; entourage.

entourer *vt* to surround, frame, encircle; **s'~** *vr*: **s'~ de** to surround oneself with.

entracte *m* interval, intermission.

entraide *f* mutual aid.

entraider (s') *vr* to help one another.

entrailles *fpl* entrails, guts; womb.

entrain *m* spirit, liveliness.

entraînement *m* training, coaching; force, impetus.

entraîner *vt* to drag; to lead; to train; **s'~** *vr* to train oneself.

entraîneur *m* trainer, coach.

entrave *f* hindrance, obstacle; shackle.

entraver *vt* to hold up; to shackle.

entre *prép* between, among, into.

entrebâiller *vt* to half-open; **s'~ vr** to be half-open.

entrecôte *f* rib steak.

entrecouper *vt* to intersperse, interrupt with.

entrée *f* entry, entrance; admission; insertion; **~ en matière** introduction; **d'~ de jeu** from the outset.

entrejambes *m* crotch.

entrelacer *vt* to intertwine, interlace.

entremêler *vt* to intermingle, intermix.

entremets *m* sweet, dessert.

entreposer *vt* to store, put into storage.

entrepôt *m* warehouse, bonded warehouse.

entreprenant *adj* enterprising.

entreprendre *vt* to embark upon, undertake.

entrepreneur *m* **-euse** *f* contractor; entrepreneur.

entreprise *f* company; venture, business.

entrer *vi* to enter, go in.

entresol *m* entresol, mezzanine.

entretemps *adv* meanwhile.

entretenir *vt* to maintain, look after; to speak with.

entretien *m* upkeep, maintenance; conversation.

entrevoir *vt* to make out; to glimpse; to anticipate.

entrevue *f* meeting, interview.

entrouvert *adj* half-open.

entrouvrir *vt* to half-open; **s'~ vr** to half-open; to gape.

énumération *f* enumeration, listing.

énumérer *vt* to enumerate, list.

envahir *vt* to invade, overrun.

envahissant *adj* invasive; intrusive; pervasive.

enveloppe *f* envelope; covering; exterior.

envelopper *vt* to envelop; to wrap up; to veil.

envergure *f* breadth, scope, scale.

envers *prép* towards, to; * *m*; **à l'~** inside out, upside down.

envie *f* desire, longing, inclination; envy.

envier *vt* to envy.

envieux *adj* envious.

environ *adv* about, around; **~s** *mpl* vicinity, neighbourhood.

environnant *adj* surrounding.

environnement *m* environment.

environnemental *adj* environmental.

environner *vt* to surround, encircle.

envisager *vt* to view, envisage.

envoi *m* dispatch, remittance; kick-off.

envol *m* takeoff, flight.

envoler (s') *vr* to fly away; to disappear.

envoûtant *adj* bewitching, entrancing.

envoûter *vt* to bewitch.

envoyé *m* **-e** *f* messenger, envoy.

envoyer *vt* to send, dispatch; hurl, fire.

enzyme *m* enzyme.

épais *adj* thick; deep.

épaisseur *f* thickness; depth.

épaissir *vi* to thicken; to deepen; * *vt*; **s'~ vr** to thicken, get thicker.

épanoui *adj* radiant, beaming.

épanouir *vt* to brighten, light up; open out; **s'~ vr** to bloom.

épanouissement *m* blooming; lighting up; opening out.

épargne *f* saving, savings.

épargner *vt* to save; to spare.

éparpiller *vt* to scatter, distribute; **s'~ vr** to scatter.

épaule *f* shoulder.

épauler *vt* to support, back up.

épave *f* wreck; derelict; ruin.

épée *f* sword.

épeler *vt* to spell.

éperdu *adj* distraught, overcome; **~ment** *adv* frantically, desperately.

éperon *m* spur; (*mar*) ram.

épervier *m* sparrowhawk.
éphémère *adj* ephemeral, fleeting.
épi *m* ear; tuft.
épice *m* spice.
épicé *adj* spicy; juicy.
épicerie *f* grocery trade; grocer's shop.
épicier *m* -**ière** *f* grocer; greengrocer.
épidémie *f* epidemic.
épidémique *adj* epidemic; contagious.
épiderme *m* epidermis; skin.
épier *vt* to spy on.
épiglotte *f* epiglottis.
épilation *f* removal of hair.
épilepsie *f* epilepsy.
épileptique *adj* epileptic.
épiler *vt* to remove hair, pluck.
épilogue *m* epilogue; conclusion.
épinard *m* spinach.
épine *f* spine; thorn.
épineux *adj* thorny, prickly; tricky.
épingle *f* pin.
Épiphanie *f* Epiphany.
épique *adj* epic.
épiscopal *adj* episcopal.
épiscopat *m* episcopate.
épisode *m* episode.
épisodique *adj* occasional; transitory; ~**ment** *adv* occasionally.
épitaphe *f* epitaph.
épithète *f* epithet.
éplucher *vt* to clean; to peel; to sift.
épluchure *f* peeling, paring.
éponge *f* sponge.
éponger *vt* to sponge, mop.
épopée *f* epic.
époque *f* time, epoch, age, period.
épouser *vt* to marry, wed; espouse.
épousseter *vt* to dust.
épouvantable *adj* terrible, appalling; ~**ment** *adv* terribly, appallingly.
épouvantail *m* scarecrow.
épouvante *f* terror, dread.

épouvanter *vt* to terrify, appall.
époux *m* **épouse** *f* spouse.
éprendre *vr*: **s'~ de** to fall in love with.
épreuve *f* test; ordeal, trial; proof.
éprouvant *adj* trying, testing.
éprouver *vt* to feel, experience.
éprouvette *f* test tube.
épuisé *adj* exhausted; sold out.
épuisement *m* exhaustion.
épuiser *vt* to exhaust, wear out; **s'~** *vr* to run out; to exhaust oneself.
épuisette *f* landing net.
épurer *vt* to purify, refine.
équateur *m* equator.
équation *f* equation.
équatorial *adj* equatorial.
équerre *f* square; bracket.
équestre *adj* equestrian.
équilibre *m* balance, equilibrium; harmony.
équilibrer *vt* to balance; **s'~** *vr* to balance each other.
équipage *m* crew; gear, equipment.
équipe *f* team, crew, gang, staff.
équipement *m* equipment; fitting out, fittings.
équiper *vt* to equip, fit out.
équipier *m* -**ière** *f* team member.
équitable *adj* equitable, fair; ~**ment** *adv* equitably, fairly.
équitation *f* equitation, riding.
équivalence *f* equivalence.
équivalent *adj* equivalent, same; * *m* equivalent.
équivoque *adj* equivocal, questionable.
érable *m* maple.
érafler *vt* to scratch, scrape.
ère *f* era.
érection *f* erection; establishment.
éreintant *adj* exhausting, backbreaking.
ergot *m* spur; (*tec*) lug.
ériger *vt* to erect; to establish.
ermite *m* hermit.
éroder *vt* to erode.

érosion f erosion.

érotique adj erotic.

érotisme m eroticism.

errant adj wandering, stray.

errer vi to wander, roam.

erreur f error, mistake, fault.

erroné adj erroneous.

éructation f eructation.

érudit adj erudite, learned; * m scholar.

érudition f erudition, learning.

éruptif adj eruptive.

éruption f eruption.

escabeau m stool; stepladder.

escadron m squadron, platoon.

escalade f climbing; escalation.

escalader vt to climb, scale.

escale f port of call, touchdown.

escalier m stairs, steps.

escalope f escalope.

escamoter vt to dodge, evade; to pilfer.

escapade f escapade; prank, jaunt.

escargot m snail.

escarpement m escarpment; steepness.

esclavage m slavery, bondage.

esclavagisme m proslavery.

esclave mf slave.

escompte m discount.

escompter vt to discount.

escorte f escort; retinue.

escorter vt to escort.

escrime f fencing.

escrimeur m -euse f fencer.

escroc m crook, con man.

escroquer vt to swindle, con.

ésotérique adj esoteric.

espace m space, interval.

espacement m spacing, interval.

espacer vt to space out.

espadon m swordfish.

espadrille f espadrille, rope-soled sandal.

espèce f sort, kind; species.

espérance f hope, expectation.

espérer vt to hope.

espion m -ne f spy.

espionnage m espionage, spying.

espionner vt to spy.

esplanade f esplanade.

espoir m hope.

esprit m mind, intellect; spirit; wit.

esquimau m -de f Eskimo.

esquisse f sketch, outline.

esquisser vt to sketch, outline.

esquiver vt to dodge; to shirk.

essai m test, trial; attempt; essay.

essaim m swarm.

essayage m fitting, trying on.

essayer vt to test, try, try on.

essence f petrol; essential oil.

essentiel adj essential, basic; -lement adv essentially, basically.

essieu m axle.

essorage m wringing, mangling.

essorer vt to wring, mangle.

essouffler vt to wind; s'~ vr to get out of breath.

essuyer vt to wipe, mop; s'~ vr to wipe oneself.

est m east.

esthète mf aesthete.

esthéticien m -ne f beautician.

esthétique adj aesthetic; ~ment adv aesthetically; * f aesthetics.

estimation f valuation; estimation, reckoning.

estime f esteem, respect, regard.

estimer vt to value, assess, estimate.

estival adj summer; summery.

estivant m -e f holidaymaker, summer visitor.

estomac m stomach.

estomper vt to blur, dim; s'~ vr to become blurred.

estrade f platform, rostrum.

estragon m tarragon.

et conj and.

étable f cowshed.

établi adj established; * m workbench.

établir vt to establish, set up; s'~ vr to settle; to set oneself up as; to become established.

établissement m establishing, building; establishment.

étage m floor, storey; stage, level.

étagère f shelf.

étalage m display, display window; stall.

étalagiste mf window dresser.

étaler vt to spread, strew; to stagger; to display.

étalon m stallion.

étanche adj waterproof.

étanchéité f waterproofness.

étang m pond.

étape f stage, leg; staging point.

état m state, condition; statement.

étatique adj under state control.

étatiser vt to bring under state control, nationalise.

état-major m (mil) staff; staff headquarters.

étau m vice.

étayer vt to prop up, support.

été m summer.

éteindre vt to put out, extinguish; **s'~** vr to go out; to die; to evaporate.

éteint adj faded; extinct.

étendard m standard, flag.

étendre vt to spread, extend; to floor; **s'~** vr to spread; to stretch out; to increase.

étendu adj extensive, sprawling, wide.

étendue f expanse, area; duration.

éternel adj eternal, everlasting; **~lement** adv eternally.

éterniser vt to draw out; to immortalise; **s'~** vr to drag on, linger on.

éternité f eternity; ages.

éternuer vi to sneeze.

éthane m ethane.

éther m ether.

ethnie f ethnic unit.

ethnique adj ethnic.

ethnologie f ethnology.

ethnologue mf ethnologist.

étincelant adj sparkling; gleaming.

étinceler vi to sparkle, gleam.

étincelle f spark; gleam, glimmer.

étiqueter vt to label, mark.

étiquette f label, tag; etiquette.

étirement m stretching.

étirer vt to stretch, draw out; **s'~** vr to stretch out.

étoffe f material, fabric; stuff.

étoile f star.

étoilé adj starry.

étonnant adj astonishing, surprising.

étonné adj astonished, surprised.

étonnement m surprise, astonishment.

étonner vt to astonish, surprise; **s'~** vr to be astonished.

étouffant adj stifling.

étouffer vt to suffocate; to muffle; **s'~** vr to be suffocated, to swelter.

étourderie f absentmindedness.

étourdi adj absentminded; **~ment** adv absentmindedly.

étourdir vt to stun, daze; to deafen.

étourdissant adj deafening; stunning.

étourdissement m blackout, dizzy spell; surprise.

étourneau m starling.

étrange adj strange, funny; **~ment** adv strangely, oddly.

étranger m -ère f foreigner, stranger, alien; * adj foreign, strange, unknown.

étrangeté f strangeness, oddness.

étranglement m strangulation; bottleneck.

étrangler vt to strangle, stifle; **s'~** vr to strangle oneself, choke.

être vi to be; **c'est-à-dire** namely, that is to say; * m being, person, soul.

étreindre vt to embrace, hug; to seize.

étreinte f embrace; stranglehold.

étrier m stirrup.

étroit *adj* narrow; strict; **~ement** *adv* closely; strictly.

étude *f* study; survey; office.

étudier *vt* to study, examine.

étui *m* case; holster.

étymologie *f* etymology.

étymologique *adj* etymological.

eu = *p.p.* **avoir** had.

eucalyptus *m* eucalyptus.

eucharistie *f* eucharist.

euphémisme *m* euphemism.

euphorie *f* euphoria.

euphorique *adj* euphoric.

européen *m* **-ne** *f* European; * *adj* European.

euthanasie *f* euthanasia.

eux *pn* they, them; **c'est à ~** it's up to them; it's theirs; **~-mêmes** themselves.

évacuation *f* evacuation; emptying.

évacuer *vt* to evacuate, clear.

évader (s') *vr* to escape.

évaluation *f* evaluation, appraisal.

évaluer *vt* to evaluate, appraise.

évangélique *adj* evangelical.

évangéliser *vt* to evangelise.

évangile *m* gospel.

évanouir (s') *vr* to faint, pass out.

évanouissement *m* faint, blackout.

évaporation *f* evaporation.

évaporer (s') *vr* to evaporate.

évasif *adj* evasive.

évasion *f* escape; escapism.

évasivement *adv* evasively.

évêché *m* bishopric.

éveil *m* awakening; dawning.

éveiller *vt* to waken, arouse; **s'~** *vr* to wake up.

événement *m* event, incident.

éventail *m* fan; range.

éventaire *m* tray; stall.

éventualité *f* eventuality, possibility.

éventuel *adj* possible; **~lement** *adv* possibly.

évêque *m* bishop.

évertuer (s') *vr* to strive to.

évidemment *adv* obviously, evidently.

évidence *f* evidence, proof.

évident *adj* obvious, evident.

évier *m* sink.

évincer *vt* to oust; to evict.

éviter *vt* to avoid; to spare.

évocation *f* evocation, recall.

évolué *adj* developed, advanced; enlightened.

évoluer *vi* to evolve, develop.

évolution *f* evolution, development.

évoquer *vt* to evoke, recall.

exacerber *vt* to exacerbate, aggravate.

exact *adj* exact, accurate; **~ement** *adv* exactly.

exactitude *f* exactness, accuracy.

exagération *f* exaggeration.

exagéré *adj* exaggerated, excessive; **~ment** *adv* exaggeratedly.

exagérer *vt* to exaggerate.

exaltation *f* elation; extolling, praising.

exalter *vt* to exalt, glorify; to elate.

examen *m* examination, survey, investigation.

examinateur *m* **-trice** *f* examiner.

examiner *vt* to examine, survey.

exaspération *f* exasperation.

exaspérer *vt* to exasperate.

exaucer *vt* to fulfil, grant.

excédent *m* surplus, excess.

excédentaire *adj* surplus, excess.

excellent *adj* excellent.

exceller *vi* to excel.

excentricité *f* eccentricity.

excentrique *adj* eccentric; **~ment** *adv* eccentrically.

excepté *adj* apart, aside; * *prép* except, but for.

exception *f* exception.

exceptionnel *adj* exceptional; **~lement** *adv* exceptionally.

excès *m* excess, surplus.

excessivement *adv* excessively.

excitant *m* stimulant; * *adj* exciting, stimulating.

excitation *f* excitation, stimulation; incitement.

exciter *vt* to excite, stimulate; s'~ *vr* to get excited.

exclamation *f* exclamation.

exclamer (s') *vr* to exclaim.

exclu *adj* excluded, outcast.

exclure *vt* to exclude, oust, expel.

exclusif *adj* exclusive.

exclusion *f* exclusion, suspension.

exclusivement *adv* exclusively.

exclusivité *f* exclusive rights.

excrément *m* excrement.

excroissance *f* (*med*) excrescence, outgrowth.

excursion *f* excursion, trip.

excursionniste *mf* tripper; walker.

excuse *f* excuse, pretext.

excuser *vt* to excuse, forgive; s'~ *vr* to apologise for.

exécrable *adj* execrable, atrocious; ~ment *adv* atrociously, execrably.

exécration *f* execration, loathing.

exécrer *vt* to execrate, loathe.

exécuter *vt* to execute, carry out, perform; to produce.

exécution *f* execution, carrying out, performance.

exemplaire *m* copy, archetype; * *adj* model, exemplary; ~ment *adv* exemplarily.

exemple *m* example, model, instance.

exempt *adj* exempt, free from.

exercer *vt* to exercise, perform, fulfil; s'~ *vr* to practise.

exercice *m* exercise, practice, use; financial year.

exhaustif *adj* exhaustive.

exhaustivement *adv* exhaustively.

exhiber *vt* to exhibit, show; to produce; s'~ *vr* to show off; to expose oneself.

exhibition *f* exhibition, show; display.

exhibitionniste *mf* exhibitionist.

exhortation *f* exhortation.

exhorter *vt* to exhort, urge.

exigeant *adj* demanding, exacting.

exigence *f* demand, requirement; exigency.

exiger *vt* to demand, require.

exigu *adj*, *f* **exiguë** scanty, exiguous.

exiguïté *f* exiguity, scantiness.

exil *m* exile.

exilé *m* -e *f* exile;* *adj* exiled.

exiler *vt* to exile, banish; s'~ *vr* to go into exile.

existant *adj* existing.

existence *f* existence, life.

exister *vi* to exist; to be.

exode *m* exodus; drift, loss.

exonération *f* exemption.

exonérer *vt* to exempt.

exorbitant *adj* exorbitant, outrageous.

exorciser *vt* to exorcise.

exotique *adj* exotic.

exotisme *m* exoticism.

expansif *adj* expansive, outgoing.

expansion *f* expansion, development.

expatrié *m* -e *f* expatriate; * *adj* expatriate.

expatrier *vt* to expatriate; s'~ *vr* to expatriate oneself.

expectative *f* expectation, hope; **être dans l'~** to be waiting (to see, to hear).

expédier *vt* to send, dispatch; to dispose of.

expéditeur *m* -**trice** *f* sender; shipper, consignor.

expéditif *adj* quick, expeditious.

expédition *f* dispatch; consignment.

expérience *f* experience; experiment.

expérimental *adj* experimental; ~ement *adv* experimentally.

expérimentateur *m* **-trice** *f* experimenter.

expérimentation *f* experimentation.

expérimenté *adj* experienced.

expérimenter *vt* to test; to experiment with.

expert *adj* expert, skilled in; * *m* expert; connoisseur; assessor.

expertise *f* expertise; expert appraisal.

expiation *f* expiation, atonement.

expier *vi* to expiate, atone for.

expiration *f* expiry; expiration, exhalation.

expirer *vi* to breathe out, expire.

explicatif *adj* explanatory.

explication *f* explanation, analysis.

explicite *adj* explicit ~**ment** *adv* explicitly.

expliquer *vt* to explain, account for; to analyse.

exploitant *m* **-e** *f* farmer, smallholder.

exploitation *f* working; exploitation; operating; concern; smallholding.

exploiter *vt* to work, exploit; run, operate.

explorateur *m* **-trice** *f* explorer.

exploration *f* exploration.

explorer *vt* to explore.

exploser *vi* to explode.

explosif *adj* explosive; * *m* explosive.

explosion *f* explosion.

exportateur *m* **-trice** *f* exporter.

exportation *f* export, exportation.

exporter *vt* to export.

exposé *m* exposition, overview, statement.

exposer *vt* to display; to explain, state; to expose; **s'**~ *vr* to expose oneself to, run the risk of.

exposition *f* display; exposition; exposure.

exprès *adj* express.

express *adj* fast; * *m* fast train.

expressif *adj* expressive.

expression *f* expression.

expressionnisme *m* expressionism.

expressionniste *mf* expressionist; * *adj* expressionist, expressionistic.

exprimer *vt* to express, voice; **s'**~ *vr* to express oneself.

expropriation *f* expropriation.

expulser *vt* to expel; to evict.

expulsion *f* expulsion; eviction.

exquis *adj* exquisite; ~**ément** *adv* exquisitely.

extase *f* ecstasy; rapture.

extasier (s') *vr* to go into ecstasies.

extensible *adj* extensible, extendable.

extension *f* extension; stretching; expansion.

exténuant *adj* exhausting.

exténuer *vt* to exhaust; **s'**~ *vr* to exhaust oneself.

extérieur *m* exterior, outside; * *adj* outer, external, exterior; ~**ement** *adv* externally, outwardly.

extérioriser *vt* to show, express; to exteriorise.

extermination *f* extermination.

exterminer *vt* exterminate.

externe *adj* external, outer.

extincteur *m* extinguisher.

extinction *f* extinction, extinguishing.

extraction *f* extraction; mining.

extradition *f* extradition.

extraire *vt* to extract; to mine.

extrait *m* extract; (*jur*) abstract.

extraordinaire *adj* extraordinary; ~**ment** *adv* extraordinarily.

extraterrestre *mf* extraterrestrial; * *adj* extraterrestrial.

extravagant *adj* extravagant, wild.

extraverti *m* **-e** *f* extrovert; * *adj* extrovert.

extrême *adj* extreme; ~**ment** *adv* extremely.

extrémiste *mf, adj* extremist.

extrémité *f* end, extremity, limit.

exubérance *f* exuberance.

exubérant *adj* exuberant.

exulter *vi* to exult.

F

fable *f* fable, story, tale.

fabricant *m* -e *f* manufacturer, maker.

fabrication *f* manufacture, production.

fabrique *f* factory.

fabriquer *vt* to manufacture; to forge; to fabricate.

fabuleux *adj* fabulous, mythical, legendary.

façade *f* façade, front.

face *f* face, side, surface, aspect; en ~ opposite, over the road; ~ à facing; faire ~ à to confront, face up to; de ~ fullface, frontal; ~ à ~ face to face.

face à face *m* encounter, interview.

facette *f* facet.

fâché *adj* angry; sorry.

fâcher *vt* to anger, make angry; to grieve; se ~ *vr* to get angry.

fâcheux *adj* deplorable, regrettable.

facile *adj* easy; facile; ~ment *adv* easily.

facilité *f* easiness, ease; ability; facility.

faciliter *vt* to make easier, facilitate.

façon *f* way, fashion; make; imitation; de toute ~ at any rate; non merci, sans ~ no thanks, honestly; de ~ à so that, so as to.

façonner *vt* to shape, fashion, model; to till.

fac-similé *m* facsimile.

facteur *m* postman.

factice *adj* artificial, imitation.

faction *f* faction; sentry-duty.

facturation *f* invoicing.

facture *f* bill, invoice; construction, technique.

facturer *vt* to invoice, charge for.

facultatif *adj* optional.

faculté *f* faculty; power, ability; right.

fade *adj* insipid, bland, dull.

fagot *m* faggot, bundle of firewood.

faible *adj* weak, feeble; slight, poor; ~ment *adv* weakly, faintly, feebly.

faiblesse *f* weakness, feebleness, faintness.

faiblir *vi* to fail, flag, weaken; to wane.

faïence *f* earthenware, crockery.

faille *f* fault; flaw; weakness.

faillir *vi*: to come close to; to fail j'ai failli tomber I almost fell.

faillite *f* bankruptcy; collapse.

faim *f* hunger; appetite; famine.

fainéant *m* -e *f* idler, loafer.

faire *vt* to do; to make; rien à ~! nothing doing!; se ~ à to get used to; s'en ~ to worry.

faire-part *m* announcement (birth, marriage, death).

faisable *adj* feasible.

faisan *m* pheasant.

faisceau *m* bundle, stack; beam.

fait *m* event; fact; act.

faîte *m* summit; rooftop.

falaise *f* cliff.

falloir *vi*: to be necessary; il faut, que tu partes you must leave.

falsifier *vt* to falsify, alter.

famélique *adj* starving, scrawny.

fameux *adj* famous; excellent.

familial *adj* family, domestic.

familiariser *vt* to familiarise; **se ~** *vr* to familiarise o.s.

familiarité *f* familiarity.

familier *adj* familiar; colloquial; informal.

familièrement *adv* familiarly, informally.

famille *f* family.

famine *f* famine.

fanatique *adj* fanatic; **~ment** *adv* fanatically; * *mf* fanatic; zealot.

fanatisme *m* fanaticism.

fané *adj* faded, withered.

faner *vt* to turn (hay); to fade; **se ~** *vr* to wither, fade.

fanfare *f* fanfare, flourish; brass band.

fantaisie *f* whim, extravagance; imagination.

fantasme *m* fantasy.

fantasmer *vi* to fantasise.

fantastique *adj* fantastic; **~ment** *adv* fantastically; eerily.

fantôme *m* ghost, phantom.

faon *m* fawn.

farce *f* joke, prank; farce.

farceur *m* **-euse** *f* joker; clown.

farci *adj* stuffed, crammed, packed.

farcir *vt* to stuff, cram.

fard *m* make-up.

fardeau *m* load, burden.

farder *vt* to make up; to disguise; **se ~** *vr* to make o.s. up.

farine *f* flour.

farineux *adj* floury, powdery; * *m* starchy food.

farouche *adj* shy, timid; unsociable; fierce; **~ment** *adv* fiercely.

fascicule *m* booklet, fascicule, part, instalment.

fascinant *adj* fascinating.

fascination *f* fascination.

fasciner *vt* to fascinate, bewitch.

fascisme *m* fascism.

fasciste *mf, adj* fascist.

faste *m* pomp, ostentation.

fastidieux *adj* tedious, boring.

fastueux *adj* sumptuous, luxurious.

fatal *adj* fatal, deadly; fateful; **~ement** *adv* inevitably, unavoidably.

fataliste *mf* fatalist; * *adj* fatalistic.

fatalité *f* fatality; inevitability.

fatidique *adj* fateful; fatal.

fatigant *adj* tiring, fatiguing.

fatigue *f* fatigue, tiredness.

fatigué *adj* tired, weary; overworked, strained.

fatiguer *vt* to tire; to overwork, strain; **se ~** *vr* to get tired.

faubourg *m* suburb.

faucher *vt* to reap; to flatten, knock down.

faucille *f* sickle.

faucon *m* falcon, hawk.

faufiler *vt* to tack; to insinuate, introduce; **se ~** *vr* to worm one's way in.

faune *f* wildlife, fauna.

faussaire *mf* forger.

faussement *adv* wrongly; falsely.

fausser *vt* to distort, alter; to warp.

fausseté *f* falseness; deceitfulness.

faute *f* mistake, foul, fault; **~ de mieux** for lack of anything better.

fauteuil *m* armchair.

fautif *m* **-ive** *f* culprit, guilty party; * *adj* at fault, guilty; faulty, incorrect.

fauve *m* wild animal; fawn (colour).

faux *adj* false, forged, fake; wrong; bogus.

faux-filet *m* sirloin.

faux-fuyant *m* evasion, equivocation.

faux-semblant *m* sham, pretence.

faveur *f* favour.

favorable *adj* favourable, sympathetic; **~ment** *adv* favourably.

favori *m* **-te** *f* favourite; * *adj* favourite.

favoriser *vt* to favour, further.

fébrile *adj* feverish, febrile; **~ment** *adv* feverishly.

fébrilité f feverishness.

fécond adj fertile; prolific, fruitful; creative.

fécondation f impregnation, fertilisation.

féconder vt to impregnate; to fertilise, pollinate.

fécondité f fertility, fecundity.

fécule f starch.

féculent adj starchy; * m starchy food.

fédéral adj federal.

fédération f federation.

fée f fairy.

féerique adj magical, fairy.

feindre vt to feign, pretend.

feinte f dummy, feint.

fêlé adj cracked, hare-brained.

félicitation f congratulation.

féliciter vt to congratulate.

félin adj feline; * m feline.

femelle f female.

féminin adj feminine, female.

féminisme m feminism.

féministe mf feminist; * adj feminist.

féminité f femininity.

femme f woman; wife; ~ **de ménage** cleaning woman; ~ **de chambre** chambermaid.

fémur m femur.

fendiller vt to chink, crack, craze; **se ~** vr to be covered in small cracks.

fendre vt to split, cleave, crack; **se ~** vr to crack.

fenêtre f window.

fenouil m fennel.

fente f crack, fissure; slot.

féodal adj feudal.

fer m iron, point, blade; ~ **à cheval** horseshoe.

férié adj public holiday.

ferme adj firm, steady; definite; **~ment** adv firmly; * f farm.

fermé adj closed; exclusive; inscrutable.

ferment m ferment, leaven.

fermentation f fermentation, fermenting.

fermenter vi to ferment, work.

fermer vt to close; block; turn off; **se ~** vr to close, shut up; to close one's mind to.

fermeté f firmness, steadiness.

fermeture f closing, shutting; latch; fastener.

fermier m -**ière** f farmer.

féroce adj ferocious, savage; **~ment** adv ferociously, savagely.

férocité f ferocity, fierceness.

ferraille f scrap iron.

ferronnerie f ironworks; ironwork.

ferroviaire adj railway.

fertile adj fertile, productive.

fertilisation f fertilisation.

fertiliser vt to fertilise.

fertilité f fertility.

fervent adj fervent, ardent.

ferveur f fervour, ardour.

fesse f buttock.

festin m feast.

festival m festival.

fête f feast, holiday.

fêter vt to celebrate, fête.

fétichisme m fetishism.

fétichiste mf; * adj fetishist.

fétide adj fetid.

feu m fire; light; hearth; **en ~** on fire.

feuillage m foliage, greenery.

feuille f leaf.

feuillet m leaf, page, layer.

feuilleté adj foliated; laminated.

feuilleter vt to leaf through.

feuilleton m serial, series.

feutre m felt; felt hat.

fève f broad bean.

fiabilité f accuracy; dependability.

fiable adj reliable; dependable.

fiançailles fpl engagement, betrothal.

fiancer (se) vr to become engaged.

fiasco m fiasco.

fibre f fibre.

fibreux adj fibrous, stringy.

fibrome m fibroid, fibroma.

ficeler *vt* to tie up.

ficelle *f* string; stick (bread).

fiche *f* card; sheet; certificate.

ficher *vt* to file, put on file.

fichier *m* catalogue; file.

fictif *adj* fictitious; imaginary.

fiction *f* imagination, fiction.

fidèle *adj* faithful, loyal; ~ment *adv* faithfully; * *mf* believer.

fidélité *f* fidelity, loyalty.

fief *m* fief; stronghold, preserve.

fier (se) *vr* to trust, rely on.

fier *adj* proud, haughty; noble.

fièrement *adv* proudly.

fierté *f* pride; arrogance.

fièvre *f* fever, temperature; excitement.

fiévreux *adj* feverish.

figer *vt* to congeal, freeze; to clot; **se ~** *vr* to congeal, freeze; to clot.

figue *f* fig.

figuier *m* fig tree.

figurant *m* -e *f* extra, walk-on; stooge.

figuratif *adj* figurative, representational.

figure *f* face; figure; illustration, diagram.

figuré *adj* figurative, metaphorical, diagrammatic; * *m*: **au ~** in the figurative sense.

figurer *vt* to represent; * *vi* to appear, feature; **se ~** *vr* to imagine.

figurine *f* figurine.

fil *m* thread; wire; cord; **~ de fer** wire; **~ à plomb** plumb line; **au ~ des jours** with the passing days.

filament *m* filament, strand, thread.

filature *f* spinning; mill; tailing.

file *f* line, queue; **à la ~** in line, in succession; **stationner en double ~** to double-park.

filer *vt* to spin; to tail; to draw out; * *vi* to run, trickle; to fly by; to make off.

filet *m* dribble, trickle; fillet; net.

filiation *f* filiation; relation.

filière *f* path; procedures; network.

fille *f* daughter, girl.

fillette *f* (small) girl.

filleul *m* -e *f* godson, godchild.

film *m* film, picture.

filmer *vt* to film.

filon *m* vein, seam.

fils *m* son.

filtre *m* filter.

filtrer *vt* to filter; to screen.

fin *f* end, finish; **prendre ~** to terminate, come to an end; * *adj* thin, fine; delicate; **~ement** *adv* finely, delicately.

final *adj* final; **~ement** *adv* finally.

finale *f* finale.

finance *f* finance.

financement *m* financing.

financer *vt* to finance.

financier *m* -ière *f* financier.

financièrement *adv* financially.

finesse *f* fineness; sharpness; neatness; delicacy.

fini *adj* finished, over, complete.

finir *vt* to finish, complete; * *vi* to finish, end; to die.

finition *f* finish, finishing.

fisc *m* tax department.

fiscal *adj* fiscal, tax.

fissure *f* crack, fissure.

fixation *f* fixation; fixing, fastening.

fixe *adj* fixed, permanent, set; **~ment** *adv* fixedly, steadily.

fixer *vt* to fix, fasten; to arrange; **se ~** *vr* to settle.

flacon *m* bottle, flask.

flageolant *adj* shaky.

flageolet *m* flageolet.

flagrant *adj* flagrant, blatant.

flair *m* sense of smell, nose; intuition.

flairer *vt* to smell, sniff; to scent.

flambeau *m* torch; candlestick.

flamboyant *adj* blazing; flamboyant.

flamboyer *vi* to blaze, flash, gleam.

flamme f flame; fervour; ardour.

flan m custard tart; mould.

flanc m flank, side.

flanelle f flannel.

flâner vi to stroll; to lounge about.

flasque adj flaccid; spineless.

flatter vt to flatter, gratify; to pander; to delight.

flatterie f flattery.

flatteur m **-euse** f flatterer.

fléau m scourge; plague.

flèche f arrow.

fléchir vi to bend, yield, weaken; * vt to bend, sway.

fléchissement m bending; flexing; bowing.

flegmatique adj phlegmatic.

flegme m composure, phlegm.

flétrir vt to wither, fade; to stigmatise; **se ~** vr to wither, wilt.

fleur f flower.

fleuri adj in bloom; flowery.

fleurir vi to blossom, flower; * vt to decorate with flowers.

fleuriste mf florist.

fleuve m river.

flexibilité f flexibility.

flexible adj flexible, pliant.

flic m (fam) cop, policeman.

flocon m fleck, flake.

floraison f flowering, blossoming.

floral adj floral, flower.

flore f flora.

florissant adj flourishing, blooming.

flot m stream, flood; floodtide; wave.

flotte f fleet; (col) rain.

flottement m wavering; vagueness, imprecision.

flotter vi to float; to drift; to wander; to waver.

flotteur m float.

flou adj blurred, hazy.

fluctuant adj fluctuating.

fluctuation f fluctuation.

fluide adj fluid, flowing.

fluidité f fluidity.

fluor m fluorine.

fluorescent adj fluorescent.

fluorure m fluoride.

flûte f flute; French stick (bread).

flûtiste mf flautist.

flux m flood; flow; flux.

focaliser vt to focus; **se ~** vr to be focused on.

foetus m foetus.

foi f faith, trust.

foie m liver.

foin m hay.

foire f fair, trade fair.

fois f time, occasion.

folie f madness, insanity; extravagance.

folklore m folklore.

folklorique adj folk.

follement adv madly, wildly.

foncé adj dark, deep (colours).

foncer vi to hammer along, rush at; * vt to make darker; (tec) to sink, bore.

foncier adj land, landed, property.

foncièrement adv fundamentally, basically.

fonction f post, duty; function.

fonctionnaire mf civil servant.

fonctionnement m working, functioning, operation.

fonctionner vi to work, function, operate.

fond m bottom, back; **au ~** basically, in fact; **à ~** thoroughly, in depth; **dans le ~** in reality, basically; **~ de teint** foundation.

fondamental adj fundamental, basic; **~ement** adv fundamentally.

fondamentalisme m fundamentalism.

fondamentaliste mf; * adj fundamentalist.

fondant adj thawing, melting.

fondateur m **-trice** f founder.

fondation f foundation.

fondement m foundation; ground.

fonder vt to found; to base.

fondre vi to melt; to vanish; to slim; * vt to melt; to cast; to merge.

fonds *m* business; fund; money; stock.

fondu *adj* melted; molten; cast.

fontaine *f* fountain, spring.

fonte *f* melting; casting; smelting.

football *m* football, soccer.

forage *m* drilling, boring.

forain *m* -**e** *f* stallholder; fairground entertainer; * *adj* fairground.

force *f* strength, force, violence, energy; **à ~ de** by dint of.

forcé *adj* forced; emergency; ~**ment** *adv* inevitably.

forcené *adj* deranged, frenzied.

forcer *vt* to force, compel; track down; * *vi* to overdo, strain; **se ~** *vr* to force o.s. to.

forestier *adj* forest; forestry.

forêt *f* forest.

forfait *m* set price, package; (*sport*) withdrawal.

forfaitaire *adj* fixed, set, inclusive.

forge *f* forge, smithy.

forger *vt* to forge, form, mould.

forgeron *m* blacksmith, smith.

formaliser (se) *vr* to take offence at.

formalité *f* formality.

format *m* format, size.

formation *f* formation; training.

forme *f* form, shape; mould, fitness; **être en ~** to be on form; **en ~ de** forming.

formel *adj* definite, positive; formal; ~**lement** *adv* positively, definitely; formally.

former *vt* to form, make up; to train; **se ~** *vr* to form, gather; to train o.s.

formidable *adj* tremendous; fantastic; ~**ment** *adv* tremendously, fantastically.

formulaire *m* form.

formule *f* formula; phrase; system.

formuler *vt* to formulate; express.

fort *adj* strong; high; loud; pronounced; ~**ement** *adv* strongly; highly; very much; * *adv* loudly; greatly; most; * *m* fort; strong point; (*mus*) forte.

forteresse *f* fortress.

fortifiant *m* tonic; * *adj* fortifying; invigorating.

fortification *f* fortification.

fortifier *vt* to fortify, strengthen; **se ~** *vr* to grow stronger.

fortuit *adj* fortuitous, chance; ~**ement** *adv* fortuitously.

fortune *f* fortune, luck.

fortuné *adj* wealthy; fortunate.

fosse *f* pit; grave.

fossé *m* ditch; gulf.

fossette *f* dimple.

fossile *m* fossil.

fou *adj*, *f* **folle** mad, wild; tremendous; erratic.

foudre *f* lightning, thunderbolt.

foudroyant *adj* lightning; thundering; violent.

foudroyer *vt* to strike (lightning).

fouet *m* whip; whisk.

fouetter *vt* to whip, flog.

fougère *f* fern.

fougue *f* ardour, spirit.

fougueux *adj* fiery, ardent.

fouille *f* frisking; excavations.

fouiller *vt* to search, scour.

foulard *m* scarf.

foule *f* crowd; masses, heaps.

four *m* oven; furnace; fiasco.

fourbe *adj* deceitful, two-faced.

fourbu *adj* exhausted.

fourche *f* pitchfork; crotch.

fourchette *f* fork.

fourchu *adj* forked; cloven.

fourgon *m* coach, wagon, van.

fourmi *f* ant.

fourmilière *f* anthill.

fourmillement *m* swarming, milling.

fourmiller *vi* to swarm, teem.

fourneau *m* stove.

fournir *vt* to supply, provide.

fournisseur *m* -**euse** *f* purveyor, supplier.

fourniture *f* supplying, provision.

fourrage *m* fodder, forage.

fourré *adj* filled; fur-lined; * *m* thicket.

fourrer *vt* to stuff; to line.

fourrière *f* pound (car).

fourrure *f* coat, fur.

foutu *adj* bloody, damned; lousy.

foyer *m* home; fireplace; club; focus.

fracas *m* crash; roar, din.

fraction *f* fraction, part.

fractionnement *m* splitting up, division.

fracture *f* fracture.

fracturer *vt* to fracture, break open.

fragile *adj* fragile, delicate.

fragilité *f* fragility, flimsiness.

fragment *m* fragment.

fragmentation *f* fragmentation; splitting up.

fragmenter *vt* to break up, fragment; **se ~** *vr* to fragment, break up.

fraîcheur *f* freshness, coolness.

frais *mpl* expenses; * *adj*, *f* **fraîche** fresh, cool.

fraise *f* strawberry.

framboise *f* raspberry.

franc *adj*, *f* **franche** frank, open; clear; absolute.

Français *m* Frenchman, **-e** *f* Frenchwoman.

français *adj* French; * *m* French.

France *f* France.

franchement *adv* frankly, openly; boldly; clearly.

franchir *vt* to clear, get over, cross.

franchise *f* frankness, openness; exemption; franchise.

francophone *mf* French-speaker, *adj* French-speaking.

francophonie *f* French-speaking communities.

frange *f* fringe; threshold.

frappant *adj* striking.

frapper *vt* to hit; to strike down; to infringe; * *vi* to strike, knock.

fraternel *adj* fraternal; **~lement** *adv* fraternally.

fraterniser *vi* to fraternise.

fraternité *f* fraternity.

fraude *f* fraud, cheating.

frauduleux *adj* fraudulent.

frayeur *f* fright.

frein *m* brake; check.

freinage *m* braking; slowing down.

freiner *vi* to brake, slow down; * *vt* to slow down; to curb, check.

frêle *adj* flimsy, fragile.

frémir *vi* to quiver, tremble.

frémissant *adj* quivering, trembling.

frémissement *m* shudder, quiver.

frénétique *adj* frenetic; **~ment** *adv* frenetically.

fréquemment *adv* frequently.

fréquence *f* frequency.

fréquent *adj* frequent.

frère *m* brother.

fresque *f* fresco.

friand *adj* partial to, fond of.

friandise *f* delicacy, sweetmeat.

fric *m* (*fam*) cash, lolly.

friction *f* friction.

frigidaire *m* refrigerator.

frigide *adj* frigid.

frileux *adj* susceptible to cold; chilly.

frire *vt* to fry.

frisé *adj* curly, curly-haired.

friser *vi* to curl, be curly; * *vt* to curl; to graze, skim.

frisson *m* shiver, shudder.

frissonnant *adj* shivering, shuddering.

frissonnement *m* shuddering, shivering.

frissonner *vi* to shudder, tremble, shiver.

frite *f* chip.

friteuse *f* chip pan.

friture *f* frying; frying fat.

frivole *adj* frivolous, shallow.

frivolité *f* frivolity.

froid *adj* cold, cool; **~ement** *adv* coldly, coolly; * *m* cold; coolness; refrigeration.

froideur f coldness, chilliness.

froissement m creasing; rustling, rustle.

froisser vt to crease; to offend; **se ~** vr to crease; to take offence.

frôler vt to brush against; to verge on.

fromage m cheese.

front m forehead; face; front.

frontal adj frontal.

frontalier adj border, frontier.

frontière f border, frontier.

frottement m rubbing, scraping.

frotter vt to rub, scrape.

fructifier vi to bear fruit.

fructueux adj fruitful, profitable.

frugal adj frugal; **~ement** adv frugally.

frugalité f frugality.

fruit m fruit, result.

fruité adj fruity.

frustration f frustration.

frustrer vt to frustrate, deprive.

fugace adj fleeting, transient.

fugitif m **-ive** f fugitive; * adj fugitive, runaway.

fugue f running away.

fuir vi to avoid; to flee; to leak.

fuite f flight, escape; leak.

fulgurant adj lightning; dazzling.

fumant adj smoking, fuming.

fumé adj smoked.

fumée f smoke; vapour.

fumer vi to smoke, steam, give off smoke; * vt to smoke.

fumet m aroma.

fumeur m **-euse** f smoker.

fumier m dung, manure.

funèbre adj funeral; funerary.

funérailles fpl funeral.

funéraire adj funeral, funerary.

funeste adj disastrous; harmful.

fureur f fury; violence.

furie f fury, rage.

furieusement adv furiously.

furieux adj furious, violent.

furtif adj furtive; stealthy.

furtivement adj furtively.

fusée f rocket, missile.

fusible m fuse.

fusil m rifle, gun.

fusillade f fusillade; gunfire; shoot-out.

fusiller vt to shoot.

fusion f fusion; melting; merger; blending.

fusionner vt to merge, combine.

fût m trunk; shaft; barrel.

futé adj crafty, cunning.

futile adj futile; **~ment** adv futilely.

futilité f futility.

futur adj future; * m intended, fiancé; future.

fuyant adj fleeting; evasive.

fuyard m **-e** f; * adj runaway.

G

gabarit m size, build; calibre.

gâcher vt to mix; to waste.

gachette f trigger.

gâchis m mess.

gadget m gadget; gimmick.

gaffe f blunder; boat hook.

gage m security; pledge; proof.

gagnant m **-e** f winner; * adj winning.

gagner vt to earn, to win, beat; to gain; * vi to win; to spread.

gai adj cheerful, happy, gay; **~ement** adv cheerfully, happily.

gaieté f cheerfulness, gaiety.

gain m earnings; gain, profit, benefit; saving.

gaine f girdle; sheath.

gala m official reception; gala.

galamment adv courteously, gallantly.

galant adj gallant, courteous.

galanterie f gallantry.

galaxie f galaxy.

galère f galley.

galerie f gallery; tunnel.

galet m pebble.

galette f pancake.

Gallois m Welshman, **-e** f Welsh-woman.

gallois adj Welsh; * m Welsh (language).

galon m braid; stripe.

galop m gallop; canter.

galoper vi to gallop; to run wild.

galvaniser vt to galvanise.

gamba f large prawn.

gamin m **-e** f kid, street urchin.

gaminerie f playfulness; childishness.

gamme f range; scale.

ganglion m ganglion.

gangrène f gangrene.

gant m glove.

garage m garage.

garagiste mf garage owner.

garant m **-e** f (jur) guarantor.

garantie f guarantee, surety.

garantir vt to guarantee, secure.

garçon m boy; assistant; waiter.

garde f custody; guard; surveillance; * m guard, warder.

garde-à-vous m standing to attention.

garde-boue m mudguard.

garde-chasse m gamekeeper.

garde-fou m railing, parapet; safeguard.

garder vt t look after; to stay in; to keep on.

garderie f day nursery.

garde-robe f wardrobe.

gardien m **-ne** f guard, guardian, warden; protector.

gare f rail station; (mar) basin; depot.

garer vt to park; to dock; **se ~** vr to avoid, steer clear of.

gargariser (se) vr to gargle; to crow about.

gargarisme m gargle.

gargouillement m gurgling; rumbling.

gargouiller vi to gurgle; to rumble.

garnir vt to fit with; to trim, decorate.

garnison f (mil) garrison.

garniture f trimming, lining; garnish.

garrot m garrotte; (med) tourniquet.

gars m (fam) lad; bloke.

gaspillage m waste; squandering.

gaspiller vt to waste, squander.

gastrique adj gastric.

gastronome m gourmet, gastronome.

gastronomie f gastronomy.

gâté adj ruined; spoiled.

gâteau m cake.

gâter vt to ruin; to spoil; **se ~** vr to go bad, go off.

gâteux adj senile; (fam) doddering.

gauche adj left; awkward, clumsy; **~ment** adv awkwardly; * f left; left wing.

gaucher adj left-handed.

gauchisant m **-e** f leftist; * adj of leftist tendencies.

gauchiste mf; * adj leftist.

gaufre f waffle.

gaver vt to force-feed, fill up; **se ~** vr to stuff o.s.; to devour.

gaz m invar gas; fizz; wind.

gaze f gauze.

gazelle f gazelle.

gazeux adj gaseous; fizzy.

gazon m lawn; turf.

gazouiller vi to chirp, warble.

géant m giant, **-e** f giantess.

geindre vi to groan; to whine.

gel m frost; gel.

gélatine f gelatine.

gelé adj frozen; cold, unresponsive.

gelée f frost; jelly.

geler vi to freeze, be frozen; * vt to freeze, turn to ice; to suspend.

gélule f capsule.

Gémeaux mpl Gemini.

gémir vi to groan, moan.

gémissement *m* groan, moan; groaning.

gênant *adj* annoying; awkward.

gencive *f* gum.

gendarme *m* policeman; gendarme.

gendarmerie *f* police force, constabulary.

gendre *m* son-in-law.

gêne *f* discomfort; trouble; embarrassment; **être sans ~** to be inconsiderate.

généalogie *f* genealogy.

généalogique *adj* genealogical.

gêner *vt* to bother; to hinder; to make uneasy; **se ~** *vr* to get in each other's way.

général *adj* general, broad; common; **~ement** *adv* generally; * *m* general, **-e** *f* general's wife; (*thea*) dress rehearsal.

généralisation *f* generalisation.

généraliser *vt* to generalise; **se ~** *vr* to become widespread.

généraliste *m* general practitioner; * *adj* general-interest; non-specialised.

généralité *f* majority; general points.

générateur *m* generator.

génération *f* generation.

générer *vt* to generate

généreusement *adv* generously; nobly.

généreux *adj*, *f* **-euse** generous; noble; magnanimous.

générosité *f* generosity; nobility; magnanimity.

génétique *adj* genetic; **~ment** *adv* genetically.

génial *adj* inspired, of genius.

génie *m* genius; spirit; genie.

génital *adj* genital.

génocide *m* genocide.

genou *m* knee.

genre *m* kind, type; gender; genre.

gens *mpl* people, folk.

gentil *adj*, *f* **-le** kind; good; pleasant.

gentillesse *f* kindness; favour.

gentiment *adv* kindly; nicely.

géographe *mf* geographer.

géographie *f* geography.

géographique *adj* geographic.

géologie *f* geology.

géologue *mf* geologist.

géomètre *m* land surveyor.

géométrie *f* geometry.

géométrique *adj* geometric; **~ment** *adv* geometrically.

géranium *m* geranium.

gérant *m* **-e** *f* manager.

gerbe *f* sheaf, bundle; collection.

gercer *vt* to chap, crack; **se ~** *vr* to chap, crack.

gerçure *f* (small) crack.

gérer *vt* to manage, administer.

germe *m* germ; seed.

germer *vi* to sprout, germinate.

gérondif *m* gerundive; gerund.

gésier *m* gizzard.

gestation *f* gestation.

geste *m* gesture; act, deed.

gesticuler *vi* to gesticulate.

gestion *f* management, administration.

gestionnaire *adj* administrative, management.

ghetto *m* ghetto.

gibier *m* game; prey.

gicler *vi* to spurt, squirt.

gicleur *m* jet.

gifle *f* slap, smack.

gifler *vt* to slap, smack.

gigantesque *adj* gigantic, immense.

gigot *m* leg (mutton/lamb), haunch.

gilet *m* waistcoat.

gingembre *m* ginger.

girafe *f* giraffe.

giratoire *adj* gyrating, gyratory.

girouette *f* weather vane.

gisement *m* deposit; mine; pool.

gitan *m* **-e** *f* gipsy.

gîte *m* shelter; home.

givre *m* frost, rime.

givré *adj* covered in frost.

glace *f* ice; ice cream; mirror.

glacé *adj* icy; frozen; glazed; chilly.

glacer *vt* to freeze; to chill; to glaze.

glacial *adj* icy; freezing.

glacier *m* glacier; ice cream maker.

glacière *f* icebox.

glaçon *m* icicle; ice cube.

glaïeul *m* gladiola.

glaise *f* clay.

gland *m* acorn.

glande *f* gland.

glaner *vt* to glean.

glauque *adj* murky; shabby, run-down.

glissade *f* slide, skid.

glissant *adj* slippery.

glissement *m* sliding; gliding; downturn, downswing.

glisser *vi* to slide, slip, skid.

glissière *f* slide; runner.

global *adj* global, overall; **~ement** *adv* globally.

globe *m* globe, sphere; earth.

globulaire *adj* global; (*med*) corpuscular.

globule *m* globule; corpuscle.

globuleux *adj* globular; protruding.

gloire *f* glory; distinction; celebrity.

glorieux *adj* glorious.

glorifier *vt* to glory, honour; **se ~** *vr* to glory in; to boast.

glossaire *m* glossary.

glouton *m* -**ne** *f* glutton; * *adj* gluttonous, ravenous; **~nement** *adv* gluttonously.

gluant *adj* sticky, slimy.

glucide *m* glucide.

glucose *m* glucose.

glycérine *f* glycerine.

gobelet *m* beaker, tumbler.

gober *vt* to swallow; to fall for.

goéland *m* gull.

goinfre *m* pig; * *adj* piggish.

golf *m* golf.

golfeur *m* -**euse** *f* golfer.

gomme *f* gum; rubber, eraser.

gommer *vt* to rub out; to gum.

gond *m* hinge.

gondole *f* gondola.

gondoler *vi* to crinkle, warp, buckle; **se ~** *vr* to crinkle; to split one's sides laughing.

gonflable *adj* inflatable.

gonflement *m* inflation, swelling.

gonfler *vt* to pump up, inflate; **se ~** *vr* to swell; to be puffed up.

gong *m* gong; bell.

gorge *f* throat.

gorgée *f* sip, gulp.

gorille *m* gorilla.

gosier *m* throat, gullet.

gosse *mf* (*fam*) kid.

gothique *m, adj* Gothic.

goudron *m* tar.

goudronner *vt* to tar.

gouffre *m* gulf, chasm, abyss.

goulu *adj* greedy, gluttonous.

goulûment *adv* greedily, gluttonously.

goupille *f* pin.

gourd *adj* numb (with cold).

gourde *f* gourd; flask.

gourdin *m* club, cudgel.

gourmand *adj* greedy.

gourmandise *f* greed, greediness.

gourmet *m* gourmet.

gourmette *f* chain bracelet.

gousse *f* pod.

goût *m* taste; liking; style.

goûter *vt* to taste; to appreciate; * *vi* to have a snack; to taste good; * *m* snack.

goutte *f* drop; dram; gout.

gouttière *f* gutter; drainpipe.

gouvernail *m* rudder; helm.

gouvernement *m* government.

gouvernemental *adj* government, governmental.

gouverner *vt* to govern, rule; to control; to steer.

gouverneur *m* governor.

goyave *f* guava.

grâce *f* grace; favour; mercy; pardon; **~ à** thanks to.

gracier *vt* to pardon.

gracieusement *adv* gracefully; kindly.

gracieux *adj* gracious.

grade *m* rank; grade; degree.

gradé *m* officer; * *adj* promoted.

gradin *m* tier; step; terrace.

graduel *adj* gradual; progressive; ~lement *adv* gradually.

graduer *vt* to step up; to graduate.

graffiti *mpl* graffiti.

grain *m* grain, seed; bead.

graine *f* seed.

graissage *m* greasing, lubricating.

graisse *f* grease, fat.

graisser *vt* to grease, lubricate.

grammaire *f* grammar.

grammairien *m* -ne *f* grammarian.

grammatical *adj* grammatical; ~ement *adv* grammatically.

gramme *m* gram.

grand *adj* big; tall; great; leading; pas ~-chose not a lot, not up to much; ~ement *adv* greatly; a great deal; nobly.

grandeur *f* size; greatness; magnitude.

grandiose *adj* imposing, grandiose.

grandir *vi* to grow bigger, increase; * *vt* to magnify; exaggerate.

grand-mère *f* grandmother.

grand-père *m* grandfather.

grand-parents *mpl* grandparents

granit(e) *m* granite.

granulé *m* granule; * *adj* granular.

granuleux *adj* granular; grainy.

graphique *m* graph; * *adj* graphic; ~ment *adv* graphically.

graphite *m* graphite.

grappe *f* cluster, bunch.

gras *adj*, *f* -se fatty; fat; greasy; crude.

gratification *f* gratuity; bonus.

gratin *m* cheese dish, gratin.

gratis *adv* free, gratis.

gratitude *f* gratitude, gratefulness.

gratter *vt* to scratch, scrape.

gratuit *adj* free, gratuitous; disinterested; ~ement *adv* free; gratuitously.

grave *adj* grave, solemn; ~ment *adv* gravely, solemnly.

graver *vt* to engrave, imprint.

graveur *m* engraver, woodcutter.

gravier *m* gravel.

gravir *vt* to climb.

gravitation *f* gravitation.

gravité *f* gravity.

gravure *f* engraving, carving.

gré *m*: liking, taste; **au ~ de** depending on, at the mercy of; **bon ~ mal ~** like it or not, willy-nilly; **savoir ~** to be grateful.

greffe *f* transplant, graft.

greffer *vt* to transplant, graft.

grégaire *adj* gregarious.

grêle *f* hail.

grêlon *m* hailstone.

grelotter *vi* to shiver.

grenade *f* pomegranate; grenade.

grenat *m* garnet.

grenier *m* attic, garret.

grenouille *f* frog.

grès *m* sandstone; stoneware.

grésiller *vi* to sizzle; splutter.

grève *f* strike; shore.

gribouillage *m* scrawl, scribble.

gribouiller *vi* to doodle; * *vt* to scribble, scrawl.

grièvement *adv* seriously.

griffe *f* claw.

griffer *vt* to scratch.

griffonner *vt* to scribble, jot down.

grignoter *vi* to nibble at, pick at; * *vt* to nibble at; to eat away.

gril *m* grill pan; rack.

grillade *f* grilled meat.

grillage *m* toasting; grilling.

grille *f* railings; gate; grill.

grille-pain *m invar* toaster.

griller *vt* to toast, scorch; to put bars on; * *vi* to toast, grill.

grillon *m* cricket.

grimace *f* grimace; funny face.

grimper *vi* to climb up.

grincement *m* grating, creaking.

grincer *vi* to grate, creak.

grincheux *adj* grumpy.

griotte *f* Morello cherry; marble.

grippe *f* flu, influenza.

grippé *adj* suffering from flu.

gris *adj* grey.

grisant *adj* exhilarating; intoxicating.

griser *vt* to intoxicate; **se ~** *vr* to get drunk.

grisonnant *adj* greying.

grive *f* thrush.

grog *m* grog.

grognement *m* grunt, grunting.

grogner *vi* to grumble, moan.

grognon *m* grumbler, moaner, *adj* grumpy, surly.

grommeler *vi* to mutter; to grumble; * *vt* to mutter.

grondement *m* rumbling, growling.

gronder *vt* to scold; * *vi* to rumble, growl.

gros *adj*, *f*-**se** big; fat; thick; serious; heavy; coarse; **en ~** in bulk; * *m* bulk; wholesale; fat man.

groseille *f* currant.

grossesse *f* pregnancy.

grosseur *f* thickness; lump; fatness.

grossier *adj* coarse; unrefined; base.

grossièrement *adv* roughly; coarsely.

grossièreté *f* rudeness; coarseness.

grossir *vi* to get fatter; to swell, grow; * *vt* to magnify; to exaggerate.

grossiste *mf* wholesaler.

grotesque *adj* grotesque, ludicrous; **~ment** *adv* grotesquely.

grotte *f* cave; grotto.

grouiller *vi* to mill about; to swarm; **se ~** *vr* (*fam*) to get a move on.

groupe *m* group; party; cluster.

groupement *m* grouping; group.

grouper *vt* to group together; to bulk; **se ~** *vr* to gather.

grue *f* crane.

grumeau *m* lump.

gruyère *m* gruyère (cheese).

guenon *f* female monkey; hag.

guépard *m* cheetah.

guêpe *f* wasp.

guêpier *m* trap; wasp's nest.

guère *adv* hardly, scarcely.

guéri *adj* cured.

guéridon *m* pedestal table.

guérir *vi* to get better; to heal; * *vt* to cure, heal; **se ~** *vr* to get better; to recover from.

guérison *f* recovery; curing.

guérisseur *m* -**euse** *f* healer.

guerre *f* war; warfare.

guerrier *m* -**ière** *f* warrior.

guet *m* watch; **faire le ~** to be on the watch.

guetter *vt* to watch; to lie in wait for.

gueule *f* (*fam*) mouth; face; muzzle.

gueuler *vi* (*fam*) to bawl; bellow.

guichet *m* counter; ticket office, booking office.

guichetier *m* -**ière** *f* counter clerk.

guidage *m* guides; guidance.

guide *m* guide.

guider *vt* to guide; **se ~** *vr* to be guided by.

guidon *m* handlebars.

guignol *m* puppet; puppet show.

guillemet *m* inverted comma; quotation mark.

guillotine *f* guillotine.

guimauve *f* marshmallow.

guindé *adj* stiff, uptight.

guirlande *f* garland.

guise *f* manner, way; **en ~ de** by way of; **à ta ~** as you please.

guitare *f* guitar.

guitariste *mf* guitarist.

guttural *adj* guttural.

gymnase *m* gymnasium.

gymnastique *f* gymnastics.

gynécologie *f* gynaecology.

gynécologue, gynécologiste *mf* gynaecologist.

gyrophare *m* revolving light.

H

habile *adj* skilful, skilled; clever; **~ment** *adv* skilfully.

habileté *f* skill, skilfulness; clever move.

habiliter *vt* to qualify; to authorise.

habillement *m* clothing, dress, outfit.

habiller *vt* to dress, clothe; **s'~** *vr* to get dressed.

habit *m* clothes; apparel; dresscoat; outfit

habitable *adj* inhabitable.

habitant *m* **-e** *f* inhabitant; occupant; dweller.

habitat *m* habitat; housing conditions.

habitation *f* dwelling; residence; house.

habité *adj* manned.

habiter *vi* to live; * *vt* to live in; occupy.

habitude *f* habit, custom, routine.

habituel *adj* usual, customary; **~lement** *adv* usually, generally.

habituer *vt* to accustom; to teach; **s'~** *vr* to get used to.

hache *f* axe, hatchet.

hacher *vt* to chop, mince.

hachoir *m* chopper, cleaver.

hachure *f* hatching.

hagard *adj* wild; haggard; distraught.

haie *f* hedge.

haine *f* hatred.

haineux *adj* full of hatred; malevolent.

haïr *vt* to hate, detest.

hâle *m* tan, sunburn.

hâlé *adj* tanned, sunburnt.

haleine *f* breath, breathing.

haletant *adj* panting, gasping.

haleter *vi* to pant, gasp for breath.

hall *m* hall, foyer.

halle *f* covered market; hall.

hallucination *f* hallucination.

halo *m* halo.

halte *f* stop, break; stopping place.

haltère *f* dumbbell.

hamac *m* hammock.

hameçon *m* fish-hook.

hamster *m* hamster.

hanche *f* hip; haunch.

handball *m* handball.

handballeur *m* **-euse** *f* handball player.

handicap *m* handicap.

handicaper *vt* to handicap

hangar *m* shed, barn; hangar.

hanneton *m* maybug.

hanter *vt* to haunt.

happer *vt* to snap up, snatch.

harassant *adj* exhausting, wearing.

harcèlement *m* harassment; pestering.

harceler *vt* to harass; to pester; to plague.

hardi *adj* bold, daring; brazen; **~ment** *adv* boldly, daringly; brazenly.

hareng *m* herring.

hargne *f* spite.

hargneux *adj* aggressive, belligerent.

haricot *m* bean.

harmonica *m* harmonica.

harmonie *f* harmony; wind section.

harmonieusement *adv* harmoniously.

harmonieux *adj* harmonious; well-matched.

harmoniser *vt* to harmonise; **s'~** *vr* to be in harmony.

harnacher *m* to harness.

harnais *m* harness; equipment.

harpe *f* harp.

harpiste *mf* harpist.

harpon *m* harpoon.

hasard *m* chance; accident; hazard; risk.

hasardeux *adj* hazardous, risky.

hâte *f* haste; impatience.
hâter *vt* to hasten; to quicken; **se ~** *vr* to hurry.
hâtif *adj* precocious; early; hasty.
hâtivement *adv* hastily.
hausse *f* rise, increase.
hausser *vt* to raise; to heighten.
haut *adj* high, tall; upper; superior; **~ement** *adv* highly.
hautain *adj* haughty, lofty.
hautbois *m* oboe.
hauteur *f* height; elevation; haughtiness; bearing.
haut-parleur *m* loudspeaker.
hebdomadaire *adj*; * *m* weekly.
hébergement *m* accommodation; lodging.
héberger *vt* to accommodate, lodge.
hectare *m* hectare.
hectogramme *m* hectogram.
hectolitre *m* hectolitre.
hectomètre *m* hectometre.
hélice *f* propeller; helix.
hélicoptère *m* helicopter.
hélium *m* helium.
hématome *m* severe bruise, haematoma.
hémicycle *m* semicircle; hemicycle; amphitheatre.
hémiplégique *mf* person paralysed on one side, hemiplegic; * *adj* hemiplegic.
hémisphère *m* hemisphere.
hémoglobine *f* haemoglobin.
hémophile *adj* haemophiliac.
hémophilie *f* haemophilia.
hémorragie *f* bleeding, haemorrhage.
hémorroïde *f* haemorrhoid, pile.
henné *m* henna.
hépatique *adj* hepatic.
hépatite *f* hepatitis.
herbe *f* grass; **en ~** in the blade.
herbivore *m* herbivore; *adj* herbivorous.
herboriste *mf* herbalist.
héréditaire *adj* hereditary.
hérédité *f* heredity; heritage; right of inheritance.

hérésie *f* heresy.
hérétique *adj* heretical.
hérissé *adj* bristling; spiked.
hérisser *vt* to bristle; to spike; * **se ~** *vr* to stand on end; to bristle.
hérisson *m* hedgehog.
héritage *m* inheritance; heritage, legacy.
hériter *vi* to inherit.
héritier *m* heir -**ière** *f* heiress.
hermaphrodite *m* hermaphrodite; * *adj* hermaphrodite.
hermétique *adj* airtight, watertight, hermetic; **~ment** *adv* hermetically.
hermine *f* ermine; stoat.
hernie *f* hernia, rupture.
héroïne *f* heroine; heroin.
héroïque *adj* heroic; **~ment** *adv* heroically.
héroïsme *m* heroism.
héron *m* heron.
héros *m* hero.
herpès *m* herpes; cold sore.
hésitant *adj* hesitant.
hésitation *f* hesitation.
hésiter *vi* to hesitate.
hétéroclite *adj* heterogeneous; sundry; eccentric.
hétérogène *adj* heterogeneous.
hétérosexuel *adj* heterosexual.
hêtre *m* beech.
heure *f* hour; time of day; **de bonne ~** early; **tout à l'~** a short time ago, just now.
heureusement *adv* luckily; happily.
heureux *adv* lucky; happy.
heurter *vt* to strike, hit; to jostle.
hexagone *m* hexagon.
hibernation *f* hibernation.
hibou *m* owl.
hideux *adj* hideous.
hier *adv* yesterday.
hiérarchie *f* hierarchy.
hiérarchique *adj* hierarchical; **~ment** *adv* hierarchically
hilarant *adj* hilarious, side-splitting.

hilarité *f* hilarity, laughter.

hindouisme *m* Hinduism.

hippisme *m* riding, equestrianism.

hippocampe *m* sea horse.

hippodrome *m* racecourse.

hippopotame *m* hippopotamus.

hirondelle *f* swallow.

hirsute *adj* dishevelled, tousled

hisser *vt* to hoist, haul up.

histoire *f* history; story; business; **~ de dire** just to say.

historien *m* **-ne** *f* historian.

historique *adj* historic; historical; **~ment** *adv* historically.

hiver *m* winter.

hivernal *adj* winter; wintry.

HLM (habitation à loyer modéré) *f* / *m* public sector housing.

hocher *vt* to nod; to shake one's head.

hochet *m* rattle; toy.

holocauste *m* holocaust.

homard *m* lobster.

homéopathe *mf* homeopath.

homéopathie *f* homeopathy.

homicide *m* homicide.

hommage *m* homage, tribute; **rendre ~ à** to pay homage to.

homme *m* man.

homme-grenouille *m* frogman.

homogène *adj* homogeneous.

homogénéiser *vt* to homogenise.

homogénéité *f* homogeneity.

homologue *adj* homologous; equivalent.

homologuer *vt* to ratify; to approve.

homonyme *m* homonym; * *adj* homonymous.

homosexualité *f* homosexuality.

homosexuel *m* **-le** *f* homosexual.

honnête *adj* honest; decent; honourable; **~ment** *adv* honestly, decently.

honnêteté *f* honesty, decency.

honneur *m* honour; integrity; credit; **en l'~ de** in honour of.

honorable *adj* honourable; reputable; **~ment** *adv* honourably.

honoraire *adj* honorary.

honoraires *mpl* fees.

honorer *vt* to honour; to esteem; to do credit to; **s'~** *vr*: **s'~ de** to pride oneself on.

honte *f* shame, disgrace.

honteusement *adv* shamefully; disgracefully.

honteux *adj* shameful; disgraceful.

hôpital *m* hospital.

hoquet *m* hiccough, hiccup.

horaire *m* timetable; * *adj* hourly.

horizon *m* horizon.

horizontal *adj* horizontal; **~ement** *adv* horizontally.

horloge *f* clock.

horloger *m* **-ère** *f* watchmaker, clockmaker.

hormone *f* hormone.

horoscope *m* horoscope.

horreur *f* horror.

horrible *adj* horrible; dreadful; **~ment** *adv* horribly

horrifier *vt* to horrify.

hors *prép* outside; beyond; save; except; **~ série** incomparable, outstanding; special issue.

hors-bord *m invar* speedboat.

hors-d'œuvre *m invar* hors d'œuvre, starter.

hors-jeu *m invar* offside.

hors-piste *m invar* off-piste.

hortensia *m* hydrangea.

horticulteur *m* horticulturist.

horticulture *f* horticulture.

hospice *m* home, asylum; hospice.

hospitalier *adj* hospital; hospitable.

hospitalisation *f* hospitalisation.

hospitaliser *vt* to hospitalise.

hospitalité *f* hospitality.

hostie *f* host.

hostile *adj* hostile; **~ment** *adv* hostilely.

hostilité *f* hostility.

hôte *m* **hôtesse** *f* host; landlord.

hôtel *m* hotel.

hôtelier *m* **-ière** *f* hotelier; * *adj* hotel.

hôtellerie *f* inn; hotel business.

hotte *f* basket.

houblon *m* hop.

houille *f* coal.

houle *f* swell.

houleux *adj* stormy; turbulent.

houppe *f* tuft; tassel.

housse *f* cover, dust-sheet.

houx *m* holly.

hublot *m* porthole.

huer *vt* to boo.

huile *f* oil; petroleum.

huissier *m* bailiff; usher.

huit *adj, m* eight.

huitaine *f* eight or so.

huitième *adj* eighth; ~**ment** *adv* eighthly; * *mf* eighth.

huître *f* oyster.

humain *adj* human; humane; ~**ement** *adv* humanly; humanely; * *m* human.

humanisme *m* humanism.

humaniste *m* humanist; * *adj* humanist.

humanitaire *adj* humanitarian.

humanité *f* humanity.

humble *adj* humble; modest; ~**ment** *adv* humbly.

humecter *vt* to dampen, moisten.

humeur *f* mood, humour; temper.

humide *adj* humid.

humidité *f* humidity.

humiliant *adj* humiliating.

humiliation *f* humiliation.

humilier *vt* to humiliate.

humilité *f* humility.

humoristique *adj* humorous.

humour *m* humour.

hurlement *m* roar, yell; howl.

hurler *vi*; * *vt* to roar, yell.

hutte *f* hut.

hybride *adj* hybrid; * *m* hybrid.

hydratant *adj* moisturising.

hydratation *f* hydration; moisturising.

hydrater *vt* to hydrate; to moisturise.

hydraulique *adj* hydraulic.

hydravion *m* seaplane.

hydrocarbure *m* hydrocarbon.

hydrogène *m* hydrogen.

hydrolyse *f* hydrolysis.

hydrophile *adj* absorbent.

hydroxyde *m* hydroxide.

hyène *f* hyena.

hygiène *f* hygienics; hygiene.

hygiénique *adj* hygienic; ~**ment** *adv* hygienically.

hymne *m* hymn.

hyperbole *f* hyperbole; hyperbola.

hypermarché *m* hypermarket.

hypermétrope *adj* long-sighted; * *mf* long-sighted person.

hypertension *f* hypertension.

hypertrophié *adj* (*med*) enlarged; overdeveloped.

hypnose *f* hypnosis

hypnotique *adj* hypnotic.

hypnotiser *vt* to hypnotise.

hypocondriaque *mf* hypochondriac; * *adj* hypochondriac.

hypocrisie *f* hypocrisy.

hypocrite *mf* hypocrite; * *adj* hypocritical; ~**ment** *adv* hypocritically.

hypophyse *f* pituitary gland, hypophysis.

hypothalamus *m* hypothalamus.

hypothèque *f* mortgage.

hypothéquer *vt* to mortgage.

hypothèse *f* hypothesis; assumption.

hypothétique *adj* hypothetical; ~**ment** *adv* hypothetically.

hystérie *f* hysteria.

hystérique *mf* hysterical; * *adj* hysteric.

I

ibis *m* ibis.
iceberg *m* iceberg.
idéal *adj*; * *m* ideal.
idéaliser *vt* to idealise.
idéaliste *adj* idealistic; * *mf* idealist.
idée *f* idea.
identifier *vt* to identify; **s'~** *vr* to identify with.
identique *adj* identical; **~ment** *adv* identically.
identité *f* identity; similarity.
idéologie *f* ideology.
idiot *m* -e *f* idiot, fool; * *adj* idiotic, stupid; **~ement** *adv* idiotically.
idole *f* idol.
igloo *m* igloo.
ignoble *adj* ignoble, mean, base.
ignorance *f* ignorance.
ignorant *adj* ignorant; unacquainted; uninformed.
ignorer *vt* to be ignorant of; to be unaware of; to ignore.
iguane *m* iguana.
il *pn* he, it.
île *f* island, isle.
illégal *adj* illegal; unlawful; **~ement** *adv* illegally.
illégalité *f* illegality.
illégitime *adj* illegitimate; unwarranted.
illettré *adj* illiterate.
illicite *adj* illicit; **~ment** *adv* illicitly.
illimité *adj* unlimited; limitless.
illisible *adj* illegible, unreadable.
illogique *adj* illogical.
illumination *f* illumination, lighting.
illuminer *vt* to light up, illuminate; to enlighten.
illusion *f* illusion
illusoire *adj* illusory; illusive; **~ment** *adv* illusorily.
illustration *f* illustration.
illustre *adj* illustrious, renowned.
illustrer *vt* to illustrate.

îlot *m* islet; block (flats).
image *f* image, picture; reflection.
imagé *adj* colourful; full of imagery.
imaginaire *adj* imaginary.
imagination *f* imagination.
imaginer *vt* to imagine; to suppose; to devise; **s'~** *vr* to imagine o.s.; to think.
imbattable *adj* unbeatable.
imbécile *mf* idiot, imbecile; * *adj* stupid, idiotic.
imbiber *vt* to soak, moisten.
imbriquer *vt* to fit into; to overlap; **s'~** *vr* to be linked.
imbuvable *adj* undrinkable; unbearable.
imitation *f* imitation; mimicry; forgery.
imiter *vt* to imitate.
immaculé *adj* spotless, immaculate.
immangeable *adj* inedible.
immatriculation *f* registration.
immatriculer *vt* to register.
immédiat *adj* immediate; instant; **~ement** *adv* immediately, instantly.
immense *adj* immense, boundless.
immensément *adv* immensely; hugely.
immensité *f* immensity; immenseness.
immergé *adj* submerged.
immersion *f* immersion; submersion.
immeuble *m* building; block of flats; real estate.
immigrant *m* -e *f* immigrant.
immigration *f* immigration.
immigré *m* -e *f* immigrant.
imminent *adj* imminent, impending.
immobile *adj* motionless, still.
immobilier *adj* property; * *m* property business.

immobiliser *vt* to immobilise; to bring to a standstill; **s'~** *vr* to stop, stand still.

immobilité *f* stillness; immobility; permanence.

immonde *adj* squalid; base, vile.

immoral *adj* immoral.

immoralité *f* immorality.

immortaliser *vt* to immortalise.

immortel *adj* immortal.

immuable *adj* unchanging, immutable; **~ment** *adv* immutably.

immuniser *vt* to immunise.

immunité *f* immunity.

impact *m* impact.

impair *adj* odd, uneven.

impalpable *adj* impalpable.

impardonnable *adj* unforgivable, unpardonable.

imparfait *adj* imperfect; **~ement** *adv* imperfectly.

impartial *adj* impartial; **~ement** *adv* impartially.

impartialité *f* impartiality.

impasse *f* dead end, cul-de-sac; impasse.

impassible *adj* impassive.

impatiemment *adv* impatiently.

impatience *f* impatience.

impatient *adj* impatient.

impatienter *vt* to irritate, annoy; **s'~** *vr* to grow, get impatient.

impeccable *adj* perfect; faultless, impeccable; **~ment** *adv* perfectly, impeccably.

impénétrable *adj* impenetrable; inscrutable.

impensable *adj* unthinkable.

impératif *adj* imperative; mandatory; ***** *m* requirement; demand; constraint.

impératrice *f* empress.

imperceptible *adj* imperceptible; **~ment** *adv* imperceptibly.

imperfection *f* imperfection.

impérial *adj* imperial.

impérialisme *m* imperialism.

imperméable *adj* impermeable, waterproof; **~ à** impervious to.

impersonnel *adj* impersonal.

impertinence *f* impertinence.

impertinent *adj* impertinent.

imperturbable *adj* unshakeable; imperturbable; **~ment** *adv* imperturbably.

impétueux *adj* impetuous.

impitoyable *adj* merciless, pitiless; **~ment** *adv* mercilessly, pitilessly.

implacable *adj* implacable; **~ment** *adv* implacably.

implantation *f* implantation; establishment; introduction.

implanter *vt* to introduce; to establish; to implant; **s'~** *vr* to be established; to become implanted.

implication *f* implication; involvement.

implicite *adj* implicit; **~ment** *adv* implicitly.

impliquer *vt* to imply; to necessitate; to implicate; **s'~** *vr* to get involved in one's work.

impoli *adj* impolite, rude.

impolitesse *f* impoliteness, rudeness.

impopulaire *adj* unpopular.

importance *f* importance, significance; size.

important *adj* important, significant; sizeable.

importateur *m* **-trice** *f* importer; ***** *adj* importing.

importation *f* import, importation.

importer *vt* to import; ***** *vi* to matter; **que m'importe que** what does it matter to me that; **peu importe** whatever; **n'importe qui** anybody; **n'importe quoi** anything; **n'importe comment** anyhow; **n'importe quel** any.

importuner *vt* to importune, bother.

imposant *adj* imposing; stately.

imposer *vt* to impose, lay down; **s'~** *vr* to be essential; to assert o.s.

impossibilité *f* impossibility.

impossible *adj* impossible.

imposteur *m* impostor.

impôt *m* tax, duty.

impotent *adj* disabled, crippled.

imprégner *vt* impregnate; to permeate; to imbue; **s'~** *vr* to become impregnated with; to become imbued with.

impresario *m* manager, impresario.

impression *f* feeling, impression.

impressionnant *adj* impressive; upsetting.

impressionner *vt* to impress; to upset.

impressionisme *m* impressionism.

impressioniste *mf*; * *adj* impressionist.

imprévisible *adj* unforeseeable; unpredictable.

imprévoyant *adj* improvident.

imprévu *adj* unforeseen, unexpected.

imprimante *f* printer.

imprimé *adj* printed; * *m* printed form; printed material.

imprimer *vt* to print.

imprimerie *f* printing works; printing house.

imprimeur *m* printer.

improbable *adj* improbable, unlikely.

improductif *adj* unproductive.

improvisation *f* improvisation.

improviser *vt* to improvise.

improviste *adv*: **à l'~** unexpectedly.

imprudence *f* carelessness, imprudence.

imprudent *adj* careless, imprudent.

impudence *f* impudence; shamelessness.

impudique *adj* immodest, shameless.

impuissance *f* powerlessness, helplessness.

impuissant *adj* powerless, helpless.

impulsif *adj* impulsive.

impulsion *f* impulse; impetus.

impulsivement *adv* impulsively.

impunément *adv* with impunity.

impur *adj* impure; mixed.

impureté *f* impurity.

inacceptable *adj* unacceptable.

inaccessible *adj* inaccessible; obscure; incomprehensible.

inaccoutumé *adj* unusual.

inachevé *adj* unfinished, uncompleted.

inactif *adj* inactive, idle.

inaction *f* inactivity, idleness.

inactivité *f* inactivity.

inadapté *adj* unsuitable; maladjusted.

inadéquat *adj* inadequate.

inadmissible *adj* (*jur*) inadmissible.

inaltérable *adj* stable; unchanging, permanent.

inamovible *adj* irremovable; fixed.

inanimé *adj* inanimate; unconscious.

inaperçu *adj*: unnoticed **passer ~** to go unnoticed.

inappréciable *adj* invaluable, inestimable.

inapte *adj* unfit.

inattaquable *adj* unassailable; irrefutable.

inattendu *adj* unexpected, unforeseen.

inattention *f* inattention, lack of attention.

inauguration *f* inauguration, opening.

inaugurer *vt* to inaugurate, open.

inavouable *adj* shameful; undisclosable.

incapable *adj* incapable; incompetent.

incapacité *f* incompetence; disability; **être dans l'~ de** to be unable to do.

incarcérer *vt* to incarcerate.

incarnation *f* incarnation.

incarner *vt* to incarnate, embody.

incendiaire *adj* incendiary; inflammatory; * *mf* arsonist.

incendie *m* fire, blaze.

incendier *vt* to set alight; to kindle.

incertain *adj* uncertain, unsure.

incertitude *f* uncertainty; être dans l'~ to feel uncertain.

incessant *adj* incessant, ceaseless.

inceste *m* incest.

incident *m* incident, point of law.

incinération *f* incineration; cremation.

inciser *vt* to incise; (*med*) to lance.

incisive *f* incisive; piercing.

incitation *f* incitement; incentive.

inciter *vt* to incite, urge.

inclinaison *f* incline; gradient.

incliner *vt* to bend; to slope; to bow.

inclure *vt* to include; to insert.

inclus *adj* enclosed; included; ci-~ herein enclosed.

incohérence *f* incoherence; inconsistency.

incohérent *adj* incoherent; inconsistent.

incolore *adj* colourless; clear.

incommode *adj* inconvenient; awkward.

incommoder *vt* to disturb, bother.

incomparable *adj* incomparable; ~ment *adv* incomparably.

incompatibilité *f* incompatibility.

incompatible *adj* incompatible.

incompétence *f* incompetence.

incompétent *adj* incompetent; inexpert.

incomplet *adj* incomplete.

incompréhensible *adj* incomprehensible.

incompréhension *f* lack of understanding.

inconcevable *adj* inconceivable.

inconciliable *adj* irreconcilable.

inconditionnel *adj* unconditional; unreserved; unquestioning.

inconfortable *adj* uncomfortable; awkward; ~ment *adv* uncomfortably.

incongru *adj* unseemly; incongruous.

inconnu *m* -e *f* stranger, unknown person; * *m* unknown; * *adj* unknown.

inconsciemment *adv* unconsciously; thoughtlessly.

inconscience *f* unconsciousness; thoughtlessness.

inconscient *adj* unconscious; thoughtless, reckless; * *m* subconscious, unconscious.

inconsidéré *adj* inconsiderate; thoughtless; ~ment *adv* inconsiderately.

inconsistant *adj* flimsy; colourless; watery.

inconsolable *adj* disconsolate; inconsolable.

inconstant *adj* fickle; variable, inconstant.

incontestable *adj* incontestable, unquestionable; ~ment *adv* incontestably, unquestionably.

inconvénient *m* drawback, inconvenience.

incorporation *f* incorporation; integration; blending.

incorporer *vt* to incorporate, integrate.

incorrect *adj* faulty, incorrect; ~ement *adv* incorrectly.

incorrigible *adj* incorrigible.

incorruptible *adj* incorruptible.

incrédule *adj* incredulous; * *mf* unbeliever, non-believer.

incrédulité *f* incredulity, lack of belief.

incroyable *adj* incredible; unbelievable; ~ment *adv* incredibly, unbelievably.

incruster *vt* to inlay; to superimpose; s'~ *vr* to become imbedded in; to become rooted in.

inculpation f inculcation, instilling.

inculpé m **-e** f accused; * adj accused.

incurable adj incurable; **~ment** adv incurably, hopelessly.

indécent adj indecent, improper.

indéchiffrable adj indecipherable; incomprehensible.

indécis adj indecisive; unsettled; undefined.

indéfini adj undefined; indefinite; **~ment** adv indefinitely.

indéfinissable adj indefinable.

indemne adj unharmed, unhurt.

indemniser vt to indemnify; to compensate.

indemnité f compensation; indemnity.

indéniable adj undeniable, indisputable; **~ment** adv undeniably.

indépendance f independence.

indépendant adj independent.

indestructible adj indestructible.

indéterminé adj undetermined; unspecified; undecided.

index m index; index finger.

indexer vt to index.

indicatif m signature tune; dialling code; * adj indicative.

indication f indication; piece of information; instruction.

indice m indication; clue; sign.

indifféremment adv indiscriminately, equally.

indifférence f indifference.

indifférent adj indifferent; immaterial.

indigène mf native; local; * adj indigenous, native.

indigeste adj indigestible.

indigestion f indigestion.

indigne adj unworthy; undeserving.

indigner vt to annoy, make indignant; **s'~** vr to be indignant.

indiquer vt to indicate, point out; to tell.

indirect adj indirect; circumstantial; collateral; **~ement** adv indirectly.

indiscipliné adj undisciplined.

indiscret adj indiscreet; inquisitive.

indiscrétion f indiscretion; inquisitiveness.

indiscutable adj indisputable; unquestionable; **~ment** adv indisputably.

indispensable adj indispensable; essential.

indisponible adj unavailable.

indistinct adj indistinct, vague; **~ement** adv indistinctly.

individu m individual.

individuel adj individual; **~lement** adv individually.

indolore adj painless.

indubitable adj indubitable; certain; **~ment** adv indubitably.

indulgence f indulgence; leniency.

indulgent adj indulgent; lenient.

industrialisation f industrialisation.

industrie f industry; dexterity; ingenuity.

industriel m **-le** f industrialist, manufacturer; * adj industrial.

inébranlable adj steadfast, unwavering.

inédit adj unpublished; original.

inefficace adj ineffective; inefficient.

inefficacité f ineffectiveness; inefficiency.

inégal adj unequal; uneven; irregular; **~ement** adv unequally.

inégalité f inequality; difference, disparity.

inéluctable adj ineluctable, unavoidable; **~ment** adv ineluctably.

inépuisable adj inexhaustible.

inerte adj inert; lifeless.

inertie f inertia, apathy.

inespéré adj unexpected.

inestimable *adj* inestimable, invaluable.

inévitable *adj* inevitable, unavoidable.

inexact *adj* inexact, inaccurate.

inexactitude *f* inaccuracy.

inexistant *adj* nonexistent.

inexorable *adj* inexorable; ~**ment** *adv* inexorably.

inexpérimenté *adj* inexperienced; inexpert.

inexplicable *adj* inexplicable; ~**ment** *adv* inexplicably.

inexprimable *adj* inexpressible.

infaillible *adj* infallible.

infâme *adj* infamous; base, vile.

infantile *adj* infantile, childish.

infatigable *adj* indefatigable, tireless; ~**ment** *adv* indefatigably.

infect *adj* vile; revolting; filthy.

infecter *vt* to infect; to contaminate; **s'**~ *vr* to become infected.

infection *f* infection.

inférieur *adj* inferior; lower.

infériorité *f* inferiority.

infernal *adj* infernal, diabolical.

infester *vt* to infest, overrun.

infidèle *adj* unfaithful, disloyal.

infidélité *f* infidelity.

infiltration *f* infiltration.

infini *adj* infinite; interminable; ~**ment** *adv* infinitely.

infinitif *m* infinitive.

infirme *adj* feeble; crippled, disabled.

infirmerie *f* infirmary; sick bay.

infirmier *m* -**ière** *f* nurse.

infirmité *f* disability; infirmity.

inflammation *f* inflammation.

inflation *f* inflation.

inflexible *adj* inflexible, rigid.

infliger *vt* to inflict; to impose.

influence *f* influence.

influencer *vt* to influence, sway.

informaticien *m* -**ne** *f* computer scientist.

information *f* piece of information; information; inquiry.

informatique *f* computing; data processing; * *adj* computer.

informer *vt* to inform, tell; **s'**~ *vr* to find out, inquire.

infraction *f* infraction, infringement; offence.

infranchissable *adj* impassable; insuperable.

infrarouge *adj* infrared.

infrastructure *f* infrastructure; substructure.

infructueux *adj* fruitless, unsuccessful.

infusion *f* infusion, herb tea.

ingénieur *m* engineer.

ingénieux *adj* ingenious, clever.

ingénu *adj* ingenuous, naive.

ingrat *adj* ungrateful; unprofitable.

ingratitude *f* ingratitude.

ingrédient *m* ingredient; component.

inhabité *adj* uninhabited, unoccupied.

inhabituel *adj* unusual, unaccustomed.

inhumain *adj* inhuman.

inimaginable *adj* unimaginable.

inimitable *adj* inimitable.

ininterrompu *adj* uninterrupted; unbroken.

initial *adj* initial; ~**ement** *adv* initially.

initiation *f* initiation.

initiative *f* initiative; enterprise.

initier *vt* to initiate.

injecter *vt* to inject.

injection *f* injection.

injure *f* injury; insult.

injurier *vt* to abuse; insult.

injuste *adj* unjust, unfair; ~**ment** *adv* unjustly.

injustice *f* injustice.

injustifié *adj* unjustified.

inné *adj* innate, inborn.

innocence *f* innocence.

innocent *m* -**e** *f* innocent person; simpleton; * *adj* innocent.

innocenter *vt* to clear, prove innocent.

innovation *f* innovation.

innover *vi* to innovate, make innovations.

inodore *adj* odourless, scentless.

inoffensif *adj* inoffensive, harmless.

inondation *f* flood.

inonder *vt* to flood, inundate.

inopportun *adj* ill-timed, inopportune.

inoubliable *adj* unforgettable.

inouï *adj* unprecedented, unheard of.

inox *m* stainless steel.

inqualifiable *adj* unspeakable.

inquiet *adj* worried, anxious, uneasy.

inquiéter *vt* to worry, disturb; **s'~** *vr* to get worried.

inquiétude *f* restlessness, uneasiness.

insaisissable *adj* elusive; imperceptible.

insalubre *adj* insalubrious; unhealthy.

insatiable *adj* insatiable; **~ment** *adv* insatiably.

insatisfaction *f* dissatisfaction.

inscription *f* inscription; registration; matriculation.

inscrire *vt* to inscribe; to enter; to set down; to register; **s'~** *vr* to join; to register, enrol.

insecte *m* insect.

insecticide *m* insecticide.

insémination *f* insemination.

insensé *adj* insane, demented.

insensible *adj* insensible, unfeeling, insensitive; imperceptible; **~ment** *adv* imperceptibly; insensibly.

inséparable *adj* inseparable.

insérer *vt* to insert.

insertion *f* insertion, inserting.

insidieux *adj* insidious

insignifiant *adj* insignificant, trifling.

insinuation *f* insinuation.

insinuer *vt* to insinuate, imply; **s'~** *vr* to insinuate o.s. into; to creep into.

insipide *adj* insipid, tasteless.

insister *vi* to insist, be insistent; to stress.

insolence *f* insolence.

insolent *adj* insolent; brazen.

insolite *adj* unusual; strange.

insomnie *f* insomnia.

insouciance *f* unconcern; carelessness.

insouciant *adj* carefree; careless.

insoutenable *adj* unbearable; untenable.

inspecter *vt* to inspect, examine.

inspecteur *m* **-trice** *f* inspector

inspection *f* inspection.

inspiration *f* inspiration; suggestion.

inspirer *vt* to inspire; to breathe in; **s'~** *vr*: **s'~ de** to be inspired by.

instable *adj* unstable; unsettled.

installation *f* installation; installing.

installer *vt* to install; to fit out; **s'~** *vr* to set o.s. up; to settle down.

instant *m* moment, instant.

instantané *adj* instant, instantaneous; **~ment** *adv* instantly.

instaurer *vt* to institute; to impose.

instinct *m* instinct.

instinctif *adj* instinctive.

instinctivement *adv* instinctively.

institut *m* institute; school.

instituteur *m* **-trice** *f* teacher.

institution *f* institution; establishment.

instructif *adj* instructive.

instruction *f* instruction; education; inquiry.

instruire *vt* to instruct; to teach; to conduct an inquiry; **s'~** *vr* to educate o.s.; to obtain information.

instrument *m* instrument, implement.

insuffisance *f* insufficiency, inadequacy.

insuffisant *adj* insufficient, inadequate.

insuline *f* insulin.

insulte *f* insult.

insulter *vt* to insult, affront.

insupportable *adj* unbearable, intolerable; ~**ment** *adv* unbearably, intolerably.

insurrection *f* insurrection, revolt.

intact *adj* intact.

intégral *adj* integral; uncut; complete; ~**ement** *adv* integrally; in full.

intégralité *f* whole; entirety.

intégrer *vt* to integrate; **s'~** *vr* to become integrated; to fit in.

intégrité *f* integrity.

intellectuel *m* -**le** *f* intellectual; * *adj* intellectual, mental.

intelligence *f* intelligence; understanding.

intelligent *adj* intelligent, shrewd, bright.

intelligible *adj* intelligible.

intempéries *fpl* bad weather.

intendant *m* -**e** *f* bursar; steward, stewardess.

intense *adj* intense; severe.

intensément *adv* intensely.

intensif *adj* intensive.

intensifier *vt* to intensify; **s'~** *vr* to intensify.

intensité *f* intensity; severity.

intention *f* intention; purpose, intent.

interaction *f* interaction.

intercaler *vt* to intercalate; to interpolate.

intercepter *vt* to intercept.

interchangeable *adj* interchangeable.

interdiction *f* interdiction, prohibition, ban.

interdire *vt* to forbid, ban, prohibit.

interdit *adj* forbidden, prohibited; dumbfounded.

intéressant *adj* interesting; attractive, worthwhile.

intéresser *vt* to interest; to concern; *vr*: **s'~ à** to be interested in.

intérêt *m* interest; significance, importance.

interférence *f* interference; conjunction.

intérieur *adj* interior, internal, inland; **à l'~** inside; within; ~**ement** *adv* inwardly.

intérimaire *adj* interim; acting; temporary.

interligne *m* line space; interlining; lead.

interlocuteur *m* -**trice** *f* interlocutor, speaker.

intermède *m* interlude.

intermédiaire *adj* intermediate; intermediary.

interminable *adj* interminable; endless; ~**ment** *adv* interminably, endlessly.

intermittent *adj* intermittent, sporadic.

international *adj* international.

interne *adj* internal; * *mf* boarder; house doctor.

interpeller *vt* to call out to; (*police*) to interpellate.

interphone *m* intercom, entryphone.

interposer *vt* to interpose; **s'~** *vr* to intervene.

interprétation *f* interpretation, rendering.

interprète *mf* interpreter.

interpréter *vt* to interpret; to perform.

interrogation *f* interrogation, questioning; question.

interrogatoire *m* questioning; cross-examination.

interroger *vt* to question; to interrogate; **s'~** *vr* to wonder.

interrompre *vt* to interrupt, break; **s'~** *vr* to break off, interrupt o.s.

interrupteur *m* switch.

interruption *f* interruption, break.

intervalle *m* interval; space, distance.

intervenir *vi* to intervene; to take part in.

intervention *f* intervention; operation.

intestinal *adj* intestinal

intestin *m* intestine.

intime *adj* intimate; private; ~**ment** *adv* intimately; * *mf* close friend.

intimider *vt* to intimidate.

intimité *f* intimacy; privacy.

intituler *vt* to call, entitle; **s'~** *vr* to be called; to call o.s.

intolérable *adj* intolerable.

intolérance *f* intolerance.

intolérant *adj* intolerant.

intonation *f* intonation.

intoxication *f* poisoning; indoctrination.

intransigeant *adj* intransigent, uncompromising.

intransitif *adj* intransitive.

intrépide *adj* intrepid, fearless; ~**ment** *adv* intrepidly.

intrigant *adj* scheming.

introduction *f* introduction; launching; (*jur*) institution.

introduire *vt* to introduce, insert; to present; **s'~** *vr* to find one's way in; to be introduced.

introuvable *adj* undiscoverable; not to be found.

introverti *m* -**e** *f* introvert; * *adj* introverted.

intrus *m* -**e** *f* intruder; * *adj* intruding, intrusive.

intuitif *adj* intuitive.

intuition *f* intuition.

inutile *adj* useless; unavailing; pointless; ~**ment** *adv* uselessly, needlessly.

inutilisable *adj* unusable.

invalide *adj* disabled; (*jur*) invalid.

invariable *adj* invariable; unvarying; ~**ment** *adv* invariably.

invasion *f* invasion.

inventaire *m* inventory; stocklist.

inventer *vt* to invent; to devise; to make up.

inventeur *m* -**trice** *f* inventor.

invention *f* invention; inventiveness.

inverse *adj* opposite; * *m* opposite, reverse.

inverser *vt* to reverse, invert.

inversion *f* inversion; reversal.

investir *vt* to invest; to surround.

investissement *m* investment; investing.

invincible *adj* invincible, indomitable.

invisible *adj* invisible; unseen.

invitation *f* invitation.

invité *m* -**e** *f* guest.

inviter *vt* to invite, ask.

involontaire *adj* involuntary; unintentional; ~**ment** *adv* involuntarily.

invoquer *vt* to invoke; to call up; to plead.

invraisemblable *adj* unlikely, improbable; ~**ment** *adv* improbably.

invulnérable *adj* invulnerable.

iode *m* iodine.

ion *m* ion.

iris *m* iris.

Irlandais *m* Irishman, -**e** *f* Irishwoman

irlandais *adj* Irish.

Irlande *f* Ireland.

ironie *f* irony.

ironique *adj* ironic; ~**ment** *adv* ironically.

irradiation *f* irradiation; radiation.

irrationnel *adj* irrational.

irrécupérable *adj* irretrievable.

irréel *adj* unreal.

irréfléchi *adj* unconsidered; hasty.

irrégularité *f* irregularity; variation; unevenness.

irrégulier *adj* irregular; varying; uneven.

irrégulièrement *adv* irregularly; unevenly.

irrémédiable *adj* irreparable; incurable; **~ment** *adv* irreparably.

irremplaçable *adj* irreplaceable.

irréparable *adj* irreparable; irretrievable; **~ment** *adv* irreparably.

irrésistible *adj* irresistible; **~ment** *adv* irresistibly.

irresponsable *adj* irresponsible

irréversible *adj* irreversible; **~ment** *adv* irreversibly.

irrigation *f* irrigation.

irriguer *vt* to irrigate.

irriter *vt* to irritate; to provoke.

irruption *f* irruption.

Islam *m* Islam.

isolement *m* loneliness; isolation; insulation.

isoler *vt* to isolate; to insulate; **s'~** *vr* to cut o.s. off.

issu *adj* descended from; stemming from.

issue *f* outlet; solution; outcome.

ivoire *m* ivory.

ivre *adj* drunk, inebriated.

ivresse *f* drunkenness.

ivrogne *mf* drunkard.

J

jachère *f* fallow; leaving land lying fallow.

jade *m* jade.

jadis *adv* formerly, long ago.

jaguar *m* jaguar.

jaillir *vi* to spout, gush; to spring.

jalon *m* staff; landmark, milestone.

jalonner *vt* to mark out.

jalousie *f* jealousy, envy.

jaloux *m* **-ouse** *f* jealous person; * *adj* jealous, envious.

jamais *adv* never, not ever; **à ~** for ever.

jambe *f* leg.

jambon *m* ham.

janvier *m* January.

jardin *m* garden.

jardinage *m* gardening.

jardiner *vi* to garden.

jardinier *m* **-ière** *f* gardener.

jargon *m* jargon, slang; gibberish.

jarret *m* hock; (*zool*) hollow of the knee.

jaser *vi* to chatter; to twitter; to babble.

jasmin *m* jasmine.

jauge *f* gauge; capacity; tonnage.

jauger *vt* to gauge the capacity of; to size up.

jaunâtre *adj* yellowish.

jaune *adj* yellow; * *m* yellow.

jaunir *vi* to yellow, turn yellow; * *vt* to make yellow.

jaunisse *f* jaundice.

jazz *m* jazz.

je, j' *pn* I.

jésuite *m* Jesuit.

jet *m* jet, spurt; throwing.

jetable *adj* disposable.

jetée *f* pier.

jeter *vt* to throw; to discard; to give out; **se ~** *vr* to throw o.s.; to rush at.

jeton *m* token; counter.

jeu *m* play; game; gambling; **~ de jambes** footwork; **~ de mots** pun, play on words; **cacher son ~** to conceal one's intentions.

jeudi *m* Thursday.

jeun *adv*: **à ~** on an empty stomach.

jeune *adj* young; junior; new; youthful; * *m* youth, young man; *f* young girl.

jeûne *m* fast.

jeûner *vi* to fast.

jeunesse *f* youth, youthfulness.

joaillerie *f* jewellery.

joaillier *m* **-ière** *f* jeweller.

joie *f* joy, happiness; pleasure.

joindre *vt* to join, link; to attach; **se ~** *vr* to join, join in.

joint *m* joint; join.

jointure *f* joint *(anat)*.

joli *adj* pretty; good, handsome; **~ment** *adv* nicely, attractively.

jonc *m* rush; cane.

joncher *vt* to strew with.

jonction *f* junction.

jongler *vi* to juggle.

jongleur *m* **-euse** *f* juggler.

jonquille *f* daffodil, jonquil.

joue *f* cheek.

jouer *vi* to play; to gamble; to act.

jouet *m* toy.

joueur *m* **-euse** *f* player; gambler.

jouffflu *adj* chubby; round-faced.

joug *m* yoke.

jouir *vi* to enjoy; to delight in.

jouissance *f* enjoyment; use.

jour *m* day; daylight; **tous les ~s** every day; **à ~** up to date; **vivre au ~ le ~** to live from day to day; **~ férié** public holiday; **mise à ~** updating; update; **du ~ au lendemain** overnight.

journal *m* newspaper; bulletin, journal; **~ de bord** logbook; **~ télévisé** television news.

journalisme *m* journalism.

journaliste *mf* journalist.

journée *f* day; day's work.

jovial *adj* jovial, jolly.

jovialité *f* joviality.

joyau *m* jewel, gem.

joyeusement *adv* joyfully, cheerfully.

joyeux *adj* joyful, cheerful.

jubiler *vi* to be jubilant, exult.

judaïsme *m* Judaism.

judiciaire *adj* judicial, legal.

judicieusement *adv* judiciously

judicieux *adj* judicious.

judo *m* judo.

judoka *mf* judoka.

juge *m* judge.

jugement *m* judgment; sentence; opinion.

juger *vt* to judge; to decide; to consider.

juif *m* Jew; Jewish; **juive** *f* Jewess; * *adj* Jewish.

juillet *m* July.

juin *m* June.

jumeau *m* **-elle** *f* twin; * *adj* twin; double.

jumelage *m* twinning.

jumelé *adj* twinned, twin.

jumelle(s) *f(pl)* binoculars.

jument *f* mare.

jungle *f* jungle.

jupe *f* skirt.

jurer *vt* to swear, pledge.

juridiction *f* jurisdiction; court of law.

juridique *adj* legal, juridical; **~ment** *adv* juridically, legally.

jurisprudence *f* case law, jurisprudence.

juriste *m* lawyer; jurist.

juron *m* oath, curse.

jury *m* jury; board of examiners.

jus *m* juice.

jusque, jusqu' *prép* to, as far as; until.

justaucorps *m* jerkin; leotard.

juste *adj* just, fair; exact; sound; **~ment** *adv* exactly, precisely.

justesse *f* accuracy; aptness; soundness.

justice *f* justice, fairness.

justicier *m* **-ière** *f* justiciary; dispenser of justice.

justificatif *adj* supporting, justificatory.

justification *f* justification; proof.

justifier *vt* to justify, prove; **se ~** *vr* to justify o.s.

jute *m* jute.

juteux *adj* juicy; lucrative.

juvénile *adj* young, youthful.

juxtaposer *vt* to juxtapose.

juxtaposition *f* juxtaposition.

K

kaki *adj* khaki.
kaléidoscope *m* kaleidoscope.
kangourou *m* kangaroo.
karaté *m* karate.
kayac, kayak *m* kayak.
képi *m* kepi.
kermesse *f* fair; bazaar.
kérosène *m* kerosene, aviation fuel.
kidnapper *vt* to kidnap, abduct.
kidnappeur *m* **-euse** *f* kidnapper.
kilogramme *m* kilogram.
kilohertz *m* kilohertz.

kilométrage *m* total kilometres travelled (mileage).
kilomètre *m* kilometre.
kimono *m* kimono.
kinésithérapeute *mf* physiotherapist.
kiosque *m* kiosk, stall.
kiwi *m* kiwi, Chinese gooseberry.
klaxon *m* horn.
klaxonner *vi* to sound one's horn.
kleptomane *mf* kleptomaniac.
kleptomanie *f* kleptomania.
koala *m* koala.
kyste *m* cyst.

L

la *art pn: see* **le**.
là *adv* there; over there; then; **par ~** that way; **~-dedans** inside, in there; **~-dessous** underneath, under there; **~-dessus** on that; thereupon; **~-haut** up there, up on top; **celui-~** that one.
label *m* label; seal.
labeur *m* labour, toil.
laboratoire *m* laboratory.
laborieux *adj* laborious, toilsome.
labourer *vt* to plough; to dig over; to rip open.
labyrinthe *m* labyrinth.
lac *m* lake.
lacer *vt* to lace up; to tie up.
lacérer *vt* to lacerate; to tear.
lacet *m* lace.
lâche *adj* slack; loose; lax; cowardly; **~ment** *adv* loosely; in a cowardly manner; * *mf* coward.
lâcher *vt* to loosen; to release.
lâcheté *f* cowardice; meanness.
laconique *adj* laconic; **~ment** *adv* laconically.
lacté *adj* milky, lacteal.

lactique *adj* lactic.
lacune *f* lacuna; gap.
lagon *m* lagoon.
lagune *f* lagoon.
laïc *m* layman, **laïque** *f* laywoman; * **laïque** *adj* lay, civil.
laid *adj* ugly, unsightly.
laideur *f* ugliness, unsightliness.
lainage *m* woollen article.
laine *f* wool.
laisse *f* leash, string, lead.
laisser *vt* to leave; to let; **~ tomber** to drop; **se ~ aller** to let o.s. go.
laisser-passer *m invar* pass, permit.
lait *m* milk
laitage *m* milk; milk products.
laiton *m* brass.
laitue *f* lettuce.
lama *m* (*zool*) llama; lama.
lambeau *m* shred; tatter.
lambris *m* plastering; panelling.
lame *f* blade; strip; metal plate.
lamelle *f* slide; small strip.
lamentable *adj* lamentable, dis-

tressing; **~ment** *adv* lamentably.

lamentation *f* lamentation; wailing.

lamenter (se) *vr* to lament, bewail.

laminer *vt* to laminate.

lampadaire *m* standard-lamp; street lamp.

lampe *f* lamp, light; bulb.

lance *f* lance, spear.

lance-flammes *m invar* flamethrower.

lancement *m* launching; starting up; throwing.

lance-pierres *m invar* catapult.

lancer *vt* to throw; to launch; **se ~** *vr* to leap, jump; to embark on.

lancinant *adj* nagging; haunting.

lande *f* moor.

langage *m* language, speech.

langoureux *adj* languid, languorous.

langouste *f* spiny lobster.

langoustine *f* Dublin bay prawn.

langue *f* tongue; language.

languette *f* tongue; tongue-like strip.

langueur *f* languor.

languir *vi* to languish; to linger.

lanière *f* thong; lash.

lanoline *f* lanolin.

lanterne *f* lantern; lamp.

lapin *m* -e *f* rabbit.

lapsus *m* slip, mistake.

laque *f* hairspray; lacquer; * *m* lacquer wax.

lard *m* fat; bacon.

lardon *m* bacon cube.

large *adj* wide; generous; lax; great; **~ment** *adv* widely; greatly.

largeur *f* width, breadth.

larguer *vt* to loose, release; cast off.

larme *f* tear.

larmoyant *adj* tearful, weeping.

larve *f* larva, grub.

laryngite *f* laryngitis.

larynx *m* larynx.

las *adj*, *f* **-se** weary, tired.

lasagne *f* lasagne.

laser *m* laser.

lasser *vt* to tire; **se ~** *vr* to grow tired.

lassitude *f* tiredness, weariness.

latent *adj* latent.

latéral *adj* lateral, side; **~ement** *adv* laterally.

latex *m* latex.

latin *adj* Latin; * *m* Latin.

latitude *f* latitude; margin.

latte *f* lath.

lauréat *m* **-e** *f* prize winner.

laurier *m* bay-tree, laurel.

lavabo *m* washbasin.

lavage *m* washing; bathing.

lavande *f* lavender.

lave *f* lava.

lavement *m* enema.

laver *vt* to wash; to cleanse; **se ~** *vr* to wash o.s.

laverie *f* laundry.

lave-vaisselle *m invar* dishwasher.

laxatif *adj* laxative; * *m* laxative.

laxisme *m* laxness.

layette *f* baby clothes.

le *art*, *f* **la**, *devant voyelle* **l'**, *pl* **les** the; * *pn* him, her, them.

lécher *vt* to lick.

leçon *f* lesson; reading; class.

lecteur *m* **-trice** *f* reader.

lecture *f* reading; perusal.

légal *adj* legal, lawful; **~ement** *adv* legally.

légaliser *vt* to legalise.

légalité *f* legality, lawfulness.

légendaire *adj* legendary.

légende *f* legend; inscription.

léger *adj* light; slight; faint; inconsiderate.

légèrement *adv* lightly; thoughtlessly.

légèreté *f* lightness; nimbleness; thoughtlessness.

légion *f* legion.

législatif *adj* legislative; * *m* legislature.

législation *f* legislation, laws.

légitime *adj* legitimate, lawful; ~**ment** *adv* legitimately.

légitimité *f* legitimacy.

legs *m* legacy, bequest.

léguer *vt* to bequeath; (*jur*) to devise.

légume *m* vegetable.

lendemain *m* next day, day after.

lent *adj* slow; tardy; sluggish; ~**ement** *adv* slowly.

lente *f* (*zool*) nit.

lenteur *f* slowness.

lentille *f* lentil; lens.

léopard *m* leopard.

lèpre *f* leprosy.

lépreux *m* -**euse** *f* leper; * *adj* leprous.

lequel *pn*, *f* **laquelle**, *pl* **lesquels, lesquelles** who, whom, which.

lesbienne *f* lesbian.

léser *vt* to wrong; to damage.

lésion *f* wrong; lesion, wound.

lessive *f* washing powder.

leste *adj* nimble, agile; ~**ment** *adv* nimbly.

lester *vt* to fill; to ballast.

léthargie *f* lethargy.

léthargique *adj* lethargic.

lettre *f* letter, note; literature; **en toutes ~s** in black and white; **suivre à la ~** to carry out to the letter; **avant la ~** in advance, premature.

leucémie *f* leukaemia.

leucocyte *m* leucocyte.

leur *pn* them; **le ~, la ~, les ~s** theirs.

leurrer *vt* to deceive; to lure; **se ~** *vr* to delude o.s.

levain *m* leaven.

lever *vt* to lift, raise; to levy; **se ~** *vr* to get up; * *m* rising; getting up.

levier *m* lever.

lèvre *f* lip.

lévrier *m* greyhound.

levure *f* yeast.

lexique *m* vocabulary, lexis.

lézard *m* lizard.

lézarde *f* crack.

liaison *f* affair; connection; liaison, link.

liasse *f* bundle.

libellule *f* dragonfly.

libéral *adj* liberal; ~**ement** *adv* liberally; * *m* liberal.

libéraliser *vt* to liberalise.

libéralisme *m* liberalism.

libéralité *f* liberality, generosity.

libération *f* release, liberation.

libérer *vt* to release; to liberate; **se ~** *vr* to free o.s.

liberté *f* liberty, freedom.

libido *f* libido.

libraire *mf* bookseller.

librairie *f* bookshop; bookselling.

libre *adj* free; independent; ~**ment** *adv* freely.

licence *f* degree; permit; licentiousness.

licenciement *m* redundancy; dismissal.

licencier *vt* to make redundant; to dismiss.

lichen *m* lichen.

licorne *f* unicorn.

lie *f* dregs, sediment.

liège *m* cork.

lien *m* bond; link, connection; tie.

lier *vt* to bind; to link; **se ~** *vr*: **se ~ avec** to make friends.

lierre *m* ivy.

lieu *m* place, position; cause; occasion; **avoir ~** to take place; **en premier ~** in the first place; **au ~ de** instead of.

lieutenant *m* (*mil*) lieutenant.

lièvre *m* hare.

ligament *m* ligament

ligature *f* ligature; tying up.

ligne *f* line; row; range.

lignée *f* lineage; offspring.

lignite *m* lignite.

ligoter *vt* to bind hand and foot.

ligue *f* league.

lilas *m* lilac; * *adj* lilac.

limace *f* slug.

limande *f* dab.

lime *f* file.

limer *vt* to file down.

limitation *f* limitation, restriction.

limite *f* boundary, limit; **à la ~** ultimately.

limiter *vt* to limit, restrict; **se ~ vr** to limit o.s. to.

limitrophe *adj* border.

limon *m* silt.

limonade *f* lemonade.

limpide *adj* limpid, clear.

limpidité *f* limpidity, clearness.

lin *m* flax; linen.

linceul *m* shroud.

linéaire *adj* linear.

linge *m* linen; washing.

lingerie *f* linen room; underwear, lingerie.

lingot *m* ingot.

linguiste *mf* linguist.

linguistique *f* linguistics; * *adj* linguistic.

lion *m* lion, **lionne** *f* lioness.

lionceau *m* lion cub.

lipide *m* lipid.

liquéfier *vt* to liquefy; **se ~ vr** to liquefy.

liqueur *f* liqueur; liquid.

liquidation *f* liquidation; winding up; elimination.

liquide *m* liquid.

liquider *vt* to settle; to wind up; to eliminate.

lire *vt* to read.

lis *m* lily.

lisible *adj* legible; readable; **~ment** *adv* legibly.

lisière *f* edge; border; outskirts.

lisse *adj* smooth, glossy.

lisser *vt* to smooth, gloss.

liste *f* list; (*jur*) schedule.

lit *m* bed; layer.

litanie *f* litany.

literie *f* bedding.

lithographie *f* lithography.

litière *f* litter.

litige *m* lawsuit; dispute.

litigieux *adj* litigious.

litre *m* litre.

littéraire *adj* literary.

littéral *adj* literal; **~ement** *adv* literally.

littérature *f* literature; writing.

littoral *m* coast; * *adj* coastal, littoral.

liturgie *f* liturgy.

livide *adj* livid, pale.

livraison *f* delivery; number, issue.

livre *m* book; * *f* pound (weight, currency).

livrer *vt* to deliver, hand over; to give away; **se ~ vr** to abandon o.s.

livret *m* (*mus*) libretto; booklet.

livreur *m* delivery man, **-euse** *f* delivery woman.

lobe *m* lobe.

lobotomie *f* lobotomy.

local *adj* local; **~ement** *adv* locally.

localisation *f* localisation.

localiser *vt* to localise.

localité *f* locality; town.

locataire *mf* tenant; lodger.

location *f* renting; lease, leasing.

locomotion *f* locomotion.

locomotive *f* locomotive, engine; dynamo.

locution *f* locution, idiom.

logarithme *m* logarithm.

loge *f* lodge; dressing room; box.

logement *m* housing; accommodation.

loger *vt* to accommodate; to billet; * *vi* to live in.

logiciel *m* software.

logique *f* logic; * *adj* logical; **~ment** *adv* logically.

logistique *f* logistics.

logo *m* logo.

loi *f* law; act, statute; rule.

loin *adv* far, a long way; * *m*: distance; background **au ~** in the distance; **de ~** from a distance.

lointain *adj* distant, remote; * *m* distance; background.

loir *m* dormouse.

loisir *m* leisure, spare time.

lombaire *adj* lumbar; * *f* lumbar vertebra.

lombric *m* earthworm.

long *adj*, *f* **-ue** long, lengthy; **~uement** *adv* at length.

longer *vt* to border; to walk along.

longévité *f* longevity.

longitude *f* longitude.

longtemps *adv* for a long time.

longueur *f* length.

longue-vue *f* telescope.

loquace *adj* loquacious, talkative.

loque *f* rag.

loquet *m* latch; clasp.

lorgner *vt* to leer, ogle.

lors *adv* then; **~ de** at the time of; **dès ~** from that time.

lorsque *conj* when.

losange *m* lozenge, diamond.

lot *m* prize; lot; portion.

loterie *f* lottery; raffle.

lotion *f* lotion.

lotissement *m* allotment; site, housing development.

lotus *m* lotus.

louange *f* praise, commendation.

louche *adj* dubious; suspicious, shady.

loucher *vi* to squint; to ogle.

louer *vt* to rent, lease; to book.

loup *m* wolf.

loupe *f* magnifying glass.

louper *vt* (*fam*) to botch, bungle; to flunk.

lourd *adj* heavy; sultry; unwieldy; **~ement** *adv* heavily.

lourdeur *f* heaviness.

loutre *f* otter.

louve *f* she-wolf.

louveteau *m* wolf-cub.

loyal *adj* loyal, faithful; **~ement** *adv* loyally.

loyauté *f* loyalty.

loyer *m* rent.

lubrifiant *m* lubricant; * *adj* lubricating.

lubrifier *vt* to lubricate.

lubrique *adj* lustful, lecherous; **~ment** *adv* lustfully.

lucarne *f* skylight.

lucide *adj* lucid, clear; **~ment** *adv* lucidly.

lucidité *f* lucidity, clearness.

lucratif *adj* lucrative.

ludique *adj* play.

lueur *f* glimmer, gleam; glimpse.

luge *f* sledge, toboggan.

lugubre *adj* lugubrious, gloomy; **~ment** *adv* lugubriously.

lui *pn* him, her, it; **c'est à ~** it is his; **~-même** himself, itself.

luire *vt* to shine, gleam.

luisant *adj* gleaming, shining.

lumbago *m* lumbago.

lumière *f* light; daylight; lamp; insight.

lumineux *adj* luminous; illuminated.

lunaire *adj* lunar, moon.

lunatique *adj* fantastical, whimsical, quirky.

lundi *m* Monday.

lune *f* moon.

lunette *f* telescope; **~s** glasses.

lustré *adj* glossy; shiny.

luth *m* lute.

luthérien *adj* Lutheran.

luthiste *mf* lutanist.

lutin *m* imp;goblin.

lutte *f* struggle; contest; strife.

lutter *vi* to struggle, fight.

lutteur *m* **-euse** *f* wrestler, fighter.

luxation *f* dislocation, luxation.

luxe *m* luxury, excess.

luxueusement *adv* luxuriously.

luxueux *adj* luxurious.

luxure *f* lust.

luxuriance *f* luxuriance.

luxuriant *adj* luxuriant.

luzerne *f* lucerne, alfalfa.

lycée *m* secondary school.

lycéen *m* secondary school boy, **-ne** *f* secondary school girl.

lymphatique *adj* lymphatic.

lymphe *f* lymph.

lymphocyte *m* lymphocyte.

lyncher *vt* to lynch.
lynx *m* lynx.
lyre *f* lyre.

lyrique *adj* lyric; ~**ment** *adv* lyri-
cally.
lyrisme *m* lyricism.

M

macabre *adj* macabre.
macadam *m* tarmac.
macaque *m* macaque.
macédoine *f* medley, hotchpotch;
macedoine.
macérer *vt* to macerate; to mortify o.s.; * *vi* to macerate, steep.
mâche *f* corn-salad.
mâcher *vt* to chew.
machiavélique *adj* Machiavel-
lian.
machin *m* (*fam*) gadget;
thingamajig.
machinal *adj* mechanical, automatic; ~**ement** *adv* mechanically.
machination *f* machination, plot.
machine *f* machine; engine; apparatus.
machinerie *f* machinery, plant.
machiniste *m* machinist; driver;
stagehand.
mâchoire *f* jaw.
maçon *m* builder, mason.
maçonnerie *f* masonry; building.
macrobiotique *adj* macrobiotic;
* *f* macrobiotics
madame *f* Madam; Mrs; lady.
madeleine *f* madeleine.
mademoiselle *f* Miss; young lady.
magasin *m* shop, store; warehouse.
magazine *m* magazine.
mage *m* magus; seer.
magicien *m* -**ne** *f* magician.
magie *f* magic
magique *adj* magic; magical;
~**ment** *adv* magically.
magistral *adj* masterly; authoritative; ~**ement** *adv* in a masterly fashion.
magistrat *m* magistrate.

magistrature *f* magistracy;
magistrature.
magnanime *adj* magnanimous;
~**ment** *adv* magnanimously.
magnanimité *f* magnanimity.
magnat *m* magnate.
magnésium *m* magnesium.
magnétique *adj* magnetic.
magnétiser *vt* to magnetise; to
hypnotise.
magnétisme *m* magnetism; hyp-
notism.
magnétophone *m* tape recorder.
magnétoscope *m* video recorder;
videotape.
magnifique *adj* magnificent;
sumptuous; ~**ment** *adv* mag-
nificently.
magnolia *m* magnolia.
magot *m* (*fam*) savings, hoard,
nest egg.
magouille *f* (*fam*) fiddle, scam;
scheming.
mai *m* May.
maigre *adj* thin; meagre, scarce;
~**ment** *adv* meagrely.
maigreur *f* thinness; meagreness;
sparseness.
maigrir *vi* to get thinner; to waste
away.
maille *f* stitch; mesh; link.
maillet *m* mallet.
maillon *m* link; shackle.
maillot *m* jersey; leotard.
main *f* hand; **avoir la** ~ to have
the lead; **passer la** ~ to make
way for so.
main-d'œuvre *f* workforce.
maintenance *f* maintenance,
servicing.
maintenant *adv* now; **à partir
de** ~ from now on.

maintenir *vt* to keep, maintain; preserve; **se ~** *vr* to persist; to hold one's own.

maintien *m* maintenance; preservation; keeping up.

maire *m* mayor, *f* mayoress.

mairie *f* mayoralty; town hall.

mais *conj* but.

maïs *m* maize; corn.

maison *f* house; home; building; premises.

maître *m* **-esse** *f* master; ruler; lord; proprietor.

maîtresse *f* mistress; teacher.

maîtrise *f* mastery; control; expertise.

maîtriser *vt* to control; to master; **se ~** *vr* to control o.s.

majesté *f* majesty, grandeur.

majestueusement *adv* majestically.

majestueux *adj* majestic.

majeur *adj* major; main; chief; superior; * *m* major *mf* adult.

majoration *f* increased charge; overestimation.

majordome *m* majordomo, butler.

majorer *vt* to increase, raise.

majorette *f* majorette.

majoritaire *adj* majority.

majorité *f* majority.

majuscule *f* capital letter.

mal *adv* wrong, badly; * *m* evil, wrong; harm; pain.

malachite *f* malachite.

malade *adj* sick, ill; diseased; * *mf* invalid, sick person.

maladie *f* illness; malady, complaint; disorder.

maladresse *f* clumsiness; awkwardness.

maladroit *adj* clumsy, awkward; **-ement** *adv* clumsily.

malaise *m* uneasiness, discomfort; indisposition.

malchance *f* ill luck; misfortune; mishap.

malchanceux *adj* unlucky, unfortunate.

mâle *m* male; * *adj* male; manly, virile.

malédiction *f* malediction, curse.

maléfique *adj* hurtful; malignant; baleful.

malencontreux *adj* unfortunate, untoward.

malentendu *m* misunderstanding.

malfaisant *adj* malevolent; harmful; wicked.

malfaiteur *m* criminal; malefactor.

malgré *prép* in spite of; despite.

malheur *m* misfortune; calamity.

malheureusement *adv* unfortunately.

malheureux *adj* unfortunate; unlucky; unhappy.

malhonnête *adj* dishonest, crooked; uncivil; **-ment** *adv* dishonestly.

malhonnêteté *f* dishonesty; incivility.

malice *f* malice, spite; mischievousness.

malicieux *adj* malicious, spiteful; mischievous.

malin *adj* shrewd, cunning, crafty; malignant.

malintentionné *adj* ill-disposed, spiteful.

malle *f* trunk.

malléable *adj* malleable.

malmener *vt* to ill-treat, maltreat.

malnutrition *f* malnutrition.

malsain *adj* unhealthy, unwholesome; immoral.

malt *m* malt.

maltraiter *vt* to abuse; to handle roughly.

malveillance *f* malevolence, spite.

malveillant *adj* malevolent, spiteful.

maman *f* mother, mummy, mum.

mamelle *f* breast; udder.

mamelon *m* nipple, teat.

mammifère *m* mammal.

manche *f* sleeve; game, round; * *m* handle, shaft.

manchot *m* -e *f* one-armed person; * *adj* one-armed; * *m* penguin.

mandarin *m* mandarin; Mandarin.

mandarine *f* tangerine.

mandat *m* mandate; money order; proxy.

mandataire *mf* proxy; representative.

mandibule *f* mandible, jaw.

mandoline *f* mandolin.

manège *m* roundabout, merry-go-round.

manette *f* lever, tap.

manganèse *m* manganese.

mangeable *adj* edible.

manger *vt* to eat; to consume.

mangeur *m* -euse *f* eater.

mangouste *f* mongoose.

mangue *f* mango.

maniable *adj* handy, workable, tractable; amenable.

maniaque *adj* eccentric; fussy.; * *mf* maniac; fusspot; fanatic.

manie *f* mania.

maniement *m* handling; management, use.

manier *vt* to handle; to manipulate.

manière *f* manner, way, style.

maniéré *adj* affected.

manifestation *f* demonstration; expression, manifestation.

manifeste *adj* manifest, evident, obvious; ~ment *adv* manifestly, obviously; * *m* manifesto.

manifester *vt* to display, make known; to demonstrate; se ~ *vr* to make o.s. known; to appear; to express o.s.

manigancer *vt* to contrive; to scheme.

manipulation *f* handling; manipulation.

manipuler *vt* to handle; to manipulate.

manivelle *f* crank.

mannequin *m* model; dummy.

manœuvre *f* manoeuvre, operation; scheme; * *m* labourer.

manœuvrer *vt* to manoeuvre; to operate; * *vi* to manoeuvre, move.

manoir *m* manor.

manomètre *m* manometer.

manquant *adj* missing.

manque *m* lack, shortage; shortcoming, deficiency.

manquer *vt* to miss; to fail; to be absent.

mansarde *f* attic, garret.

manteau *m* coat; mantle, blanket; cloak.

manuel *m* manual, handbook; * *adj* manual; ~lement *adv* manually.

manufacture *f* factory; manufacture.

manufacturier *m* -ière *f* factory owner; manufacturer; * *adj* manufacturing.

manuscrit *m* manuscript; typescript; * *adj* handwritten.

manutention *f* handling.

mappemonde *f* map of the world.

maquereau *m* mackerel.

maquette *f* model; mock-up; dummy; sketch.

maquillage *m* make-up.

maquiller *vt* to make up; to fake; to fiddle; se ~ *vr* to put make-up on.

marais *m* marsh, swamp.

marasme *m* stagnation; depression, slump.

marathon *m* marathon.

marbre *m* marble; marble statue.

marbré *adj* marbled; mottled, blotchy.

marbrier *m* marble-cutter; monumental mason.

marchand *m* -e *f* shopkeeper; dealer; merchant; * *adj* market, trade.

marchandage *m* bargaining, haggling.

marchander *vi* to bargain over, haggle.

marchandise *f* merchandise, commodity; goods.

marche *f* walk; journey; progress; movement; **mettre en ~** to start up; to turn on.

marché *m* market; transaction, contract.

marcher *vi* to walk, march; to progress; to work.

marcheur *m* **-euse** *f* walker, pedestrian.

mardi *m* Tuesday.

mare *f* pool, pond.

marécage *m* marsh, swamp.

maréchal *m* marshal.

marée *f* tide.

margarine *f* margarine.

marge *f* margin; latitude, freedom; mark-up.

marginal *adj* marginal.

marginaliser *vt* to marginalise.

marguerite *f* daisy.

mari *m* husband.

mariage *m* marriage.

marié *m* bridegroom; * *adj* married.

marier *vt* to marry; blend, harmonise; **se ~** *vr* to get married.

marin *m* sailor.

marine *f* navy; seascape; marine.

mariner *vi* to marinate; to hang about; * *vt* to marinate.

marionnette *f* puppet; puppet show.

maritime *adj* maritime; seaboard.

marjolaine *f* marjoram.

marmelade *f* stewed fruit; marmalade.

marmite *f* pot.

marmonner *vt* to mumble, mutter.

marmotte *f* marmot.

maroquinerie *f* tannery; fine leather craft.

maroquinier *m* leather craftsman; dealer in fine leather.

marquant *adj* outstanding, vivid.

marque *f* mark, sign; brand; make.

marquer *vt* to mark; to note down; to score.

marquis *m* marquis **-e** *f* marchioness.

marraine *f* godmother; sponsor.

marron *m* chestnut; brown; * *adj* brown.

marronnier *m* chestnut tree.

mars *m* March.

marsouin *m* porpoise.

marteau *m* hammer; knocker.

marteler *vt* to hammer; to beat.

martial *adj* martial, warlike.

martin-pêcheur *m* kingfisher.

martyr *m* **-e** *f* martyr; * *adj* martyred.

martyre *m* martyrdom.

martyriser *vt* to torture, martyrise.

mascarade *f* farce, mascarade.

masculin *adj* masculine.

masochisme *m* masochism.

masochiste *mf* masochist; * *adj* masochistic.

masque *m* mask; facade, front.

masquer *vt* to mask, conceal; to disguise.

massacre *m* massacre; slaughter.

massacrer *vt* to massacre, slaughter.

massage *m* massage.

masse *f* mass, heap; bulk; mob.

masser *vt* to mass, assemble; to massage.

masseur *m* masseur, **-euse** *f* masseuse.

massif *adj* massive, solid, heavy; * *m* massif; clump.

massivement *adv* en masse, massively, heavily.

massue *f* club.

mastic *m* mastic; cement; putty.

mastiquer *vt* to chew, masticate.

masturbation *f* masturbation.

masturber *vi* **se ~** *vr* to masturbate.

mat *adj* matt, dull; dead, dull-sounding.

mât *m* mast; pole.

match *m* match; game.

matelas *m* mattress.

matelassé *adj* stuffed; padded, cushioned.

matelot *m* sailor; seaman.

mater *vt* to subdue; to control, curb; to spy on; to ogle.

matérialiser *vt* to embody; **se ~** *vr* to materialise.

matériaux *mpl* material, materials.

matériel *adj* material, physical; practical; **~lement** *adv* materially, practically.

maternel *adj* maternal, motherly; **~lement** *adv* maternally.

maternité *f* motherhood; pregnancy; maternity hospital.

mathématicien *m* **-ne** *f* mathematician.

mathématique *adj* mathematical; **~ment** *adv* mathematically; * *f* mathematics.

matière *f* material, matter; subject; **~ première** raw material.

matin *m* morning; dawn.

matinal *adj* morning.

matinée *f* morning; matinée.

matraque *f* truncheon; cosh.

matrice *f* womb; mould; matrix.

matricule *m* reference number; * *f* roll, register.

matrimonial *adj* matrimonial, marriage.

maturation *f* maturing; maturation.

maturité *f* maturity; prime.

maudire *vt* to curse.

maudit *adj* cursed; blasted; damned.

maussade *adj* sulky, sullen; **~ment** *adv* sulkily, sullenly.

mauvais *adj* bad; wicked; faulty; hurtful; poor.

mauve *adj* mauve; * *f* mallow.

maximal *adj* maximal.

maxime *f* maxim.

maximum *m* maximum.

mayonnaise *f* mayonnaise.

me, m' *pn* me; myself.

mécanicien *m* **-ne** *f* mechanic; engineer.

mécanique *f* mechanics; mechanical engineering; * *adj* mechanical; **~ment** *adv* mechanically.

mécanisme *m* mechanism, working.

mécène *m* patron.

méchamment *adv* spitefully; wickedly.

méchanceté *f* spitefulness; wickedness; mischievousness.

méchant *adj* spiteful; wicked; mischievous.

mèche *f* wick, fuse; tuft.

méconnaissable *adj* unrecognisable.

méconnu *adj* unrecognised; misunderstood.

mécontent *adj* discontent, displeased.

mécontentement *m* discontent; displeasure.

médaille *f* medal; stain, mark.

médaillon *m* medallion; locket.

médecin *m* doctor, physician.

médecine *f* medicine

médiateur *m* **-trice** *f* mediator; arbitrator.

médiatique *adj* media.

médical *adj* medical; **~ement** *adv* medically.

médicament *m* medicine, drug.

médicinal *adj* medicinal.

médiéval *adj* medieval.

médiocre *adj* mediocre; passable; indifferent; **~ment** *adv* indifferently; poorly.

médisant *adj* slanderous.

méditation *f* meditation.

méditer *vi* to meditate; * *vt* to contemplate, have in mind.

médium *m* medium.

méduse *f* jellyfish.

méfiance *f* distrust, mistrust.

méfiant *adj* distrustful, mistrustful.

méfier (se) *vr* to mistrust, distrust; to be suspicious.

mégalomane *adj* megalomaniac; * *mf* megalomaniac.

mégaphone *m* megaphone.

mégot *m* cigarette-end, stub.

meilleur *adj* better, preferable; **le ~, la ~e** the best.

mélancolie *f* melancholy, gloom.

mélancolique *adj* melancholy; melancholic; **~ment** *adv* melancholically.

mélange *m* mixing, blending; mixture.

mélanger *vt* to mix, blend; to muddle.

mêlée *f* melée, fray; scrum.

mêler *vt* to mix; to combine; **se ~** *vr* to mix, mingle; **se ~ à** to join; **se ~ de** to meddle in.

mélisse *f* lemon balm.

mélodie *f* melody, tune.

mélodieusement *adv* melodiously, tunefully.

mélodieux *adj* melodious, tuneful.

mélomane *mf* music lover.

melon *m* melon.

membrane *f* membrane.

membre *m* member; limb.

même *adv* even; **tout de ~** nevertheless, all the same; * *adj* same, identical; * *pn*: **le ~, la ~, les ~s** the same, the same ones.

mémoire *f* memory; * *m* memorandum, report.

mémorable *adj* memorable.

mémoriser *vt* to memorise.

menaçant *adj* menacing, threatening.

menace *f* threat; intimidation; danger.

menacer *vt* to threaten, menace; to impend.

ménage *m* housework, housekeeping; household.

ménager *vt* to treat with caution; to manage; to arrange.; **se ~** *vr* to take care of o.s.; * *adj* household, domestic.

ménagère *f* housewife.

ménagerie *f* menagerie.

mendiant *m* **-e** *f* beggar.

mendier *vt* to beg; to implore.

mener *vt* to lead, guide; to steer; to manage.

meneur *m* **-euse** *f* leader; agitator.

menhir *m* menhir, standing stone.

méningite *f* meningitis.

ménopause *f* menopause.

menottes *fpl* handcuffs.

mensonge *m* lie, falsehood; error, illusion.

menstruation *f* menstruation.

mensuel *adj* monthly.

mental *adj* mental; **~ement** *adv* mentally.

mentalité *f* mentality.

menteur *m* **-euse** *f* liar; * *adj* lying, deceitful.

menthe *f* mint.

menthol *m* menthol.

mention *f* mention; comment; grade.

mentionner *vt* to mention.

mentir *vi* to lie; to be deceptive.

menton *m* chin.

menu *m* menu; meal; * *adj* slender, thin; petty, minor.

menuiserie *f* joinery, carpentry.

menuisier *m* joiner, carpenter.

mépris *m* contempt, scorn.

méprisant *adj* contemptuous, scornful.

mépriser *vt* to scorn, despise.

mer *f* sea; tide.

mercenaire *m* mercenary.

mercerie *f* haberdashery.

merci *m* thank you; * *f* mercy; **sans ~** merciless; **être à la ~ de** to be at the mercy of.

mercredi *m* Wednesday.

mercure *m* mercury.

mère *f* mother.

méridien *m* meridian; midday.

méridional *adj* southern.

meringue *f* meringue.

merisier *m* wild cherry.

mérite *m* merit, worth; quality.

mériter *vt* to deserve, merit.

merlan *m* whiting.

merle *m* blackbird.

merveille *f* marvel, wonder.

merveilleusement *adv* marvellously, wonderfully.

merveilleux *adj* marvellous, wonderful.

mésange *f* tit *(orn)*.

mésentente *f* misunderstanding.

mesquin *adj* mean, niggardly; petty; ~**ement** *adv* meanly, pettily.

message *m* message.

messager *m* -**ère** *f* messenger.

messagerie *f* parcels office, parcels service.

messe *f* mass.

messie *m* messiah.

mesure *f* measure; gauge; measurement; moderation; step; **au fur et à** ~ as; one by one; **sans commune** ~ **avec** there is no possible comparison with; **dans la mesure où** insofar as; **en** ~ in time.

mesurer *vt* to measure; to assess; to limit; **se** ~ *vr* to try one's strength; **se** ~ **à** to pit o.s. against, measure one's strength against.

métabolisme *m* metabolism.

métal *m* metal.

métallique *adj* metallic.

métallisé *adj* metallic, metallised.

métallurgie *f* metallurgy.

métallurgiste *m* steelworker, metalworker.

métamorphose *f* metamorphosis.

métamorphoser *vt* to transform, metamorphose; **se** ~ *vr* to be metamorphosed.

métaphore *f* metaphor.

métaphorique *adj* metaphorical; ~**ment** *adv* metaphorically.

métaphysique *adj* metaphysical; * *f* metaphysics.

météore *m* meteor.

météorite *m*/*f* meteorite.

météorologue, météorologiste *mf* meteorologist.

méthane *m* methane.

méthode *f* method, way.

méthodique *adj* methodical; ~**ment** *adv* methodically.

méthylène *m* methyl alcohol; methylene.

méticuleusement *adv* meticulously.

méticuleux *adj* meticulous

métier *m* job; occupation; ~ **à tricoter** knitting machine; ~ **à tisser** weaving loom.

métis *m* -**se** *f* half-caste; hybrid; mongrel; * *adj* half-caste; hybrid, mongrel.

mètre *m* metre.

métro *m* underground, metro.

métronome *m* metronome.

métropole *f* metropolis.

métropolitain *adj* metropolitan; underground.

mets *m* dish.

metteur en scène *m* *(cin)* director.

mettre *vt* to put, place; to put on; ~ **en marche** to start up; **se** ~ *vr* to place o.s.; to sit down; **se** ~ **à** to begin to; **se** ~ **en route** to start off.

meuble *m* piece of furniture.

meubler *vt* to furnish.

meule *f* millstone; grindstone.

meurtrier *m* murderer, -**ière** *f* murderess.

meurtrir *vt* to bruise.

meute *f* pack.

mezzanine *f* mezzanine.

mi- *adj* half; **à** ~**chemin** halfway; ~**clos** half-closed; **à** ~**jambe** up to the knees; **à** ~**voix** in a low voice.

miauler *vi* to mew.

miche *f* round loaf.

microbe *m* germ, microbe.

microbien *adj* microbial, microbic.

microclimat *m* microclimate.
microfilm *m* microfilm.
micro-informatique *f* micro-computing.
micro-onde *f* microwave; * *m* **micro-ondes** microwave oven.
micro-ordinateur *m* microcomputer.
microphone *m* microphone.
microprocesseur *m* microprocessor.
microscope *m* microscope.
microscopique *adj* microscopic.
midi *m* midday, noon.
mie *f* crumb, soft part of a loaf.
miel *m* honey.
mien *pn*, *f* **mienne**: le ~, la mienne, les ~s, les miennes mine, my own.
miette *f* crumb; remnant; morsel.
mieux *m* improvement; **le ~ the best; de ~ en ~** better and better.
mignon *adj* sweet, pretty.
migraine *f* headache; migraine.
migrateur *m* migrant.
migration *f* migration.
mijoter *vi* to simmer, be brewing; * *vt* to simmer; to scheme, plot.
milice *f* militia.
milieu *m* middle, centre; medium; environment.
militaire *m* serviceman; * *adj* military, army.
militant *m* -e *f* militant; * *adj* militant.
militer *vi* to militate; to be a militant.
mille *m* one thousand; * *adj* one thousand.
millénaire *m* millennium, a thousand years; thousandth anniversary; * *adj* thousand-year-old; millennial.
mille-pattes *m* millipede, centipede.
millésime *m* year, date; vintage.
millet *m* millet.
milliard *m* thousand million; billion.

milliardaire *adj* worth (many) millions; * *mf* multimillionaire.
milliardième *adj* thousand millionth; * *m* thousand millionth.
millième *adj* thousandth; * *m* thousandth.
millier *m* thousand.
milligramme *m* milligram.
millilitre *m* millilitre.
millimètre *m* millimetre.
million *m* million.
millionième *adj* millionth; * *m* millionth.
millionnaire *adj* millionaire; worth millions; * *mf* millionaire.
mime *m* mime; * *mf* mimic.
mimer *vt* to mime; to mimic, imitate.
mimétisme *m* mimicry; mimetism.
mimosa *m* mimosa.
minable *adj* seedy, shabby; ~**ment** *adv* shabbily.
mince *adj* thin, slender; meagre, trivial.
mincir *vi* to get slimmer, get thinner.
mine *f* expression; appearance; mine; **avoir bonne ~** to look good.
minerai *m* ore.
minéral *adj* mineral; inorganic; * *m* mineral.
minéralogique *adj* mineralogical.
mineur *m* -e *f* minor; * *adj* minor; * *m* miner.
miniature *f* miniature.
mini-jupe *f* miniskirt.
minimal *adj* minimal, minimum.
minime *adj* minor, minimal.
minimum *m* minimum.
ministère *m* ministry; agency.
ministériel *adj* ministerial.
ministre *m* minister; clergyman.
minoritaire *adj* minority.
minorité *f* minority.
minuit *m* midnight.
minuscule *adj* minuscule, tiny, minute.
minute *f* minute, moment.

minuterie *f* time switch; regulator.

minutieux *adj* meticulous.

mirabelle *f* mirabelle.

miracle *m* miracle, wonder.

miraculeux *adj* miraculous.

mirage *m* mirage.

miroir *m* mirror, reflection.

misanthrope *mf* misanthrope; misanthropist; * *adj* misanthropic.

mise *f* putting, placing; stake; deposit; investment; ~ **en scène** production, staging; ~ **en liberté** release; ~ **en ordre** ordering, arrangement; ~ **en œuvre** implementation.

miser *vt* to stake, to bet.

misérable *adj* miserable; destitute; pitiable; ~**ment** *adv* miserably.

misère *f* misery; poverty; destitution.

miséricorde *f* mercy, forgiveness.

misogyne *mf* misogynist; * *adj* misogynous.

missile *m* missile.

mission *f* mission, assignment.

missionnaire *m* missionary.

mi-temps *f* half-time; half.

miteux *adj* dingy, shabby, poverty-stricken.

mitigé *adj* mitigated; lukewarm.

mitoyen *adj* common; semi-detached.

mitrailler *vt* to machine-gun.

mitraillette *f* submachine gun.

mitrailleuse *f* machine gun.

mixer *vt* to mix; to blend.

mixte *adj* mixed; joint; combined.

mixture *f* mixture, concoction.

mobile *adj* moving; movable; mobile; nimble; * *m* motive; moving body.

mobilier *m* furniture; * *adj* movable; personal; transferable.

mobilisation *f* mobilisation, calling up.

mobilité *f* mobility.

mobylette *f* moped.

moche *adj* (*fam*) ugly, lousy.

mode *f* fashion; custom; * *m* form, mode; way.

modèle *m* model; pattern; design; example.

modeler *vt* to model; to shape; se ~ *vr*: **se ~ sur** to model o.s. on.

modem *m* modem.

modération *f* moderation; diminution.

modéré *adj* moderate; ~**ment** *adv* moderately.

modérer *vt* moderate, restrained; **se ~** *vr* to control o.s., keep one's temper.

moderne *adj* modern, up-to-date.

moderniser *vt* to modernise.

modeste *adj* modest, simple; unassuming; ~**ment** *adv* modestly.

modestie *f* modesty.

modification *f* modification.

modifier *vt* to modify, alter; **se ~** *vr* to be modified.

modulation *f* modulation; adjustment.

moelle *f* marrow; core.

moelleux *adj* mellow; soft; smooth.

mœurs *fpl* morals; customs.

moi *pn* me, I; **c'est à ~** it is mine, it is my turn; ~-**même** myself.

mois *m* month.

moisi *adj* mouldy, mildewed; * *m* mould.

moisir *vi* to go mouldy.

moisissure *f* mould, mildew.

moisson *f* harvest.

moissonner *vt* to reap, harvest.

moite *adj* moist, damp.

moitié *f* half.

molaire *f* molar.

molécule *f* molecule.

mollement *adv* softly; gently.

mollusque *m* mollusc.

moment *m* moment, instant, while; time; opportunity.

momentané *adj* momentary; brief; ~**ment** *adv* momentarily.

momie *f* mummy.

mon *pn, f* **ma,** *pl* **mes** my, my own.

monarchie *f* monarchy.

monastère *m* monastery.

mondain *adj* worldly, mundane; society, fashionable.

monde *m* world, earth; society, company; **il y a du ~** there are some people there.

mondial *adj* world, world-wide; **~ement** *adv* the world over.

monétaire *adj* monetary.

moniteur *m* **-trice** *f* instructor, coach; supervisor.

monnaie *f* currency; coin; change.

monoculture *f* single-crop farming, monoculture.

monologue *m* monologue.

monopole *f* monopoly.

monopoliser *vt* to monopolise.

monotone *adj* monotonous.

monotonie *f* monotony, sameness.

monseigneur *m* my lord, your grace.

monsieur *m* sir, gentleman, Mr, *pl* **messieurs** gentlemen, Messrs.

monstre *m* monster.

monstrueux *adj* monstrous.

mont *m* mountain; mount.

montage *m* assembly; setting up; editing.

montagnard *m* **-e** *f* mountain dweller.

montagne *f* mountain.

montagneux *adj* mountainous.

montant *m* upright; total, total sum; * *adj* upward, rising; upstream.

montée *f* climb, climbing; ascent; rise.

monter *vi* to go up, ascend; get into (vehicle); * *vt* to go up; to carry/bring up.

monteur *m* **-euse** *f* fitter; editor.

montre *f* watch.

montrer *vt* to show, point to; to prove; **se ~** *vr* to appear; to prove o.s.

monture *f* mount; setting; frame.

monument *m* monument, memorial.

monumental *adj* monumental, colossal.

moquer (se) *vr* to make fun, jeer, laugh at.

moqueur *m* **-euse** *f* mocker, scoffer; * *adj* mocking.

moral *adj* moral, ethical; intellectual; **~ement** *adv* morally.

moralité *f* morals, morality.

morbide *adj* morbid, unhealthy.

morceau *m* piece, morsel, fragment; extract.

mordant *adj* cutting, mordant; * *m* mordant.

mordre *vt* to bite, gnaw; to grip.

morgue *f* morgue; mortuary.

morille *f* morel.

morne *adj* gloomy, dismal.

morose *adj* sullen, morose.

morphine *f* morphine.

morphologie *f* morphology.

morse *m* Morse; walrus.

morsure *f* bite.

mort *m* dead man, **-e** *f* dead woman; * *adj* dead; * *f* death.

mortalité *f* mortality; death rate.

mortel *adj* mortal; fatal; **~lement** *adv* mortally.

mortier *m* mortar.

mortuaire *adj* mortuary; funeral.

morue *f* cod.

mosaïque *f* mosaic.

mosquée *f* mosque.

mot *m* word; saying; **~s croisés** crossword.

moteur *m* engine, motor; * *adj* motor, driving.

motif *m* motive, grounds; motif, design.

motion *f* motion; **~ de censure** censure motion.

motivation *f* motivation.

motiver *vt* to justify; to motivate.

moto *f* motorbike.

moto-cross *m* motocross, scrambling.

122

motte f clod, lump; slab.

mou adj, f **molle** soft; gentle; muffled.

mouche f fly.

moucher vt to wipe sb's nose; **se ~** vr to blow one's nose.

moucheron m midge, gnat.

moucheté adj speckled; flecked.

mouchoir m handkerchief.

moudre vt to mill, grind.

moue f pout; **faire la ~** to pout.

mouette f gull.

moufle f mitten.

mouillé adj wet, soaked.

mouiller vt to wet; to water down; **se ~** vr to get wet.

moulage m moulding, casting.

moule m mould; * f mussel.

mouler vt to mould; to model.

moulin m mill.

moulu adj ground; bruised.

mourant m dying man, **-e** f dying woman; * adj dying.

mourir vi to die.

mousse f moss; foam, froth.

mousser vi to froth, foam.

mousseux adj sparkling; frothy; * m sparkling wine.

moustache f moustache; whiskers.

moustachu adj moustached; * m moustached man.

moustiquaire f mosquito net.

moustique m mosquito.

moutarde f mustard.

mouton m sheep; mutton.

mouvement m movement, motion; animation.

mouvementé adj eventful; turbulent.

mouvoir vt to drive, power; **se ~** vr to move.

moyen m means; way; * adj average, medium, moderate; **~nement** adv fairly, moderately; **~ âge** Middle Ages.

moyenne f average.

moyeu m hub; boss.

mue f moulting; shedding.

muer vi to moult; to slough.

muet m mute (man), **muette** f mute (woman); * adj dumb; silent, mute.

mufle m muffle; muzzle.

muguet m lily-of-the-valley; (med) thrush.

mule f she-mule.

mulet m mule.

multicolore adj multicoloured.

multinationale f multinational.

multiple adj numerous, multiple; * m multiple.

multiplication f multiplication.

multiplier vt **se ~** vr to multiply, increase.

multitude f multitude, crowd.

municipal adj municipal; local.

municipalité f town, municipality.

munir vt to provide, equip with; **se ~** vr to equip o.s.

munition f munition, ammunition.

mur m wall.

mûr adj ripe, mature; worn out.

muraille f city wall, rampart.

mûre f blackberry.

mûrir vi to ripen, mature.

murmure m murmur; muttering; grumbling.

murmurer vi to murmur; to whisper; grumble; to babble * vt to murmur.

muscle m muscle.

musclé adj muscular, brawny.

musculaire adj muscular.

muse f muse.

museau m muzzle, snout.

musée m art gallery, museum.

musicien m **-ne** f musician; * adj musical.

musique f music.

musulman m **-e** f Moslem; * adj Moslem.

mutant m **-e** f mutant; * adj mutant.

mutation f transfer; transformation; mutation.

muter vt to transfer, move.

mutilation f mutilation, maiming.

mutiler vt to mutilate; **se ~** vr to injure o.s.

mutisme *m* silence.
mutuel *adj* mutual; **~lement** *adv* mutually.
mutuelle *f* mutual insurance company.
mycose *f* mycosis.
mygale *f* tarantula.
myope *mf* short-sighted person; * *adj* short-sighted.
myopie *f* short-sightedness, myopia.
myosotis *m* forget-me-not.

myrtille *f* bilberry, blueberry.
mystère *m* mystery.
mystérieusement *adv* mysteriously.
mystérieux *adj* mysterious.
mystifier *vt* to mystify; to hoax.
mystique *adj* mystical; * *mf* mystic.
mythe *m* myth.
mythique *adj* mythical.
mythologie *f* mythology.

N

nacre *f* mother-of-pearl.
nacré *adj* nacreous, pearly, iridescent.
nageoire *f* fin, flipper.
nager *vi* to swim.
nageur *m* **-euse** *f* swimmer; rower.
naïf *adj* naïve, artless, ingenuous.
nain *m* **-e** *f* dwarf; * *adj* dwarfish, dwarf.
naissance *f* birth, extraction; dawn, beginning.
naître *vi* to be born; to arise, spring up.
naïvement *adj* naïvely.
naïveté *f* naïvety, artlessness, gullibility.
nanti *m* rich man, *adj* rich, well-to-do.
nappe *f* tablecloth; layer; sheet, expanse.
napper *vt* to top with.
napperon *m* tablemat.
narcisse *m* narcissus.
narcotique *m* drug, narcotic; * *adj* narcotic.
narguer *vt* to flout, defy; to cheek.
narine *f* nostril.
narrateur *m* **-trice** *f* narrator.
narration *f* narration, narrative.
nasal *adj* nasal.
naseau *m* nostril.

natalité *f* birth rate.
natation *f* swimming.
nation *f* nation.
national *adj* national; domestic.
nationaliser *vt* to nationalise.
nationaliste *mf* nationalist; * *adj* nationalist.
nationalité *f* nationality.
natte *f* plait, braid.
naturalisation *f* nationalisation.
naturaliste *mf* naturalist; taxidermist; * *adj* naturalistic.
nature *f* nature; kind, sort; temperament.
naturel *adj* natural; native; unsophisticated; **~lement** *adv* naturally; of course.
naufrage *m* shipwreck; ruin, foundering.
nausée *f* nausea.
nautique *adj* nautical, water.
naval *adj* naval, shipbuilding.
navet *m* turnip.
navette *f* shuttle; **faire la ~** to shuttle between.
navigateur *m* navigator, sailor.
navigation *f* sailing, navigation.
navire *m* ship, vessel.
navrant *adj* distressing, upsetting.
ne *adv* no, not.
né *adj* born.

néanmoins *adv* nevertheless.

néant *m* nothing, nothingness, emptiness.

nécessaire *adj* necessary; requisite; indispensable; ~**ment** *adv* necessarily.

nécessité *f* necessity; need; inevitability.

nécessiter *vt* to require, necessitate.

nécropole *f* necropolis.

nectar *m* nectar.

nectarine *f* nectarine.

néfaste *adj* harmful; unlucky; ill-fated.

négatif *adj* negative.

négation *f* negation; negative.

négativement *adv* negatively.

négligemment *adv* negligently; carelessly; nonchalantly.

négligence *f* negligence, carelessness.

négligent *adj* negligent, careless; nonchalant.

négliger *vt* to neglect; to be negligent about.

négociant *m* -e *f* merchant.

négociation *f* negotiation.

négocier *vi* to negotiate; to trade; * *vt* to negotiate.

neige *f* snow.

neiger *vi* to snow, be snowing.

nénuphar *m* water-lily.

néophyte *mf* neophyte; novice * *adj* newly converted.

nerf *m* nerve.

nerveusement *adv* nervously; irritably.

nerveux *adj* nervous; vigorous; excitable.

nervosité *f* nervousness; excitability.

nervure *f* nervure, vein; rib.

net *adj*, *f* -te clean; clear; plain; sharp; net; ~**tement** *adv* cleanly; clearly; plainly.

netteté *f* neatness; clearness; sharpness.

nettoyage *m* cleaning; clearing up.

nettoyer *vt* to clean; to ruin, clean out.

neuf *adj* nine; * *m* nine.

neurologie *f* neurology.

neurone *m* neurone.

neutraliser *vt* to neutralise.

neutralité *f* neutrality.

neutre *adj* neutral; neuter.

neutron *m* neutron.

neuvième *adj* ninth; ~**ment** *adv* ninthly; * *mf* ninth.

neveu *m* nephew.

névralgie *f* neuralgia.

névrose *f* neurosis.

nez *m* nose; flair; **avoir du ~** to have flair.

niais *adj* silly, simple, inane; ~**ement** *adv* inanely.

niche *f* niche, nook; kennel; trick.

nickel *m* nickel.

nicotine *f* nicotine.

nid *m* nest; den; berth.

nièce *f* niece.

nier *vt* to deny; to repudiate.

nigaud *m* -e *f* simpleton.

nitrate *m* nitrate.

nitroglycérine *f* nitroglycerine.

niveau *m* level; standard; par; gauge.

niveler *vt* to level; to even out, equalise.

noble *adj* noble, dignified; ~**ment** *adv* nobly.

noblesse *f* nobleness, nobility.

noce *f* wedding, wedding feast; marriage ceremony.

nocif *adj* noxious, harmful.

noctambule *mf* night reveller, night owl; sleepwalker; * *adj* enjoying night life; noctambulant.

nocturne *adj* nocturnal, night; * *f* evening fixture; late night opening.

nodule *m* nodule.

Noël *m* Christmas.

nœud *m* knot, bow; crux.

noir *adj* black; dark; * *m* black; darkness; black man.

noircir vt to blacken; to dirty; **se ~** vr to darken, grow black.

noire f black woman.

noisetier m hazel tree.

noisette f hazel.

noix f walnut.

nom m name; fame; noun.

nomade mf nomad.

nombre m number, quantity.

nombreux adj numerous, frequent.

nombril m navel.

nomenclature f list, catalogue; nomenclature.

nominal adj nominal; noun; **~ement** adv nominally.

nominatif m nominative.

nomination f appointment; nomination.

nommer vt to appoint; nominate.

non adv no; not.

nonchalance f nonchalance.

nonchalant adj nonchalant.

non-conformiste mf nonconformist; * adj nonconformist.

non-lieu m (jur) no ground for prosecution.

non-sens m nonsense.

non-violence f non-violence.

nord m north, northerly (wind).

nordique adj Nordic; Scandinavian.

normal adj normal, usual; standard-sized; **~ement** adv normally, usually.

norme f norm; standard.

nostalgie f nostalgia.

nostalgique adj nostalgic.

notable adj notable; noteworthy; **~ment** adv notably.

notaire m notary; solicitor.

notamment adv notably; in particular.

note f note; minute; mark; bill.

noter vt to note down; to notice; to mark.

notice f note; directions; instructions.

notion f notion, idea.

notoire adj notorious; well-known, acknowledged; **~ment** adv notoriously.

notoriété f notoriety; fame.

notre adj, pl **nos** ours, our own.

nôtre pn: **le ~, la ~, les ~s** ours, our own.

nouer vt to tie, knot; **se ~** vr to join together.

nouille f (piece of) pasta.

nourrice f child-minder, nanny.

nourrir vt to feed, provide for; to stoke; **se ~** vr to feed o.s.

nourrissant adj nourishing, nutritious.

nourrisson m infant, nursling.

nourriture f food; sustenance.

nous pn we; us; **c'est à ~** it's ours; it's our turn; **~-mêmes** ourselves.

nouveau adj new; recent; additional.

nouveau-né m **-e** f new-born child.

nouveauté f novelty; newness.

nouvelle f piece of news; short story.

novembre m November.

novice mf novice, beginner; * adj novice, unpractised, inexperienced.

noyade f drowning, drowning incident.

noyau m stone, pit; core; nucleus.

noyer vt to drown; to flood; **se ~** vr to drown, drown o.s.; * m walnut (tree).

nu adj naked, nude; plain, unadorned.

nuage m cloud.

nuageux adj cloudy, overcast.

nuance f shade, hue; faint difference, nuance.

nucléaire adj nuclear; * m nuclear energy.

nudiste mf nudist; * adj nudist.

nudité f nakedness, nudity.

nuée f dense cloud; horde, swarm.

nuire *vi* to harm, injure; to prejudice.

nuisible *adj* harmful; noxious; ~**ment** *adv* harmfully.

nuit *f* night, darkness.

nul *adj* no; nil; null and void; non-existent; ~**lement** *adv* not at all, not in the least.

nullité *f* nullity; uselessness.

numéral *adj* numeral; * *m* numeral.

numérique *adj* numerical; digital.

numéro *m* number; issue.

numérotation *f* numbering, numeration.

numéroter *vt* to number.

nuptial *adj* nuptial, wedding.

nuque *f* nape (of the neck).

nutritif *adj* nutritious, nourishing.

nutrition *f* nutrition.

nylon *m* nylon.

nymphe *f* nymph.

O

oasis *m* oasis.

obéir *vt* to obey, be obedient; to comply.

obéissance *f* obedience; compliance.

obéissant *adj* obedient.

obèse *adj* obese.

obésité *f* obesity.

objecter *vt* to object.

objectif *adj* objective, unbiased; * *m* objective, target.

objection *f* objection.

objectivement *adv* objectively.

objet *m* object, thing; purpose; matter.

obligation *f* obligation, duty; bond.

obligatoire *adj* obligatory, compulsory; ~**ment** *adv* obligatorily.

obligé *adj* obliged, compelled; inevitable; necessary.

obliger *vt* to oblige, require; (*jur*) to bind.

oblique *adj* oblique, sidelong.

oblitérer *vt* to obliterate; to cancel (stamp).

obscène *adj* obscene.

obscénité *f* obscenity.

obscur *adj* obscure, dark, gloomy; ~**ément** *adv* obscurely.

obscurcir *vt* to darken; to obscure; **s'**~ *vr* to get dark.

obscurité *f* obscurity; darkness.

obséder *vt* to obsess, haunt.

obsèques *fpl* funeral.

observateur *m* -**trice** *f* observer; * *adj* observant.

observation *f* observation; remark.

observatoire *m* observatory.

observer *vt* to observe, watch; to notice; to comply with.

obsession *f* obsession.

obstacle *m* obstacle, hindrance.

obstétrique *f* obstetrics.

obstination *f* obstinacy, stubbornness.

obstiné *adj* obstinate, stubborn; ~**ment** *adv* obstinately.

obstiner (s') *vr* to insist, persist.

obtenir *vt* to obtain, procure, get; to achieve.

obturation *f* stopping, closing up, obturation.

obus *m* shell.

occasion *f* occasion, opportunity; cause; bargain; **d'**~ second-hand.

occident *m* west.

occidental *adj* western; Occidental.

occulte *adj* occult.

occupant *m* -**e** *f* occupant, occupier.

occupation f occupation, pursuit; work; occupancy.

occuper vt to occupy; to employ; to inhabit; **s'~** vr to keep busy.

océan m ocean.

ocre m ochre; * adj ochre.

octane m octane.

octave f octave.

octet m byte.

octobre m October.

octroyer vt to grant, bestow; **s'~** vr to allow oneself.

oculaire adj ocular.

odeur f smell, odour.

odieux adj hateful, obnoxious.

odorat m smell (sense).

oedème m oedema.

œil m, pl **yeux** eye; look; bud.

œillet m carnation.

oesophage m oesophagus.

œuf m egg.

œuvre f work; action, deed; production.

offense f offence; injury, wrong.

offenser vt to offend; to injure, shock; **s'~** vr to take offence.

offensif adj offensive; forceful, aggressive.

offensive f offensive, attack.

office m office, bureau; duty; function.

officiel adj official; **~lement** adv officially.

officier m officer.

officieusement adv officiously; unofficially.

officieux adj officious, over-obliging; unofficial.

offrande f offering.

offre f offer, tender, bid.

offrir vt to offer.

offusquer vt to offend; **s'~** vr to take offence; to be offended.

ogive f ogive, pointed arch.

ogre m ogre, **-sse** f ogress.

ohm m ohm.

oie f goose.

oignon m onion; bulb.

oiseau m bird.

oisif adj idle.

oisiveté f idleness.

oléagineux adj oleaginous, oily.

oléoduc m oil pipeline.

olfactif adj olfactory.

oligarchie f oligarchy.

oligo-élément m trace element.

olive f olive.

olivier m olive tree.

olympique adj Olympic.

ombilical adj umbilical.

ombragé adj shaded, shady.

ombre f shade, shadow.

omelette f omelette.

omettre vt to leave out, miss out.

omission f omission.

omnibus m local train; omnibus.

omnipotent adj omnipotent.

omniprésent adj omnipresent.

omoplate f shoulder blade.

on pn one; someone, anyone.

once f ounce.

oncle m uncle.

onctueux adj smooth, creamy.

onde f wave.

ondoyant adj undulating, flowing; changeable.

ondulation f undulation; wave.

onduler vi to undulate; to ripple.

onéreux adj onerous; expensive, costly.

ongle m nail; claw, talon; hoof.

onomatopée f onomatopoeia.

onyx m onyx.

onze adj eleven; * m eleven.

onzième adj eleventh; **~ment** adv in eleventh place; * mf eleventh.

opale f opal.

opaque adj opaque; impenetrable.

opéra m opera.

opération f operation, performance; transaction, deal.

opérationnel adj operational.

opératoire adj operating; operative, surgical.

opérer vt to operate; to carry out, implement.

opérette f operetta, light opera.

ophtalmie *f* ophthalmia.

opiniâtre *adj* stubborn; persistent; **~ment** *adv* stubbornly; persistently.

opinion *f* opinion, view.

opium *m* opium.

opportun *adj* timely, opportune; **~ément** *adv* opportunely.

opportuniste *mf* opportunist; * *adj* opportunist.

opportunité *f* opportuneness, expediency, timeliness.

opposant *m* **-e** *f* opponent; * *adj* opposing.

opposé *adj* opposite, contrary; facing; * *m* opposite; **à l'~** contrary to.

opposer *vt* to oppose; to contrast; to object; **s'~** *vr* to be opposed to; to clash, conflict.

opposition *f* opposition; conflict.

oppresser *vt* to oppress, weigh down.

oppressif *adj* oppressive.

oppression *f* oppression.

opprimer *vt* to oppress, crush.

opticien *m* **-ne** *f* optician.

optimisme *m* optimism.

optimiste *mf* optimist; * *adj* optimistic.

option *f* option, choice.

optionnel *adj* optional.

optique *adj* optical; * *f* optics.

opulence *f* opulence, wealth.

opulent *adj* opulent, wealthy.

or *m* gold; * *conj* now.

oracle *m* oracle.

orage *m* storm, tempest, thunderstorm.

orageux *adj* stormy.

oral *adj* oral, verbal; **~ement** *adv* orally.

orange *f* orange; * *adj invar* orange.

oranger *m* orange tree.

orang-outan(g) *m* orang-utang.

orateur *m* **-trice** *f* orator.

orbite *f* orbit; socket; sphere.

orchestral *adj* orchestral.

orchestre *m* orchestra.

orchestrer *vt* to orchestrate, score.

orchidée *f* orchid.

ordinaire *adj* ordinary, common, usual; **~ment** *adv* ordinarily, usually; * *m* custom, usual routine; **d'~, à l'~** ordinarily, usually.

ordinateur *m* computer.

ordonnance *f* prescription, order, edict.

ordonner *vt* to arrange; to order; to prescribe.

ordre *m* order, command; class.

ordure *f* filth, dirt; excrement; rubbish.

oreille *f* ear; hearing; wing; handle.

oreiller *m* pillow.

oreillons *mpl* mumps.

orfèvre *m* silversmith, goldsmith.

orfèvrerie *f* silversmith's (goldsmith's) craft.

organe *m* organ; instrument; medium.

organigramme *m* organisational chart.

organique *adj* organic.

organisateur *m* **-trice** *f* organiser.

organisation *f* organisation.

organiser *vt* to organise, arrange; **s'~** *vr* to organise o.s.

organisme *m* organism.

organiste *mf* organist.

orgasme *m* orgasm.

orge *f* barley.

orgie *f* orgy.

orgue *m* (*mus*) organ.

orgueil *m* pride, arrogance.

orgueilleux *adj* proud, arrogant.

orient *m* orient, east.

oriental *adj* eastern, oriental.

orientation *f* orientation; positioning; directing; trend.

orienter *vt* to orientate; to position; to direct; **s'~** *vr* to ascertain one's position; to turn towards.

orifice *m* orifice; aperture, opening.

originaire *adj* originating from, native to; **~ment** *adv* originally, primitively.

original *adj* original, novel; peculiar, bizarre; * *m* original; top copy.

originalité *f* originality; oddness.

origine *f* origin, source, derivation; **à l'~** originally.

originel *adj* original, primitive.

orme *m* elm.

ornement *m* ornament, embellishment.

ornemental *adj* ornamental.

orner *vt* to adorn, decorate.

ornière *f* rut.

ornithologie *f* ornithology.

ornithologiste, ornithologue *mf* ornithologist.

orphelin *m* -e *f* orphan.

orphelinat *m* orphanage.

orteil *m* toe.

orthodoxe *adj* orthodox; * *mf* orthodox.

orthogonal *adj* orthogonal.

orthographe *f* spelling.

orthopédie *f* orthopaedics.

orthopédique *adj* orthopaedic.

ortie *f* nettle.

orvet *m* slow-worm.

os *m* bone.

oscillation *f* oscillation, swinging.

osciller *vi* to oscillate, swing.

oseille *f* sorrel.

oser *vt* to dare.

osier *m* osier, willow, wicker.

osmose *f* osmosis.

ossature *f* skeleton; framework.

ossements *mpl* bones.

ostensible *adj* open, conspicuous; **~ment** *adv* openly; conspicuously.

ostentation *f* ostentation.

ostéopathe *mf* osteopath.

ostracisme *m* ostracism.

otage *m* hostage.

otarie *f* sea-lion.

ôter *vt* to take away, remove; to deprive, deduct.

otite *f* ear infection.

oto-rhino-laryngologie *f* otorhinolaryngology.

oto-rhino(-laryngologiste) *mf* ear, nose and throat specialist.

ou *conj* or

où *adv* where, in which; *pn* where.

ouate *f* cotton wool.

oubli *m* forgetfulness; oblivion; oversight, omission.

oublier *vt* to forget; to omit, neglect.

oubliette *f* oubliette.

ouest *m* west; *adj* west.

oui *adv* yes.

ouïe *f* hearing (sense).

ouragan *m* hurricane, whirlwind.

ourlet *m* hem.

ours *m* -e *f* bear.

oursin *m* sea urchin.

ourson *m* bear cub.

outil *m* tool, implement.

outillage *m* (set of) tools; equipment.

outiller *vt* to equip; to provide with tools.

outrage *m* outrage, insult, wrong.

outrageant *adj* outrageous, insulting.

outre *prép* as well as, besides; **en ~** moreover; **~ mesure** to excess, inordinately; **passer ~** to go on, to take no notice; * *f* goatskin, leather bottle.

outré *adj* excessive, exaggerated.

outremer *m* ultramarine.

outrepasser *vt* to exceed; to transgress.

ouvert *adj* open; exposed; frank; **~ement** *adv* openly, overtly.

ouverture *f* opening; mouth; overture; means, way.

ouvrable *adj* working, business.

ouvrage *m* work; piece of work.

ouvre-boîte *m* tin-opener.

ouvre-bouteille *m* bottle-opener.

ouvrier *m* -ière *f* worker; * *adj* working-class; industrial; labour.

ouvrir *vt* to open; to unlock; to broach; **s'~** *vr* to open; to open one's mind; to cut o.s.

ovaire *m* ovary.

ovale *adj* oval; * *m* oval.

ovation *f* ovation.

ovni *m* UFO.

ovulation *f* ovulation.

ovule *m* ovum; ovule.

oxydation *f* oxidation.

oxyde *m* oxide.

oxyder *vt* to oxidise; **s'~** *vr* to become oxidised.

oxygène *m* oxygen.

ozone *f* ozone.

P

pacifier *vt* to pacify.

pacifique *adj* peaceful, pacific; **~ment** *adv* peacefully, pacifically.

pacifiste *mf* pacifist; * *adj* pacifist.

pacte *m* pact, treaty.

pactiser *vt* to treat with sb; to come to terms with.

pagaie *f* paddle.

pagayer *vi* to paddle.

page *f* page; passage.

pagne *m* loincloth.

paiement *m* payment.

païen *m* **-ne** *f* pagan; * *adj* pagan.

paillasse *f* straw mattress.

paillasson *m* doormat.

paille *f* straw.

paillette *f* sequin; spangle.

pain *m* bread; loaf; bar.

pair *adj* even; * *m* peer; par; **hors ~** outstanding, matchless.

paire *f* pair; yoke; brace.

paisible *adj* peaceful; calm; **~ment** *adv* peacefully; calmly.

paître *vi* to graze.

paix *f* peace; quiet; stillness; tranquillity.

palais *m* palace; law courts; palate.

palan *m* hoist.

pâle *adj* pale, pallid.

palette *f* palette; pallet; paddle.

pâleur *f* paleness, pallor.

palier *m* landing; level; degree.

pâlir *vi* to turn pale; to dim; to fade.

palissade *f* fence; boarding; stockade.

palliatif *m* palliative; * *adj* palliative.

pallier *vt* to palliate; to offset.

palmarès *m* prize list; medal record.

palme *f* palm leaf; palm.

palmé *adj* palmate; webbed.

palmeraie *f* palm grove.

palmier *m* palm tree.

palmipède *m* palmiped.

palpable *adj* palpable.

palper *vt* to feel, touch; to palpate.

palpitation *f* palpitation; throbbing; quivering.

palpiter *vi* to palpitate; to beat; to race.

paludisme *m* malaria.

pamplemousse *m* grapefruit.

panache *m* panache; gallantry.

panaché *adj* variegated; motley.

pancarte *f* sign, notice; placard.

pancréas *m* pancreas.

panda *m* panda.

pané *adj* covered in breadcrumbs.

panier *m* basket; pannier (mode).

panique *f* panic.

paniquer *vi* to panic, get panicky.

panne *f* breakdown; fault, problem.

panneau *m* panel; sign, notice.

panoplie *f* outfit; display.

panorama *m* panorama.

panoramique *adj* panoramic.

pansement *m* dressing, bandage.

panser *vt* to dress, bandage.

pantalon *m* trousers; pants; knickers.

panthéon *m* pantheon.

panthère *f* panther.

pantin *m* jumping-jack; puppet.

pantomime *f* pantomime; mime.

pantoufle *f* slipper.

paon *m* peacock.

papa *m* dad; daddy.

papauté *f* papacy.

papaye *f* papaya.

pape *m* pope.

papeterie *f* stationery; stationer's shop; paper mill.

papetier *m* -**ière** *f* stationer; paper-maker.

papier *m* paper; article; wrapper.

papillon *m* butterfly.

papillote *f* sweet wrapper.

papoter *vi* to chatter.

Pâques *fpl* Easter.

paquebot *m* liner, steamer.

pâquerette *f* daisy.

paquet *m* packet, pack; bag; parcel.

par *prép* by, with, through; from; along; ~-**ci**, ~-**là** here and there, now and then; ~-**derrière** round the back; ~-**dessous** underneath; ~-**dessus** over, above.

parabole *f* (*math*) parabola; parable.

parachever *vt* to perfect; to complete.

parachute *m* parachute.

parachuter *vt* to parachute.

parachutiste *mf* parachutist.

parade *f* parade, show; parry.

paradis *m* paradise; (*thea*) gallery.

paradoxal *adj* paradoxical; ~**ement** *adv* paradoxically.

paradoxe *m* paradox.

paraffine *f* paraffin.

parages *mpl* vicinity; **dans les** ~ in the area.

paragraphe *m* paragraph; section.

paraître *vi* to appear; to be published; to look, seem; **il paraît que** apparently.

parallèle *adj* parallel; ~**ment** *adv* parallel; at the same time.

paralyser *vt* to paralyse.

paralysie *f* paralysis.

paralytique *mf* paralytic; * *adj* paralytic.

paramètre *m* parameter.

paranoïa *f* paranoia.

paranoïaque *adj* paranoiac, paranoid; * *mf* paranoiac, paranoid.

paraphraser *vt* to paraphrase.

parapluie *m* umbrella.

parasite *m* parasite, sponger.

parasol *m* parasol; sunshade.

paratonnerre *m* lightning conductor.

paravent *m* folding screen, partition.

parc *m* park; grounds; depot.

parcelle *f* fragment, particle; parcel.

parce que *conj* because.

parchemin *m* parchment.

parcimonie *f* parsimony.

parcmètre *m* meter (parking).

parcourir *vt* to travel through; to scour; to traverse.

pardon *m* pardon, forgiveness.

pardonner *vt* to pardon; to excuse, overlook.

pare-brise *m invar* windscreen.

pare-chocs *m invar* bumper.

pareil *m* -**le** *f* equal; match; **sans** ~ unparalleled, unequalled; * *adj* like, equal, similar; identical; ~**lement** *adv* likewise, equally.

parent *m* -**e** *f* relative, relation; ~**s** (*pl*) parents.

parental *adj* parental.

parenté *f* relationship, kinship.

parenthèse *f* parenthesis, digression.

parer *vt* to adorn, deck out; to ward off; to parry; ~ **à** to deal with, overcome.

paresse *f* laziness; sluggishness.

paresseux *m* **-euse** *f* lazy person, loafer; * *adj* lazy.

parfaire *vt* to perfect, bring to perfection.

parfait *adj* perfect, flawless; **~ement** *adv* perfectly; completely, absolutely.

parfois *adv* sometimes, occasionally.

parfumer *vt* to perfume, scent; **se ~** *vr* to put perfume on.

parfumerie *f* perfumery.

parfumeur *m* **-euse** *f* perfumer.

pari *m* bet, wager.

parier *vt* to bet, wager.

parking *m* car park; parking.

parlement *m* Parliament.

parlementaire *adj* parliamentary; * *mf* member of parliament.

parler *vi* to talk, speak; * *vt* to speak.

parmesan *m* parmesan.

parmi *prép* among.

parodie *f* parody.

paroi *f* wall; surface.

paroisse *f* parish.

parole *f* word; speech; voice; lyrics.

paroxysme *m* paroxysm; crisis.

parquer *vt* to park; to enclose, pen.

parquet *m* floor, floorboards.

parrain *m* godfather; patron; promoter.

parrainage *m* sponsorship; promoting; patronage.

parrainer *vt* to sponsor; propose.

parsemer *vt* to sprinkle, strew.

part *f* part; share; portion; **prendre ~ à** to participate in; **faire ~ de** to announce; **de sa part** for his part; **autre ~** elsewhere; **nulle ~** nowhere; **d'autre ~** moreover.

partage *m* sharing, distribution; portion.

partager *vt* to divide up, share out.

partenaire *mf* partner.

parti *m* party; option; match.

partial *adj* partial, biased; **~ement** *adv* in a biased way.

participant *m* **-e** *f* participant, member; * *adj* participant, participating.

participation *f* participation; involvement.

participe *m* participle.

participer *vi* to take part in, participate.

particularité *f* particularity, characteristic.

particule *f* particle.

particulier *adj* particular, specific; peculiar, characteristic; * *m* person, private individual; character.

particulièrement *adv* particularly, especially.

partie *f* part; subject; game; party; **faire ~ de** to be a part of.

partiel *adj* part, partial; **~lement** *adv* partially, in part.

partir *vi* to leave, set off; to start up; **à ~ de** from.

partisan *m* **-e** *f* partisan, supporter, proponent.

partition *f* partition; score.

partout *adv* everywhere.

parvenir *vi*: **~ à** to reach; to achieve.

pas *m* step; pace; footprint; gait; * *adv* no, not.

passable *adj* passable, tolerable; **~ment** *adv* tolerably; reasonably.

passage *m* passage, passing by; transit.

passager *m* **-ère** *f* passenger; * *adj* passing, transitory.

passant *m* **-e** *f* passer-by, wayfarer; * *adj* much-frequented, busy.

passe *f* pass; permit; channel.

passé *m* past.

passeport *m* passport.

passer *vi* to pass; to elapse; to disappear, fade; **se ~** *vr* to pass; to take place; **se ~ de** to do without.

passerelle f footbridge; bridge; gangway.

passe-temps m *invar* pastime.

passif *adj* passive; * m passive.

passion f passion; fondness.

passionnant *adj* fascinating; exciting.

passionné *adj* passionate, impassioned; ~**ment** *adv* passionately.

passionner *vt* to fascinate; to interest deeply, impassion; **se** ~ *vr* to be fascinated by, have a passion for.

passivement *adv* passively.

passivité f passivity, passiveness.

pastel m pastel.

pastèque f watermelon.

pasteur m minister, pastor.

pasteuriser *vt* to pasteurise.

pastiche m pastiche.

pastille f pastille, lozenge.

patate f (*fam*) spud; sweet potato.

patauger *vi* to wade about, splash about.

pâte f pastry, pasta, dough, batter.

pâté m pâté.

paternel *adj* paternal, fatherly; ~**lement** *adv* paternally.

paternité f paternity; fatherhood.

pathétique *adj* pathetic.

patiemment *adv* patiently.

patience f patience, endurance.

patient *adj* patient, enduring.

patienter *vi* to wait.

patin m skate; ~ **à glace** iceskate; ~ **à roulettes** roller skate.

patinage m skating; slipping; spinning.

patiner *vi* to skate; to slip; to spin.

patineur m -**euse** f skater.

patinoire f ice rink.

pâtisserie f cake shop, confectioner's.

pâtissier m -**ière** f pastry cook, confectioner.

patois m patois, provincial dialect.

patrie f homeland, country.

patrimoine m inheritance, patrimony.

patriote mf patriot; * *adj* patriotic.

patriotisme m patriotism.

patron m -**ne** f owner, boss, proprietor.

patronat m employers.

patronner *vt* to patronise, sponsor.

patrouille f patrol.

patte f leg, paw, foot.

pâturage m pasture, pasturage, grazing.

pâture f pasture; food.

paume f palm.

paumer *vt* (*fam*) to lose; **se** ~ *vr* to get lost.

paupière f eyelid.

paupiette f stuffed slice of meat.

pause f pause; half-time.

pauvre *adj* poor; indigent; scanty; weak; ~**ment** *adv* poorly; * mf poor person, pauper.

pavé m cobblestone, paving stone.

pavillon m house; pavilion; flag.

pavot m poppy.

paye f pay, wages.

payer *vt* to pay, settle; to reward.

pays m country; region; village; land.

paysage m landscape; scenery.

paysan m countryman, farmer; -**ne** f countrywoman.

PDG (président-directeur général) m chairman and managing director.

péage m toll; tollgate.

peau f skin; hide, pelt.

pêche f peach; fishing.

pécher *vi* to sin.

pêcher *vt* to fish; to catch; * m peach tree.

pécheur m -**eresse** f sinner.

pêcheur m fisherman, -**euse** f fisherwoman.

pectoral *adj* pectoral; cough.

pectoraux *mpl* pectorals.

pédagogie *f* education; educational methods.

pédagogue *mf* teacher; educationalist; * *adj* pedagogic.

pédale *f* pedal; treadle.

pédaler *vi* to pedal.

pédalier *m* pedal-board, crank-gear.

pédestre *adj* pedestrian.

pédiatre *mf* paediatrician.

pédicure *mf* chiropodist.

peigne *m* comb.

peigner *vt* to comb; to card; **se ~** *vr* to comb one's hair.

peignoir *m* dressing gown.

peindre *vt* to paint; to depict, portray.

peine *f* effort; sadness; pain; punishment; difficulty.

peiner *vi* to toil; to struggle.

peintre *m* painter; portrayer.

peinture *f* painting, picture; paintwork.

péjoratif *adj* pejorative.

pelage *m* coat, fur.

peler *vi* to peel.

pèlerin *m* pilgrim; peregrine falcon.

pèlerinage *m* pilgrimage.

pélican *m* pelican.

pelle *f* shovel; spade.

pellicule *f* film; thin layer.

pelote *f* ball; pelota ball.

peloton *m* pack; squad; platoon.

pelouse *f* lawn, field; ground.

pelure *f* peeling, piece of peel.

pénal *adj* penal; criminal.

pénaliser *vt* to penalise.

pénalité *f* penalty.

penalty *m* penalty (kick).

pencher *vi* to lean; to tilt; (*mar*) to list; * *vt* to tip up; tilt; **se ~** *vr* to bend down; to study, look at.

pendant *prép* during; for; **~ que** while, whilst; * *adj* hanging, drooping; pending.

pendentif *m* pendant; pendentive.

pendre *vi* to hang, dangle; * *vt* to

hang; **se ~** *vr* to hang o.s.

pendule *f* clock; * *m* pendulum.

pénétrant *adj* penetrating, piercing; searching; acute.

pénétration *f* penetration; perception.

pénétrer *vi* to enter, penetrate; * *vt* to penetrate, pierce; to pervade.

pénible *adj* hard, tiresome; difficult; laborious; **~ment** *adv* painfully; with difficulty.

péniche *f* barge.

péniciline *f* penicillin.

péninsule *f* peninsula.

pénis *m* penis.

pénitence *f* penitence, penance; punishment.

pénitent *m* **-e** *f* penitent; * *adj* penitent.

pénitencier *m* prison, penitentiary.

pénombre *f* half-light; penumbra (astronomy).

pensée *f* thought; thinking; mind.

penser *vt* to think, suppose, believe; * *vi* to think.

pensif *adj* pensive, thoughtful.

pension *f* pension; boarding house.

pensionnaire *mf* boarder; lodger.

pensionnat *m* boarding school.

pensivement *adv* pensively, thoughtfully.

pentagone *m* pentagon.

pentathlon *m* pentathlon.

pente *f* slope; gradient.

Pentecôte *f* Pentecost, Whitsun.

pénurie *f* shortage, scarcity; penury.

pépère *m* granddad, grandpa.

pépin *m* pip; snag, hitch.

pépinière *f* tree nursery; breeding-ground.

pépite *f* nugget.

perçant *adj* piercing, shrill.

percée *f* opening, clearing; breach; breakthrough.

perce-oreille *m* earwig.

perception *f* perception; collection.

percer vt to pierce; to drill; to see through.

percevoir vt to perceive, detect; to collect.

percher vt to stick; to place on; **se ~** vr to perch.

percussion f percussion.

percussionniste mf percussionist.

percuter vt to strike; to crash into.

perdant m -e f loser; * adj losing.

perdre vt to lose; to waste; to miss; * vi to lose; **se ~** vr to lose one's way.

perdrix f partridge.

perdu adj lost; wasted; missed.

père m father; sire.

péremptoire adj peremptory.

perfection f perfection.

perfectionnement m perfection, perfecting; improvement.

perfectionner vt to improve, perfect; **se ~** vr to improve, improve o.s.

perfectionniste mf perfectionist; * adj perfectionist.

perfide adj perfidious, treacherous; **~ment** adv perfidiously.

perforation f perforation.

perforer vt to perforate; to pierce.

performance f result, performance.

performant adj outstanding; high-performance, high-return.

péricliter vi to collapse; to be in jeopardy.

péril m peril, danger.

périlleux adj perilous.

périmé adj out-of-date; expired.

périmètre m perimeter.

période f period; epoch, era; wave, spell.

périodique adj periodic; **~ment** adv periodically.

péripétie f event, episode.

périphérie f periphery.

périphérique adj peripheral, outlying; * m ring road; peripheral.

périple m voyage; journey.

périr vi to perish, die.

périscope m periscope.

périssable adj perishable.

perle f pearl; bead; gem.

permanence f permanence; permanency.

permanent adj permanent, continuous.

permanente f perm.

permanenter vt to perm.

perméable adj permeable; pervious.

permettre vt to allow, permit; **se ~** vr to allow o.s.

permis adj permitted; * m permit, licence.

permission f permission; leave.

permutation f permutation.

permuter vt to change, switch round; to permutate.

pernicieux adj pernicious.

perpendiculaire adj perpendicular; **~ment** adv perpendicularly.

perpétuel adj perpetual; permanent; **~lement** adv perpetually.

perpétuer vt to perpetuate, carry on; **se ~** vr to be perpetuated; to survive.

perpétuité f perpetuity.

perplexe adj perplexed, confused.

perplexité f perplexity, confusion.

perquisition f search.

perquisitionner vt to make a search.

perron m flight of steps.

perroquet m parrot.

perruche f budgerigar; chatterbox.

perruque f wig.

persécuter vt to persecute; to harass.

persécution f persecution.

persévérance f perseverance.

persévérant adj persevering.

persévérer vi to persevere; to persist in.

persil m parsley.

persistance f persistence.

persistant adj persistent; evergreen.

persister *vi* to persist, keep up.

personnage *m* character, individual.

personnaliser *vt* to personalise.

personnalité *f* personality.

personne *f* person; self; appearance; **en ~** in person; * *pn* anyone, anybody; nobody.

personnel *adj* personal; selfish; **~lement** *adv* personally.

personnifier *vt* to personify.

perspective *f* perspective; view; angle.

perspicace *adj* shrewd, perspicacious.

perspicacité *f* insight, perspicacity.

persuader *vt* to persuade; to convince.

persuasif *adj* persuasive; convincing.

persuasion *f* persuasion; conviction.

perte *f* loss, losing; ruin.

pertinent *adj* pertinent.

perturbation *f* disruption; perturbation.

perturber *vt* to disrupt, disturb.

pervenche *f* periwinkle.

pervers *adj* perverse; perverted.

perversité *f* perversity.

pesant *adj* heavy, weighty.

pesanteur *f* gravity; heaviness.

pèse-personne *m* scales.

peser *vt* to weigh; to press; to evaluate; * *vi* to weigh, weigh down; to hang over; **se ~** to weigh o.s.

pessimisme *m* pessimism.

pessimiste *mf* pessimist; * *adj* pessimistic.

peste *f* pest, nuisance; plague.

pesticide *m* pesticide.

pétale *f* petal.

pétanque *f* petanque.

pétard *m* firecracker; detonator; charge; racket, row.

pétillant *adj* bubbly, fizzy.

pétiller *vi* to crackle; to bubble;

to sparkle.

petit *adj* small, tiny; slim; young.

petitesse *f* smallness, modesty; meanness.

petit-fils *m* grandson.

petite-fille *f* granddaughter.

pétition *f* petition.

petits-enfants *mpl* grandchildren.

pétrifié *adj* petrified; transfixed; fossilised.

pétrin *m* kneading trough; scrape, mess, tight spot.

pétrir *vt* to knead; to mould, shape.

pétrole *m* oil, petroleum.

pétrolier *m* oil tanker; * *adj* petroleum, oil, oil-producing.

pétrolifère *adj* oil-bearing.

pétunia *m* petunia.

peu *adv* little, not much; few; **un petit ~** a little bit; **quelque ~** a little; **pour ~ que** however little; **~ de** little, few.

peuplade *f* tribe, people.

peuple *m* people, nation; crowd.

peuplement *m* populating; stocking.

peupler *vt* to populate, stock; to plant.

peuplier *m* poplar.

peur *f* fear, terror, apprehension; **avoir ~** to be afraid.

peureux *adj* fearful, timorous.

peut-être *adv* perhaps.

phalange *f* phalanx.

phallocrate *m* male chauvinist.

pharaon *m* pharaoh.

phare *m* lighthouse; headlight.

pharmaceutique *adj* pharmaceutical.

pharmacie *f* pharmacy; pharmacology.

pharmacien *m* **-ne** *f* pharmacist; chemist.

pharynx *m* pharynx.

phase *f* phase, stage.

phénoménal *adj* phenomenal.

phénomène *m* phenomenon; freak; character.

philanthrope *mf* philanthropist.

philatélie *f* philately, stamp collecting.

philologie *f* philology.

philosophe *mf* philosopher; * *adj* philosophical.

philosopher *vi* to philosophise.

philosophie *f* philosophy.

philosophique *adj* philosophical; ~ment *adv* philosophically.

phobie *f* phobia.

phonétique *f* phonetics; * *adj* phonetic; ~ment *adv* phonetically.

phoque *m* seal; sealskin.

phosphate *m* phosphate.

phosphore *m* phosphorus.

phosphorescent *adj* luminous, phosphorescent.

photo *f* photo.

photocopie *f* photocopy.

photocopier *vt* to photocopy.

photocopieur *m*, **-euse** *f* photocopier.

photogénique *adj* photogenic.

photographe *mf* photograph.

photographie *f* photography.

photographier *vt* to photograph.

photographique *adj* photographic.

phrase *f* sentence; phrase.

physicien *m* **-ne** *f* physicist.

physiologie *f* physiology.

physiologique *adj* physiological.

physionomie *f* countenance, physiognomy.

physionomiste *adj* good at remembering faces.

physiothérapie *f* physiotherapy.

physique *f* physics; * *adj* physical; ~ment *adv* physically.

pianiste *mf* pianist.

piano *m* piano.

pic *m* peak; à ~ vertically, sheer.

pichet *m* pitcher, jug.

picorer *vt* to peck; to nibble.

picot *m* picot; (*bot*) burr; (*tec*) tooth.

picotement *m* tickle; prickling.

picoter *vt* to tickle; to prickle; to smart, sting.

pictural *adj* pictorial.

pie *f* magpie; chatterbox.

pièce *f* piece; object; component; room; paper, document.

pied *m* foot; track; hoof; bottom; à ~ on foot; **être sur ~** to be underway.

pied-à-terre *m invar* pied-à-terre.

piédestal *m* pedestal.

piège *m* trap; pit; snare.

piéger *vt* to trap, set a trap.

pierre *f* stone.

piété *f* piety.

piétiner *vi* to stamp (one's foot); * *vt* to trample on.

piéton *m* pedestrian; * *adj* pedestrian.

pieu *m* post, stake, pile.

pieusement *adv* piously, devoutly.

pieux *adj* pious, devout.

pigeon *m* pigeon; dupe, mug.

pigment *m* pigment.

pigmentation *f* pigmentation.

pignon *m* gable; cogwheel.

pile *f* pile; pier; battery; * *adv* dead; just, right, exactly.

piler *vt* to crush, pound.

pilier *m* pillar.

pillage *m* pillaging, looting.

piller *vt* to pillage, loot.

pilon *m* pestle; wooden leg.

pilote *m* pilot; driver.

piloter *vt* to pilot, fly; to drive.

pilotis *m* stilts; pilotis.

pilule *f* pill.

piment *m* hot pepper, capsicum.

pimenter *vt* to add spice.

pin *m* pine.

pince *f* pliers, crowbar; pincer; dart.

pinceau *m* brush, paintbrush.

pincée *f* pinch.

pincer *vt* to pinch, nip; to grip.

pinède *f* pine forest.

pingouin *m* penguin.

ping-pong *m* table tennis.

pintade *f* guinea-fowl.

pinte f pint.
pioche f pick, pickaxe.
piocher vt to use a pick; to swot.
piolet m ice axe.
pion m pawn; draught.
pionnier m pioneer.
pipe f pipe.
pipette f pipette.
piquant adj prickly; pungent; piquant; * m quill, spine; prickle.
pique f pike, lance.
pique-nique m picnic.
pique-niquer vi to picnic.
piquer vt to sting, bite; to goad; to puncture.
piquet m post, picket.
piqûre f prick; sting; bite.
pirate m pirate.
pire adj worse; le ~, la ~, les ~s the worst.
pirogue f pirogue, dugout canoe.
pirouette f pirouette; about-turn.
pis m udder.
pis-aller m invar last resort, stopgap.
piscine f swimming pool.
pissenlit m dandelion.
pistache f pistachio.
piste f track, trail; course; runway; lead, clue.
pistolet m pistol, gun.
piston m piston.
pistonner vt to pull strings for, recommend.
piteux adj pitiful, pathetic.
pitié f pity, mercy.
pitoyable adj pitiful, pitiable.
pittoresque adj picturesque.
pivoine f peony.
pivot m pivot; mainspring.
pivoter vi to revolve, pivot.
placard m cupboard; poster, notice.
place f place; square; seat; space; position; à la ~ de instead of.
placebo m placebo.
placement m placing; investment.
placenta m placenta; afterbirth.
placer vt to place, put; to fit; to

seat; to sell; to invest; **se** ~ vr to take up position; to stand; to find a job.
placide adj placid, calm.
placidité f placidity, calmness.
plafond m ceiling; roof.
plafonner vi to reach a ceiling/maximum.
plage f beach.
plagiat m plagiarism, plagiary.
plagier vt to plagiarise.
plaider vt to plead; to defend; * vi to plead for, go to court.
plaidoirie f defence speech; plea.
plaidoyer m defence speech; plea.
plaie f wound, cut; scourge.
plaignant m -e f plaintiff.
plaindre vt to pity; to begrudge; se ~ vr to complain.
plaine f plain.
plainte f complaint; moan, groan.
plaintif adj plaintive, complaining.
plaire vi to please, be pleasant; se ~ vr to enjoy, take pleasure in.
plaisant adj pleasant, agreeable.
plaisanter vi to joke, jest.
plaisanterie f joking; pleasantry; humour.
plaisir m pleasure; delight; entertainment; **faire** ~ to please.
plan m plan, scheme, project; plane, level.
planche f plank, board; plate; shelf.
plancher m floor.
planchette f small board, small shelf.
plancton m plankton.
planer vi to glide, soar; to hover over.
planétaire adj planetary.
planète f planet.
planeur m glider.
planifier vt to plan.
planisphère m planisphere.
planning m programme, schedule.
plantation f plantation; planting.

plante *f* plant.

planter *vt* to plant; to hammer in; to stick, dump.

plantureux *adj* copious, ample.

plaque *f* sheet, plate; plaque; slab.

plaqué *m* plated.

plaquer *vt* to plate, veneer; to jilt; to tackle.

plaquette *f* plaque; tablet; slab.

plasma *m* plasma.

plastifier *vt* to coat with plastic.

plastique *m* plastic; * *adj* plastic.

plat *adj* flat; straight; dull, insipid; ~ement *adv* dully, insipidly; * *m* plate, dish; course.

platane *m* plane tree.

plateau *m* tray; turntable; plateau; stage.

plate-bande *f* border, flower-bed.

plate-forme *f* platform.

platine *m* platinum; * *f* deck; turntable; stage.

platitude *f* platitude; flatness, dullness.

platonique *adj* platonic.

plâtre *m* plaster.

plâtrer *vt* to plaster; to set in plaster.

plâtrier *m* plasterer.

plausible *adj* plausible.

plébiscite *m* plebiscite.

plébisciter *vt* to elect by plebiscite.

plein *adj* full; entire, whole; busy; ~ement *adv* fully, in full; wholly; * *m* filling up; full house; height, middle.

plénitude *f* plenitude, fullness.

pléonasme *m* pleonasm.

pleur *m* tear, sob; **en ~s** in tears.

pleurer *vi* to cry, weep; * *vt* to mourn for, lament.

pleurésie *f* pleurisy.

pleuvoir *vi* to rain; to shower down, rain down.

plexus *m* plexus.

pli *m* fold; crease; wrinkle; envelope.

pliant *adj* collapsible, folding.

plier *vt* to fold; to bend; * *vi* to bend; to yield; **se ~** *vr* to fold up; to submit.

plinthe *f* plinth; skirting board.

plissement *m* creasing, folding; puckering.

plisser *vt* to pleat, fold; to pucker; * *vi* to become creased.

pliure *f* fold; bend.

plomb *m* lead; sinker; fuse.

plombage *m* weighting; leading; filling.

plomber *vt* to weight; to fill.

plomberie *f* plumbing.

plombier *m* plumber.

plongée *f* diving, dive.

plongeoir *m* diving board.

plongeon *m* dive.

plonger *vi* to dive; to plunge, dip sharply.

plongeur *m* **-euse** *f* diver; washer-up.

ployer *vi* to bend, to sag.

pluie *f* rain; shower.

plumage *m* plumage, feathers.

plume *f* feather.

plumeau *m* feather duster.

plumer *vt* to pluck.

plupart *f* most, most part, majority; **la ~ de** most of.

pluriel *m* plural; * *adj* plural.

plus *adv* more, most; **~ grand que** bigger than; **de ~ en ~** more and more; **de ~** besides, moreover; **non ~** neither, not either.

plusieurs *adj* several.

plus-que-parfait *m* pluperfect.

plus-value *f* appreciation; increase in value.

plutonium *m* plutonium.

plutôt *adv* rather, quite, fairly; sooner.

pluvieux *adj* rainy, wet.

pneu *m* tyre.

pneumatique *adj* pneumatic; * *m* tyre.

pneumonie *f* pneumonia.

poche *f* pocket; pouch; bag.

pocher *vt* to poach.

pochette *f* pocket handkerchief;

wallet; envelope.

pochoir *m* stencil.

podium *m* podium.

poêle *m* stove; * *f* frying pan.

poème *m* poem.

poésie *f* poetry.

poète *m* poet.

poétique *adj* poetic; ~**ment** *adv* poetically.

poids *m* weight, influence; ~ **lourd** heavyweight; ~ **plume** featherweight.

poignant *adj* poignant.

poignard *m* dagger.

poignarder *vt* to stab.

poigne *f* grip; hand.

poignée *f* handful; ~ **de mains** handshake.

poignet *m* wrist; cuff.

poil *m* hair; coat; bristle.

poilu *adj* hairy.

poinçon *m* hallmark, style; awl.

poinçonner *vt* to stamp; to hallmark.

poindre *vi* to break, dawn.

poing *m* fist; **coup de** ~ punch.

point *m* point, spot; stage; full stop; **mettre au** ~ to finalise; to perfect; **faire le** ~ (*mar*) to take bearings; **être sur le** ~ **de** to be about to; **à**~ medium, just right, when due; ~~**virgule** semicolon; ~ **de vue** point of view.

pointage *m* checking off; sighting; scrutiny.

pointe *f* point, head; spike, tack; **tailler en** ~ to cut to a point; **sur la** ~ **des pieds** on tiptoe.

pointer *vi* to clock in; to soar up; to peep out; * *vt* to check off; to clock in; to stick into.

pointillé *m* stipple engraving; dotted line.

pointilleux *adj* particular, fastidious.

pointu *adj* pointed, sharp; subtle.

pointure *f* size, number.

poire *f* pear.

poireau *m* leek.

poirier *m* pear tree.

pois *m* pea; ~ **chiche** chickpea; **petits** ~ garden peas.

poison *m* poison.

poisseux *adj* sticky.

poisson *m* fish.

poissonnerie *f* fishmonger's, fish shop.

poissonnier *m* -**ière** *f* fishmonger.

poitrail *m* breast, chest.

poitrine *f* chest, breast; bosom.

poivre *m* pepper.

poivrer *vt* to pepper, put pepper in.

poivrière *f* pepperpot.

poivron *m* green pepper, capsicum.

polaire *adj* polar.

polariser *vt* to polarise; to attract.

polarité *f* polarity.

polaroïd *m* polaroid; * *adj* polaroid.

pôle *m* pole; centre.

polémique *f* controversy, polemic; * *adj* controversial, polemic.

poli *adj* polite; polished, smooth; ~**ment** *adv* politely.

police *f* police; policing; regulations.

polichinelle *m* buffoon.

policier *m* policeman, -**ière** *f* policewoman.

poliomyélite *f* poliomyelitis.

polir *vt* to polish; to refine.

politesse *f* politeness, courtesy.

politicien *m* -**ne** *f* politician; * *adj* (*pej*) politicking.

politique *f* politics; policy; * *adj* political; ~**ment** *adv* politically.

politiser *vt* to politicise; to make a political issue of.

pollen *m* pollen.

polluant *adj* polluting; * *m* pollutant.

polluer *vt* to pollute.

pollution *f* pollution.

polo *m* polo.

poltron *m* -**ne** *f* coward; * *adj* cowardly, craven.

polyamide *m* polyamide.

polycopier *vt* to duplicate, stencil.

polyester *m* polyester.

polygame *m* polygamist.

polygamie *f* polygamy.

polyglotte *adj* polyglot; * *mf* polyglot.

polygone *m* polygon.

polymère *m* polymer; * *adj* polymeric.

polyvalent *adj* polyvalent; varied; versatile.

pommade *f* ointment.

pomme *f* apple.

pomme de terre *f* potato.

pommette *f* cheekbone.

pommier *m* apple tree.

pompe *f* pump.

pomper *vt* to pump.

pompeux *adj* pompous; pretentious.

pompier *m* fireman.

pompiste *mf* pump attendant.

poncer *vt* to sand down, rub down.

ponction *f* (*med*) puncture.

ponctualité *f* punctuality.

ponctuation *f* punctuation.

ponctuel *adj* punctual; ~**lement** *adv* punctually.

ponctuer *vt* to punctuate; to phrase.

pondéré *adj* weighted; levelheaded.

pondre *vt* to lay; to produce.

poney *m* pony.

pont *m* bridge; deck; axle.

ponte *f* laying; clutch.

pontifical *adj* pontifical.

ponton *m* pontoon; landing stage.

populaire *adj* popular; working-class; vernacular.

populariser *vt* to popularise.

popularité *f* popularity.

population *f* population.

porc *m* pig; pork.

porcelaine *f* porcelain, china.

porc-épic *m* porcupine.

porche *m* porch.

porcherie *f* pigsty.

pore *m* pore.

poreux *adj* porous.

pornographique *adj* pornographic.

port *m* port, harbour; carrying, wearing.

portail *m* portal, gate.

portatif *adj* portable.

porte *f* door; gate; threshold.

porte-avions *m invar* aircraft carrier.

porte-bagages *m invar* luggage rack.

porte-bonheur *m invar* lucky charm.

porte-clefs, porte-clés *m invar* key ring.

porte-documents *m invar* briefcase.

portée *f* reach, range; capacity; impact, significance; **à la ~ de** within reach; **hors de ~** out of reach.

portefeuille *m* wallet; portfolio.

porte-jarretelles *m invar* suspender belt.

portemanteau *m* coat hanger; hat stand.

porte-parole *m invar* spokesperson.

porte-plume *m invar* penholder.

porter *vt* to carry; to take; to wear; to hold, keep; **se ~** *vr* to put o.s. forward; to go.

porteur *m* **-euse** *f* porter; carrier; * *adj* booster; strong, buoyant.

portier *m* commissionaire.

portière *f* door.

portillon *m* gate, barrier.

portion *f* portion, share.

portique *m* portico.

portrait *m* portrait.

portraitiste *mf* portraitist.

pose *f* pose, posture; laying, fitting, setting.

poser *vt* to put; to install; to set out; to ask; **se ~** *vr* to land, settle; to come up, arise.

positif *adj* positive, definite.

position *f* position; situation; state; stance.

positionner *vt* to position, locate.

positivement *adv* positively.

posologie *f* posology.

posséder *vt* to possess, have; to know inside out.

possesseur *m* possessor, owner.

possessif *adj* possessive.

possession *f* possession, ownership.

possibilité *f* possibility; potential.

possible *adj* possible, feasible; potential; * *m*; **faire son ~** to do one's best.

postal *adj* postal, mail.

poste *f* post office, post; * *m* post, position; station; job.

poster *vt* to post, mail; to station; **se ~** *vr* to take up a position.

postérieur *adj* later, subsequent; back, posterior.

postérité *f* posterity; descendants.

posthume *adj* posthumous.

postiche *adj* false; postiche; pretended; * *m* hairpiece; toupee.

postier *m* **-ière** *f* post office worker.

postillon *m* postilion.

postulant *m* **-e** *f* applicant.

postuler *vt* to apply for; to postulate.

posture *f* posture, position.

pot *m* jar; pot; can.

potable *adj* drinkable; passable.

potage *m* soup.

potager *m* kitchen garden; * *adj* vegetable, edible.

potassium *m* potassium.

pot-au-feu *m invar* stew.

pot-de-vin *m* bribe.

poteau *m* post, stake.

potée *f* hotpot.

potelé *adj* plump, chubby.

potence *f* gallows; bracket.

potentiel *adj* potential; * *m* potential.

poterie *f* pottery, piece of pottery.

potiche *f* vase, mere, puppet.

potier *m* potter.

potion *f* potion.

potiron *m* pumpkin.

pou *m* louse.

poubelle *f* dustbin.

pouce *m* thumb; big toe; inch.

poudre *f* powder, dust.

poudrer *vt* to powder.

poudrière *f* powder magazine.

poulailler *m* henhouse.

poulain *m* foal; protegé.

poule *f* hen, fowl.

poulet *m* chicken.

poulie *f* pulley.

poulpe *m* octopus.

pouls *m* pulse.

poumon *m* lung.

poupe *f* stern.

poupée *f* doll.

poupon *m* baby.

pouponnière *f* day nursery, crèche.

pour *prép* for; to; in favour of; on account of; in order; **~ que** so that, in order that; **être ~** to be in favour of.

pourboire *m* tip.

pourceau *m* pig, swine.

pourcentage *m* percentage.

pourchasser *vt* to pursue; to harry.

pourparlers *mpl* talks, negotiations.

pourpre *adj* crimson; * *m* crimson.

pourquoi *adv* why; **~ pas?** why not?; * *m* reason, question.

pourri *adj* rotten, decayed; corrupt; * *m* rotten part, rottenness.

pourrir *vi* to rot, go rotten; to deteriorate.

pourriture *f* rot, rottenness.

poursuite *f* pursuit; prosecution.

poursuivant *m* **-e** *f* pursuer; plaintiff.

poursuivre *vt* to pursue; to seek; to prosecute.

pourtant *adv* however, yet, nevertheless.

pourtour *m* circumference, perimeter.

pourvoir *vt* to provide, equip.

pourvu *conj*: ~ **que** provided that.

pousse *f* shoot; sprouting.

poussée *f* pressure, pushing; thrust; upsurge.

pousser *vt* to push; to drive; to incite; * *vi* to push; to grow, expand; **se ~** *vr* to move, shift.

poussette *f* pushchair.

poussière *f* dust.

poussiéreux *adj* dusty.

poussin *m* chick; junior.

poutre *f* beam.

pouvoir *vi* can, be able; may, be allowed; * *m* power, ability; authority; proxy.

pragmatique *adj* pragmatic.

prairie *f* meadow, prairie.

pralin *m* praline.

praline *f* sugared almond.

praticable *adj* practicable; passable.

pratiquant *m* -e *f* churchgoer; * *adj* practising.

pratique *f* practice; exercise; observance; * *adj* practical; **~ment** *adv* practically.

pratiquer *vt* to practise, exercise; to carry out.

pré *m* meadow.

préalable *adj* preliminary; previous; **~ment** *adv* previously, first.

préambule *m* preamble, prelude.

préau *m* covered playground; inner yard.

préavis *m* notice, advance warning.

précaire *adj* precarious.

précarité *f* precariousness.

précaution *f* precaution; care.

précautionneux *adj* cautious, careful.

précédent *adj* previous, preceding; * *m* precedent.

précéder *vt* to precede, go before.

précepte *m* precept.

prêcher *vt* to preach; * *vi* to preach, sermonise.

prêcheur *m* -euse *f* preacher.

précieux *adj* precious; invaluable.

précipice *m* precipice; abyss.

précipitamment *adv* hurriedly, hastily.

précipitation *f* haste, violent hurry.

précipiter *vt* to throw, push down; to hasten, precipitate; **se ~** *vr* to rush forward; to speed up.

précis *adj* precise, exact; **~ément** *adv* precisely.

préciser *vt* to specify; to clarify; **se ~** *vr* to become clear.

précision *f* precision, preciseness.

précoce *adj* precocious, premature.

préconçu *adj* preconceived.

préconiser *vt* to recommend; to advocate.

précurseur *m* forerunner, precursor; * *adj* precursory, preceding.

prédateur *m* predator.

prédécesseur *m* predecessor.

prédestiné *adj* predestined, fated.

prédiction *f* prediction.

prédire *vt* to predict, foretell.

prédisposition *f* predisposition.

prédominance *f* predominance.

prédominant *adj* predominant.

prédominer *vi* to predominate.

préfabriqué *adj* prefabricated.

préface *f* preface, prelude.

préfecture *f* prefecture.

préférable *adj* preferable; better; **~ment** *adv* preferably.

préféré *m* -e *f* favourite; *adj* favourite, preferred.

préférence *f* preference.

préférer *vt* to prefer.

préfet *m* prefect.

préfigurer *vt* to prefigure.

préhistoire *f* prehistory.

préhistorique *adj* prehistoric.

préjudice *m* loss; harm; wrong;

damage.

préjudiciable *adj* prejudicial, detrimental.

préjudicier *vt* to be prejudicial.

préjugé *m* prejudice.

prélasser (se) *vr* to sprawl, lounge.

prélèvement *m* taking; levying; imposition.

prélever *vt* to take; to levy; to deduct.

préliminaire *m* preliminary; * *adj* preliminary.

prélude *m* prelude; warm-up.

prématuré *adj* premature; untimely; **~ment** *adv* prematurely.

préméditation *f* premeditation.

prémédité *adj* premeditated.

premier *m* first, first floor, **-ière** *f* first, first gear; * *adj* first; former; chief; early; primary.

première *f* première.

premièrement *adv* firstly, in first place.

prémonition *f* premonition.

prémonitoire *adj* premonitory.

prénatal *adj* prenatal.

prendre *vt* to take; to pick up; to catch; * *vi* to take root; to harden; to start; **se ~** *vr* to consider o.s.; **s'y ~ mal** to set about the wrong way; **s'en ~ à** to set upon, take it out on.

prénom *m* first name, forename.

préoccuper *vt* to worry; to preoccupy; **se ~** *vr* to concern o.s.

préparatif *m* preparation.

préparation *f* preparation; making up; training.

préparatoire *adj* preparatory.

préparer *vt* to prepare, get ready; to train; **se ~** *vr* to prepare o.s.

prépondérant *adj* preponderant, dominating.

préposition *f* preposition.

prérogative *f* prerogative.

près *adv* near, close; nearly, almost; **de ~** closely; **à peu ~** just

about, near enough; **à peu de choses ~** more or less.

présage *m* omen; harbinger.

presbytère *m* presbytery.

presbytie *f* long-sightedness, presbyopia.

prescrire *vt* to prescribe; to stipulate.

présélection *f* preselection.

présence *f* presence.

présent *m* present, gift; **-e** *f* this letter, the present letter; * *adj* present; * *m* present; **à ~** just now.

présentable *adj* presentable.

présentateur *m* **-trice** *f* host, compère; presenter.

présentation *f* presentation; introduction; **faire les ~s** to make the introductions.

présenter *vt* to introduce; to present; to explain; **se ~** *vr* to appear; to come forward; to introduce o.s.

présentoir *m* display shelf.

préservatif *m* condom.

préserver *vt* to preserve; to protect; **se ~** *vr* to protect o.s.

présidence *f* presidency; chairmanship.

président *m* **-e** *f* president.

présidentiel *adj* presidential.

présider *vt* to preside, chair; to direct.

présomption *f* presumption, assumption.

présomptueux *adj* presumptuous.

presque *adv* almost, nearly; hardly, scarcely.

presqu'île *f* peninsula.

pressant *adj* urgent, pressing.

presse *f* press, newspapers; throng.

pressé *adj* hurried, urgent.

presse-citron *m invar* lemon squeezer.

pressentiment *m* presentiment, foreboding, premonition.

pressentir *vt* to have a presentiment of.

presse-papiers *m invar* paperweight.

presser *vt* to press; to squeeze; to hurry up; **se ~** *vr* to hurry; to crowd around.

pression *f* pressure.

pressoir *m* press (wine, cider).

prestation *f* benefit; service; payment; allowance.

prestidigitateur *m* **-trice** *f* conjurer; magician.

prestige *m* prestige.

prestigieux *adj* prestigious.

présumer *vt* to presume, assume.

prêt *adj* ready; prepared, willing; * *m* loan, lending.

prêt-à-porter *m* ready-to-wear.

prétendant *m* **-e** *f* candidate.

prétendre *vt* to claim, maintain; to want; to intend, mean.

prétendu *adj* so-called, supposed; **~ment** supposedly, allegedly.

prétentieux *adj* pretentious.

prétention *f* pretension, claim; pretentiousness.

prêter *vt* to lend; to attribute; to give.

prétérit *m* preterite tense.

prétexte *m* pretext, excuse.

prêtre *m* priest.

preuve *f* proof, evidence.

prévaloir *vi* to prevail.

prévenant *adj* considerate, thoughtful.

prévenir *vt* to prevent; to warn, inform; to anticipate.

préventif *adj* preventive.

prévention *f* prevention.

prévisible *adj* foreseeable.

prévision *f* prediction; forecast.

prévoir *vt* to anticipate; to plan; to provide for.

prévoyance *f* foresight, forethought.

prévoyant *adj* provident.

prévu *adj* provided for.

prier *vi* to pray; * *vt* to pray to; to beg; to invite.

prière *f* prayer; entreaty.

primaire *adj* primary; elementary.

primate *m* primate.

primauté *f* primacy.

prime *f* premium, subsidy; free gift.

primer *vi* to dominate; to take first place; * *vt* to outdo, prevail.

primeurs *fpl* early fruit and vegetable.

primevère *f* primrose.

primitif *adj* primitive.

primordial *adj* primordial, essential.

prince *m* prince.

princesse *f* princess.

principal *m* principal; headmaster; * *adj* main, principal; **~ement** *adv* principally.

principe *m* principle; origin; element; **en ~** in principle.

printanier *adj* spring.

printemps *m* spring.

prioritaire *adj* having priority, priority.

priorité *f* priority.

pris *adj* taken; busy, engaged.

prise *f* hold, grip; catch; plug; dose; **lâcher ~** to let go one's hold; **~ de sang** blood sample; **~ de courant** plug, power point; **~ de conscience** awareness, realisation.

prisme *m* prism.

prison *f* prison; jail.

prisonnier *m* **-ière** *f* prisoner; * *adj* captive.

privation *f* deprivation; forfeiture.

privatiser *vt* to privatise.

privé *adj* private; unofficial; independent.

priver *vt* to deprive; **se ~** *vr* to go without.

privilège *m* privilege.

privilégié *m* **-e** *f* privileged person; * *adj* privileged, favoured.

privilégier *vt* to favour.

MAXI-LIVRES

10, Place du Coderc

24000 PERIGUEUX

Tél.: 53.46.30.46

1 CAISSIERE

LIBELLE		MONTANT
DICO FRANCAIS ANGLAI		10,00
TOTAL	1	10,00
ESPECES		10,00

MERCI DE VOTRE VISITE ET A BIENTOT

3408 0007 00 01 S01 15:49 31/10/96

prix *m* price, cost; prize.

probabilité *f* probability, likelihood.

probable *adj* probable, likely; ~**ment** *adv* probably.

problématique *adj* problematical; * *f* problem; problematics.

problème *m* problem, issue.

procédé *m* process; behaviour.

procéder *vi* to proceed.

procédure *f* procedure; proceedings.

procès *m* proceedings; lawsuit, trial.

procession *f* procession.

processus *m* process; progress.

procès-verbal *m* minutes; report.

prochain *adj* next; imminent; ~**ement** *adv* soon, shortly; * *m* neighbour.

proche *adj* nearby; close, imminent.

proclamation *f* proclamation.

proclamer *vt* to proclaim, declare.

procuration *f* proxy, power of attorney.

procurer *vt* to procure, provide; **se ~** *vr* to procure, obtain for o.s.

procureur *m* prosecutor.

prodige *m* marvel, wonder.

prodigieusement *adv* prodigiously, incredibly.

prodigieux *adj* prodigious.

prodiguer *vt* to be lavish, be unsparing; to squander.

producteur *m* -**trice** *f* producer; * *adj* producing, growing.

productif *adj* productive.

production *f* production; generation; output.

productivité *f* productivity.

produire *vt* to produce; to grow; to generate; **se ~** *vr* to happen, take place.

produit *m* product; goods; yield, profit.

proéminent *adj* prominent.

profane *adj* secular, profane; * *mf* layman, lay person.

profaner *vt* to profane; to defile.

proférer *vt* to utter, pronounce.

professeur *m* teacher, professor.

profession *f* profession; occupation, trade.

professionnel *m* -**le** *f* professional; skilled worker; * *adj* professional; occupational; technical; ~**lement** *adv* professionally.

profil *m* profile, outline.

profiler *vt* to profile; to streamline; **se ~** *vr* to stand out, be profiled.

profit *m* profit; advantage, benefit.

profitable *adj* profitable; ~**ment** *adv* profitably.

profiter *vi* to profit; to thrive.

profiteur *m* -**euse** *f* profiteer.

profond *adj* deep, profound; heavy; ~**ément** *adv* deeply, profoundly.

profondeur *f* depth; profundity.

profusion *f* profusion, wealth; **à ~** plenty, in profusion.

programme *m* program; syllabus; schedule.

programmer *vt* to program; to schedule.

progrès *m* progress; improvement; advance.

progresser *vi* to progress; to advance.

progression *f* progress; progression, spread.

progressivement *adv* progressively.

prohiber *vt* to prohibit, ban.

proie *f* prey, victim.

projecteur *m* projector; spotlight, floodlight.

projectile *m* projectile; missile.

projection *f* projection, casting; showing.

projet *m* plan; draft.

projeter *vt* to plan; to throw out; to cast, project.

prolétaire *mf* proletarian.

prolétariat *m* proletariat.
prolifération *f* proliferation.
proliférer *vi* to proliferate.
prologue *m* prologue.
prolongation *f* prolongation, extension.
prolongement *m* continuation, extension.
prolonger *vt* to prolong, extend; **se ~** *vr* to go on, persist.
promenade *f* walk, stroll; drive, spin.
promener *vt* to take out for a walk; **se ~** *vr* to go for a walk.
promeneur *m* **-euse** *f* walker.
promesse *f* promise.
prometteur *adj* promising.
promettre *vt* to promise.
promontoire *m* promontory, headland.
promoteur *m* **-trice** *f* promoter, instigator.
promotion *f* promotion; advancement.
promouvoir *vt* to promote, upgrade.
prompt *adj* prompt; swift; ready; **~ement** *adv* promptly; swiftly.
promptitude *f* promptness; swiftness.
promulgation *f* promulgation.
promulguer *vt* to promulgate.
prôner *vt* to advocate.
pronom *m* pronoun.
prononcer *vt* to pronounce, utter; **se ~** *vr* to reach a verdict.
prononciation *f* pronunciation.
pronostic *m* forecast; prognosis; tip.
pronostiquer *vt* to forecast, prognosticate.
propagande *f* propaganda.
propagation *f* propagation; spreading.
propager *vt* to propagate, spread; **se ~** *vr* to spread, be propagated.
propane *m* propane.
prophète *m* prophet.
prophétie *f* prophecy.

prophétique *adj* prophetic.
prophétiser *vt* to prophesy.
propice *adj* propitious, favourable.
proportion *f* proportion, ratio.
proportionné *adj* proportional; proportionate.
proportionnel *adj* proportional; **~lement** *adv* proportionally.
propos *m* talk, remarks; intention; **à ~ de** about, on the subject of; **hors de ~** irrelevant.
proposer *vt* to propose, suggest; **se ~** *vr* to offer one's services; to intend to.
proposition *f* proposition, suggestion.
propre *adj* clean, neat; honest; own; peculiar; suitable; **~ment** *adv* cleanly; exactly; specifically.
propreté *f* cleanliness; tidiness.
propriétaire *mf* owner; landlord.
propriété *f* ownership, property; appropriateness, suitability.
propulser *vt* to propel, power.
propulsion *f* propulsion.
prorogation *f* prorogation; deferment; extension.
proroger *vt* to prorogue; to defer; to extend.
prosaïque *adj* mundane, prosaic.
proscrire *vt* to proscribe; to prohibit.
prose *f* prose.
prospecter *vt* to prospect; to canvass.
prospecteur *m* **-trice** *f* prospector.
prospection *f* prospecting; canvassing.
prospectus *m* leaflet; prospectus.
prospère *adj* prosperous, flourishing.
prospérer *vi* to prosper, flourish.
prospérité *f* prosperity.
prostate *f* prostate.
prosterner (se) *vr* to prostrate o.s.
prostituée *f* prostitute.
prostitution *f* prostitution.

prostré *adj* prostrate, prostrated.

protagoniste *m* protagonist.

protecteur *m* **-trice** *f* protector; patron; * *adj* protective; patronising.

protection *f* protection; patronage.

protectionnisme *m* protectionism.

protégé *m* **-e** *f* favourite, protegé; * *adj* protected, sheltered.

protéger *vt* to protect; to patronise; **se ~** *vr* to protect o.s.

protéine *f* protein.

protestant *m* **-e** *f* Protestant; * *adj* Protestant.

protestantisme *m* Protestantism.

protestation *f* protest, protestation.

protester *vi* to protest; to affirm.

prothèse *f* prosthesis; prosthetics.

protocole *m* protocol; etiquette.

prototype *m* prototype.

protubérance *f* protuberance, bulge.

proue *f* prow; bows.

prouesse *f* prowess.

prouver *vt* to prove; to demonstrate.

provenir *vi* to come from; to be due to.

proverbe *m* proverb.

proverbial *adj* proverbial.

providence *f* providence.

providentiel *adj* providential.

province *f* province.

provincial *m* **-e** *f* provincial; * *adj* provincial.

provision *f* provision; supply, stock.

provisoire *adj* provisional, temporary; **~ment** *adv* provisionally.

provocant *adj* provocative.

provocation *f* provocation.

provoquer *vt* to provoke; to cause.

proximité *f* proximity, closeness;

imminence.

prudemment *adv* prudently, carefully.

prudence *f* prudence, care.

prudent *adj* prudent, careful.

prune *f* plum.

pruneau *m* prune.

prunelle *f* sloe; pupil, eye.

prunier *m* plum tree.

psaume *m* psalm.

pseudonyme *m* pseudonym; pen name; alias.

psoriasis *m* psoriasis.

psychanalyse *f* psychoanalysis.

psychanalyser *vt* to psychoanalyse.

psychanalyste *mf* psychoanalyst.

psychédélique *adj* psychedelic.

psychiatre *mf* psychiatrist.

psychiatrie *f* psychiatry.

psychiatrique *adj* psychiatric.

psychique *adj* psychic, mental.

psychisme *m* psyche, mind.

psychologie *f* psychology.

psychologique *adj* psychological; **~ment** *adv* psychologically.

psychologue *mf* psychologist; * *adj* psychological.

psychopathe *mf* psychopath; mentally ill person.

psychose *f* psychosis; obsessive fear.

psychosomatique *adj* psychosomatic.

psychothérapie *f* psychotherapy.

puberté *f* puberty.

pubis *m* pubis.

public *adj*, *f* **publique** public, state; * *m* public, audience; public sector.

publication *f* publication, publishing.

publicité *f* publicity.

publier *vt* to publish; to make public.

publiquement *adv* publicly.

puce *f* flea.

puceron *m* aphid, greenfly.

pudeur *f* modesty, decency.

pudique *adj* modest; chaste;
~**ment** *adv* modestly.

puer *vi* to stink; * *vt* to stink.

puéricultrice *f* paediatric
nurse.

puéril *adj* puerile, childish;
~**ement** *adv* puerilely, child-
ishly.

puérilité *f* puerility, childishness.

puis *adv* then, next.

puiser *vt* to draw from, extract.

puisque *conj* since; as, seeing
that.

puissance *f* power, strength; output; force.

puissant *adj* powerful; potent.

puits *m* well; shaft.

pull-over *m* pullover, sweater.

pulluler *vi* to swarm, pullulate.

pulmonaire *adj* pulmonary, lung.

pulpe *f* pulp.

pulsation *f* beat; beating; pulsation.

pulsion *f* drive, urge.

pulvériser *vt* to pulverise; to powder.

puma *m* puma.

punaise *f* bug; drawing pin.

punir *vt* to punish.

punition *f* punishment.

pupille *f* pupil; ward.

pupitre *m* desk; console; lectern.

pur *adj* pure; neat; clear; ~**ement**
adv purely.

purée *f* mashed potatoes; purée.

pureté *f* purity, pureness.

purge *f* purge; purgative; drain-
ing.

purger *vt* to purge; to drain.

purifier *vt* to purify, cleanse.

purin *m* liquid manure, slurry.

puritain *m* -e *f* puritan; * *adj*
puritan.

puritanisme *m* puritanism.

pur-sang *m invar* thoroughbred.

purulent *adj* purulent.

pus *m* pus.

putois *m* polecat; skunk.

putréfaction *f* putrefaction.

putréfier *vt* to putrefy, rot.

pyjama *m* pyjamas.

pylône *m* pylon.

pyramide *f* pyramid.

pyrex *m* Pyrex.

pyromane *mf* pyromaniac; arsonist.

python *m* python.

Q

quadragénaire *adj mf* forty-
year-old.

quadrangle *m* quadrangle.

quadrature *f* quadrature.

quadriceps *m* quadriceps.

quadrilatère *m* quadrilateral.

quadrillage *m* covering, control;
check pattern.

quadriller *vt* to mark out in
squares; to cover, control.

quadrupède *adj m* quadruped.

quadruple *adj m* quadruple.

quai *m* quay, wharf; platform.

qualificatif *adj* qualifying.

qualification *f* qualification.

qualifier *vt* to describe; to
qualify; **se** ~ *vr* to qualify for;
to call o.s.

qualitatif *adj* qualitative.

qualitativement *adv* qualita-
tively.

qualité *f* quality; skill; position.

quand *conj* when, whenever,
while.

quant *prép*: ~ **à lui** as for him/it.

quantifier *vt* to quantify.

quantitatif *adj* quantitative.

quantitativement *adv* quantita-
tively.

quantité *f* quantity, amount.

quarantaine *f* about forty; **avoir la ~** to be in one's forties.

quarante *adj, m inv* forty.

quarantième *adj, mf* fortieth.

quart *m* quarter; beaker; watch.

quartette *m* quartet.

quartier *m* district, neighbourhood; quarters; quarter.

quartz *m* quartz.

quasi *adv* almost, nearly.

quasiment *adv* almost, nearly.

quaternaire *adj* quaternary, *m* Quaternary.

quatorze *adj, m* fourteen.

quatorzième *adj, mf* fourteenth; **~ment** *adv* in fourteenth place.

quatre *adj, m* four.

quatre-vingt(s) *adj, m* eighty.

quatre-vingt-dix *adj, m* ninety.

quatre-vingtième *adj, mf* eightieth.

quatrième *adj, mf* fourth; **~ment** *adv* in fourth place.

quatuor *m* quartet.

que *conj* that; than; * *pn* that; whom; what; which.

quel, *f* **quelle** *adj* who, what, which.

quelconque *adj* some, any; least, slight; poor, indifferent.

quelque *adj* some; **~ part** somewhere.

quelque chose *pn* something.

quelquefois *adv* sometimes.

quelqu'un, *f* **-une** someone, somebody, *pl* **quelques-uns, -unes** *pn* some, a few; **il y a ~?** is there someone there?

quémander *vt* to beg for.

querelle *f* quarrel; row; debate.

quereller (se) *vr* to quarrel, squabble.

question *f* question; matter, issue.

questionnaire *m* questionnaire.

questionner *vt* to question.

quête *m* quest, search; collection; **en ~ de** in search of.

quêter *vi* to seek; to collect money.

queue *f* tail; stalk; queue; **faire la ~** to queue.

qui *pn* who, whom; which.

quiche *f* quiche.

quiconque *pn* whoever, whosoever.

quiétude *f* quiet; peace; tranquillity.

quille *f* skittle; (*mar*) keel.

quincaillerie *f* hardware, ironmongery.

quinine *f* quinine.

quinquagénaire *adj mf* fifty-year-old.

quinquennal *adj* five-year, quinquennial.

quinquina *m* cinchona.

quinte *f* fifth (*mus*); coughing fit.

quintette *m* quintet.

quintuple *adj* quintuple; * *m* quintuple.

quintupler *vt* to multiply by five; * *vi* to quintuple, increase fivefold.

quintuplés *mpl* **-ées** *fpl* quintuplets.

quinzaine *f* about fifteen; fortnight.

quinze *adj, m* fifteen.

quinzième *adj, mf* fifteenth; **~ment** *adv* in fifteenth place.

quiproquo *m* mistake; misunderstanding.

quittance *f* receipt; bill.

quitte *adj* even, quits; **être ~ envers** to be quits, all square with; **~ à** even if it means, although it may mean; **~ ou double** double or quits.

quitter *vt* to leave; to give up; **se ~** *vr* to part company, separate.

quoi *pn* what; **~ que** whatever.

quoique *conj* although, though.

quolibet *m* gibe, jeer.

quote-part *f* share.

quotidien *adj* daily, everyday; **~nement** *adv* daily, every day; * *m* everyday life.

quotient *m* quotient; quota.

R

rabâcher *vi* to harp on, keep on; * *vt* to rehearse, harp on.

rabais *m* reduction, discount; au ~ at a reduced price.

rabaisser *vt* to humble, disparage; to reduce; se ~ *vr* to belittle o.s.

rabattre *vt* to close; to pull down; to reduce; se ~ *vr* to cut across, pull in front of; se ~ sur to fall back on.

rabbin *m* rabbi.

rabot *m* plane.

raboter *vt* to plane; to scrape.

rabougri *adj* stunted, puny.

racaille *f* rabble, scum.

raccommodage *m* mending, repairing.

raccommoder *vt* to mend, repair.

raccompagner *vt* to see back to; to accompany home.

raccord *m* join; link; pointing.

raccordement *m* linking; joining; connecting.

raccorder *vt* to link up, join up; se ~ *vr* to link, join up.

raccourci *m* shortcut; en ~ in short.

raccourcir *vt* to shorten, curtail; * *vi* to shrink; to grow shorter.

raccrocher *vt* to ring off; to hang up; to grab; se ~ *vr* to catch; to cling to.

race *f* race; stock; breed.

rachat *m* repurchase, purchase.

racheter *vt* to repurchase; to redeem; to ransom.

rachitique *adj* rachitic; scrawny.

racial *adj* racial.

racine *f* root; ~ carrée square root.

racisme *m* racism.

raciste *mf* racist; * *adj* racist.

racler *vt* to scrape; to rake.

racoler *vt* to accost; to solicit.

raconter *vt* to tell, recount.

radar *m* radar.

rade *f* (*mar*) harbour, roads.

radeau *m* raft.

radiateur *m* radiator; heater.

radiation *f* radiation.

radical *adj* radical; ~ement *adv* radically.

radieux *adj* radiant, dazzling.

radin *m* -e *f* skinflint; * *adj* mean, stingy.

radio *f* radio; X-ray.

radioactif *adj* radioactive.

radioactivité *f* radioactivity.

radiodiffuser *vt* to broadcast (radio).

radiodiffusion *f* broadcasting (radio).

radiographie *f* radiography; X-ray photography.

radiologie *f* radiology.

radiologue *mf* radiologist.

radiophonique *adj* radio.

radioscopie *f* radioscopy.

radio-taxi *m* radio taxi.

radis *m* radish.

radium *m* radium.

radoter *vi* to ramble; to dote.

radoucir *vt* to soften; se ~ *vr* to calm down; to mellow.

rafale *f* gust, blast; flurry.

raffermir *vt* to harden; to strengthen; se ~ *vr* to become strengthened.

raffinage *m* refining.

raffiné *adj* refined, sophisticated.

raffinement *m* refinement, sophistication.

raffiner *vt* to refine.

raffoler *vi*: ~ de to be crazy about.

rafle *f* raid, round-up.

rafraîchir *vt* to cool, freshen, chill; se ~ *vr* to freshen up; to get colder.

rafraîchissant *adj* refreshing, cooling.

rafraîchissement *m* cooling; cold drink.

rage f rage, fury; mania; rabies.
rageur adj quick-tempered; bad-tempered.
ragot m (fam) malicious gossip.
ragoût m ragout; stew.
raid m raid; trek.
raide adj stiff; steep; rough; (col) broke.
raideur f stiffness; steepness; roughness.
raidir vt to stiffen; to tighten; to harden.
raie f line; furrow; scratch.
raifort m horseradish.
rail m rail; railway.
railler vt to scoff at, mock.
raillerie f mockery, scoffing.
railleur adj mocking, scoffing.
rainette f tree frog.
raisin m grape.
raison f reason; motive; sense; ground; ratio; **avoir ~** to be right; **en ~ de** because of.
raisonnable adj reasonable, sensible; **~ment** adv reasonably.
raisonnement m reasoning; argument.
raisonner vi to reason; to argue.
rajeunir vi to feel younger; to be modernised; * vt to rejuvenate.
rajouter vt to put in; to add; **en ~** to exaggerate.
rajuster vt to readjust, rearrange; to tidy up.
râle m groan; death rattle.
ralenti adj slow; slackened; * m slow motion; **au ~** ticking over, idling.
ralentir vi to slow down, let up; * vt to slow down, check.
ralentissement m slowing down; slowing up.
râler vi to groan, moan.
ralliement m rallying, winning over; uniting.
rallier vt to rally; to win over; **se ~** vr to join; to side with.
rallonge f extension, lengthening; extension lead.
rallumer vt to relight; to switch

on again; to revive.
ramadan m Ramadan.
ramage m song; foliage.
ramassage m collection; gathering.
ramasser vt to pick up; to collect, gather.
rambarde f guardrail.
rame f oar; underground train; stake.
rameau m branch; ramification.
ramener vt to bring back, restore.
ramer vi to row.
rameur m **-euse** f rower.
ramification f ramification.
ramifier (se) vr to ramify; to branch out.
ramollir vt to soften; to weaken; **se ~** vr to go soft.
ramoner vt to sweep.
ramoneur m chimney sweep.
rampant adj crawling, creeping.
rampe f ramp, slope; gradient.
ramper vi to crawl, slither.
rance adj rancid, rank.
rancœur f rancour, resentment.
rançon f ransom.
rancune f grudge, resentment.
rancunier adj rancorous, spiteful.
randonnée f drive; ride; ramble.
randonneur m **-euse** f hiker, rambler.
rang m row, line; rank; class.
rangée f row, range, tier.
rangement m arranging, putting in order.
ranger vt to arrange, array; to put in order; **se ~** vr to line up; to make room; to park.
ranimer vt to reanimate, revive; to rekindle.
rapace m bird of prey.
rapatrié m **-e** f repatriate; * adj repatriated.
rapatriement m repatriation.
rapatrier vt to repatriate.
râpe f rasp, rough file.
râper vt to grate; to rasp.
râpeux adj rough.

rapide *adj* rapid, quick; steep; ~ment *adv* rapidly, quickly.

rapidité *f* rapidity, quickness.

rapiécer *vt* to patch up.

rappel *m* recall; reminder.

rappeler *vt* to recall; to remind; **se ~** *vr* to remember.

rapport *m* report; relation; reference; profit; **en ~ avec** in touch with.

rapporter *vt* to report; to bring back; to yield; **se ~** *vr*: **se ~ à** to relate to.

rapporteur *m* -**euse** *f* reporter; tell-tale; * *adj* tell-tale; * *m* (*math*) protractor.

rapprochement *m* drawing closer; reconciliation.

rapprocher *vt* to bring nearer; to reconcile; **se ~** *vr* to approach; to come together, be reconciled.

rapt *m* abduction.

raquette *f* racket.

rare *adj* rare; few, odd; exceptional; ~**ment** *adv* rarely, seldom.

raréfier (se) *vr* to rarefy; become scarce.

rareté *f* rarity; scarcity; infrequency.

rarissime *adj* extremely rare.

ras *adj* close-shaven, shorn; **à ~** short; level with; **à ~ bords** to the brim; **en avoir ~ le bol** (*fam*) to be fed up.

rasage *m* shaving; shearing.

raser *vt* to shave off; to scrape; to raze; **se ~** *vr* to have a shave.

rasoir *m* razor.

rassasier *vt* to fill sb up.

rassemblement *m* assembling, mustering; crowd; political group.

rassembler *vt* to rally, gather together; **se ~** *vr* to gather, assemble.

rasseoir (se) *vr* to sit down again.

rasséréner *vt* to clear up, restore serenity to.

rassis *adj* settled; calm; stale.

rassurant *adj* reassuring, comforting.

rassurer *vt* to reassure; to comfort; **se ~** *vr* to be reassured.

rat *m* rat.

ratatiner *vt* to shrivel; to wrinkle; **se ~** *vr* to become wrinkled.

ratatouille *f* ratatouille.

rate *f* spleen.

raté *m* -**e** *f* failure; * *m* misfire.

râteau *m* rake.

râtelier *m* rack; denture.

rater *vt* to miss; to spoil; to fail; * *vi* to misfire; to miss.

ratification *f* ratification.

ratifier *vt* to ratify, confirm.

ration *f* ration, allowance.

rationnel *adj* rational.

rationnement *m* rationing.

rationner *vt* to ration, put on rations; **se ~** *vr* to ration o.s.

ratisser *vt* to rake; to comb.

rattacher *vt* to refasten; to attach; to link.

rattraper *vt* to catch again, retake; to recover; **se ~** *vr* to catch hold of; to make up for.

rature *f* crossing-out.

raturer *vt* to cross out.

rauque *adj* hoarse, raucous.

ravage *m* havoc; ravaging, laying waste.

ravager *vt* to ravage; devastate.

ravaler *vt* to swallow again; to restore.

ravi *adj* delighted.

ravin *m* ravine, gully.

ravir *vt* to delight.

raviser (se) *vr* to think better of it, change one's mind.

ravissant *adj* ravishing, delightful.

ravitaillement *m* supplies; refuelling.

ravitailler *vt* to resupply; **se ~** *vr* to be resupplied; to refuel.

raviver *vt* to revive, reanimate; **se ~** *vr* to be revived.

rayer *vt* to scratch; to cross out.

rayon m ray, beam; spoke; shelf.

rayonnant adj radiant, beaming.

rayonnement m radiance, effulgence; influence.

rayonner vi to radiate, shine; to be influential.

rayure f stripe; streak; groove.

réaccoutumer vt to reaccustom; **se ~** vr to become reaccustomed.

réacteur m reactor; jet-engine.

réaction f reaction.

réactionnaire adj reactionary; * mf reactionary.

réactiver vt to reactivate.

réadaptation f rehabilitation; readjustment.

réadapter vt to readjust; to rehabilitate.

réagir vi to react.

réalisateur m **-trice** f director, film-maker.

réalisation f realisation; carrying out; achievement.

réaliser vt to realise; to carry out; to achieve; **se ~** vr to be realised, come true.

réalisme m realism.

réaliste adj realistic; * mf realist.

réalité f reality; **en ~** in fact, in reality.

réanimation f resuscitation.

réanimer vt to reanimate; to resuscitate.

réapparaître vi to reappear.

rébarbatif adj stern, grim, forbidding.

rebattu adj hackneyed.

rebelle mf rebel; * adj rebel, rebellious.

rebeller (se) vr to rebel.

rébellion f rebellion.

reboisement m reafforestation.

reboiser vt to reafforest.

rebondir vi to bounce; to rebound.

rebondissement m rebound; bouncing.

rebord m rim, edge; hem.

rebrousser vt to brush back; **~ chemin** to turn back.

rébus m rebus, puzzle.

rebut m scrap; repulse, rebuff.

récalcitrant adj recalcitrant, stubborn.

récapituler vt to recapitulate, sum up.

receler vt to receive; to harbour.

récemment adv recently.

recensement m census, inventory.

recenser vt to make a census of; to record.

récent adj recent; new.

récépissé m receipt.

récepteur m receiver.

réceptif adj receptive.

réception f reception, welcome; receipt.

réceptionniste mf receptionist.

récession f recession.

recette f recipe; formula; receipt.

receveur m **-euse** f recipient; collector.

recevoir vt to receive, welcome; to take, collect.

rechange m: change; spare; **de ~** spare.

recharge f recharging; reloading.

rechargeable adj rechargeable; reloadable; refillable.

recharger vt to recharge; to reload; to refill.

réchaud m stove; dish-warmer.

réchauffer vt to reheat; to warm up; **se ~** vr to get warmer.

rêche adj rough, harsh.

recherche f search; inquiry; investigation; research; **être à la ~ de** to be in search of.

recherché adj sought after, in demand; choice, exquisite.

rechercher vt to seek; to investigate.

rechigner vt to balk; to grumble.

rechute f relapse; lapse.

récidive f second offence, relapse into crime; (*med*) recurrence.

récidiver *vi* to reoffend; to recur.

récidiviste *mf* recidivist, habitual criminal.

récif *m* reef.

récipient *m* container, receptacle.

réciproque *adj* reciprocal, mutual; **~ment** *adv* reciprocally.

récit *m* account, story.

récital *m*, *pl* **-als** recital.

récitation *f* recitation; recital.

réciter *vt* to recite.

réclamation *f* complaint; demand; claim.

réclame *f* advertisement; publicity; **en ~** on offer.

réclamer *vt* to claim, demand, ask for; * *vi* to complain.

reclus *adj* shut up, secluded.

réclusion *f* reclusion; confinement.

recoiffer *vt* to do sb's hair; **se ~** *vr* to do one's hair.

recoin *m* corner, nook.

recoller *vt* to restick.

récolte *f* harvest; collection; result.

récolter *vt* to harvest; to collect.

recommandation *f* recommendation, reference.

recommander *vt* to recommend; to commend; to register (letter).

recommencement *m* renewal; fresh beginning.

recommencer *vi* to begin again; * *vt* to begin again, resume.

récompense *f* reward; award.

réconciliation *f* reconciliation.

réconcilier *vt* to reconcile; **se ~** *vr* to become reconciled.

reconduire *vt* to bring back; to see home, escort.

réconfort *m* comfort.

réconfortant *adj* comforting; tonic.

réconforter *vt* to comfort; to fortify; **se ~** *vr* to take some refreshment.

reconnaissance *f* recognition; acknowledgement; gratitude.

reconnaissant *adj* grateful.

reconnaître *vt* to recognise; to acknowledge; to be grateful.

reconnu *adj* recognised, accepted.

reconquérir *vt* to reconquer; to recover.

reconsidérer *vt* to reconsider.

reconstituer *vt* to reconstitute; rebuild, restore.

reconstitution *f* reconstitution; rebuilding, restoration.

reconstruire *vt* to reconstruct, rebuild.

reconversion *f* reconversion, redeployment.

recopier *vt* to copy out.

record *m* record.

recoudre *vt* to sew up.

recoupement *m* crosscheck.

recourbé *adj* curved, hooked.

recourir *vi* to run again; **~ à** to resort to.

recours *m* recourse; redress; (*jur*) appeal.

recouvrir *vt* to cover again; to cover up.

récréatif *adj* recreative; entertaining.

récréation *f* recreation; break.

récrimination *f* recrimination, remonstration.

récriminer *vi* to recriminate, remonstrate.

recroqueviller (se) *vr* to shrivel up.

recrudescence *f* recrudescence; upsurge; further outbreak.

recrue *f* recruit.

recrutement *m* recruiting, recruitment.

recruter *vt* to recruit.

rectal *adj* rectal.

rectangle *m* rectangle.

rectangulaire *adj* rectangular.

recteur *m* priest, rector.

rectificatif *m* correction; * *adj* corrected, rectified.

rectification *f* rectification; correction.

rectifier *vt* to rectify, correct; to adjust.

rectiligne *adj* straight; rectilinear.

recto *m* recto, first side; front.

rectum *m* rectum.

reçu *p.p.* **recevoir** accepted, successful; * *m* receipt.

recueil *m* collection, miscellany.

recueillement *m* meditation.

recueillir *vt* to gather, collect; to record; **se ~** *vr* to collect one's thoughts.

recul *m* retreat; recession; decline.

reculer *vi* to fall back, retreat; * *vt* to move back; to defer.

récupération *f* recovery; retrieval.

récupérer *vt* to recover, retrieve; to recuperate; * *vi* to recover.

récurer *vt* to scour.

recycler *vt* to recycle.

rédacteur *m* **-trice** *f* editor, compiler; drafter; writer; sub-editor.

rédaction *f* drafting, drawing up.

rédemption *f* redemption.

redescendre *vi* to go down again; * *vt* to bring down again.

redevable *adj* indebted, owing; liable.

redevance *f* rent; tax; fees.

rediffusion *f* repeat, reshowing.

rédiger *vt* to write; to compile; to draft.

redire *vt* to repeat, say again; **trouver à ~ à** to find fault with.

redoubler *vt* to increase, intensify; * *vi* to increase, intensify; **~ de** to redouble.

redoutable *adj* redoubtable, formidable.

redouter *vt* to dread, fear.

redresser *vt* to rectify; to true; to set up again; **se ~** *vr* to stand up; to right oneself.

réduction *f* reduction; discount; mitigation.

réduire *vt* to reduce, diminish; **se ~** *vr*: **se ~ à** to boil down to.

réduit *adj* reduced, limited; miniature; * *m* retreat; recess; small room.

rééducation *f* re-education; rehabilitation.

rééduquer *vt* to re-educate; to rehabilitate.

réel *adj* real, genuine; **~lement** *adv* really.

réélire *vt* to re-elect.

rééquilibrer *vt* to restabilise.

réévaluer *vt* to revalue.

refaire *vt* to redo; to remake; to renew.

réfectoire *m* canteen, refectory.

référence *f* reference.

référendum *m* referendum.

refermer *vt* to close again.

réfléchi *adj* well-considered; reflective, thoughtful.

réfléchir *vi* to think, reflect; * *vt* to realise; to mirror.

reflet *m* reflection; reflex.

refléter *vt* to reflect, mirror.

réflexe *m* reflex.

réflexion *f* thought, reflection; remark; **à la ~** on reflection; **~ faite** all things considered.

reflux *m* reflux, ebb.

réforme *f* reform, amendment; discharge.

réformer *vt* to reform, correct; to invalid out; to scrap.

refouler *vt* to drive back, repel.

réfraction *f* refraction.

refrain *m* refrain, chorus.

réfréner *vt* to curb, hold in check.

réfrigérateur *m* refrigerator.

réfrigérer *vt* to refrigerate.

refroidir *vt* to cool; * *vi* to cool down, get cold.

refroidissement *m* cooling; chill.

refuge *m* refuge, shelter; lay-by.

réfugié *m* **-e** *f* refugee; * *adj* refugee.

réfugier (se) *vr* to take refuge.

refus *m* refusal.

refuser *vt* to refuse; to reject; to deny; **se ~** *vr* to deny o.s.; **se ~ à** to reject.

réfuter *vt* to refute.

regagner *vt* to regain, win back.

regain *m* renewal; revival.

régal *m* delight, treat.

régaler *vt* to regale; to treat; **se ~** *vr* to treat o.s.

regard *m* look; glance; expression; peephole.

regardant *adj* particular, meticulous; stingy.

regarder *vt* to look at; to glance; to be opposite; to concern; **~ à** to think about.

régates *fpl* regattas.

régénération *f* regeneration.

régénérer *vt* to regenerate, revive.

régent *m* **-e** *f* regent.

régenter *vt* to rule over, domineer.

régie *f* administration; state control.

régime *m* system, régime; scheme; diet; rate, speed.

régiment *m* regiment.

région *f* region, area.

régional *adj* regional.

régir *vt* to govern, rule.

régisseur *m* manager; steward; bailiff.

registre *m* register, record; style; compass.

réglable *adj* adjustable.

réglage *m* regulation, adjustment; tuning.

règle *f* rule; order; regularity; period.

règlement *m* regulation, rules; settlement.

réglementaire *adj* regulation; statutory.

réglementation *f* regulations; control.

réglementer *vt* to regulate, control.

régler *vt* to settle, pay; to regulate.

réglisse *f* liquorice.

règne *m* reign.

régner *vi* to reign; to prevail.

regorger *vi*: **~ de** to overflow with, abound in.

régresser *vi* to regress; to recede.

régression *f* regression.

regret *m* regret, yearning; **à ~** regretfully.

regrettable *adj* regrettable.

regretter *vt* to regret, be sorry; to miss.

regroupement *m* gathering together; merger.

regrouper *vt* to group together; to reassemble; **se ~** *vr* to gather together.

régulariser *vt* to regularise; straighten out.

régularité *f* regularity; consistency.

régulier *adj* regular; consistent; steady; even; legitimate.

régulièrement *adv* regularly; consistently; lawfully.

réhabilitation *f* rehabilitation; discharge; reinstatement.

réhabiliter *vt* to rehabilitate; to discharge; to reinstate.

réhabituer *vt* to reaccustom sb to; **se ~** *vr* to reaccustom o.s. to.

rehausser *vt* to heighten, raise.

rein *m* kidney.

réincarnation *f* reincarnation.

reine *f* queen.

reine-claude *f* greengage.

réinsertion *f* reinsertion, reintegration.

réintégrer *vt* to reinstate; to return to.

réitérer *vt* to reiterate, repeat.

rejaillir *vi* to gush out; to rebound on.

rejet *m* rejection, dismissal; throwing up.

rejeter *vt* to reject, dismiss; throw up.

rejoindre *vt* to rejoin; to catch up with.

rejouer *vt* to replay; to perform again; * *vi* to play again.

réjouir *vt* to delight; to entertain; **se ~** *vr* to rejoice, be delighted.

réjouissance f rejoicing, merry-making.

relâche f intermission, respite; **faire ~** to be closed; **sans ~** relentlessly.

relâchement m relaxation, loosening; laxity.

relâcher vt to relax, slacken; **se ~** vr to relax; to become lax.

relais m relay; shift; staging post.

relatif adj relative; relating to.

relation f relation, relationship; reference; acquaintance; account; **être en ~ avec** to be in contact with.

relativement adv relatively.

relativisme m relativism.

relativité f relativity.

relaxant adj relaxing.

relaxation f relaxation.

relaxer vt to relax; to acquit; to release; **se ~** vr to relax.

relayer vt to relieve, take the place of; to relay; **se ~** vr to take turns.

relecture f rereading.

reléguer vt to relegate; to banish.

relève f relief; relief party.

relevé m statement; list; bill; * adj turned up, rolled up; elevated.

relever vt to set up again, raise again; to rebuild; to relieve; **se ~** vr to stand up again; to get up.

relief m relief; contours; depth.

relier vt to link up, connect; to bind.

religieux m monk, **-euse** f nun; * adj religious.

religion f religion.

relique f relic.

relire vt to reread.

reliure f binding; bookbinding.

reluire vi to gleam, shine.

remaniement m recasting; altering; revision; amendment.

remanier vt to recast, revise; to amend.

remarquable adj remarkable, notable; **~ment** adv remarkably.

remarque f remark, comment.

remarquer vt to remark; to notice.

rembourrer vt to stuff; to pad.

remboursement m reimbursement, repayment.

rembourser vt to reimburse, pay back.

remède m remedy, cure.

remédier vi: **~ à** to remedy, cure.

remerciement m thanks; thanking.

remercier vt to thank.

remettre vt to put back; to replace; to restart; to revive; **se ~** vr to recover, get better; **se ~ à** to start doing sth again; **se ~ de** to get over sth.

réminiscence f reminiscence.

remise f delivery; remittance; discount; deferment; **~ en état** repairing; **~ à neuf** restoration; **~ en jeu** throw-in; **~ en question** calling into question; **~ en cause** calling into question; **~ de peine** remission.

remmener vt to take back.

remontant m tonic; * adj invigorating, fortifying.

remonte-pente m ski tow.

remonter vi to go up again; to rise, increase; to return; * vt to go up; to take up.

remontrance f remonstrance.

remords m remorse.

remorque f trailer; towrope.

remorquer vt to tow.

remorqueur m tug.

rémouleur m knife-grinder.

remous m back-wash; eddy, swirl.

rempailler vt to reseat (chair).

rempart m rampart; defence.

remplaçant m **-e** f substitute.

remplacement m replacing; substitution.

remplacer vt to replace, stand in for.

remplir *vt* to fill; to fill in; to fulfil; **se ~** *vr* to fill up.

remplissage *m* filling up; padding.

remporter *vt* to take away.

remuant *adj* restless, fidgety.

remue-ménage *m invar* commotion; hullabaloo.

remuer *vi* to move; to fidget; * *vt* to move, shift; to stir; **se ~** *vr* to move; to shift o.s.

rémunération *f* remuneration, payment.

rémunérer *vt* to remunerate, pay.

renaissance *f* rebirth, Renaissance.

renaître *vi* to be reborn; to be revived; to reappear.

renard *m* fox.

renchérir *vi* to go further, go one better; to bid higher.

renchérissement *m* increase in price.

rencontre *f* meeting, encounter; conjuncture; collision.

rencontrer *vt* to meet; to find; to strike; **se ~** *vr* to meet each other.

rendement *m* yield; output.

rendez-vous *m* appointment; date; meeting place.

rendormir *vt* to put to sleep again; **se ~** *vr* to go back to sleep.

rendre *vt* to render; to give back, return; to yield; **se ~** *vr* to surrender; to give way.

rêne *f* rein.

renfermé *adj* withdrawn, close; * *m* fusty/close smell.

renfermer *vt* to contain, hold.

renflement *m* bulge.

renflouer *vt* to refloat; to bail out.

renfoncement *m* recess.

renfoncer *vt* to drive further in; to recess.

renforcer *vt* to strengthen, reinforce.

renfort *m* reinforcement; help.

renfrogné *adj* frowning, glum.

renier *vt* to repudiate, disown.

renifler *vt* to sniff, snuffle.

renne *m* reindeer.

renom *m* renown, fame.

renommée *f* renowned, famed.

renoncement *m* renouncement; renunciation.

renoncer *vi* to renounce, give up.

renonciation *f* renunciation; waiver.

renouer *vt* to retie; to renew.

renouveau *m* spring; renewal.

renouveler *vt* to renew; to revive; **se ~** *vr* to be renewed.

renouvellement *m* renewal; revival.

rénovation *f* renovation; renewal.

rénover *vt* to renovate.

renseignement *m* information; intelligence.

renseigner *vt* to inform, give information to; **se ~** *vr* to ask for information.

rentabiliser *vt* to make profitable.

rentable *adj* profitable.

rente *f* rent; profit; annuity.

rentier *m* **-ière** *f* stockholder, fundholder; rentier.

rentrée *f* reopening; reassembly; reappearance.

rentrer *vi* to re-enter; to return home; to begin again; * *vt* to bring in.

renversement *m* inversion; reversal; overturning.

renverser *vt* to turn upside down; to reverse; to overturn.

renvoi *m* sending back; returning; dismissal.

renvoyer *vt* to send back; to return; to dismiss.

réorganisation *f* reorganisation.

réorganiser *vt* to reorganise.

réouverture *f* reopening.

repaire *m* den, lair.

répandre *vt* to pour out; to scatter, spread; **se ~** *vr* to spread; to be spilled.

répandu *adj* widespread.

réparateur *m* **-trice** *f* repairer.

réparation *f* repairing; restoration.

réparer *vt* to repair; to restore; to make up for.

repartie *f* retort; **avoir de la ~** to have a quick wit.

repartir *vi* to set off again; to start up again.

répartir *vt* to share out; to distribute; **se ~** *vr* to share out.

répartition *f* sharing out; allocation.

repas *m* meal.

repassage *m* ironing; grinding, sharpening.

repasser *vt* to iron; to cross again; to resit; * *vi* to go past again.

repêcher *vt* to fish out, retrieve.

repeindre *vt* to repaint.

repenti *adj* repentant.

repentir *m* repentance, contrition.

repentir (se) *vr* to repent, rue.

répercussion *f* repercussion.

répercuter *vt* to reverberate; to echo; **se ~** *vr* to reverberate; to echo.

repère *m* line, mark; **point de ~** indication, reference mark.

repérer *vt* to spot, pick out; to mark out.

répertoire *m* index, catalogue; repertory.

répertorier *vt* to itemise; to index.

répéter *vt* to repeat; to rehearse; **se ~** *vr* to repeat o.s.; to reoccur.

répétitif *adj* repetitive.

répétition *f* repetition; rehearsal.

repiquer *vt* to plant out, transplant.

répit *m* respite, rest.

repli *m* fold, coil, meander; withdrawal; downturn.

replier *vt* to fold up; to withdraw; **se ~** *vr* to coil up, curl up.

réplique *f* reply, retort; counterattack.

répliquer *vt* to reply; to retaliate.

répondant *m* **-e** *f* guarantor; bail, surety.

répondeur *m* answering machine.

répondre *vt* to answer, reply.

réponse *f* response, reply.

report *m* postponement, deferment; carrying forward.

reportage *m* report; commentary; reporting.

reporter *vt* to postpone; to carry forward; to transfer; * *m* reporter.

repos *m* rest; tranquillity; landing.

reposant *adj* restful, refreshing.

reposer *vt* to put back; to rest; to ask again; **se ~** *vr* to rest.

repoussant *adj* repulsive; repellent.

repousser *vt* to push back; to repel.

reprendre *vt* to retake, recapture; to resume; **se ~** *vr* to correct o.s.; to pull o.s. together.

représailles *fpl* reprisals; retaliation.

représentant *m* representative.

représentatif *adj* representative.

représentation *f* representation; performance.

représenter *vt* to represent, depict; to perform; to symbolise.

répressif *adj* repressive.

répression *f* repression.

réprimande *f* reprimand, rebuke.

réprimander *vt* to reprimand, rebuke.

réprimer *vt* to repress; to quell.

reprise *f* resumption; recapture, taking back; **à plusieurs ~s** several times.

repriser *vt* to darn.

réprobation *f* reprobation.

reproche *m* reproach; objection.

reprocher *vt* to reproach, blame.

reproduction *f* reproduction; copy; duplicate.

reproduire *vt* to reproduce, copy; to repeat; **se ~** *vr* to reproduce, breed.

reptile *m* reptile.

repu *adj* full, satiated.

républicain *m* **-e** *f* republican; * *adj* republican.

république *f* republic.

répudier *vt* to repudiate; to renounce.

répugnance *f* repugnance, disgust.

répugnant *adj* repugnant, disgusting, revolting.

répulsion *f* repulsion, repugnance.

réputation *f* reputation; character; fame.

réputé *adj* reputable, renowned; supposed, reputed.

requérir *vt* to call for, request.

requête *f* petition, request.

requin *m* shark.

requis *adj* required, requisite.

réquisition *f* requisition; conscription.

réquisitionner *vt* to requisition; to conscript.

rescapé *m* **-e** *f* survivor.

réseau *m* network, net.

réservation *f* reservation, booking.

réserve *f* reserve; reservation, caution.

réservé *f* reserved.

réserver *vt* to reserve, save; to book; to lay by.

réservoir *m* tank; reservoir.

résidence *f* residence; apartment block.

résidentiel *adj* residential.

résider *vi* to reside, dwell.

résidu *m* residue.

résignation *f* resignation.

résigner (se) *vr* to resign o.s.

résilier *vt* to terminate; to annul.

résine *f* resin.

résistance *f* resistance.

résistant *adj* resistant; tough, unyielding.

résister *vi* to resist, withstand.

résolu *adj* resolved, determined; **~ment** *adv* resolutely.

résolution *f* resolution, determination.

résonner *vi* to resound, resonate.

résorber *vt* to reduce; to absorb; **se ~** *vr* to be reduced.

résoudre *vt* to solve; to resolve; to annul; **se ~** *vr*: **se ~ à** to decide to do.

respect *m* respect, regard, deference.

respectable *adj* respectable; sizeable.

respecter *vt* to respect; to comply with.

respectif *adj* respective.

respectivement *adv* respectively.

respectueusement *adv* respectfully.

respectueux *adj* respectful.

respirable *adj* breathable.

respiration *f* breathing, respiration.

respiratoire *adj* respiratory.

respirer *vi* to breathe, respire; to rest; * *vt* to breathe in.

resplendissant *adj* shining, radiant.

responsabilité *f* responsibility; liability.

responsable *adj* responsible; liable; * *mf* official, manager.

resquiller *vi* to sneak in; to take a free ride.

ressaisir (se) *vr* to regain one's self-control.

ressemblance *f* resemblance, likeness; similarity.

ressemblant *adj* lifelike.

ressembler *vi* to resemble, be like; **se ~** *vr* to be alike.

ressemelage *m* soling, resoling.

ressentiment *m* resentment.

ressentir *vt* to feel, experience; **se ~** *vr*: **se ~ de** to feel the effects of.

resserrement *m* contraction, tightening; narrowing.

resserrer *vt* to tighten; to strengthen; **se ~** *vr* to grow tighter.

ressort *m* spring; motivation.

ressortir *vi* to go out again; to stand out.

ressortissant *m* -e *f* national.

ressource *f* resource, resort, expedient.

ressusciter *vi* to revive, reawaken; to come back to life; * *vt* to resuscitate; to revive.

restant *adj* remaining; * *m* rest, remainder.

restaurant *m* restaurant.

restaurateur *m* -trice *f* restaurateur; restorer.

restauration *f* restoration, rehabilitation; catering.

restaurer *vt* to restore; to feed; **se ~** *vr* to eat.

reste *m* rest, left-over, remainder; **du ~** besides; **être en ~** to be outdone.

rester *vi* to remain, stay; to be left; to continue; to pause.

restituer *vt* to return, restore; to refund.

restitution *f* restoration; restitution.

restreindre *vt* to restrict, curtail; **se ~** *vr* to restrain o.s.

restreint *adj* restricted, limited.

restrictif *adj* restrictive.

restriction *f* restriction, limitation; reserve.

restructurer *vt* to restructure.

résultat *m* result, outcome; profit.

résulter *vi*: **~ de** to result, follow from, ensue.

résumé *m* summary, recapitulation; **en ~** in brief.

résumer *vt* to sum up; **se ~** *vr*: **se ~ à** to amount to.

résurrection *f* resurrection.

rétablir *vt* to re-establish, restore; **se ~** *vr* to recover, get well again.

rétablissement *m* re-establishment, restoring.

retard *m* lateness; delay; **être en ~** to be late; to be behind; to be backward.

retardataire *mf* latecomer; * *adj* obsolete.

retardé *adj* backward, slow.

retarder *vt* to delay; to hinder; to put back; * *vi* to be out of touch.

retenir *vt* to hold back, retain; to remember; **se ~** *vr* to control o.s.

rétention *f* retention; withholding.

retentir *vi* to resound; to ring.

retentissant *adj* resounding; ringing.

retenue *f* discretion; deduction, stoppage; reservoir.

réticence *f* reticence.

réticent *adj* reticent.

rétine *f* retina.

retiré *adj* remote, isolated.

retirer *vt* to take off; to take out, withdraw; to redeem; **se ~** *vr* to retire, withdraw; to stand down.

retombée *f* fallout; repercussions.

retomber *vi* to fall again; to have a relapse; **~ sur** to come across again.

rétorquer *vt* to retort.

retouche *f* touching up; alteration.

retoucher *vt* to touch up; to alter.

retour *m* return; recurrence; vicissitude, reversal; **être de ~** to be back.

retournement *m* reversal; turnaround.

retourner *vt* to reverse, turn over; to return; * *vi* to return, go back; **se ~** *vr* to turn over; to overturn.

rétracter *vt* to retract, take back; **se ~** *vr* to retract, withdraw one's evidence.

retrait *m* ebb; retreat; withdrawal; **être en ~** to be set back.

retraite *f* retreat; retirement; refuge; **à la ~** retired.

retraité *m* -e *f* pensioner; * *adj* retired.

retranchement *m* curtailment; entrenchment.

retrancher *vt* to curtail; to entrench.

retransmettre *vt* to retransmit.

retransmission *f* retransmission.

rétrécir *vi* to narrow; to shrink; * *vt* to take in, make narrower; **se ~** *vr* to narrow; to shrink.

rétrécissement *m* narrowing; shrinking.

rétribuer *vt* to remunerate.

rétribution *f* retribution.

rétroactif *adj* retrospective; retroactive.

rétroaction *f* retroaction; retrospective action.

rétrograde *adj* reactionary, backward.

rétrograder *vi* to go backward, regress.

rétroprojecteur *m* overhead projector.

rétrospectif *adj* retrospective.

rétrospective *f* retrospective.

rétrospectivement *adv* retrospectively.

retrousser *vt* to roll up, hitch up.

retrouvailles *fpl* reunion.

retrouver *vt* to find again, to regain; to recover; to recognise; **se ~** *vr* to meet up; to end up in.

rétroviseur *m* rear-view mirror.

réunifier *vt* to reunify.

réunion *f* reunion, gathering.

réunir *vt* to unite; to collect, gather; to combine; **se ~** *vr* to meet; to assemble.

réussir *vi* to succeed, be a success; * *vt* to make a success of.

réussite *f* success, successful outcome.

revanche *f* revenge; **en ~** on the other hand.

rêvasser *vi* to daydream.

rêve *m* dream, dreaming; illusion.

réveil *m* waking, awaking; alarm clock.

réveiller *vt* to wake; **se ~** *vr* to awaken.

réveillon *m* midnight feast.

révélation *f* revelation, disclosure; developing.

révéler *vt* to reveal, disclose; **se ~** *vr* to be revealed; to prove to be.

revenant *m* **-e** *f* ghost.

revendeur *m* **-euse** *f* retailer; dealer.

revendication *f* claiming; claim; demand.

revendiquer *vt* to claim; to demand.

revendre *vt* to resell.

revenir *vi* to come back, reappear; to happen again; **ne pas en ~** to not recover from, not pull through; **~ à soi** to come round.

revenu *m* income, revenue.

rêver *vi* to dream; to muse; * *vt* to dream of.

réverbération *f* reverberation.

réverbère *m* street lamp.

révérence *f* bow, curtsey.

révérend *adj* reverend.

révérer *vt* to revere.

rêverie *f* reverie, musing.

revers *m* back, reverse; counterpart.

réversible *adj* reversible.

revêtement *m* coating, surface.

revêtir *vt* to don; to assume.

rêveur *m* **-euse** *f* dreamer; * *adj* dreamy.

revigorer *vt* to invigorate; to revive.

revirement *m* change of mind; reversal; turnaround.

réviser *vt* to review; to revise.

révision *f* review; auditing; revision.

revivre *vt* to relive; * *vi* to live again, come alive again.

révocation *f* removal; dismissal; revocation.

revoir *vt* to see again; **se ~** *vr* to meet each other again.

révoltant *adj* revolting, appalling.

révolte *f* revolt, rebellion.

révolter *vt* to revolt, outrage; **se ~** *vr* to rebel, revolt.

révolu *adj* past, bygone.

révolution *f* revolution.

révolutionnaire *mf* revolutionary; * *adj* revolutionary.

révolutionner *vt* to revolutionise; to upset.

revolver *m* revolver.

révoquer *vt* to revoke; to dismiss.

revue *f* review; inspection.

rez-de-chaussée *m invar* ground floor.

rhabiller *vt* to dress (sb) again; to fit (sb) out again; **se ~** *vr* to get dressed again.

rhésus *m* rhesus.

rhétorique *f* rhetoric; * *adj* rhetorical.

rhinocéros *m* rhinoceros.

rhododendron *m* rhododendron.

rhubarbe *f* rhubarb.

rhum *m* rum.

rhumatisme *m* rheumatism.

rhume *m* cold.

riant *adj* smiling; cheerful.

ribambelle *f* swarm, herd.

ricanement *m* snigger, sniggering.

ricaner *vi* to snigger, giggle.

riche *adj* rich, wealthy; abundant; **~ment** *adv* richly; * *mf* rich person.

richesse *f* richness; wealth; abundance.

ricochet *m* ricochet; rebound.

rictus *m* grin; grimace.

ride *f* wrinkle; ripple; ridge.

ridé *adj* wrinkled.

rideau *m* curtain.

ridicule *adj* ridiculous; * *m* ridiculousness; absurdity; ridicule.

ridiculiser *vt* to ridicule.

rien *pn* nothing; **de ~** don't mention it; **il n'en est ~** it's nothing of the sort; * *m* nothingness; mere nothing; pinch, shade; **en un ~ de temps** in no time; **pour un ~** at the slightest little thing.

rieur *adj* cheerful; laughing.

rigide *adj* rigid; **~ment** *adv* rigidly.

rigidité *f* rigidity, stiffness.

rigole *f* channel; rivulet.

rigoler *vi* (*fam*) to have a good laugh.

rigoureusement *adv* harshly, rigorously.

rigoureux *adj* rigorous, harsh.

rigueur *f* rigour; harshness, severity.

rime *f* rhyme.

rimer *vi* to rhyme (with).

rince-doigts *m invar* finger-bowl.

rincer *vt* to rinse out; to rinse.

ring *m* boxing ring.

riposte *f* riposte, rétort.

riposter *vi* to answer back, retaliate.

rire *vi* to laugh; to smile; to joke; * *m* laughter, laugh.

risée *f* laugh; ridicule; mockery, derision.

risible *adj* laughable, ridiculous.

risque *m* risk, hazard.

risqué *adj* risky, hazardous; risqué.

risquer *vt* to risk; to venture; **se ~** *vr* to venture, dare.

ristourne *f* discount, rebate.

rite *m* rite.

rituel *adj* ritual.

rivage *m* shore.

rival *m* **-e** *f* rival; **sans ~** unrivalled; * *adj* rival.

rivaliser *vi* to rival, compete with; **~ de** to vie with.

rivalité *f* rivalry.

rive *f* shore, bank.

river *vt* to clinch; to rivet.

riverain *m* **-e** *f* lakeside resident; riverside resident; * *adj* lakeside, riverside.

rivière *f* river.

riz *m* rice.

robe *f* dress; gown; **~ de chambre** dressing gown.

robinet *m* tap.

robot *m* robot.

robotique f robotics.
robuste adj robust.
robustesse f robustness.
roc m rock.
rocaille f loose stones; rocky ground.
rocailleux adj rocky.
roche f rock.
rocher m rock, boulder.
rodage m grinding; running in, breaking in.
roder vt to grind; to run in.
rôder vi to roam; to prowl about.
rôdeur m -euse f prowler.
rogner vt to pare, prune, clip.
rognon m kidney.
roi m king.
rôle m role, character; roll, catalogue.
roman m novel; romance.
romancier m -ière f novelist.
romanesque adj fabulous; storybook; fictional.
romantique adj romantic.
romantisme m romanticism.
rompre vt to break; to snap; to dissolve; * vi to break; to burst.
ronce f bramble.
rond m circle, ring; slice, round; * adj round; chubby, plump; frank ~ement adv briskly, frankly.
ronde f patrol; round; beat.
rondelle f slice, round; disc.
rondeur f plumpness; roundness.
rondin m log.
rond-point m roundabout.
ronflement m snore, snoring; humming; roaring.
ronfler vi to snore; to hum; to roar.
ronger vt to gnaw.
ronronner vi to purr; to hum.
rosbif m roast beef.
rose f rose; * adj pink; * m pink.
roseau m reed.
rosée f dew.
rosier m rosebush.
rossignol m nightingale.
rot m belch, burp.

roter vi to belch, burp.
rotation f rotation; turnover.
rôti m joint, roast.
rotin m rattan.
rôtir vt to roast.
rôtisserie f rotisserie, steakhouse.
rotonde f rotunda; roundhouse.
rotule f kneecap, patella.
rouage m cog; gearwheel.
roucouler vi to coo; to bill.
roue f wheel.
rouge adj red; * m red; ~ à lèvres lipstick.
rouge-gorge m robin.
rougeole f measles.
rougeur f redness, blushing.
rougir vi to blush, go red; * vt to make red, redden.
rouille f rust.
rouiller vi to rust; * vt to make rusty.
roulant adj on wheels; moving.
rouleau m roll; roller.
roulement m rotation; movement; rumble, rumbling.
rouler vt to wheel, roll along; * vi to go, run (train); to drive.
roulette f castor; trundle; roulette.
roulis m rolling.
roulotte f caravan.
rouquin m -e f redhead; * adj red-haired.
route f road; way; course, direction.
routier adj road; * m lorry driver; transport café.
routine f routine.
routinier adj humdrum, routine.
roux m, **rousse** f redhead; * adj red, auburn.
royal adj royal, regal; ~ement adv royally.
royaliste mf royalist; * adj royalist.
royaume m kingdom.
royauté f monarchy.
ruade f kick (horse).
ruban m ribbon; tape, band.

rubéole f rubella.

rubis m ruby.

rubrique f column; heading, rubric.

ruche f hive.

rude adj rough; hard; unrefined; **~ment** adv roughly, harshly.

rudesse f roughness; harshness.

rudiment m rudiment; principle.

rudimentaire adj rudimentary.

rudoyer vt to treat harshly.

rue f street.

ruée f rush, stampede.

ruelle f alley.

ruer vi to kick (horse); **se ~** vr to pounce on.

rugby m rugby.

rugbyman m rugby player.

rugir vi to roar.

rugissement m roar, roaring.

rugueux adj rough; coarse.

ruine f ruin; wreck.

ruiner vt to ruin.

ruineux adj ruinous; extravagant.

ruisseau m stream, brook.

ruisseler vi to stream, flow.

ruissellement m streaming; cascading.

rumeur f rumour; murmur; hum.

ruminer vt to ruminate; to brood over.

rupture f break, rupture; breach; split.

rural adj rural, country.

ruse f cunning, slyness.

rusé adj cunning, crafty.

rustine ® f rubber repair patch.

rustique adj rustic.

rutilant adj gleaming, rutilant.

rythme m rhythm; rate, speed.

rythmique adj rhythmic.

S

sabbatique adj sabbatical.

sable m sand.

sablé m shortbread biscuit; * adj sandy, sanded.

sablier m hourglass, sandglass.

sabot m clog; hoof.

sabotage m sabotage.

saboter vt to sabotage; to mess up.

saboteur m -**euse** f saboteur; bungler.

sabre m sabre

sac m bag, sack; **~ à main** handbag; **~ de voyage** travelling bag.

saccade f jerk, jolt.

saccadé adj jerky, broken, staccato.

saccager vt to sack; to wreck, devastate.

saccharine f saccharin.

sacerdoce m priesthood.

sacerdotal adj priestly, sacerdotal.

sachet m bag; sachet; packet.

sacoche f saddlebag, satchel.

sacre m coronation; consecration.

sacré adj sacred, holy; damned, confounded.

Sacré-Cœur m Sacred Heart.

sacrer vt to crown; to consecrate.

sacrifice m sacrifice.

sacrifier vt to sacrifice; to give up; **se ~** vr to sacrifice o.s.

sacrilège m sacrilege.

sacristie f sacristy.

sacrum m sacrum.

sadique adj sadistic; * mf sadist.

sadisme m sadism.

sadomasochiste adj sadomasochistic; * mf sadomasochist.

safari m safari.

safran m saffron.

saga f saga.

sagace adj sagacious, shrewd.

sagacité f sagacity, shrewdness.

sage *adj* wise, sensible; well-behaved; ~**ment** *adv* wisely, sensibly; * *m* sage, wise man.

sage-femme *f* midwife.

sagesse *f* wisdom, sense; good behaviour.

sagittaire *m* archer; Sagittarius.

saignant *adj* bleeding; underdone.

saignement *m* bleeding.

saigner *vi* to bleed; * *vt* to bleed; to stick.

saillant *adj* prominent, protruding.

saillie *f* projection; sally; flash of wit.

saillir *vi* to gush out; to project, jut.

sain *adj* healthy; sound; sane; ~**ement** *adv* healthily; soundly.

saindoux *m* lard.

saint *m* -e *f* saint; * *adj* holy, saintly; **Saint-Sylvestre** New Year's Eve; **Saint-Esprit** Holy Spirit.

saint-bernard *m* St Bernard.

sainteté *f* saintliness; holiness.

saisie *f* (*jur*) seizure, distraint; capture.

saisir *vt* to take hold of; (*jur*) to seize, distrain; to capture.

saisissant *adj* gripping, startling, striking.

saison *f* season.

saisonnier *adj* seasonal.

salade *f* salad; jumble, miscellany.

saladier *m* salad bowl.

salaire *m* salary, pay; reward.

salamandre *f* salamander.

salarié *m* -e *f* salaried employee; * *adj* salaried.

sale *adj* dirty, filthy; obscene; nasty; ~**ment** *adv* dirtily.

salé *adj* salty, salted; savoury.

saler *vt* to salt, add salt.

saleté *f* dirtiness, dirt; rubbish; obscenity.

salière *f* saltcellar.

salin *adj* saline.

salir *vt* to make dirty, soil; **se** ~ *vr* to get dirty.

salissant *adj* dirty; that gets dirty easily.

salive *f* saliva.

saliver *vi* to salivate; to drool.

salle *f* room; hall; theatre; audience; ~ **de séjour** living room; ~ **à manger** dining room; ~ **de bain** bathroom; ~ **de cinéma** cinema.

salon *m* lounge, sitting room; exhibition.

salopette *f* overalls.

salpêtre *m* saltpetre.

salsifis *m* salsify.

salubre *adj* healthy, salubrious.

saluer *vt* to greet; to salute.

salut *m* safety, salvation; welfare; wave (hand); salute.

salutaire *adj* salutary; profitable; healthy.

salutation *f* salutation, greeting.

samedi *m* Saturday.

sanatorium *m* sanatorium.

sanctifier *vt* to sanctify, bless.

sanction *f* sanction, penalty; approval.

sanctionner *vt* to punish; to sanction, approve.

sanctuaire *m* sanctuary.

sandale *f* sandal.

sandwich *m* sandwich.

sang *m* blood; race; kindred.

sang-froid *m* sangfroid, cool, calm.

sanglant *adj* bloody, gory; bloodshot; blood-red.

sangle *f* strap; girth.

sanglier *m* wild boar.

sanglot *m* sob.

sangloter *vi* to sob.

sangsue *f* leech.

sanguinaire *adj* sanguinary, bloodthirsty.

sanitaire *adj* health, sanitary.

sans-abris *mf invar* homeless person.

sans-gêne *adj* inconsiderate; * *m invar* inconsiderate type.

santal *m* sandalwood.

santé *f* health, healthiness.

saper *vt* to undermine, sap.

sapeur-pompier *m* fireman.

saphir *m* sapphire.

sapin *m* fir tree, fir.

sarcasme *m* sarcasm.

sarcastique *adj* sarcastic.

sarcler *vt* to weed; to hoe.

sarcophage *m* sarcophagus.

sardine *f* sardine.

sardonique *adj* sardonic

SARL (société à responsabilité limitée) *f* limited liability company.

sarrasin *m* buckwheat.

sas *m* airlock; sieve.

satanique *adj* satanic, diabolical.

satellite *m* satellite.

satiété *f* satiety, satiation; à ~ ad nauseam.

satin *m* satin.

satiné *adj* satiny, satin-smooth; glazed.

satire *f* satire, lampoon.

satirique *adj* satirical.

satisfaction *f* satisfaction; gratification; appeasement.

satisfaire *vt* to satisfy; to gratify; to appease.

satisfaisant *adj* satisfactory; satisfying.

satisfait *adj* satisfied.

saturation *f* saturation.

saturé *adj* saturated; overloaded, jammed.

saturer *vt* to saturate; to surfeit; to congest.

satyre *m* satyr.

sauce *f* sauce, dressing.

saucière *f* sauceboat.

saucisse *f* sausage.

saucisson *m* large sausage; salami.

sauf *prép* save, except; unless; * *adj* safe, unhurt.

sauge *f* sage.

saugrenu *adj* preposterous, absurd.

saule *m* willow.

saumon *m* salmon.

sauna *m* sauna.

saupoudrer *vt* to sprinkle; to dust.

saut *m* jump, bound; waterfall.

sauté *adj* sauté.

sauter *vi* to jump, leap; to blow up; to get sacked.

sauterelle *f* grasshopper.

sautiller *vi* to hop, skip.

sauvage *adj* savage, wild; unsociable; ~ment *adv* savagely.

sauvegarde *f* safeguard; backup.

sauvegarder *vt* to safeguard.

sauver *vt* to save, rescue; to preserve; se ~ *vr* to save o.s.; to escape.

sauvetage *m* rescue; salvage.

sauveteur *m* rescuer.

savant *adj* learned; expert; skilled; * *m* scientist, scholar.

savate *f* old shoe.

saveur *f* flavour; savour.

savoir *vt* to know; to be aware; to understand; to be able; * *m* learning, knowledge.

savoir-faire *m* know-how.

savoir-vivre *m* good manners, good breeding.

savon *m* soap.

savonner *vt* to soap, lather.

savonnette *f* bar of soap.

savoureux *adj* tasty, savoury.

saxophone *m* saxophone.

saxophoniste *mf* saxophonist.

scabreux *adj* scabrous; dangerous; improper.

scalpel *m* scalpel.

scandale *m* scandal.

scandaleux *adj* scandalous.

scandaliser *vt* to scandalise, shock deeply; se ~ *vr* to be scandalised.

scanner *m* scanner.

scaphandre *m* diving suit.

scarabée *m* beetle, scarab.

scarlatine *f* scarlet fever.

sceau *m* seal.

scélérat *m* -e *f* villain, rascal; * *adj* villainous, wicked.

sceller *vt* to seal.

scénario *m* scenario; screenplay.

scénariste *mf* scriptwriter.

scène *f* stage; scenery, scene.

scepticisme *m* scepticism.

sceptique *adj* sceptical; * *mf* sceptic.

sceptre *m* sceptre.

schéma *m* diagram, sketch; outline.

schématique *adj* diagrammatic, schematic; ~ment *adv* diagrammatically.

schématiser *vt* to schematise.

schisme *m* schism; split.

schiste *m* schist, shale.

schizophrène *mf* schizophrenic; * *adj* schizophrenic.

schizophrénie *f* schizophrenia.

sciatique *f* sciatica.

scie *f* saw; bore.

sciemment *adv* knowingly, on purpose.

science *f* science; skill; knowledge.

science-fiction *f* science fiction.

scientifique *adj* scientific; ~ment *adv* scientifically.

scierie *f* sawmill.

scinder *vt* to split, divide up.

scintillant *adj* sparkling, glistening.

scintillement *m* sparkling, glistening.

scintiller *vi* to sparkle, glisten.

scission *f* split, scission.

sciure *f* sawdust.

sclérose *f* sclerosis.

scléroser (se) *vr* to become sclerotic.

scolaire *adj* school; academic.

scolariser *vt* to send to school; to provide schools.

scolarité *f* schooling.

scoliose *f* scoliosis, curvature of the spine.

scooter *m* scooter.

score *m* score.

scorie *f* slag, scoria.

scorpion *m* scorpion.

scout *m* scout, boy scout.

script *m* printing; script.

scrupule *m* scruple, qualm, doubt.

scrupuleusement *adv* scrupulously.

scrupuleux *adj* scrupulous.

scruter *vt* to scrutinise, scan.

scrutin *m* ballot, poll.

sculpter *vt* to sculpt; to carve.

sculpteur *m* sculptor.

sculpture *f* sculpture.

se *pn* oneself, himself, herself, itself, themselves.

séance *f* meeting, sitting, session; seat.

seau *m* bucket, pail.

sec *adj*, *f* **sèche** dry, arid; barren; unfeeling; curt; neat.

sécateur *m* secateurs.

séchage *m* drying; seasoning.

sèche-cheveux *m invar* hairdrier

sèchement *adv* dryly; curtly.

sécher *vi* to dry, dry out; * *vt* to dry, wipe.

sécheresse *f* drought; dryness.

séchoir *m* drying room; ~ **à linge** clothes horse.

second *adj* second, in second place; * *m* second; second floor; second in command; * *f* second.

secondaire *adj* secondary.

seconder *vt* to assist, help.

secouer *vt* to shake, toss; **se ~** *vr* to shake o.s.

secourir *vt* to help, assist.

secouriste *mf* first-aid worker.

secours *m* help, assistance; relief; rescue.

secousse *f* jolt, bump.

secret *m* secret; privacy; mystery; * *adj* secret; private; discreet.

secrétaire *mf* secretary; * *m* writing desk.

secrétariat *m* office of secretary; secretariat.

sècrètement *adv* secretly.

secréter *vt* to secrete, exude.

sécrétion *f* secretion.

secte *f* sect.

secteur *m* sector, section, district.

section *f* section, division; branch.

sectionner *vt* to sever; to divide into sections.

séculaire *adj* secular, century-old, once a century.

sécurisant *adj* reassuring, lending security.

sécuriser *vt* to make sb feel secure.

sécuritaire *adj* security.

sécurité *f* security; safety.

sédatif *m* sedative; * *adj* sedative.

sédentaire *adj* sedentary; * *m* sedentary.

sédiment *m* sediment.

sédimentation *f* sedimentation.

séducteur *m* seducer -**trice** *f* seductress.

séduction *f* seduction; captivation.

séduire *vt* to seduce; to charm, captivate.

séduisant *adj* seductive; enticing, attractive.

segment *m* segment.

segmenter *vt* to segment.

ségrégation *f* segregation.

seigle *m* rye.

seigneur *m* lord, nobleman; master.

sein *m* breast, bosom; womb; **au ~ de** within.

séisme *m* earthquake, seism.

seize *adj, m* sixteen.

seizième *adj, mf* sixteenth; **~ment** *adv* in sixteenth place.

séjour *m* stay, sojourn; abode; **salle de ~** living room.

séjourner *vi* to stay, sojourn.

sel *m* salt; wit.

sélecteur *m* selector; gear lever.

sélectif *adj* selective.

sélection *f* choosing, selection.

sélectionner *vt* to select, pick.

sélectivement *adv* selectively.

self-service *m* self-service restaurant.

selle *f* saddle.

selon *prép* according to; pursuant to.

semaine *f* week.

semblable *adj* like, similar, alike; such.

semblant *m* appearance, look; pretence; **faire ~ (de)** to pretend to.

sembler *vi* to seem, appear.

semelle *f* sole.

semence *f* seed; semen.

semer *vt* to sow; to scatter, strew.

semestre *m* half-year; semester.

semestriel *adj* half-yearly; semestral.

semi-conducteur *m* semiconductor.

séminaire *m* seminary; seminar.

semi-remorque *f* trailer, semitrailer.

semis *m* seedling; sowing; seedbed.

semoule *f* semolina.

sénat *m* senate.

sénateur *m* senator.

sénile *adj* senile.

sénilité *f* senility.

sens *m* sense; judgement; consciousness; meaning; direction; **bon ~** good sense.

sensation *f* sensation, feeling.

sensationnel *adj* fantastic, sensational.

sensé *adj* sensible.

sensibiliser *vt* to make sensitive to, heighten awareness of.

sensibilité *f* sensitivity, sensitiveness.

sensible *adj* sensitive; perceptive; appreciable; **~ment** *adv* approximately; noticeably.

sensoriel *adj* sensory.

sensualité *f* sensuality.

sensuel *adj* sensual.

sentence *f* sentence; maxim.

sentencieux *adj* sententious.

sentier *m* path, track.

sentiment *m* feeling, sentiment; emotion.

sentimental *adj* sentimental.

sentimentalisme *m* sentimental-ism.

sentinelle *f* sentry, sentinel.

sentir *vt* to feel; to perceive, guess; to smell.

séparation *f* separation; division; pulling apart.

séparatiste *mf* separatist.

séparément *adv* separately.

séparer *vt* to separate, divide; to pull off; to split; **se ~** *vr* to separate, divide; to part with.

sept *adj, m* seven.

septembre *m* September

septième *adj, mf* seventh; **~ment** *adv* in seventh place.

sépulture *f* sepulture, burial.

séquelle *f* after-effect.

séquence *f* sequence.

séquestre *m* sequestration, confiscation.

séquestrer *vt* to sequester, impound.

serein *adj* serene, calm; **~ement** *adv* serenely.

sérénade *f* serenade.

sérénité *f* serenity, calmness.

sergent *m* sergeant; **~ de ville** police constable.

série *f* series, string; class; rank.

sérieusement *adv* seriously, responsibly.

sérieux *adj* serious; responsible; * *m* seriousness, reliability.

seringue *f* syringe.

serment *m* oath; pledge.

sermon *m* sermon.

sermonner *vt* to lecture, reprimand.

séropositif *adj* HIV positive, seropositive.

serpe *f* billhook, bill.

serpent *m* serpent, snake.

serpenter *vi* to meander, wind.

serpentin *m* coil; streamer.

serre *f* greenhouse; claw.

serré *adj* tight; close, compact.

serrer *vt* to tighten, fasten; to clench; **se ~** *vr* to crowd, huddle.

serrure *f* lock.

serrurerie *f* locksmithing.

serrurier *m* locksmith.

sérum *m* serum.

servante *f* servant, maidservant.

serveur *m* waiter, **-euse** *f* waitress.

serviable *adj* obliging, helpful.

service *m* service; function; department; operation; **rendre ~** to do a favour; **~ militaire** national service.

serviette *f* towel; serviette, napkin.

servile *adj* servile, slavish; **~ment** *adv* servilely, slavishly.

servilité *f* servility.

servir *vi* to be of use, be useful; * *vt* to serve, attend to; **se ~** *vr* to help o.s.; **se ~ de** to use, make use of.

servitude *f* servitude; *(jur)* easement.

sésame *m* sesame.

session *f* session, sitting.

seuil *m* threshold.

seul *adj* alone; single; sole; **~ement** *adv* only; but; solely.

sève *f* sap; pith, vigour.

sévère *adj* severe, austere; **~ment** *adv* severely; strictly.

sévérité *f* severity; strictness.

sévir *vi* to deal severely; to rage, hold sway.

sevrer *vt* to wean; to deprive.

sexe *m* sex; genitals.

sexiste *mf* sexist; * *adj* sexist.

sexualité *f* sexuality.

sexuel *adj* sexual, sex; **~lement** *adv* sexually.

sexy *adj* sexy.

seyant *adj* becoming.

shampooing *m* shampoo.

shooter *vt* to shoot, make a shot.

shopping *m* shopping.

short *m* shorts.

si *adv* so, so much, however much; yes; * *conj* if; whether.

siamois *adj* Siamese.

sida *m* Aids.

sidéral *adj* sidereal.

sidérer *vt* to flabbergast, stagger.

sidérurgie *f* steel metallurgy

sidérurgique *adj* steel-making.

sidérurgiste *mf* steel maker.

siècle *m* century; period.

siège *m* seat, bench; head office.

siéger *vi* to sit; to be located.

sien *pn, f* sienne: le ~ his, its, his own, its own, **la sienne** her, its, her own, its own, **les** ~**s, les siennes** their, their own.

sieste *f* nap, snooze; siesta.

sifflement *m* whistling; hissing.

siffler *vi* to whistle; to hiss; * *vt* to whistle for; to hiss, boo.

sifflet *m* whistle; catcall.

sigle *m* abbreviation; acronym.

signal *m* signal, sign.

signalement *m* description, particulars.

signaler *vt* to signal, indicate; to point out.

signalisation *f* signalling system; installing signs.

signature *f* signature; signing.

signe *m* sign; mark; indication; symptom.

signer *vt* to sign; to hallmark.

signet *m* bookmark.

significatif *adj* significant, revealing.

signification *f* significance; meaning.

signifier *vt* to mean, signify; to make known; to serve notice.

silence *m* silence; stillness.

silencieusement *adv* silently.

silencieux *adj* silent; still.

silhouette *f* silhouette, outline.

silice *f* silica.

silicone *f* silicone.

sillage *m* wake; slipstream; trail.

sillon *m* furrow; fissure.

sillonner *vt* to plough, furrow; to criss-cross.

silo *m* silo.

similaire *adj* similar.

similarité *f* similarity.

similitude *f* similitude.

simple *adj* simple; mere; single; common; ~**ment** *adv* simply, merely.

simplicité *f* simplicity; simpleness.

simplification *f* simplification.

simplifier *vt* to simplify.

simpliste *adj* simplistic.

simulation *f* simulation.

simuler *vt* to simulate, feign.

simultané *adj* simultaneous; ~**ment** *adv* simultaneously.

sincère *adj* sincere, honest; ~**ment** *adv* sincerely.

sincérité *f* sincerity, honesty.

singe *m* monkey.

singulariser *vt* to singularise; make conspicuous; se ~ *vr* to make o.s. conspicuous.

singularité *f* singularity; peculiarity.

singulier *adj* singular; peculiar; remarkable.

singulièrement *adv* singularly; remarkably.

sinistre *m* disaster; accident; * *adj* sinister; ~**ment** *adv* in a sinister way.

sinistré *m* -e *f* disaster victim; * *adj* disaster-stricken.

sinon *conj* otherwise, if not; except.

sinueux *adj* sinuous, winding.

sinus *m* sinus; (*math*) sine.

sinusite *f* sinusitis.

siphon *m* siphon.

sirène *f* mermaid; siren, hooter.

sirop *m* syrup.

sirupeux *adj* syrupy.

sismique *adj* seismic.

site *m* setting, beauty spot.

sitôt *adv* so soon, as soon; **pas de** ~ not for a while; ~ **que** as soon as.

situation *f* situation, position; state of affairs.

situer *vt* to site, situate; se ~ *vr* to place o.s.; to be situated.

six *adj, m* six.

sixième *adj, mf* sixth; **~ment** *adv* in sixth place.

sketch *m* sketch.

ski *m* ski, skiing.

skier *vi* to ski.

skieur *m* **-euse** *f* skier.

slalom *m* slalom.

slip *m* briefs, panties, swimming trunks.

slogan *m* slogan.

snack(-bar) *m* snack bar.

snob *adj* snobbish.

snobisme *m* snobbery, snobbishness.

sobre *adj* sober, temperate; **~ment** *adv* soberly, temperately.

sobriété *f* sobriety, temperance.

sobriquet *m* nickname.

sociable *adj* sociable; social.

social *adj* social; **~ement** *adv* socially.

social-démocrate *mf* social democrat; * *adj* social democrat.

socialisme *m* socialism.

socialiste *mf* socialist; * *adj* socialist.

sociétaire *mf* member.

société *f* society; company; partnership.

socio-économique *adj* socio-economic.

sociologie *f* sociology.

sociologique *adj* sociological; **~ment** *adv* sociologically.

sociologue *mf* sociologist.

socle *m* pedestal, plinth; base.

socquette *f* ankle sock.

sodium *m* sodium.

sodomie *f* sodomy.

sœur *f* sister; nun.

sofa *m* sofa.

soi *pn* one(self); self; **~-même** oneself, himself, herself, itself; **~-disant** so called.

soie *f* silk.

soif *f* thirst.

soigné *adj* neat, well-kept.

soigner *vt* to look after, care for; **se ~** *vr* to take care of o.s.

soigneusement *adv* neatly; carefully.

soigneux *adj* neat; careful.

soin *m* care; attention; trouble.

soir *m* evening; night.

soirée *f* evening; evening party.

soit *conj* either; or; whether; * *adv* granted; that is to say.

soixantaine *f* about sixty.

soixante *adj, m* sixty.

soixantième *adj, mf* sixtieth.

soja *m* soya.

sol *m* ground; floor; soil.

solaire *adj* solar.

soldat *m* soldier.

solde *f* pay; * *m* balance; clearance sale.

solder *vt* to pay; to settle, discharge; **se ~** *vr*: **se ~ par** to show (profit, loss).

sole *f* sole; hearth.

soleil *m* sun, sunshine; sunflower.

solennel *adj* solemn; **~lement** *adv* solemnly.

solfège *m* musical theory; sol-fa.

solidaire *adj* jointly liable; interdependent; **~ment** *adv* jointly.

solidarité *f* solidarity.

solide *adj* solid; stable; sound; **~ment** *adv* solidly; soundly.

solidifier *vt* **se ~** *vr* to solidify.

solidité *f* solidity; soundness.

soliste *mf* soloist.

solitaire *mf* recluse, hermit; * *adj* solitary, lone; **~ment** *adv* alone.

solitude *f* solitude; loneliness.

sollicitation *f* entreaty, appeal.

solliciter *vt* to seek, solicit; to appeal to.

sollicitude *f* solicitude, concern.

solo *m* solo.

solstice *m* solstice.

soluble *adj* soluble, solvable.

solution *f* solution; solving; answer.

solvable *adj* solvent; creditworthy.

solvant *m* solvent.

somatique *adj* somatic.

sombre *f* dark; gloomy, dismal.

sombrer *vi* to sink, founder.

sommaire *m* summary, argument; * *adj* basic, brief, summary; ~**ment** *adv* basically, summarily.

sommation *f* summons; demand.

somme *m* nap, snooze.

sommeil *m* sleep; sleepiness, drowsiness.

sommeiller *vi* to slumber, doze.

sommelier *m* wine waiter.

sommet *m* summit; top; crest; apex.

sommier *m* springs, divan base; ledger (construction).

sommité *f* leading light, eminent person.

somnambule *mf* sleepwalker; * *adj* sleepwalking.

somnifère *m* sleeping pill, soporific.

somnolent *adj* sleepy, drowsy.

somnoler *vi* to doze, drowse.

somptueux *adj* sumptuous, lavish.

son *m* sound; * *adj*, *f* sa; *pl* ses his, her, its.

sonate *f* sonata.

sondage *m* drilling; probing; sounding.

sonde *f* sounding line; probe; drill.

sonder *vt* to sound; to probe; to drill.

songe *m* dream.

songer *vt* to dream; to imagine; to consider.

songeur *adj* pensive.

sonner *vi* to ring; to go off; * *vt* to ring, sound.

sonnerie *f* ringing, bells; chimes.

sonnette *f* small bell; house-bell.

sonore *adj* resonant, deep-toned.

sonorisation *f* sound recording; sound system.

sonorité *f* sonority, tone; resonance.

sophistiqué *adj* sophisticated.

soporiphique *m* sleeping drug; soporific; * *adj* soporific.

soprano *mf* soprano.

sorbet *m* sorbet, water ice.

sorcellerie *f* witchcraft, sorcery.

sorcier *m* sorcerer.

sorcière *f* witch, sorceress.

sordide *adj* sordid, squalid; ~**ment** *adv* sordidly, squalidly.

sort *m* fate, destiny, lot.

sortant *adj* outgoing, retiring.

sorte *f* sort, kind, manner.

sortie *f* exit, way out; trip; sortie; outburst; export.

sortilège *m* spell (magical).

sortir *vi* to go out, emerge; to result; to escape; **se ~** *vr* to get out of; to extricate o.s.; **s'en ~** to get over, pull through.

sosie *m* double, second self.

sot *adj*, *f* -**te** silly, foolish; ~**tement** *adv* foolishly, stupidly.

sottise *f* stupidity; stupid remark, action.

sou *m* five centimes; cent.

soubresaut *m* jolt; start.

souche *f* stump; stock.

souci *m* worry; concern.

soucier (se) *vr*: **se ~ de** to care about.

soucieux *adj* concerned, worried.

soucoupe *f* saucer.

soudain *adj* sudden, unexpected; ~**ement** *adv* suddenly.

soude *f* soda.

souder *vt* to solder; to weld.

soudeur *m* -**euse** *f* solderer; welder.

soudoyer *vt* to bribe, buy over.

soudure *f* soldering, welding.

souffle *m* blow, puff; breath.

soufflé *m* soufflé; flabbergasted.

souffler *vi* to blow; to breathe; to puff.

soufflerie *f* bellows.

soufflet *m* slap in the face; affront; bellows.

souffrance *f* suffering; pain.

souffrant *adj* suffering; in pain.

souffrir *vi* to suffer, be in pain.

souhait *m* wish.

souhaitable *adj* desirable.

souhaiter *vt* to wish for, desire.

souiller *vt* to soil, dirty; to tarnish.

soulagement *m* relief.

soulager *vt* to relieve, soothe.

soulèvement *m* uprising.

soulever *vt* to lift, raise; to excite, stir up; **se ~** *vr* to rise; to revolt.

soulier *m* shoe.

souligner *vt* to underline.

soumettre *vt* to subdue, subjugate; to submit, deliver; **se ~** *vr* to subject o.s. to.

soumis *adj* submissive.

soumission *f* submission.

soupape *f* valve; safety valve.

soupçon *m* suspicion, conjecture; hint.

soupçonner *vt* to suspect, surmise.

soupçonneux *adj* suspicious.

soupe *f* soup.

soupeser *vt* to feel the weight of; to weigh up.

soupière *f* soup tureen.

soupir *m* sigh; gasp.

soupirail *m* basement window.

soupirer *vi* to sigh; to gasp.

souple *adj* supple; pliable; **~ment** *adv* supply, flexibly.

souplesse *f* suppleness; flexibility.

source *f* source; origin; spring.

sourcil *m* eyebrow.

sourd *m* -**e** *f* deaf person; * *adj* deaf; muted; veiled; **~ement** *adv* dully; silently.

sourdine *f* mute.

sourd(e)-muet(te) *m(f)* deaf-mute; * *adj* deaf and dumb.

souriant *adj* smiling, cheerful.

sourire *m* smile, grin.

souris *f* mouse.

sournois *adj* deceitful; sly; **~ement** *adv* deceitfully.

sous *prép* under, beneath, below.

sous-alimenté *adj* undernourished.

sous-bois *m* undergrowth.

sous-chef *m* second-in-command.

souscrire *vi* to subscribe.

sous-développé *adj* underdeveloped.

sous-directeur *m* -**trice** *f* submanager.

sous-entendre *vt* to imply, infer.

sous-entendu *m* innuendo, understood.

sous-estimer *vt* to underestimate.

sous-jacent *adj* subjacent, underlying.

sous-louer *vt* to sublet.

sous-marin *m* submarine; * *adj* underwater.

sous-multiple *m* submultiple.

sous-officier *m* non-commissioned officer.

sous-préfecture *f* sub-prefecture.

sous-préfet *m* sub-prefect.

soussigné *adj* undersigned.

sous-sol *m* subsoil; basement.

sous-titre *m* subtitle.

sous-titrer *vt* to subtitle.

soustraction *f* subtraction.

soustraire *vt* to subtract; to remove; **se ~** *vr*: **se ~ à** to escape, elude.

sous-traitance *f* subcontracting.

sous-traitant *m* subcontractor.

sous-traiter *vi* to subcontract.

sous-vêtement *m* undergarment.

soutane *f* cassock, soutane.

soute *f* hold; baggage hold.

soutenir *vt* to hold up; to sustain; to endure.

souterrain *m* underground passage; * *adj* underground.

soutien *m* support.

soutien-gorge *m* bra.

soutirer *vt* to extract from.

souvenir *m* memory; recollection; reminder.

souvenir (se) *vr* to remember, recollect.

souvent *adv* often, frequently.

souverain *m* -**e** *f* sovereign; * *adj* sovereign; supreme; ~**ement** *adv* supremely.

soyeux *adj* silky.

spacieux *adj* spacious, roomy.

spaghetti *mpl* spaghetti.

sparadrap *m* sticking plaster.

spasme *m* spasm.

spasmophilie *f* spasmophilia.

spatial *adj* spatial; space.

spatule *f* spatula.

spécial *adj* special, particular; ~**ement** *adv* specially.

spécialisation *f* specialisation.

spécialiser *vt* to specialise; se ~ *vr* to be a specialist in sth.

spécialiste *mf* specialist.

spécialité *f* speciality; specialism.

spécieux *adj* specious.

spécification *f* specification.

spécifier *vt* to specify, determine.

spécifique *adj* specific; ~**ment** *adv* specifically.

spécimen *m* specimen; sample.

spectacle *m* spectacle, scene.

spectaculaire *adj* spectacular.

spectateur *m* -**trice** *f* spectator.

spectre *m* ghost.

spéculateur *m* -**trice** *f* speculator.

spéculation *f* speculation.

spéculer *vi* to speculate.

spéléologie *f* speleology; caving.

spermatozoïde *m* sperm; spermatozoon.

sperme *m* sperm, semen.

sphère *f* sphere.

sphérique *adj* spherical.

sphinx *m* sphinx.

spirale *f* spiral.

spiritisme *m* spiritualism.

spiritualité *f* spirituality.

spirituel *adj* witty; spiritual; ~**lement** *adv* wittily; spiritually.

splendeur *f* splendour, brilliance.

splendide *adj* splendid, magnificent; ~**ment** *adv* splendidly.

spongieux *adj* spongy.

sponsoriser *vt* to sponsor.

spontané *adj* spontaneous; ~**ment** *adv* spontaneously.

sporadique *adj* sporadic.

sport *m* sport.

sportif *m* sportsman, -**ive** *f* sportswoman; * *adj* sports; competitive; athletic.

square *m* (public) square.

squatter *vi* to squat in.

squelette *m* skeleton.

squelettique *adj* skeleton-like, scrawny.

stabiliser *vt* to stabilise, consolidate; se ~ *vr* to stabilise, become stabilised.

stabilité *f* stability.

stable *adj* stable, steady.

stade *m* stadium; stage.

stage *m* training course; probation.

stagiaire *mf* trainee.

stagnation *f* stagnation.

stagner *vi* to stagnate.

standard *m* standard; switchboard; * *adj* standard.

standardiser *vt* to standardise.

standardiste *mf* switchboard operator.

starter *m* choke.

station *f* station; stage, stop; resort; posture.

stationnaire *adj* stationary.

stationnement *m* parking.

stationner *vi* to park.

station-service *f* service station.

statique *adj* static.

statistique *f* statistics; * *adj* statistical.

statue *f* statue.

statuer *vt* to rule, give a verdict.

statu quo *m* status quo.

statut *m* statute, ordinance; status.

statutaire *adj* statutory; ~**ment** *adv* statutorally.

stencil *m* stencil.

sténodactylo *mf* shorthand typist.

sténographie *f* shorthand.
stentor *m*: **une voix de ~** stentorian voice.
steppe *f* steppe.
stère *m* stere.
stéréo(phonique) *adj* stereophonic.
stéréotype *m* stereotype.
stérile *adj* sterile, infertile.
stérilet *m* coil, IUD.
stériliser *vt* to sterilise.
stérilité *f* sterility.
sternum *m* breastbone, sternum.
stéroïde *adj* steroidal; * *m* steroid.
stigmate *m* mark, scar; stigmata.
stimulant *adj* stimulating; * *m* stimulant, stimulus.
stimulation *f* stimulation.
stimuler *vt* to stimulate, spur on.
stipuler *vt* to stipulate, specify.
stock *m* stock, supply.
stockage *m* stocking; stockpiling.
stocker *vt* to stock, stockpile.
stoïcisme *m* stoicism.
stoïque *adj* stoical; **~ment** *adv* stoically; * *mf* stoic.
stop *m* stop; stop sign; brakelight.
stopper *vt* to stop, halt; * *vi* to stop, halt.
store *m* blind, shade.
strabisme *m* squinting; strabismus.
strapontin *m* foldaway seat; minor role.
stratégie *f* strategy.
stratégique *adj* strategic; **~ment** *adv* strategically.
stratifié *adj* stratified.
stress *m* stress.
stressant *adj* stressful.
stresser *vt* to cause stress to.
strict *adj* strict, severe; **~ement** *adv* strictly.
strident *adj* strident, shrill.
strié *adj* streaked, striped, ridged.
stroboscope *m* stroboscope.
strophe *f* verse, stanza.
structural *adj* structural.

structure *f* structure.
structurel *adj* structural.
structurer *vt* to structure; **se ~** *vr* to develop a structure.
stuc *m* stucco.
studieux *adj* studious.
studio *m* studio; film theatre.
stupéfaction *f* stupefaction, amazement.
stupéfait *adj* astounded, dumbfounded.
stupéfiant *adj* astounding, amazing; drug, narcotic.
stupéfier *vt* to stupefy; to astound.
stupeur *f* amazement; stupor.
stupide *adj* stupid, foolish; **~ment** *adv* stupidly.
stupidité *f* stupidity.
style *m* style; stylus.
stylet *m* stiletto.
styliste *mf* designer; stylist.
stylo *m* pen.
su *m* knowledge.
suave *adj* suave, smooth.
subalterne *mf* subordinate; * *adj* subordinate.
subconscient *m* subconscious; * *adj* subconscious.
subdiviser *vt* to subdivide.
subdivision *f* subdivision.
subir *vt* to sustain, support; to undergo, suffer.
subit *adj* sudden; **~ement** *adv* suddenly.
subjectif *adj* subjective.
subjectivement *adv* subjectively.
subjectivité *f* subjectivity.
subjonctif *m* subjunctive; * *adj* subjunctive.
subjuguer *vt* to subjugate; to captivate.
sublime *adj* sublime; * *m* sublime.
sublimer *vt* to sublimate.
subliminal *adj* subliminal.
submerger *vt* to submerge, flood; to engulf.
submersible *m* submersible; * *adj* submersible.

subordination *f* subordination.

subordonné *m* -e *f* subordinate;
* *adj* subordinate.

subordonner *vt* to subordinate.

subreptice *adj* surreptitious;
~ment *adv* surreptitiously.

subséquent *adj* subsequent.

subside *m* grant.

subsidiaire *adj* subsidiary.

subsistance *f* subsistence, maintenance, sustenance.

subsister *vi* to subsist; to live on.

substance *f* substance.

substantiel *adj* substantial;
~lement *adv* substantially.

substantif *m* noun, substantive;
* *adj* substantival, nominal.

substituer *vt* to substitute, replace.

substitut *m* substitute.

substitution *f* substitution.

subterfuge *m* subterfuge.

subtil *adj* subtle; ~ement *adv*
subtly.

subtiliser *vt* to steal, spirit away.

subtilité *f* subtlety.

subvenir *vi*: ~ à to provide for.

subvention *f* grant, subsidy.

subventionner *vt* to subsidise.

subversif *adj* subversive.

suc *m* sap; juice.

succéder *vi*: ~ à to succeed, follow; * se ~ *vr* to succeed one
another.

succès *m* success; hit.

successeur *m* successor.

successif *adj* successive.

succession *f* succession; inheritance, estate.

successivement *adv* successively.

succinct *adj* succinct; ~ement
adv succinctly.

succomber *vi* to succumb, give
way.

succulent *adj* succulent, delicious.

succursale *f* branch.

sucer *vt* to suck.

sucette *f* lollipop; dummy.

suçon *m* love bite.

sucre *m* sugar.

sucrer *vt* to sugar, sweeten.

sucrerie *f* sugar refinery.

sucrier *m* sugar bowl; * *adj* sugar;
sugar-producing.

sud *m* south.

suer *vi* to sweat, perspire.

sueur *f* sweat.

suffire *vi* to suffice, be sufficient;
il suffit de it is enough to, it
only takes.

suffisamment *adv* sufficiently,
enough.

suffisant *adj* sufficient, adequate.

suffoquer *vi* to choke, suffocate;
* *vt* to choke, stifle.

suffrage *m* suffrage; vote; commendation, approval.

suggérer *vt* to suggest, put forward.

suggestion *f* suggestion.

suicidaire *adj* suicidal; * *mf* person with suicidal tendencies.

suicide *m* suicide.

suicider (se) *vr* to commit suicide.

suie *f* soot.

suif *m* tallow.

suintement *m* oozing; sweating.

suinter *vi* to ooze; to sweat.

suite *f* rest; sequel; continuation;
series; connection; progress;
tout de ~ at once; **deux fois de**
~ two times in a row; **et ainsi
de** ~ and so on; **à la suite de**
after, behind; **par la** ~ afterwards; **donner** ~ à to follow up.

suivant *m* -e *f* next one; attendant; * *adj* following, next; * *prép*
according to; ~ **que** according to
whether.

suivi *adj* steady, regular; widely
adopted; * *m* follow-up.

suivre *vt* to follow; to attend, accompany; to exercise; ~ **son
cours** to take its course; **à
suivre** to be continued; **se** ~ *vr*
to follow each other; to be continuous.

sujet *m* subject, topic; ground;

reason; * *adj*: **être ~ à** to be subject to, liable to.

sujétion *f* subjection; constraint.

sulfate *m* sulphate.

sulfater *vt* to apply copper sulphate.

sulfure *m* sulphur.

sulfureux *adj* sulphurous.

sulfurique *adj* sulphuric.

sultan *m* sultan, **-e** *f* sultana.

summum *m* climax, height.

super *m* super, four-star petrol; * *adj (fam)* ultra, super.

superbe *adj* superb, splendid; **~ment** *adv* superbly.

supercarburant *m* high-octane petrol.

supercherie *f* trick, trickery.

superficie *f* area, surface.

superficiel *adj* superficial; **~lement** *adv* superficially.

superflu *adj* superfluous.

supérieur *adj* upper; superior; higher, greater; **~ement** *adv* exceptionally well.

supériorité *f* superiority.

superlatif *m* superlative; * *adj* superlative.

superposer *vt* to superpose, stack; to superimpose; **se ~** *vr* to be superimposed.

superposition *f* superposing; superimposition.

supersonique *adj* supersonic.

superstitieux *adj* superstitious.

superstition *f* superstition.

superviser *vt* to supervise.

supplanter *vt* to supplant, oust.

suppléant *m* **-e** *f* substitute, understudy; * *adj* substitute.

supplément *m* supplement; extra charge.

supplémentaire *adj* supplementary, additional.

suppliant *adj* beseeching, entreating.

supplication *f* supplication; entreaty.

supplice *m* corporal punishment; torture.

supplier *vt* to beseech, entreat.

support *m* support, prop; stand.

supporter *vt* to support; to endure, bear.

supporter *m* supporter.

supposer *vt* to suppose; to assume; to imply.

supposition *f* supposition, surmise.

suppositoire *m* suppository.

suppression *f* suppression; deletion; cancellation.

supprimer *vt* to suppress; to cancel.

suppurer *vi* to suppurate.

suprématie *f* supremacy.

suprême *adj* supreme.

sur *prép* on; over, above; into; out of, from.

sûr *adj* sure, certain; secure; **~ de soi** self-assured; **bien ~** of course; **à coup ~** for sure; **~ement** *adv* surely, certainly.

surabondance *f* overabundance.

suranné *adj* outmoded, outdated.

surcharge *f* overloading; excess; surcharge.

surcharger *vt* to overload.

surchauffe *f* overheating.

surcroît *m*: surplus, excess; **de ~** in addition.

surdité *f* deafness.

sureau *m* elder (tree).

surélever *vt* to raise, heighten.

surenchérir *vi* to outbid.

surestimer *vt* to overestimate; to overvalue.

sûreté *f* safety; guarantee, surety; **être en ~** to be safe.

surexcité *adj* overexcited.

surface *f* surface.

surgeler *vt* to deep-freeze.

surgir *vi* to rise, appear; to arise, crop up.

surhomme *m* superman.

surintendant *m* superintendent.

surlendemain *m* day after tomorrow.

surmenage *m* overwork; overtaxing.

surmener *vt* to overwork; **se ~** *vr* to overwork.

surmonter *vt* to surmount, overcome.

surnager *vi* to float.

surnaturel *adj* supernatural.

surnom *m* nickname.

surnommer *vt* to nickname.

surpasser *vt* to surpass, outdo.

surplomb *m* overhang; **en ~** overhanging.

surplomber *vt* to overhang.

surplus *m* surplus, remainder, excess.

surpopulation *f* overpopulation.

surprenant *adj* surprising, amazing.

surprendre *vt* to surprise, amaze.

surprise *f* surprise.

surproduction *f* overproduction.

surréalisme *m* surrealism.

surréaliste *mf* surrealist; * *adj* surrealistic.

sursaut *m* start, jump.

sursauter *vi* to start, jump.

sursis *m* reprieve; deferment.

sursitaire *adj* deferred; suspended.

surtaxe *f* surcharge.

surtout *adv* especially; above all.

surveillance *f* surveillance; supervision; inspection.

surveillant *m* -e *f* warder, guard.

surveiller *vt* to watch; to supervise; to inspect.

survenir *vi* to take place, occur.

survêtement *m* tracksuit.

survie *f* survival.

survivant *m* -e *f* survivor; * *adj* surviving.

survivre *vi* to survive.

survoler *vt* to fly over.

susceptible *adj* sensitive; susceptible; capable; likely; **être ~ de** to be liable to.

susciter *vt* to arouse, incite.

suspect *m* -e *f* suspect; * *adj* suspicious, suspect.

suspecter *vt* to suspect.

suspendre *vt* to hang up; to suspend, defer.

suspendu *adj* hanging; suspended.

suspens *m*: **en ~** in abeyance; shelved.

suspense *m* suspense.

suspension *f* suspension; deferment; adjournment.

suspicieux *adj* suspicious.

suspicion *f* suspicion.

susurrer *vt* to whisper.

suture *f* suture; **points de ~** stitches.

svelte *adj* svelte, slim.

SVP *abrév de* **s'il vous plaît** please.

syllabe *f* syllable.

sylvestre *adj* forest.

symbole *m* symbol.

symbolique *adj* symbolic; token; nominal; **~ment** *adv* symbolically.

symboliser *vt* to symbolise.

symbolisme *m* symbolism.

symétrie *f* symmetry.

symétrique *adj* symmetrical; **~ment** *adv* symmetrically.

sympa *adj invar* *(fam)* nice, friendly.

sympathie *f* liking; fellow feeling; sympathy.

sympathique *adj* likeable, nice; friendly.

sympathisant *m* -e *f* sympathiser; * *adj* sympathising.

sympathiser *vi* to get on well with.

symphonie *f* symphony.

symphonique *adj* symphonic.

symptomatique *adj* symptomatic.

symptôme *m* symptom.

synagogue *f* synagogue.

synchronisation *f* synchronisation.

synchroniser *vt* to synchronise.

syncope *f* blackout, syncope.

syncopé *adj* syncopated.

syndical *adj* trade-union.

syndicalisme *m* trade unionism.
syndicaliste *mf* trade unionist; *
adj trade union.
syndicat *m* trade union; association.
syndiquer *vt* to unionise; **se ~** *vr*
to form a trade union.
syndrome *m* syndrome.
synonyme *m* synonym; * *adj* synonymous.

syntaxe *f* syntax.
synthèse *f* synthesis.
synthétique *adj* synthetic.
synthétiser *vt* to synthesise.
synthétiseur *m* synthesiser.
syphilis *f* syphilis.
systématique *adj* systematic;
~ment *adv* systematically.
système *m* system.

T

tabac *m* tobacco.
tabagisme *m* nicotine addiction.
tabatière *f* snuffbox; skylight.
table *f* table; **~ de nuit** bedside
table; **~ ronde** round-table conference.
tableau *m* table; chart; timetable;
scene; **~ de bord** dashboard.
tablette *f* bar; tablet; block.
tablier *m* apron; pinafore; overall.
tabou *m* taboo.
tabouret *m* stool.
tache *f* mark; stain; spot.
tâche *f* task, assignment; work.
taché *adj* stained, blemished.
tâcher *vi* to endeavour.
tacheté *adj* spotted; freckled.
tachycardie *f* tachycardia.
tacite *adj* tacit; **~ment** *adv* tacitly.
taciturne *adj* taciturn, silent.
tact *m* tact; **avoir du ~** to have
tact, be tactful.
tactile *adj* tactile.
tactique *f* tactics; * *adj* tactical.
taffetas *m* taffeta.
tagliatelles *fpl* tagliatelli.
taillader *vt* to slash, gash.
taille *f* waist; height, stature, size;
de ~ considerable, sizeable; **être
de ~ à** to be up to it.
taille-crayons *m* pencil sharpener.
tailler *vt* to cut; to carve; to

sharpen; **se ~** *vr (fam)* to clear
off, split.
tailleur *m* tailor; cutter, hewer.
taillis *m* copse, coppice.
taire *vt* to hush up; to conceal; **se
~** *vr* to be quiet; to fall silent.
talc *m* talc, talcum powder.
talent *m* talent, ability.
talentueux *adj* talented.
talisman *m* talisman.
talon *m* heel; end; pile.
talonner *vt* to follow closely; to
hound.
talquer *vt* to put talcum powder
on.
talus *m* embankment.
tambour *m* drum; barrel.
tambourin *m* tambourine.
tambouriner *vi* to drum; to beat,
hammer.
tamis *m* sieve; riddle.
tamiser *vt* to sieve; to sift.
tampon *m* stopper, plug; tampon;
buffer.
tamponner *vt* to mop up; to
stamp.
tam-tam *m* tom-tom; row.
tandem *m* tandem; duo.
tandis *conj*: **~ que** while;
whereas.
tangent *adj* tangent, tangential.
tangible *adj* tangible.
tango *m* tango.
tanguer *vi* to pitch (ship).
tanière *f* den, lair.

tank *m* tank.

tanné *adj* tanned; weathered.

tanner *vt* to tan, weather.

tanneur *m* tanner.

tant *adv* so much; ~ **que** as long as; ~ **soit peu** ever so slightly; ~ **mieux** so much the better; that's a good job; ~ **pis** too bad; ~ **bien que mal** as well as can be expected.

tante *f* aunt.

tantôt *adv* sometimes; this afternoon; shortly.

taon *m* horsefly, gadfly.

tapage *m* din, uproar, racket.

tapageur *adj* noisy, rowdy; showy.

tape *f* slap.

taper *vi* to hit, tap, stamp; to beat down; * *vt* to beat; to slap; to type.

tapioca *m* tapioca.

tapir (se) *vr* to crouch; to hide away.

tapir *m* tapir.

tapis *m* carpet; rug; cloth.

tapisser *vt* to wallpaper; to cover; to carpet.

tapisserie *f* tapestry; tapestry-making; **faire** ~ to be a wallflower.

tapoter *vt* to pat; to tap; to strum.

taquin *adj* teasing.

taquiner *vt* to tease; to plague.

tarauder *vt* to tap; to torment.

tard *adv* late.

tarder *vi* to delay, put off; to dally.

tardif *adj* late; tardy; slow; backward.

tardivement *adv* late; tardily.

tare *f* tare; defect, flaw.

taré *adj* tainted, corrupt; sickly.

tari *adj* dried up.

tarif *m* tariff; price-list.

tarir *vt* to dry up; to exhaust; **se** ~ *vr* to dry up.

tarot *m* tarot.

tartare *adj* Tartar.

tarte *f* tart, flan.

tartelette *f* tartlet, tart.

tartine *f* slice of buttered bread.

tartiner *vt* to spread with butter, jam, etc.

tartre *m* tartar; fur, scale.

tas *m* heap, pile; lot, set.

tasse *f* cup.

tassement *m* settling, sinking.

tasser *vt* to heap up; **se** ~ *vr* to sink; subside.

tata *f* auntie.

tâter *vt* to feel, try; **se** ~ *vr* to feel o.s.

tâtonnement *m* trial and error; experimentation.

tâtonner *vi* to feel one's way, grope along.

tatouage *m* tattooing; tattoo.

tatouer *vt* to tattoo.

taudis *m* hovel, slum.

taupe *f* mole.

taureau *m* bull.

tauromachie *f* bullfighting.

taux *m* rate; ratio; ~ **de change** exchange rate.

taverne *f* tavern.

taxation *f* taxation, taxing.

taxe *f* tax; duty; rate.

taxer *vt* to tax; to fix the price of.

taxi *m* taxi.

tchin-tchin! *interj* cheers!

te *pn* you, yourself.

technicien *m* **-ne** *f* technician.

technique *f* technique; * *adj* technical; ~**ment** *adv* technically.

technocrate *m* technocrat.

technocratie *f* technocracy.

technologie *f* technology.

technologique *adj* technological.

téflon *m* teflon.

teigne *f* moth; ringworm.

teindre *vt* to dye.

teint *m* complexion, colouring.

teinte *f* tint, colour, shade.

teinter *vt* to tint; to stain.

teinture *f* dye; dyeing.

teinturerie *f* dyeing; dye-works; dry cleaner's.

teinturier *m* **-ère** *f* dyer; dry cleaner.

tel *adj* such; like, similar; **~ quel** such as it is; **en tant que ~** as such, in such a capacity; **il n'y a rien de ~** there's nothing like...

télé *f* TV, telly.

télécarte *f* phonecard.

télécommande *f* remote control.

télécommunication *f* telecommunication.

télécopie *f* facsimile transmission; fax.

télécopieur *m* fax machine.

télédiffusion *f* television broadcasting.

téléphérique *m* cableway; cable-car.

télégramme *m* telegram; cable.

télégraphier *vt* to telegraph, cable.

téléguider *vt* to radio-control.

télématique *f* telematics.

téléobjectif *m* telephoto lens.

télépathie *f* telepathy.

téléphone *m* telephone.

téléphoner *vi* to telephone.

téléphonique *adj* telephone; telephonic.

télescope *m* telescope.

télescopique *adj* telescopic.

télésiège *m* chairlift.

téléski *m* lift, ski tow.

téléspectateur *m* **-trice** *f* television viewer.

téléviseur *m* television set.

télévision *f* television.

télex *m* telex.

tellement *adj* so, so much; **~ de** so many, so much.

téméraire *adj* rash, reckless; **~ment** *adv* rashly; recklessly.

témérité *f* rashness; recklessness.

témoignage *m* testimony; evidence; certificate.

témoigner *vi* to testify.

témoin *m* witness; evidence; proof.

tempérament *m* constitution; temperament; character.

tempérance *f* temperance.

température *f* temperature.

tempéré *adj* temperate; tempered.

tempérer *vt* to temper; to assuage, soothe.

tempête *f* tempest.

temple *m* temple.

tempo *m* tempo, pace.

temporaire *adj* temporary; **~ment** *adv* temporarily.

temporel *adj* worldly, temporal.

temporiser *vi* to temporise, delay.

temps *m* time; while; tense; beat; weather; **de ~ en ~** from time to time; **entre ~** meanwhile.

tenace *adj* tenacious, stubborn, persistent.

ténacité *f* tenacity; stubbornness.

tenaille *f* pincers; tongs.

tenailler *vt* to torture; to rack.

tendance *f* tendency; leaning; trend.

tendancieux *adj* tendentious.

tendinite *f* tendinitis.

tendon *m* tendon, sinew.

tendre *adj* tender, soft; delicate; **~ment** *adv* tenderly, affectionately.

tendresse *f* tenderness; fondness.

tendu *adj* tight; stretched; concentrated; delicate, fraught.

ténèbres *fpl* darkness, gloom.

ténébreux *adj* dark, gloomy.

teneur *f* terms; content; grade.

tenir *vt* to hold, keep; to stock; to run; * *vi* to hold, stay in place; **~ à** to value, care about; **~ de** to take after; **se ~** *vr* to hold on to; to behave; **s'en ~ à** to limit o.s. to, stick to.

tennis *m* tennis; **~ de table** table tennis.

ténor *m* tenor; leading light.

tentacule *m* tentacle.

tentant *adj* tempting, inviting.

tentation *f* temptation.

tentative *f* attempt, bid.

tente *f* tent.

tenter *vt* to tempt.

tenture *f* hanging; curtain.

tenue *f* holding; session; deportment, good behaviour; dress, appearance.

tergal *m* terylene.

tergiverser *vi* to procrastinate, beat about the bush.

terme *m* term; termination, end; word, expression; **au ~ de** at the end of.

terminaison *f* ending.

terminal *adj* terminal; * *m* terminal.

terminer *vt* to terminate; to finish off; **se ~ vr** to terminate; to come to an end.

terminologie *f* terminology.

termite *m* termite.

terne *adj* colourless; lustreless, drab; spiritless.

ternir *vt* to tarnish, dull.

terrain *m* ground, soil, earth; plot; position; site; field.

terrasse *f* terrace.

terrasser *vt* to floor, knock down; to strike down, overcome.

terre *f* earth; world; ground, land; **mettre pied à ~** to land, alight.

terre à terre *adj* down to earth, commonplace.

terreau *m* compost.

terre-plein *m* (*mil*) terreplein; platform; central reservation.

terrer (se) *vr* to crouch down; to lie low, go to ground.

terrestre *adj* land; terrestrial.

terreur *f* terror, dread.

terreux *adj* earthy;dirty; ashen.

terrible *adj* terrible, dreadful; terrific, great; **~ment** *adv* terribly.

terrien *m* countryman; earthling; **-ne** *f* countrywoman; earthling.

terrier *m* burrow; earth; terrier.

terrifiant *adj* terrifying, fearsome.

terrifier *vt* to terrify.

terrine *f* earthenware dish, terrine.

territoire *m* territory, area.

territorial *adj* land, territorial.

terroir *m* land.

terroriser *vt* to terrorise.

terrorisme *m* terrorism.

terroriste *mf* terrorist; * *adj* terrorist.

tertiaire *adj* tertiary.

test *m* test.

testament *m* will, testament.

tester *vt* to test; to make out one's will.

testicule *m* testicle, testis.

tétanos *m* tetanus; lockjaw.

têtard *m* tadpole.

tête *f* head; face; front; top; sense, judgment; **tenir ~** to stand up to sb; **faire la ~** to pout, sulk; **~ de turc** whipping boy; **~ de mort** skull and crossbones; **être en ~** to head.

tête à tête *m* private conversation; **en ~** in the lead.

tétée *f* feeding; nursing.

téter *vt* to suck.

tétine *f* teat; udder; dummy.

téton *m* breast.

têtu *adj* headstrong, stubborn.

texte *m* text.

textile *adj* textile.

textuel *adj* textual, literal, exact; **~lement** *adv* literally; word for word.

texture *f* texture.

thé *m* tea.

théâtral *adj* theatrical, dramatic.

théâtre *m* theatre; drama.

théière *f* teapot.

thématique *adj* thematic.

thème *m* theme.

théologie *f* theology.

théorème *m* theorem.

théoricien *m* **-ne** *f* theoretician, theorist.

théorie *f* theory.

théorique *adj* theoretical; **~ment** *adv* theoretically.

thérapeute *mf* therapist.

thérapie f therapy.
thermal adj thermal; hydropathic.
thermique adj thermal; thermic.
thermomètre m thermometer.
thermos f/m thermos.
thermostat m thermostat.
thésaurus m thesaurus.
thèse f thesis.
thon m tuna.
thoracique adj thoracic; **cage ~** ribcage.
thorax m thorax.
thrombose f thrombosis.
thym m thyme.
thyroïde f thyroid.
tibia m tibia.
tic m twitch, tic; mannerism.
ticket m ticket.
tiède adj lukewarm, tepid.
tien pn, f **tienne: le ~, la tienne, les ~s, les tiennes** yours, your own.
tiers adj third; **~-monde** Third World; * m third; third party.
tige f stem, stalk.
tigre m tiger.
tigresse f tigress.
tilleul m lime, linden.
timbale f kettledrum.
timbre m stamp; postmark; bell; tone, timbre.
timbré adj stamped; resonant.
timbrer vt to stamp; to postmark.
timide adj timid, shy; **~ment** adv timidly.
timidité f timidity, shyness.
timonier m (mar) helmsman.
tintamarre m hubbub, uproar.
tintement m ringing; chiming; toll.
tinter vi to ring, toll; to chime.
tique f tick.
tiquer vi to wince.
tir m shooting, firing, fire; shot; **~ à l'arc** archery.
tirade f tirade; monologue.
tirage m drawing, drawing off; printing; circulation; friction.
tiraillement m tugging; pulling.

tirailler vt to tug; to plague; to pester.
tire-bouchon m corkscrew.
tire-fesses m ski tow.
tirelire f moneybox.
tirer vt to pull; to draw; to extract; **se ~** vr (fam) to clear off; **bien s'en ~** to make a good job of sth.
tiret m dash; hyphen.
tireur m **-euse** f gunner, sharpshooter; printer; drawer (cheque).
tiroir m drawer.
tison m brand.
tisonnier m poker.
tissage m weaving.
tisser vt to weave.
tissu m texture, fabric; tissue.
titan m titan.
titane m titanium.
titanesque adj titanic.
titre m title; heading; denomination; claim; right; deed; **à ~ de** by right of; **à juste ~** deservedly, justly; **en ~** titular, acknowledged.
tituber vi to stagger.
titulaire mf incumbent, holder; * adj titular; entitled.
toast m slice of toast; toast; **porter un ~** to drink a toast.
toboggan m toboggan.
toc m tap, knock; sham jewellery etc.; **en ~** imitation, fake.
toi pn you; **~-même** yourself; **c'est à ~** it's your's; it's your turn.
toile f cloth; canvas; sheet
toilette f cleaning, grooming; washstand; **faire sa ~** to wash oneself; **cabinet de ~** bathroom.
toiser vt to survey; to evaluate.
toison f fleece.
toit m roof; home.
toiture f roof, roofing.
tôle f sheet metal.
tolérable adj tolerable, bearable.
tolérance f tolerance.
tolérant adj tolerant.

tolérer *vt* to tolerate; to put up with.

tomate *f* tomato.

tombe *f* tomb; grave.

tombeau *m* tomb.

tomber *vi* to fall; to sink; to decay; **laisser ~** to drop; **~ malade** to fall sick; **~ amoureux** to fall in love; **~ sur** to come across; **bien/mal ~** to be lucky/unlucky.

tombola *f* tombola.

tome *m* book; volume.

ton *adj*, *f* **ta**, *pl* **tes** your; * *m* tone; pitch; shade.

tonalité *f* tonality; key.

tondeuse *f* clippers, shears; mower.

tondre *vt* to shear, clip; mow.

tonifiant *m* tonic; * *adj* bracing; invigorating.

tonifier *vt* to tone up; to invigorate.

tonique *adj* tonic; fortifying; invigorating *m* tonic.

tonitruant *adj* thundering.

tonnage *m* tonnage; displacement.

tonne *f* ton.

tonneau *m* barrel, cask.

tonnelle *f* bower, arbour.

tonnerre *m* thunder.

tonton *m* *(fam)* uncle.

tonus *m* tone; energy.

top *m* pip, stroke.

topaze *f* topaz.

topographie *f* topography.

toquade *f* infatuation; fad, craze.

toque *f* fur hat; cap.

toquer *vi* to tap, rap.

torche *f* torch.

torcher *vt* to wipe, mop up; **se ~** *vr* to wipe oneself.

torchon *m* cloth; duster.

tordre *vt* to twist, contort; **se ~** *vr* to bend, twist; to sprain.

tordu *adj* twisted, crooked, bent.

tornade *f* tornado.

torpeur *f* torpor.

torpille *f* torpedo.

torpiller *vt* to torpedo.

torréfaction *f* roasting; toasting.

torrent *m* torrent.

torrentiel *adj* torrential.

torride *adj* torrid; scorching.

torsade *f* twist; cable moulding.

torse *m* chest; torso.

torsion *f* twisting; torsion.

tort *m* fault; wrong; prejudice; **avoir ~** to be wrong; **en ~** in the wrong; **à ~ ou à raison** wrongly or rightly; **faire du ~** to harm; **à ~ et à travers** wildly; here, there and everywhere.

torticolis *m* stiff neck; torticollis.

tortiller *vt* to twist; **se ~** *vr* to wriggle; to squirm.

tortionnaire *mf* torturer; * *adj* pertaining to torture.

tortue *f* tortoise.

tortueux *adj* tortuous, winding, meandering.

torture *f* torture.

torturer *vt* to torture.

tôt *adv* early; soon, quickly; **au plus ~** as soon as possible; **plus ~** sooner.

total *adj* total; absolute; **~ement** *adv* totally.

totaliser *vt* to totalise, add up.

totalitaire *adj* totalitarian.

totalitarisme *m* totalitarianism.

totalité *f* totality; whole.

totem *m* totem.

touchant *adj* touching, moving.

touche *f* touch; trial; stroke; key.

toucher *vt* to touch; to feel; * *m* touch, feeling.

touffe *f* tuft, clump.

touffu *adj* bushy, thick.

toujours *adv* always; still; all the same; **pour ~** for ever; **~ est-il que** the fact remains that.

toupet *m* quiff, tuft; cheek.

toupie *f* spinning top.

tour *f* tower; * *m* turn, round; circuit; tour; trick; **faire un ~** to take a stroll; **faire le tour de** to go around; **fermer à double ~** to double-lock; **jouer un ~** to play a trick; **~ à ~** by turns.

tourbe f peat.

tourbillon m whirlwind, whirl-pool.

tourbillonner vi to whirl, eddy.

tourisme m tourism.

touriste mf tourist.

touristique adj tourist.

tourment m torment, agony.

tourmente f storm, tempest.

tourmenter vt to rack, torment; **se ~** vr to fret; to worry.

tournage m turning; (cin) shooting.

tournant m bend; turning point; * adj revolving, swivel; winding.

tournedos m fillet steak.

tournée f tour; round.

tourner vt to turn; to round; * vi to turn; to work; to change; **se ~** vr to turn round; to change.

tournesol m sunflower.

tourneur m turner.

tournevis m screwdriver.

tourniquet m tourniquet; turnstile.

tournis m (vet) sturdy, staggers; **avoir le ~** to feel giddy.

tournoi m tournament.

tournoyer vi to whirl, swirl.

tournure f turn; turn of phrase.

tourte f pie.

tourerelle f turtledove.

tourtière f pie tin.

Toussaint f All Saints' Day.

tousser vi to cough.

tout adj, pl **tous**, **toutes** all; whole; every; **~ le monde** everybody; * pn everything; all; c'est ~ that is all; * m whole, only thing; **pas du ~** not at all; **du ~ au ~** completely; * adv entirely, quite; **~ droit** straight on; **~ à fait** completely, quite; **~ de suite** immediately.

toutefois adv however.

tout-puissant adj all-powerful.

toux f cough.

toxicomane mf drug addict; * adj drug addicted.

toxicomanie f drug addiction.

toxine f toxin.

toxique adj toxic.

trac m nerves, stage fright.

tracas m bustle, turmoil; worry.

tracasser vt to worry; to harass.

trace f track, impression; outline, sketch; vestige, trace.

tracé m layout, plan.

tracer vt to draw, trace; to open up.

trachée f trachea, windpipe.

tract m leaflet, tract.

tractation f transaction; bargaining.

tracteur m tractor.

traction f traction; pulling.

tradition f tradition.

traditionaliste mf traditionalist; * adj traditionalist.

traditionnel adj traditional; usual; **~lement** adv traditionally.

traducteur m **-trice** f translator.

traduction f translation.

traduire vt to translate.

trafic m traffic; trading; dealings.

trafiquant m **-e** f trafficker.

trafiquer vi to fiddle, tamper with.

tragédie f tragedy.

tragédien m **-ne** f tragedian, tragic actor.

tragique adj tragic; **~ment** adv tragically.

trahir vt to betray.

trahison f betrayal, treason.

train m train; pace, rate; **être en ~ de** to be in the act of doing sth.

traînasser vi to dawdle; to loiter.

traîne f dragging; train; **être à la ~** to be in tow.

traîneau m sleigh, sledge.

traînée f trail, track; drag.

traîner vi to lag, dawdle; to drag on; * vt to drag, pull; to protract; **se ~** vr to drag o.s.; to crawl along.

train-train m humdrum routine.

traire vt to milk.

trait m trait, feature; deed; relation; **avoir ~ à** to have reference; **~ d'union** hyphen, connecting link.

traite f trade; draft, bill; milking.

traité m treaty; treatise, tract.

traitement m treatment; salary; processing.

traiter vt to treat; to process; * vi to treat, negotiate.

traiteur m caterer; trader.

traître m traitor **-sse** f traitress.

traîtrise f treachery, treacherousness.

trajectoire f trajectory.

trajet m distance; journey; course, path.

trame f framework; web.

tramer vt to plot; to weave.

trampoline m trampoline.

tramway m tram, tramway.

tranchant adj sharp, cutting.

tranche f slice; edge; section.

tranchée f trench; cutting.

trancher vt to cut, sever; to conclude; to settle; * vi to cut; to resolve; to stand out.

tranquille adj quiet, tranquil; **~ment** adv quietly, tranquilly.

tranquillisant m tranquilliser; * adj soothing, tranquillising.

tranquilliser vt to reassure.

tranquillité f tranquillity.

transaction f transaction, arrangement.

transatlantique m transatlantic liner; * adj transatlantic.

transcendant adj transcendent; transcendental.

transcender vt to transcend.

transcription f transcription; copy.

transcrire vt to transcribe; copy out.

transe f trance.

transept m transept.

tranférer vt to transfer.

transfert m transfer; conveyance.

transfiguration f transfiguration.

transfigurer vt to transfigure.

transformateur m transformer.

transformation f transformation.

transformer vt to transform, change; **se ~** vr to be transformed; to change.

transfuge mf defector.

transfuser vt to transfuse.

transfusion f transfusion.

transgresser vt to transgress, infringe.

transgression f transgression, infringement.

transi adj numb, paralysed.

transiger vi to compromise, come to terms.

transistor m transistor.

transit m transit.

transiter vi to pass in transit.

transitif adj transitive.

transition f transition.

transitoire adj transitory.

translucide adj translucent.

transmettre vt to transmit; to pass on, hand down.

transmissible adj transmissible.

transmission f transmission; passing on; handing down.

transmuter vt to transmute.

transparaître vi to show through.

transparence f transparency.

transparent adj transparent.

transpercer vt to pierce; to penetrate.

transpiration f transpiration; perspiration.

transpirer vi to perspire; to come to light.

transplanter vt to transplant.

transport m carrying; transport; conveyance; transfer.

transportable adj transportable.

transporter vt to carry; to transport.

transporteur m haulier; carrier.

transposer vt to transpose.

transposition f transposition.

transsexuel adj transsexual.

transvaser vt to decant.

transversal adj transverse;

~**ement** *adv* crosswise; transversely.

transvider *vt* to pour into another container.

trapèze *m* trapeze.

trapéziste *mf* trapeze artist.

trappe *f* trap door.

trappeur *m* trapper.

trapu *adj* squat; thickset.

traquer *vt* to track; to hunt down.

traumatisant *adj* traumatising.

traumatiser *vt* to traumatise.

traumatisme *m* traumatism.

travail *m* work; job, occupation; labour; *pl* **travaux** work, labour.

travailler *vi* to work; to endeavour; * *vt* to work, shape; to cultivate; to fatigue.

travailleur *m* -**euse** *f* worker; * *adj* diligent; hard-working.

travers *m* breadth; irregularity; fault; **à** ~ through, across; **de** ~ obliquely, askew; **en** ~ across, crosswise.

traversée *f* crossing, going through; traverse.

traverser *vt* to cross, traverse.

traversin *m* bolster.

travesti *m* drag artist; transvestite; * *adj* disguised.

trébucher *vi* to stumble, trip up.

trèfle *m* clover.

tréfonds *m* subsoil, bottom.

treille *f* climbing vine.

treillis *m* trellis; wire mesh.

treize *adj*, *m* thirteen.

treizième *adj*, *mf* thirteenth; ~**ment** *adv* in thirteenth place.

tréma *m* dieresis.

tremblant *adj* trembling, shaking.

tremblement *m* trembling; shiver; vibration; ~ **de terre** earthquake.

trembler *vi* to tremble, shake.

trembloter *vi* to tremble slightly, flicker.

trémousser (se) *vr* to wriggle.

tremper *vt* to soak; to dip; * *vi* to

soak; to take part in.

tremplin *m* springboard; ski-jump.

trentaine *f* about thirty.

trente *adj*, *m* thirty.

trentième *adj*, *mf* thirtieth.

trépasser *vi* to pass away.

trépidant *adj* pulsating, quivering.

trépied *m* tripod.

trépigner *vi* to stamp one's feet.

très *adv* very; most; very much.

trésor *m* treasure.

trésorerie *f* treasury.

trésorier *m* -**ière** *f* treasurer.

tressaillir *vi* to thrill; to shudder.

tressauter *vi* to start, jump.

tresse *f* plait, braid.

tresser *vt* to plait, braid.

tréteau *m* trestle.

treuil *m* winch.

trêve *f* truce; respite, rest.

tri *m* sorting out; selection; grading.

triage *m* sorting out.

triangle *m* triangle.

triangulaire *adj* triangular.

triathlon *m* triathlon.

tribal *adj* tribal.

tribord *m* starboard.

tribu *f* tribe.

tribunal *m* court, tribunal.

tribune *f* gallery, stand; rostrum.

tribut *m* tribute.

tributaire *adj* dependent, tributary.

tricher *vi* to cheat.

tricheur *m* -**euse** *f* cheater.

trichloréthylène *m* trichlorethylene.

tricolore *adj* three-coloured, tricolour.

tricot *m* jumper; knitting.

tricoter *vt* to knit.

tridimensionnel *adj* three-dimensional.

triennal *adj* triennial; three-yearly.

trier *vt* to sort out; to pick over.

trifouiller *vi* (*fam*) to rummage

about; * *vt* to rummage about in.

trigonométrie *f* trigonometry.

trilingue *adj* trilingual.

trilogie *f* trilogy.

trimer *vi* to slave away.

trimestre *m* quarter; term.

trimestriel *adj* quarterly; three-monthly.

tringle *f* rod.

trinité *f* trinity.

trinquer *vi* to toast; to booze.

trio *m* trio.

triomphal *adj* triumphal; ~ement *adv* triumphantly.

triomphant *adj* triumphant.

triomphe *m* triumph, victory.

triompher *vi* to triumph.

triparti, tripartite *adj* tripartite.

tripe *f* tripe; guts.

triple *adj* triple, treble.

tripler *vi* to triple, increase three-fold; * *vt* to triple, treble.

tripoter *vt* to play with, speculate with.

trique *f* cudgel.

triste *adj* sad, melancholy; ~ment *adv* sadly.

tristesse *f* sadness; melancholy.

triton *m* triton; tritone.

triturer *vt* to grind up, triturate.

trivial *adj* mundane, trivial; coarse, crude.

trivialité *f* triviality; crudeness.

troc *m* exchange; barter.

troglodyte *m* cave dweller, troglodyte.

trognon *m* core; stalk.

trois *adj, m* three.

troisième *adj, mf* third; ~ment *adv* thirdly.

trombe *f*: ~ **d'eau** cloudburst, downpour; **entrer/sortir en ~** to dash in/out.

trombone *m* trombone.

trompe *f* trumpet; trunk, snout.

trompe-l'œil *m invar* trompe-l'oeil.

tromper *vt* to deceive, trick; **se ~** *vr* to be mistaken.

tromperie *f* deception, deceit.

trompette *f* trumpet.

trompettiste *mf* trumpet player.

trompeur *adj* deceitful; deceptive.

tronc *m* trunk, shaft.

tronçon *m* section, part.

tronçonner *vt* to cut up, cut into sections.

tronçonneuse *f* chain saw.

trône *m* throne.

trôner *vi* to sit on the throne.

tronquer *vt* to truncate, curtail.

trop *adv* too; too much, unduly; *m* ~ too much, too many.

trophée *m* trophy.

tropical *adj* tropical.

tropique *m* tropic.

trop-plein *m* overflow; excess.

troquer *vt* to barter, swap.

trot *m* trot.

trotter *vi* to trot; to run about; to toddle.

trottiner *vi* to jog along; to trot along.

trottinette *f* scooter.

trottoir *m* pavement.

trou *m* hole; gap; cavity.

troublant *adj* disturbing, disquieting.

trouble *adj* unclear; murky, suspicious; * *m* disturbance, confusion; disorder.

trouble-fête *mf* spoilsport, killjoy.

troubler *vt* to disturb, disconcert; to cloud, darken; **se ~** *vr* to become cloudy; to become flustered.

trouer *vt* to make a hole in; to pierce.

trouille *f*: **avoir la ~** to have the wind up.

troupe *f* troupe; troop, band.

troupeau *m* herd, drove.

trousse *f* case, kit; wallet.

trousseau *m* trousseau; outfit.

trouvaille *f* windfall; inspired idea.

trouver *vt* to find, detect; to think; **se ~** *vr* to find o.s.; to be located; **il se trouve que** it happens that.

truand *m* (*fam*) gangster; tramp.

truc *m* (*fam*) trick; gadget, thingummy.

truculent *adj* truculent; colourful, vivid.

truelle *f* trowel.

truffe *f* truffle.

truie *f* sow.

truite *f* trout.

truquage *m* rigging, fixing; fiddling.

truquer *vt* to rig, fix; to fiddle.

tsar *m* tsar.

tu *pn* you.

tuant *adj* exhausting; exasperating.

tuba *m* tuba, snorkel.

tube *m* tube, pipe; duct.

tuberculose *f* tuberculosis.

tuer *vt* to kill; **se ~** *vr* to be killed; to kill o.s.

tuerie *f* slaughter.

tueur *m* **-euse** *f* killer.

tuile *f* tile.

tulipe *f* tulip.

tulle *m* tulle.

tuméfié *adj* puffed-up, swollen.

tumeur *f* tumour.

tumulte *m* tumult, commotion.

tumultueux *adj* tumultuous, stormy.

tungstène *m* tungsten.

tunique *f* tunic; smock.

tunnel *m* tunnel.

turban *m* turban.

turbine *f* turbine.

turbo *m* turbo.

turbulence *f* turbulence; excitement.

turbulent *adj* turbulent.

turpitude *f* turpitude, baseness.

tutelle *f* guardianship, supervision.

tuteur *m* **-trice** *f* guardian; * *m* stake, prop.

tutoyer *vt* to address sb as '*tu*'.

tuyau *m* pipe.

tuyauterie *f* piping.

TVA (taxe à la valeur ajoutée) *f* VAT.

tympan *m* eardrum, tympanum.

type *m* type; model; sample; bloke, chap.

typé *adj* typical.

typhoïde *f* typhoid; * *adj* typhoid.

typhon *m* typhoon.

typhus *m* typhus.

typique *adj* typical; **~ment** *adv* typically.

tyran *m* tyrant.

tyrannie *f* tyranny.

tyrannique *adj* tyrannical.

tyranniser *vt* to tyrannise.

U

ulcère *m* ulcer.

ulcérer *vt* to sicken; to embitter.

ultérieur *adj* later, subsequent; **~ement** *adv* later, subsequently.

ultimatum *m* ultimatum.

ultime *adj* ultimate, final.

ultra-violet *m* ultraviolet ray; * *adj* ultraviolet.

un, une *art* a, an; (number) one; **l'~ l'autre, les ~s les autres** one another.

unanime *adj* unanimous; **~ment** *adj* unanimously.

uni *adj* plain, self-coloured; close; smooth; **~ment** *adv* plainly, smoothly.

unification *f* unification; standardisation.

unifier *vt* to unify; to standardise.

uniforme *adj* uniform, regular; * *m* uniform.

uniformément *adv* uniformly, regularly.

uniformité *f* uniformity; regularity.

unilatéral *adj* unilateral.

union *f* union; combination, blending.

unique *adj* only, single; unique; ~**ment** *adv* only, solely, exclusively; merely.

unir *vt* to unite; to join; to combine; **s'**~ *vr* to unite; to be joined in marriage.

unisson *m* unison; **à l'**~ in unison.

unitaire *adj* unitary, unit.

unité *f* unity; unit.

univers *m* universe; world.

universalité *f* universality.

universel *adj* universal; all-purpose; ~**lement** *adv* universally.

universitaire *adj* university; * *mf* academic.

université *f* university.

uranium *m* uranium.

urbain *adj* urban, city.

urbanisation *f* urbanisation.

urbaniser *vt* to urbanise.

urbanisme *m* town planning.

urbaniste *mf* town planner.

urée *f* urea.

urgence *f* urgency; emergency.

urgent *adj* urgent.

urinaire *adj* urinary.

urine *f* urine.

uriner *vi* to urinate.

urne *f* ballot box; urn.

urticaire *f* hives, urticaria.

usage *m* use; custom; usage; practice; wear; **faire** ~ **de** to exercise; to make use of.

usagé *adj* worn, old.

usager *m* -**ère** *f* user.

usé *adj* worn; threadbare; banal, trite.

user *vt* to make use of, enjoy; to wear out; ~ **de** to exercise; to employ; **s'**~ *vr* to wear out.

usine *f* factory.

usiner *vt* to machine; to manufacture.

usité *adj* in common use, common.

ustensile *m* implement; utensil.

usuel *adj* ordinary; everyday; ~**lement** *adv* ordinarily.

usufruit *m* (*jur*) usufruct.

usure *f* usury.

usurier *m* -**ière** *f* usurer.

usurper *vt* to usurp.

utérus *m* womb, uterus.

utile *adj* useful; ~**ment** *adv* usefully.

utilisateur *m*, -**trice** *f* user.

utilisation *f* use, utilisation.

utiliser *vt* to use, utilise; to make use of.

utilitaire *adj* utilitarian.

utilité *f* usefulness; use; profit.

utopie *f* utopia.

utopique *adj* utopian.

V

vacance *f* vacancy; ~**s** holiday, vacation.

vacancier *m* -**ière** *f* holidaymaker.

vacant *adj* vacant, unoccupied.

vacarme *m* racket, row.

vaccin *m* vaccine.

vaccination *f* vaccination.

vacciner *vt* to vaccinate.

vache *f* cow; cowhide.

vachement *adv* (*fam*) damned, bloody.

vacher *m* -**ère** *f* cowherd.

vacherie *f* (*fam*) rottenness, meanness; nasty remark/trick.

vaciller *vi* to sway, totter; to falter.

va-et-vient *m invar* comings and goings; to and fro.

vagabond *m* **-e** *f* tramp, vagabond.

vagabondage *m* wandering, roaming; (*jur*) vagrancy.

vagabonder *vi* to wander, roam.

vagin *f* vagina.

vaginal *adj* vaginal.

vague *adj* vague, hazy, indistinct; **~ment** vaguely; * *m* vagueness; * *f* wave.

vaguer *vi* to wander, roam.

vaillamment *adv* bravely, courageously.

vaillant *adj* brave, courageous.

vain *adj* vain; empty, hollow; shallow; **en ~** in vain; **~ement** *adv* vainly.

vaincre *vt* to defeat, overcome.

vaincu *adj* defeated, beaten.

vainqueur *m* conqueror, victor.

vaisseau *m* vessel; ship.

vaisselle *f* crockery; dishes; **faire la ~** to do the washing up.

valable *adj* valid, legitimate; worthwhile.

valet *m* valet; servant.

valeur *f* value, worth; security, share; meaning.

valide *adj* able, able-bodied; **~ment** *adv* validly.

valider *vt* to validate.

validité *f* validity.

valise *f* suitcase.

vallée *f* valley.

vallon *m* vale, dale.

vallonné *adj* undulating, hilly.

valoir *vt* to be worth; to be valid; **il vaut mieux** it is better to; **~ la peine** to be worth the trouble.

valoriser *vt* to valorise.

valse *f* waltz.

valser *vi* to waltz.

valve *f* valve.

vampire *m* vampire.

vandale *mf* vandal.

vandalisme *m* vandalism.

vanille *f* vanilla.

vanité *f* vanity, conceit.

vaniteux *adj* vain, conceited.

vanne *f* gate, sluice.

vannerie *f* basketry; wickerwork.

vantard *adj* boastful, bragging.

vantardise *f* boastfulness; boast.

vanter *vt* to praise, vaunt; **se ~** *vr* to boast, brag.

vapeur *f* haze, vapour.

vaporeux *adj* filmy, vaporous.

vaporisateur *m* spray, atomiser.

vaporiser *vt* to spray; to vaporise.

varappe *f* rock-climbing.

variable *adj* variable, changeable.

variante *f* variant; variation.

variation *f* variation, change.

varice *f* varicose vein.

varicelle *f* chickenpox.

varié *adj* varied; variegated; various.

varier *vi* to vary, change; * *vt* to vary.

variété *f* variety, diversity.

variole *f* smallpox.

vasculaire *adj* vascular.

vase *m* vase, bowl; * *f* silt, mud.

vaseline *f* vaseline.

vaseux *adj* woolly, muddled; muddy, silty.

vasistas *m* fanlight.

vaste *adj* vast, huge.

vaudeville *m* vaudeville.

vaudou *m* voodoo.

vaurien *m* **-ne** *f* good-for-nothing.

vautour *m* vulture.

vautrer (se) *vr* to wallow in.

veau *m* calf; veal.

vecteur *m* vector.

vécu *adj* real, true-life; lived; * *m* real-life.

vedette *f* star; (*mar*) launch.

végétal *adj* vegetable.

végétarien *m* **-ne** *f* vegetarian; * *adj* vegetarian.

végétatif *adj* vegetative.

végétation *f* vegetation.

végéter *vi* to vegetate; to stagnate.

véhémence *f* vehemence.

véhément *adj* vehement.

véhicule *m* vehicle.

veille *f* wakefulness; watch; eve.

veillée *f* evening; evening meeting.

veiller *vi* to stay up, sit up.

veilleur *m* watchman.

veilleuse *f* night light; sidelight.

veinard *m* -e *f* lucky person; * *adj* lucky, jammy.

veine *f* vein, seam; inspiration; luck.

vêler *vi* to calve.

velléité *f* vague desire, vague impulse.

vélo *m* bike.

vélodrome *m* velodrome.

vélomoteur *m* moped.

velours *m* velvet.

velouté *adj* velvety, downy.

velu *adj* hairy.

vénal *adj* venal, mercenary.

vendange *f* wine harvest.

vendanger *vt* to harvest grapes from; * *vi* to harvest the grapes.

vendangeur *m* -euse *f* grape-picker.

vendetta *f* vendetta.

vendeur *m* -euse *f* seller, salesperson.

vendre *vt* to sell.

vendredi *m* Friday.

vénéneux *adj* poisonous.

vénérable *adj* venerable.

vénération *f* veneration.

vénérer *vt* to venerate.

vénérien *adj* venereal.

vengeance *f* vengeance, revenge.

venger *vt* to avenge; **se ~** *vr* to avenge o.s.

venimeux *adj* venomous, poisonous; vicious.

venin *m* venom; poison.

venir *vi* to come; to happen; to grow; **~ de** to come from; to derive from; **~ au monde** to be born.

vent *m* wind; breath; emptiness.

vente *f* sale; selling; auction; **en ~** for sale.

ventilateur *m* ventilator, fan.

ventiler *vt* to ventilate; to divide up.

ventouse *f* sucker; suction disc.

ventre *m* stomach, belly; womb.

ventricule *m* ventricle.

ventriloque *mf* ventriloquist; * *adj* ventriloquous.

venue *f* coming.

ver *m* worm; grub; **~ de terre** earthworm.

véracité *f* veracity; truthfulness.

véranda *f* veranda.

verbal *adj* verbal; **~ement** *adv* verbally.

verbe *m* verb; language, word.

verbiage *m* verbiage.

verdeur *f* vigour, vitality.

verdict *m* verdict.

verdir *vi* to go green; * *vt* to turn green.

verdure *f* greenery, verdure.

verge *f* stick, cane.

verger *m* orchard.

verglas *m* black ice.

véridique *adj* truthful, veracious; **~ment** *adv* truthfully.

vérification *f* check; verification.

vérifier *vt* to verify, check; to audit.

véritable *adj* real, genuine; **~ment** *adv* really, genuinely.

vérité *f* truth; truthfulness, sincerity; **en ~** really, actually.

vermeil *adj* vermilion, ruby, cherry; * *m* vermeil.

vermicelle *m* vermicelli.

vermillon *m* vermilion; scarlet.

vermine *f* vermin.

vermisseau *m* small worm.

vermoulu *adj* worm-eaten.

verni *adj* varnished.

vernis *m* varnish; glaze; shine.

vernissage *m* varnishing; glazing.

verre *m* glass; lens; drink.

verrerie *f* glassworks; glass-making.

verrière f window; glass roof.
verrou m bolt.
verrouillage m bolting; locking.
verrouiller vt to bolt; to lock.
verrue f wart, verruca.
vers prép towards; around; about;
  * m line, verse.
versatile adj versatile.
verse f: **pleuvoir à ~** to pour
  down.
Verseau m Aquarius.
verser vt to pour, shed; to pay;
  (mil) to assign.
verset m verse.
version f version.
verso m back.
vert m green; * adj green; **langue
  ~e** slang; **~ement** adv sharply,
  brusquely.
vertébral adj vertebral.
vertèbre f vertebra.
vertical adj vertical; **~ement** adv
  vertically.
vertige m vertigo; dizziness.
vertigineux adj vertiginous,
  breathtaking.
vertu f virtue; courage; **en ~ de**
  in accordance with.
vertueux adj virtuous.
verve f verve, vigour.
verveine f verbena.
vésicule f vesicle; gall bladder.
vessie f bladder.
veste f jacket.
vestiaire m cloakroom; changing-
  room.
vestibule m hall, vestibule.
vestige m relic; trace, vestige.
veston m jacket.
vêtement m garment.
vétéran m veteran.
vétérinaire mf veterinary surgeon; * adj veterinary.
vêtir vt to clothe, dress; **se ~** vr to
  dress o.s.
veto m veto.
vêtu adj dressed; clad, wearing.
vétuste adj dilapidated, ancient.
veuf m widower; * adj widowed.
veule adj spineless.

veuve f widow; * adj widowed.
vexant adj annoying, vexing.
vexer vt to annoy; to hurt.
viable adj viable.
viaduc m viaduct.
viande f meat.
vibration f vibration.
vibrer vi to vibrate; to quiver.
vibromasseur m vibrator.
vicaire m curate, vicar.
vice m vice; fault, defect.
vice-président m vice-president;
  deputy chairman.
vice-versa adv vice versa.
vicieux adj licentious; dissolute;
  incorrect.
vicissitude f vicissitude, change;
  trial.
vicomte m viscount, **-esse** f vis-
  countess.
victime f victim, casualty; **être ~
  de** to be the victim of.
victoire f victory.
victorieusement adv victori-
  ously.
victorieux adj victorious.
vidange f emptying; waste outlet.
vidanger vt to empty; to drain
  off.
vide adj empty, vacant, devoid; *
  m vacuum; gap; void.
vidéo f video; * adj invar video.
vidéocassette f videocassette.
vide-ordures m invar rubbish
  chute.
vider vt to empty; to drain; to vacate; to gut.
videur m bouncer.
vie f life; living; **être en ~** to be
  alive.
vieillard m old man.
vieillesse f old age; the elderly;
  oldness.
vieillir vi to get old; * vt to age; to
  put years on.
vieillissement m ageing; obsoles-
  cence.
vierge f virgin; * adj virgin;
  blank; unexposed.

vieux *adj*, *f* **vieille** old; ancient; obsolete.

vif *adj* alive, lively; quick; eager, passionate.

vigilance *f* vigilance.

vigilant *adj* vigilant.

vigile *m* vigil.

vigne *f* vine; vineyard.

vigneron *m* **-ne** *f* wine grower.

vignette *f* vignette; illustration; seal.

vignoble *m* vineyard.

vigoureusement *adv* vigorously, energetically.

vigoureux *adj* vigorous.

vigueur *f* vigour, strength, energy.

vil *adj* vile; lowly.

vilain *m* naughty boy, **-e** *f* naughty girl.

villa *f* villa, detached house.

village *m* village.

villageois *m* **-e** *f* villager, rustic.

ville *f* town, city.

villégiature *f* holiday; vacation.

vin *m* wine.

vinaigre *m* vinegar.

vinaigrette *f* vinaigrette, oil and vinegar dressing, French dressing.

vindicatif *adj* vindictive.

vingt *adj*, *m* twenty.

vingtaine *f* about twenty; score.

vingtième *adj*, *mf* twentieth; ~**ment** *adv* in twentieth place.

vinicole *adj* wine, wine-growing.

vinyl *m* vinyl.

viol *m* rape.

violation *f* violation; transgression.

violemment *adv* violently.

violence *f* violence; force, duress.

violent *adj* violent; considerable, excessive.

violer *vt* to violate, desecrate; to rape.

violet *adj* purple, violet; * *m* purple, violet.

violette *f* (*bot*) violet.

violeur *m* rapist.

violon *m* violin.

violoncelle *m* cello, violoncello.

violoncelliste *mf* cello player.

violoniste *mf* violinist.

vipère *f* viper, adder.

virage *m*-turn, bend; tacking.

viral *adj* viral.

virement *m* turning, tacking; transfer, clearance.

virer *vt* to transfer; * *vi* to turn, tack.

virevolter *vi* to spin round, pirouette.

virginité *f* virginity; purity.

virgule *f* comma; (*math*) point.

viril *adj* virile; male, masculine; ~**ement** *adv* in a virile way.

virilité *f* virility; masculinity.

virtuel *adj* virtual; potential; ~**lement** *adv* virtually.

virtuose *mf* virtuoso, master.

virulence *f* virulence, viciousness.

virulent *adj* virulent, vicious.

virus *m* virus.

vis *f* screw.

visa *m* stamp, visa.

visage *m* face; expression.

vis-à-vis *prép*: opposite; ~ **de** towards; as regards; * *m* encounter; person opposite; **en** ~ opposite each other.

viscéral *adj* visceral; deep-rooted.

viscère *f* viscera; intestines.

viser *vt* to aim, target; to visa.

viseur *m* sight; viewfinder.

visibilité *f* visibility.

visible *adj* visible; evident, obvious; ~**ment** *adv* visibly; obviously.

visière *f* peak; eyeshade; visor.

vision *f* eyesight; vision.

visionnaire *mf* visionary; * *adj* visionary.

visite *f* visit; visiting, inspection; visitor.

visiter *vt* to visit; to examine, inspect.

visiteur *m* **-euse** *f* visitor; representative.

vison *m* mink.

visqueux *adj* viscous, thick.

visser *vt* to screw on.

visuel *adj* visual.

vital *adj* vital.

vitalité *f* energy, vitality.

vitamine *f* vitamin.

vite *adv* quickly, fast; soon; * *adj* swift; quick.

vitesse *f* speed, swiftness; gear.

viticole *adj* wine, wine-growing.

viticulteur *m* wine grower.

vitrage *m* glazing; windows.

vitrail *m* stained-glass window.

vitre *f* pane, window.

vitreux *adj* glassy, glazed, vitreous.

vitrier *m* glazier.

vitrine *f* shop window; display cabinet.

vitriol *m* vitriol.

vitupérer *vi* to vituperate, reprimand.

vivace *adj* hardy, perennial; enduring.

vivacité *f* vivacity, liveliness; vividness; acuteness.

vivant *adj* alive, living; lively.

vivement *adv* quickly, briskly; keenly, acutely.

vivier *m* fishpond.

vivifiant *adj* refreshing, invigorating.

vivifier *vt* to enliven, invigorate, refresh.

vivre *vi* to live, be alive; to last, endure; **vive la mariée!** three cheers for the bride; * *vt* to live, spend; to live through.

vivres *mpl* victuals, supplies.

VO (version originale) *f* original version.

vocabulaire *m* vocabulary.

vocal *adj* vocal; **~ement** *adv* vocally.

vocalise *f* singing exercise.

vocation *f* vocation, calling.

vociférer *vi* to vociferate, bawl.

vœu *m* vow; wish.

vogue *f* fashion, vogue; **en ~** in fashion.

voici *prép* here is, here are; ago, past.

voie *f* way, road; means; process; **~ ferrée** railway; **~ d'eau** leak; **en ~ de** in the process of.

voilà *prép* there is, there are; ago; **et ~!** so there!

voile *f* sail; * *m* veil.

voilé *adj* veiled; hazy, blurred.

voiler *vt* to veil, shroud; **se ~** *vr* to wear a veil; to mist over.

voilier *m* sailing boat, yacht.

voir *vt* to see; to deal with; to understand; **avoir à ~ avec** to have to do with; **se ~** *vr* to find o.s.; to show.

voisin *m* **-e** *f* neighbour; fellow; * *adj* neighbouring, next.

voisinage *m* neighbourhood, vicinity.

voiture *f* car; carriage; cart.

voix *f* voice; vote; **parler à ~ basse/haute** to speak in a low/ high voice.

vol *m* flight; flock; **à ~ d'oiseau** as the crow flies.

volaille *f* fowl, poultry.

volant *m* steering wheel; * *adj* flying.

volatile *adj* volatile.

volatiliser *vt* to volatilise; to extinguish; **se ~** *vr* to volatilise; to vanish.

volcan *m* volcano.

volcanique *adj* volcanic.

volée *f* flight; volley; **à la ~** in midair; rashly, at random; **demi-~** half-volley.

voler *vi* to fly; **~ en éclats** to smash into pieces; * *vt* to steal; to rob.

volet *m* shutter; flap, paddle.

voleur *m* **-euse** *f* thief; * *adj* dishonest, thieving.

volley-ball *m* volleyball.

volleyeur *m* **-euse** *f* volleyball player.

volontaire *adj* voluntary; intentional; **~ment** *adv* voluntarily; intentionally.

volonté *f* will, wish; willingness; willpower.

volontiers *adv* willingly; gladly.

volt *m* volt.

volte-face *f invar* volte-face, about-turn; **faire ~** to turn round.

voltige *f* acrobatics; trick riding.

voltiger *vi* to flutter about.

volubile *adj* voluble.

volume *m* volume.

volumineux *adj* voluminous, bulky.

volupté *f* voluptuousness, sensual pleasure.

voluptueux *adj* voluptuous.

volute *f* volute, scroll; wreath.

vomir *vi* to vomit, be sick; * *vt* to vomit, bring up.

vomissement *m* vomiting.

vorace *adj* voracious; **~ment** *adv* voraciously.

voracité *f* voracity, voraciousness.

vos = *pl* **votre**.

votant *m* **-e** *f* voter.

vote *m* vote; voting.

voter *vi* to vote.

votre *adj*, *pl* **vos** your, your own.

vôtre *pn*: **le ~**, **la ~**, **les ~s** yours, your own.

vouer *vt* to vow; to devote, dedicate.

vouloir *vt* to want, wish; to require; to try; **~ du mal à** to wish sb harm; **en ~ à** to bear a grudge against sb; **bien ~** to be happy that.

voulu *adj* required; deliberate.

vous *pn* you, yourself.

voûte *f* vault.

voûté *adj* vaulted.

vouvoyer *vt* to use the '*vous*' form.

voyage *m* journey, trip; travelling.

voyager *vi* to travel, journey.

voyageur *m* **-euse** *f* traveller, passenger.

voyant *m* **-e** *f* visionary, seer; * *m* signal light; * *adj* gaudy, showy.

voyelle *f* vowel.

voyeur *m* **-euse** *f* voyeur.

voyou *m* lout, loafer, hoodlum.

vrac *adv*: **en ~** in bulk.

vrai *adj* true, genuine; **~ment** *adv* truly, really.

vraisemblable *adj* likely, probable; **~ment** *adv* probably.

vrille *f* tendril; spiral; **descendre en ~** to come down in a spin.

vrombir *vi* to roar, hum.

vu *adj* seen; considered, regarded; **être bien/mal ~** to be well/poorly thought of; **ni ~ ni connu** you won't discover anything; * *prép* in view of.

vue *f* sight, eyesight; **en ~ de** with a view to; **avoir des ~s sur** to have designs on.

vulgaire *adj* vulgar, crude; **~ment** *adv* vulgarly.

vulgariser *vt* to popularise; to coarsen.

vulgarité *f* vulgarity, coarseness.

vulnérable *adj* vulnerable.

vulve *f* vulva.

W

wagon *m* wagon, truck, freight car; wagonload.

wagon-citerne *m* tanker.

wagon-lit *m* sleeper.

wagon-restaurant *m* restaurant car.

water-polo *m* water polo.

watt *m* watt.

W-C (water-closet) *mpl* lavatory.

week-end *m* weekend.

western *m* western.

whisky *m* whisky.

X

xénophobe *mf* xenophobe; * *adj* xenophobic.

xénophobie *f* xenophobia.
xylophone *m* xylophone.

Y

yacht *m* yacht.
yang *m* yang.
yaourt *m* yoghurt.
yard *m* yard.
yeux *pl* = œil.
yin *m* yin.

yoga *m* yoga.
yogi *m* yogi.
yogourt *m* = yaourt.
yo-yo *m* yo-yo.
yucca *m* yucca.
yuppie *mf* yuppy.

Z

zèbre *m* zebra.
zébu *m* zebu.
zèle *m* zeal.
zélé *adj* zealous.
zen *m* Zen.
zénith *m* zenith.
zéro *m* zero, nought, nothing.
zézayer *vi* to lisp.
zigzag *m* zigzag.
zigzaguer *vi* to zigzag.
zinc *m* zinc.
zizanie *f* ill-feeling.
zizi *m* (*fam*) willy.
zodiaque *m* zodiac.

zona *m* shingles.
zone *f* zone, area.
zoo *m* zoo.
zoologie *f* zoology.
zoologiste *mf* zoologist.
zoom *m* zoom; zoom lens.
zoophile *adj* zoophilic, zoo-
   philous.
zozoter *vi* (*fam*) to lisp.
**ZUP (zone à urbaniser en
   priorité)** *f* urban development
   zone.
zut *interj* damn! rubbish! shut
   up!

Dictionnaire
anglais-français

A

a *art* un, une.
aback *adv* **to be taken ~** *vi* être décontenancé.
abacus *n* abaque, boulier *m*.
abandon *vt* abandonner, laisser.
abandonment *n* abandon *m*.
abase *vt* avilir; humilier.
abasement *n* avilissement *m*; humiliation *f*.
abash *vt* couvrir de honte.
abate *vt* baisser; * *vi* baisser; se calmer.
abatement *n* baisse, réduction *f*.
abbess *n* abbesse *f*.
abbey *n* abbaye *f*.
abbot *n* abbé *m*.
abbreviate *vt* abréger, raccourcir.
abbreviation *n* abréviation *f*.
abdicate *vt* abdiquer; renoncer à.
abdication *n* abdication *f*; renonciation *f*.
abdomen *n* abdomen *m*.
abdominal *adj* abdominal.
abduct *vt* kidnapper, enlever.
abductor *n* abducteur *m*.
abed *adv* au lit.
aberrant *adj* aberrant.
aberration *n* aberration *f*.
abet *vt*: **to aid and ~** être complice de.
abeyance *n* suspension *f*.
abhor *vt* abhorrer, exécrer.
abhorrence *n* exécration, horreur *f*.
abhorrent *adj* exécrable.
abide *vt* supporter, souffrir.
ability *n* capacité, aptitude *f*; **abilities** *pl* talents *mpl*.
abject *adj* misérable; abject, méprisable; **~ly** *adv* misérablement.
abjure *vt* abjurer; renoncer à.
ablative *n* (*gr*) ablatif *m*.
ablaze *adj* enflammé.
able *adj* capable; **to be ~** pouvoir.
able-bodied *adj* robuste.

ablution *n* ablution *f*.
ably *adv* habilement.
abnegation *n* renoncement *m*.
abnormal *adj* anormal.
abnormality *n* anomalie *f*.
aboard *adv* à bord.
abode *n* domicile *m*.
abolish *vt* abolir, supprimer.
abolition *n* abolition, suppression *f*.
abominable *adj* abominable; **~bly** *adv* abominablement.
abomination *n* abomination *f*.
aboriginal *adj* aborigène.
aborigines *npl* aborigènes *mpl*.
abort *vi* avorter.
abortion *n* avortement *m*.
abortive *adj* raté.
abound *vi* abonder; **~ with** abonder en.
about *prep* au sujet de; vers; **I carry no money ~ me** je n'ai pas d'argent sur moi; * *adv* çà et là; **to be ~ to** être sur le point de; **to go ~** aller de- ci de- là; **to go ~ a thing** entreprendre quelque chose; **all ~** partout.
above *prep* au-dessus de; * *adv* au-dessus; **~ all** surtout, principalement; **~ mentioned** mentionné ci-dessus.
aboveboard *adj* franc.
abrasion *n* écorchure *f*.
abrasive *adj* abrasif.
abreast *adv* de front.
abridge *vt* abréger, raccourcir.
abridgment *n* abrégement *m*; version abrégée *f*.
abroad *adv* à l'étranger; **to go ~** se rendre à l'étranger.
abrogate *vt* abroger.
abrogation *n* abrogation *f*.
abrupt *adj* abrupt; brusque; **~ly** *adv* brusquement; rudement.
abscess *n* abcès *m*.
abscond *vi* s'enfuir.

absence n absence f.

absent adj absent; * vi s'absenter.

absentee n absent m -e f.

absenteeism n absentéisme m.

absent-minded adj distrait.

absolute adj absolu; ~ly adv absolument.

absolution n absolution f.

absolutism n absolutisme m.

absolve vt absoudre.

absorb vt absorber.

absorbent adj absorbant.

absorbent cotton n coton hydrophile m.

absorption n absorption f.

abstain vi s'abstenir.

abstemious adj sobre; ~ly adv sobrement.

abstemiousness n sobriété f.

abstinence n abstinence f.

abstinent adj abstinent.

abstract adj abstrait; * n abrégé m; **in the ~** dans l'abstrait.

abstraction n abstraction f; extraction f.

abstractly adv abstraitement.

abstruse adj abstrus, obscur; ~ly adv obscurément.

absurd adj absurde; ~ly adv absurdement.

absurdity n absurdité f.

abundance n abondance f.

abundant adj abondant; ~ly adv abondamment.

abuse vt abuser de; insulter; maltraiter; * n abus m; injures fpl; mauvais traitements mpl.

abusive adj injurieux; ~ly adv injurieusement.

abut vi être contigu.

abysmal adj abominable.

abyss n abîme m.

acacia n acacia m.

academic adj universitaire; scolaire; théorique.

academician n académicien m -ne f.

academy n académie f.

accede vi accéder.

accelerate vt accélérer.

accelerator n accélérateur m.

acceleration n accélération f.

accent n accent m; * vt accentuer.

accentuate vt accentuer.

accentuation n accentuation f.

accept vt accepter.

acceptable adj acceptable.

acceptability n acceptabilité f.

acceptance n acceptation f.

access n accès m.

accessible adj accessible.

accession n augmentation f; accession f.

accessory n accessoire m; (law) complice m.

accident n accident m; hasard m.

accidental adj accidentel; ~ly adv par hasard.

acclaim vt acclamer.

acclamation n acclamation f.

acclimate vt (US) acclimater.

accommodate vt loger; accommoder.

accommodating adj obligeant.

accommodations npl logement m.

accompaniment n (mus) accompagnement m.

accompanist n (mus) accompagnateur m -trice f.

accompany vt accompagner.

accomplice n complice mf.

accomplish vt accomplir.

accomplished adj accompli.

accomplishment n accomplissement m; ~s pl talents mpl.

accord n accord m; **with one ~** d'un commun accord; **of one's own ~** de son propre chef.

accordance n: **in ~ with** conformément à.

according prep selon; ~ **as** selon que; ~**ly** adv en conséquence.

accordion n (mus) accordéon m.

accost vt accoster.

account n compte m; **on no ~** en aucun cas; **on ~ of** en raison de; **to call to ~** demander des comptes; **to turn to ~** mettre à profit; * vt ~ **for** expliquer; représenter.

accountability n responsabilité f.

accountable adj responsable.

accountancy n comptabilité f.

accountant n comptable mf.

account book n livre m de comptes.

account number n numéro de compte m.

accrue vi s'accumuler; revenir.

accumulate vt accumuler; * vi s'accumuler.

accumulation n accumulation f.

accuracy n exactitude f.

accurate adj exact; ~ly adv exactement.

accursed adj maudit.

accusation n accusation f.

accusative n (gr) accusatif m.

accusatory adj accusateur.

accuse vt accuser.

accused n accusé m -e f.

accuser n accusateur m -trice f.

accustom vt accoutumer.

accustomed adj accoutumé.

ace n as m; **within an ~ of** à deux doigts de.

acerbic adj acerbe.

acetate n (chem) acétate m.

ache n douleur f; * vi faire mal.

achieve vt réaliser; obtenir.

achievement n réalisation f; exploit m.

acid adj acide; aigre; * n acide m.

acidity n acidité f.

acknowledge vt reconnaître, admettre.

acknowledgment n reconnaissance f.

acme n apogée m.

acne n acné f.

acorn n gland m.

acoustics n acoustique f.

acquaint vt informer, aviser.

acquaintance n connaissance f.

acquiesce vi acquiescer, consentir.

acquiescence n consentement m.

acquiescent adj consentant.

acquire vt acquérir.

acquisition n acquisition f.

acquit vt acquitter.

acquittal n acquittement m.

acre n acre f.

acrid adj âcre; acerbe.

acrimonious adj acrimonieux.

acrimony n acrimonie f.

across adv en travers, d'un côté à l'autre; * prep à travers; **to come ~** tomber sur.

act vt jouer; * vi agir; jouer la comédie; * n acte m; ~s **of the apostles** Actes des Apôtres mpl.

acting adj intérimaire.

action n action f; combat m.

action replay n répétition f.

activate vt activer.

active adj actif; ~ly adv activement.

activity n activité f.

actor n acteur m.

actress n actrice f.

actual adj réel; concret; ~ly adv en fait; réellement.

actuary n actuaire mf.

acumen n perspicacité f.

acute adj aigu; perspicace; ~ **accent** n accent aigu m; ~ **angle** n angle aigu m; ~ly adv vivement; avec perspicacité.

acuteness n finesse f, intensité f.

ad n annonce f.

adage n adage m.

adamant adj inflexible.

adapt vt adapter, ajuster.

adaptability n adaptabilité f.

adaptable adj adaptable.

adaptation n adaptation f.

adaptor n adaptateur m.

add vt ajouter; ~ **up** additionner.

addendum n addendum m.

adder n vipère f.

addict n intoxiqué m -e f.

addiction n dépendance f.

addictive adj qui crée une dépendance.

addition n addition f.

additional adj additionnel; ~ly adv de plus.

additive n additif m.

address vt adresser; s'adresser à; * n adresse f; discours m.

adduce vt mentionner, citer.

adenoids npl végétations fpl.

adept adj expert.

adequacy n suffisance f; capacité f.

adequate adj adéquat; suffisant; ~ly adv convenablement; suffisamment.

adhere vi adhérer.

adherence n adhérence f.

adherent n adhérent, partisan m.

adhesion n adhérence f; adhésion f.

adhesive adj adhésif.

adhesive tape n (med) sparadrap m; papier m collant.

adhesiveness n adhérence f.

adieu adv adieu; * n adieux mpl.

adipose adj adipeux.

adjacent adj adjacent, contigu.

adjectival adj adjectival; ~ly adv adjectivalement.

adjective n adjectif m.

adjoin vi être contigu.

adjoining adj contigu.

adjourn vt reporter, remettre.

adjournment n ajournement m.

adjudicate vt décider; juger.

adjunct n subalterne mf; annexe f.

adjust vt ajuster, adapter.

adjustable adj ajustable, adaptable.

adjustment n ajustement m; réglage m.

adjutant n (mil) adjudant m.

ad lib vt improviser.

administer vt administrer; distribuer; ~ an oath faire prêter serment.

administration n administration f; gouvernement m.

administrative adj administratif.

administrator n administrateur m -trice f.

admirable adj admirable; ~bly adv admirablement.

admiral n amiral m.

admiralship n amirauté f.

admiralty n ministère de la Marine m.

admiration n admiration f.

admire vt admirer.

admirer n admirateur m -trice f.

admiringly adv avec admiration.

admissible adj admissible.

admission n admission, entrée f.

admit vt admettre; ~ to reconnaître, avouer.

admittance n admission f.

admittedly adv il est vrai (que).

admixture n mélange m.

admonish vt admonester, réprimander.

admonition n admonestation f; conseil m.

admonitory adj d'admonestation.

ad nauseam adv à saturation.

ado n agitation f.

adolescence n adolescence f.

adopt vt adopter.

adopted adj adoptif.

adoption n adoption f.

adoptive adj adoptif.

adorable adj adorable.

adorably adv adorablement.

adoration n adoration f.

adore vt adorer.

adorn vt orner.

adornment n ornement m.

adrift adv à la dérive.

adroit adj adroit, habile.

adroitness n adresse f.

adulation n adulation f.

adulatory adj adulateur.

adult adj adulte; * n adulte mf.

adulterate vt falsifier; * adj falsifié.

adulteration n falsification f.

adulterer n adultère m.

adulteress n adultère f.

adulterous adj adultère.

adultery n adultère m.

advance vt avancer; * vi avancer; faire des progrès; * n avance f.

advanced adj avancé.

advancement n avancement m.

advantage *n* avantage *m*; **to take ~ of** profiter de.

advantageous *adj* avantageux; **~ly** *adv* avantageusement.

advantageousness *n* avantage *m*.

advent *n* venue *f*; **Advent** *n* Avent *m*.

adventitious *adj* accidentel.

adventure *n* aventure *f*.

adventurer *n* aventurier *m* -ière *f*.

adventurous *adj* aventureux; **~ly** *adv* aventureusement.

adverb *n* adverbe *m*.

adverbial *adj* adverbial; **~ly** *adv* adverbialement.

adversary *n* adversaire *mf*.

adverse *adj* défavorable, contraire.

adversity *n* adversité *f*; malheur *m*.

advertise *vt* faire de la publicité pour; mettre une annonce pour.

advertisement *n* publicité *f*; annonce *f*.

advertising *n* publicité *f*.

advice *n* conseil *m*; avis *m*.

advisability *n* opportunité *f*.

advisable *adj* prudent, conseillé.

advise *vt* conseiller; aviser.

advisedly *adv* de manière avisée.

advisory *adj* consultatif.

advocacy *n* défense *f*.

advocate *n* avocat *m*; * *vt* plaider pour.

aerial *n* antenne *f*.

aerobics *npl* aérobic *m*.

aerometer *n* aéromètre *m*.

aeroplane *n* avion *m*.

aerosol *n* aérosol *m*.

aerostat *n* aérostat *m*.

afar *adv* au loin; **from ~** de loin.

affability *n* affabilité *f*.

affable *adj* affable; **~bly** *adv* affablement.

affair *n* affaire *f*.

affect *vt* toucher; affecter.

affectation *n* affectation *f*.

affected *adj* affecté; **~ly** *adv* avec affectation.

affectingly *adv* avec émotion.

affection *n* affection *f*.

affectionate *adj* affectueux; **~ly** *adv* affectueusement.

affidavit *n* déclaration sous serment *f*.

affiliate *vt* affilier.

affiliation *n* affiliation *f*.

affinity *n* affinité *f*.

affirm *vt* affirmer, déclarer.

affirmation *n* affirmation *f*.

affirmative *adj* affirmatif; **~ly** *adv* affirmativement.

affix *vt* coller; apposer; * *n* (*gr*) affixe *m*.

afflict *vt* affliger.

affliction *n* affliction *f*.

affluence *n* abondance *f*.

affluent *adj* riche; abondant.

afflux *n* afflux *m*, affluence *f*.

afford *vt* fournir; **to be able to ~** avoir les moyens d'acheter.

affray *n* (*law*) rixe *f*.

affront *n* affront *m*, injure *f*; * *vt* affronter; insulter.

aflame *adv* en flammes.

afloat *adv* à flot.

afore *prep* avant; * *adv* d'abord.

afraid *adj* apeuré; **I am ~** j'ai peur.

afresh *adv* à nouveau.

aft *adv* (*mar*) en poupe.

after *prep* après; * *adv* après; **~ all** après tout.

afterbirth *n* placenta *m*.

after-crop *n* deuxième récolte *f*.

after-effects *npl* répercussions *fpl*.

afterlife *n* vie après la mort *f*.

aftermath *n* conséquences *fpl*.

afternoon *n* après-midi *mf*.

afterpains *npl* tranchées utérines *fpl*.

aftershave *n* après-rasage *m*.

aftertaste *n* arrière-goût *m*.

afterward(s) *adv* ensuite.

again *adv* à nouveau; **~ and ~** de nombreuses fois; **as much ~** encore autant.

against *prep* contre; **~ the grain** à contre fil; de mauvaise volonté.

agate *n* agate *f*.

age *n* âge *m*; vieillesse *f*; **under ~ mineur**; * *vt* vieillir.

aged *adj* âgé.

agency *n* agence *f*.

agenda *n* ordre du jour *m*.

agent *n* agent *m*.

agglomerate *vt* agglomérer.

agglomeration *n* agglomération *f*.

aggrandisement *n* avancement *m*.

aggravate *vt* aggraver; énerver.

aggravation *n* aggravation *f*; énervement *m*.

aggregate *n* agrégat *m*.

aggregation *n* agrégation *f*.

aggression *n* agression *f*.

aggressive *adj* agressif.

aggressor *n* agresseur *m*.

aggrieved *adj* offensé.

aghast *adj* horrifié.

agile *adj* agile; adroit.

agility *n* agilité *f*; adresse *f*.

agitate *vt* agiter.

agitation *n* agitation *f*.

agitator *n* agitateur *m* -trice *f*.

ago *adv*: **how long ~?** il y a combien de temps?

agog *adj* en émoi; impatient.

agonising *adj* atroce, angoissant.

agony *n* douleur *f* atroce; angoisse *f*.

agrarian *adj* agraire.

agree *vt* convenir; * *vi* être d'accord.

agreeable *adj* agréable; **~bly** *adv* agréablement; **~ with** conforme à.

agreeableness *n* caractère agréable *m*.

agreed *adj* convenu; **~!** *adv* d'accord!

agreement *n* accord *m*.

agricultural *adj* agricole.

agriculture *n* agriculture *f*.

agriculturist *n* agriculteur *m*.

aground *adv* (*mar*) échoué.

ah! *excl* ah!

ahead *adv* en avant; à l'avance; (*mar*) sur l'avant.

ahoy! *excl* (*mar*) ohé!

aid *vt* aider, secourir; **~ and abet** être complice de; * *n* aide *f*, secours *m*; aide *mf*.

aide-de-camp *n* (*mil*) aide de camp *m*.

AIDS *n* SIDA *m*.

ail *vt* affliger.

ailing *adj* souffrant.

ailment *n* maladie *f*.

aim *vt* pointer; viser; aspirer à;* *n* but *m*; cible *f*.

aimless *adj* sans but; **~ly** à la dérive, sans but.

air *n* air *m*; * *vt* aérer.

air balloon *n* ballon *m*.

airborne *adj* aéroporté.

air-conditioned *adj* climatisé.

air-conditioning *n* climatisation *f*.

aircraft *n* avion *m*.

air cushion *n* coussin d'air *m*.

air force *n* armée de l'air *f*.

air freshener *n* appareil de conditionnement d'air *m*.

air gun *n* carabine à air comprimé *f*.

air hole *n* trou d'aération *m*.

airiness *n* aération, ventilation *f*.

airless *adj* mal aéré, mal ventilé.

airlift *n* pont aérien *m*.

airline *n* ligne aérienne *f*.

airmail *n*: **by ~** par avion.

aeroplane *n* avion *m*.

airport *n* aéroport *m*.

air pump *n* compresseur *m*.

airsick *adj*: **to be ~** avoir le mal de l'air.

airstrip *n* piste d'atterrissage *f*.

air terminal *n* aérogare *f*.

airtight *adj* hermétique.

airy *adj* aéré; léger.

aisle *n* nef d'église *f*.

ajar *adj* entrouvert.

akimbo *adj* les poings sur les hanches.

akin *adj* ressemblant.

alabaster *n* albâtre *m*; * *adj* d'albâtre.

alacrity *n* vivacité *f*.

alarm *n* alarme *f*; * *vt* alarmer; inquiéter.

alarm bell *n* sonnette d'alarme *f*.

alarmist *n* alarmiste *mf*.

alas *adv* hélas.

albeit *conj* bien que.

album *n* album *m*.

alchemist *n* alchimiste *m*.

alchemy *n* alchimie *f*.

alcohol *n* alcool *m*.

alcoholic *adj* alcoolisé; * *n* alcoolique *mf*.

alcove *n* alcôve *f*.

alder *n* aulne *m*.

ale *n* bière *f*.

alehouse *n* taverne, brasserie *f*.

alert *adj* vigilant; vif; * *n* alerte *f*.

alertness *n* vigilance *f*; vivacité *f*.

algae *npl* algues *fpl*.

algebra *n* algèbre *f*.

algebraic *adj* algébrique.

alias *adj* alias.

alibi *n* (*law*) alibi *m*.

alien *adj* étranger; * *n* étranger *m* -ère *f*; extra-terrestre *mf*.

alienate *vt* aliéner.

alienation *n* aliénation *f*.

alight *vi* mettre pied à terre; * *adj* en feu.

align *vt* aligner.

alike *adj* semblable, égal; * *adv* de la même façon.

alimentary *n* (*med*) digestif *m*.

alimony *n* (*law*) pension *f* alimentaire.

alive *adj* en vie, vivant; actif.

alkali *n* alcali *m*.

alkaline *adj* alcalin.

all *adj* tout; * *adv* totalement; ~ at once, ~ of a sudden soudain; ~ the same cependant; ~ the better tant mieux; not at ~! pas du tout!; il n'y a pas de quoi!; once and for ~ une fois pour toutes; * *n* tout *m*.

allay *vt* apaiser.

all clear *n* feu vert *m*.

allegation *n* allégation *f*.

allege *vt* alléguer.

allegiance *n* loyauté, fidélité *f*.

allegorical *adj* allégorique; ~ly *adv* allégoriquement.

allegory *n* allégorie *f*.

allegro *n* (*mus*) allegro *m*.

allergy *n* allergie *f*.

alleviate *vt* alléger.

alleviation *n* allègement *m*.

alley *n* ruelle *f*.

alliance *n* alliance *f*.

allied *adj* allié.

alligator *n* alligator *m*.

alliteration *n* allitération *f*.

all-night *adj* ouvert toute la nuit.

allocate *vt* allouer.

allocation *n* allocation *f*.

allot *vt* assigner.

allow *vt* permettre; accorder; ~ for tenir compte de.

allowable *adj* admissible, permis.

allowance *n* allocation *f*; concession *f*.

alloy *n* alliage *m*.

all right *adv* bien.

all-round *adj* complet.

allspice *n* piment *m* de la Jamaïque.

allude *vi* faire allusion à.

allure *n* charme, attrait *m*.

alluring *adj* attrayant; ~ly *adv* avec charme.

allurement *n* attrait *m*.

allusion *n* allusion *f*.

allusive *adj* allusif; ~ly *adv* par allusion.

alluvial *adj* alluvial.

ally *n* allié *m* -e *f*; * *vt* allier.

almanac *n* almanach *m*.

almighty *adj* omnipotent, tout-puissant.

almond *n* amande *f*.

almond-milk *n* lait d'amandes *m*.

almond tree *n* amandier *m*.

almost *adv* presque.

alms *n* aumône *f*.

aloft *prep* en l'air; en haut.

alone *adj* seul; * *adv* seul; **to leave ~** laisser tranquille.
along *adv* le long (de); **~ side** à côté.
aloof *adj* distant.
aloud *adj* à voix haute.
alphabet *n* alphabet *m*.
alphabetical *adj* alphabétique; **~ly** *adv* par ordre alphabétique, alphabétiquement.
alpine *adj* alpin.
already *adv* déjà.
also *adv* aussi.
altar *n* autel *m*.
altarpiece *n* retable *m*.
alter *vt* modifier.
alteration *n* modification *f*.
altercation *n* altercation *f*.
alternate *adj* alterné; * *vt* alterner; **~ly** *adv* alternativement.
alternating *adj* alterné.
alternation *n* alternance *f*.
alternator *n* alternateur *m*.
alternative *n* alternative *f*; * *adj* alternatif; **~ly** *adv* sinon.
although *conj* bien que, malgré.
altitude *n* altitude *f*.
altogether *adv* complètement.
alum *n* alun *m*.
aluminium *n* aluminium *m*.
aluminous *adj* alumineux.
always *adv* toujours.
a.m. *adv* du matin.
amalgam *n* amalgame *m*.
amalgamate *vt* amalgamer; *vi* s'amalgamer.
amalgamation *n* amalgamation *f*.
amanuensis *n* copiste *mf*.
amaryllis *n* (*bot*) amaryllis *f*.
amass *vt* accumuler, amasser.
amateur *n* amateur *m*.
amateurish *adj* d'amateur.
amatory *adj* amoureux; galant.
amaze *vt* stupéfier.
amazement *n* stupéfaction *f*.
amazing *adj* stupéfiant; **~ly** *adv* incroyablement.
amazon *n* amazone *f*.
ambassador *n* ambassadeur *m*.

ambassadress *n* ambassadrice *f*.
amber *n* ambre *m*; * *adj* ambré.
ambidextrous *adj* ambidextre.
ambient *adj* ambiant.
ambiguity *n* ambiguïté *f*.
ambiguous *adj* ambigu; **~ly** *adv* de manière ambiguë.
ambition *n* ambition *f*.
ambitious *adj* ambitieux; **~ly** *adv* ambitieusement.
amble *vi* marcher tranquillement.
ambulance *n* ambulance *f*.
ambush *n* embuscade *f*; **to lie in ~** être embusqué; * *vt* tendre une embuscade à.
ameliorate *vt* améliorer.
amelioration *n* amélioration *f*.
amenable *adj* responsable.
amend *vt* modifier; amender.
amendable *adj* réparable, corrigible.
amendment *n* modification *f*; amendement *m*.
amends *npl* compensation *f*.
amenities *npl* commodités *fpl*.
America *n* Amérique *f*.
American *adj* américain.
amethyst *n* améthyste *f*.
amiability *n* amabilité *f*.
amiable *adj* aimable.
amiableness *n* amabilité *f*.
amiably *adv* aimablement.
amicable *adj* amical; **~bly** *adv* amicalement.
amid(st) *prep* entre, parmi.
amiss *adv*: **something's ~** quelque chose ne va pas.
ammonia *n* ammoniaque *m*.
ammunition *n* munitions *fpl*.
amnesia *n* amnésie *f*.
amnesty *n* amnistie *f*.
among(st) *prep* entre, parmi.
amoral *adj* amoral.
amorous *adj* amoureux; **~ly** *adv* amoureusement.
amorphous *adj* informe.
amount *n* montant *m*; quantité *f*; * *vi* s'élever (à).

amp(ere) n ampère m.
amphibian n amphibie m.
amphibious adj amphibie.
amphitheatre n amphithéâtre m.
ample adj spacieux; abondant, gros.
ampleness n abondance f.
amplification n amplification f.
amplifier n amplificateur m.
amplify vt amplifier.
amplitude n amplitude f.
amply adv amplement.
amputate vt amputer.
amputation n amputation f.
amulet n amulette f.
amuse vt distraire, divertir.
amusement n distraction f, divertissement m.
amusing adj divertissant; ~ly adv de manière divertissante.
an art un, une.
anachronism n anachronisme m.
anaemia n anémie f.
anaemic adj (med) anémique.
anaesthetic n anesthésique m.
analog adj (comput) analogique.
analogous adj analogue.
analogy n analogie f.
analyse vt analyser.
analysis n analyse f.
analyst n analyste mf.
analytical adj analytique; ~ly adv analytiquement.
anarchic adj anarchique.
anarchist n anarchiste mf.
anarchy n anarchie f.
anatomical adj anatomique; ~ly adv anatomiquement.
anatomise vt disséquer.
anatomy n anatomie f.
ancestor n ancêtre mf.
ancestral adj ancestral.
ancestry n ascendance f.
anchor n ancre f; * vi jeter l'ancre.
anchorage n ancrage m.
anchovy n anchois m.
ancient adj ancien, antique; ~ly adv anciennement.
ancillary adj auxiliaire.

and conj et.
anecdotal adj anecdotique.
anecdote n anecdote f.
anemone n (bot) anémone f.
anew adv de nouveau.
angel n ange m.
angelic adj angélique.
anger n colère f; * vt mettre en colère, irriter.
angle n angle m; * vi pêcher à la ligne.
angled adj anguleux.
angler n pêcheur à la ligne m.
anglicism n anglicisme m.
angling n pêche à la ligne f.
angrily adv avec colère.
angry adj en colère, irrité.
anguish n angoisse f.
angular adj angulaire.
angularity n caractère anguleux m.
animal n adj animal m.
animate vt animer; * adj vivant.
animated adj animé.
animation n animation f.
animosity n animosité f.
animus n haine f.
anise n anis m.
aniseed n graine d'anis f.
ankle n cheville f; ~bone astragale m.
annals n annales fpl.
annex vt annexer; * n annexe f.
annexation n annexion f.
annihilate vt annihiler, anéantir.
annihilation n anéantissement m.
anniversary n anniversaire (de) m.
annotate vt annoter.
annotation n annotation f.
announce vt annoncer.
announcement n annonce f.
announcer n présentateur m -trice f.
annoy vt ennuyer.
annoyance n ennui m.
annoying adj ennuyeux.
annual adj annuel; ~ly adv annuellement.

annuity *n* rente viagère *f.*

annul *vt* annuler, abroger.

annulment *n* annulation *f.*

annunciation *n* annonciation *f.*

anodyne *adj* calmant.

anoint *vt* oindre.

anomalous *adj* anormal.

anomaly *n* anomalie, irrégularité *f.*

anon *adv* = **anonymous**.

anonymity *n* anonymat *m.*

anonymous *adj* anonyme; ~**ly** *adv* anonymement.

anorexia *n* anorexie *f.*

another *adj* un autre; one ~ l'un l'autre.

answer *vt* répondre à; ~ **for** répondre de; ~ **to** répondre à; * *n* réponse *f.*

answerable *adj* responsable.

answering machine *n* répondeur téléphonique *m.*

ant *n* fourmi *f.*

antagonise *vt* provoquer.

antagonism *n* antagonisme *m*; rivalité *f.*

antagonist *n* antagoniste *mf.*

antarctic *adj* antarctique.

anteater *n* fourmilier *m.*

antecedent *n*: ~**s** *pl* antécédents *mpl.*

antechamber *n* antichambre *f.*

antedate *vt* antidater.

antelope *n* antilope *f.*

antenna *n* antenne *f.*

anterior *adj* antérieur, précédent.

anthem *n* hymne *m.*

anthill *n* fourmilière *f.*

anthology *n* anthologie *f.*

anthracite *n* anthracite *m.*

anthropology *n* anthropologie *f.*

antiaircraft *adj* antiaérien.

antibiotic *n* antibiotique *m.*

antibody *n* anticorps *m.*

Antichrist *n* Antéchrist *m.*

anticipate *vt* prévoir.

anticipation *n* attente *f*; prévision *f.*

anticlockwise *adv* dans le sens contraire des aiguilles d'une montre.

antidote *n* antidote *m.*

antifreeze *n* antigel *m.*

antimony *n* antimoine *m.*

antipathy *n* antipathie *f.*

antipodes *npl* antipodes *fpl*

antiquarian *n* antiquaire *mf.*

antiquated *adj* vieux; suranné.

antique *n* meuble *m* ancien.

antiquity *n* antiquité *f.*

antiseptic *adj* antiseptique.

antisocial *adj* antisocial.

antithesis *n* antithèse *f.*

antler *n* corne *f.*

anvil *n* enclume *f.*

anxiety *n* anxiété *f*; désir *m.*

anxious *adj* anxieux; ~**ly** *adv* anxieusement.

any *adj pn* n'importe quel, n'importe quelle; un, une; tout; ~**body** quelqu'un; n'importe qui; personne; ~**how** de toute façon; de n'importe quelle manière; ~**more** plus; ~**place** n'importe où; nulle part; ~**thing** quelque chose; n'importe quoi; rien.

apace *adv* rapidement.

apart *adv* séparément.

apartment *n* appartement *m.*

apartment house *n* immeuble *m.*

apathetic *adj* apathique.

apathy *n* apathie *f.*

ape *n* singe *m*; * *vt* singer.

aperture *n* ouverture *f.*

apex *n* sommet *m*; apex *m.*

aphorism *n* aphorisme *m.*

apiary *n* rucher *m.*

apiece *adv* chacun, chacune.

aplomb *n* aplomb *m.*

Apocalypse *n* Apocalypse *f.*

apocrypha *npl* apocryphes *mpl.*

apocryphal *adj* apocryphe.

apologetic *adj* d'excuse.

apologise *vt* excuser.

apologist *n* apologiste *mf.*

apology *n* apologie, défense *f.*

apoplexy *n* apoplexie *f.*

apostle *n* apôtre *m.*

apostolic *adj* apostolique.

apostrophe *n* apostrophe *f*.

apotheosis *n* apothéose *f*.

appall *vt* horrifier, atterrer.

appalling *adj* horrible.

apparatus *n* appareil *m*.

apparel *n* vêtements *mpl*.

apparent *adj* évident, apparent; ~ly *adv* apparemment.

apparition *n* apparition, vision *f*.

appeal *vi* faire appel; * *n* (*law*) appel *m*.

appealing *adj* attrayant.

appear *vi* paraître.

appearance *n* apparence *f*.

appease *vt* apaiser.

appellant *n* (*law*) appelant *m*.

append *vt* annexer.

appendage *n* appendice *m*.

appendicitis *n* appendicite *f*.

appendix *n* appendice *m*.

appertain *vi* appartenir (à).

appetising *adj* appétissant.

appetite *n* appétit *m*.

applaud *vt vi* applaudir.

applause *n* applaudissements *mpl*.

apple *n* pomme *f*.

apple pie *n* tourte aux pommes *f*; in ~ order parfaitement en ordre.

apple tree *n* pommier *m*.

appliance *n* appareil *m*.

applicability *n* applicabilité *f*.

applicable *adj* applicable.

applicant *n* candidat *m* -e *f*.

application *n* application *f*; candidature *f*.

applied *adj* appliqué.

apply *vt* appliquer; * *vi* s'adresser.

appoint *vt* nommer.

appointee *n* personne nommée *f*.

appointment *n* rendez-vous *m*; nomination *f*.

apportion *vt* répartir.

apportionment *n* répartition *f*.

apposite *adj* approprié, juste.

apposition *n* apposition *f*.

appraisal *n* estimation *f*.

appraise *vt* évaluer.

appreciable *adj* appréciable, sensible.

appreciably *adv* sensiblement.

appreciate *vt* apprécier; être conscient de.

appreciation *n* appréciation *f*.

appreciative *adj* reconnaissant.

apprehend *vt* appréhender.

apprehension *n* appréhension *f*; arrestation *f*.

apprehensive *adj* appréhensif.

apprentice *n* apprenti *m*; * *vt* mettre en apprentissage.

apprenticeship *n* apprentissage *m*.

apprise *vt* informer.

approach *vi* (s')approcher; * *vt* (s')approcher de; * *n* approche *f*.

approachable *adj* accessible, approchable.

approbation *n* approbation *f*.

appropriate *vt* s'approprier; * *adj* approprié, adéquat.

approval *n* approbation *f*.

approve (of) *vt* approuver.

approximate *vi* s'approcher; * *adj* approximatif; ~ly *adv* approximativement.

approximation *n* approximation *f*.

apricot *n* abricot *m*.

April *n* avril *m*.

apron *n* tablier *m*.

apse *n* abside *f*.

apt *adj* idéal; susceptible; ~ly *adv* opportunément.

aptitude *n* aptitude *f*.

aqualung *n* scaphandre autonome *m*.

aquarium *n* aquarium *m*.

Aquarius *n* Verseau *m* (signe du zodiaque).

aquatic *adj* aquatique.

aqueduct *n* aqueduc *m*.

aquiline *adj* aquilin.

arabesque *n* arabesque *f*.

arable *adj* arable.

arbiter *n* arbitre *m* (de la mode).

arbitrariness *n* caractère arbitraire *m*.

arbitrary *adj* arbitraire.

arbitrate *vt* arbitrer.

arbitration *n* arbitrage *m*.
arbitrator *n* arbitre *m*.
arbour *n* tonnelle *f*.
arcade *n* galerie *f*.
arch *n* arc *m*; * *adj* malicieux.
archaic *adj* archaïque.
archangel *n* archange *m*.
archbishop *n* archevêque *m*.
archbishopric *n* archevêché *m*.
archeological *adj* archéologique.
archeology *n* archéologie *f*.
archer *n* archer *m*.
archery *n* tir à l'arc *m*.
architect *n* architecte *mf*.
architectural *adj* architectural.
architecture *n* architecture *f*.
archives *npl* archives *fpl*.
archivist *n* archiviste *mf*.
archly *adv* malicieusement.
archway *n* arcade, voûte *f*.
arctic *adj* arctique.
ardent *adj* ardent; ~**ly** *adv* ardemment.
ardour *n* ardeur *f*.
arduous *adj* ardu, difficile.
area *n* région *f*; domaine *m*.
arena *n* arène *f*.
arguably *adv* peut-être, sans doute.
argue *vi* se disputer; * *vt* soutenir.
argument *n* argument *m*; dispute *f*.
argumentation *n* argumentation *f*.
argumentative *adj* raisonneur.
aria *n* (*mus*) aria *f*.
arid *adj* aride.
aridity *n* aridité *f*.
Aries *n* Bélier *m* (signe du zodiaque).
aright *adv* correctement; **to set ~** rectifier.
arise *vi* se lever; survenir.
aristocracy *n* aristocratie *f*.
aristocrat *n* aristocrate *mf*.
aristocratic *adj* aristocratique; ~**ally** *adv* aristocratiquement.
arithmetic *n* arithmétique *f*.
arithmetical *adj* arithmétique; ~**ly** *adv* arithmétiquement.

ark *n* arche *f*.
arm *n* bras *m*; arme *f*; * *vt* armer; * *vi* (s')armer.
armament *n* armement *m*.
armchair *n* fauteuil *m*.
armed *adj* armé.
armful *n* brassée *f*.
armhole *n* emmanchure *f*.
armistice *n* armistice *m*.
armour *n* armure *f*.
armoured car *n* voiture blindée *f*.
armoury *n* arsenal *m*.
armpit *n* aisselle *f*.
armrest *n* accoudoir *m*.
army *n* armée *f*.
aroma *n* arôme *m*.
aromatic *adj* aromatique.
around *prep* autour de; * *adv* autour.
arouse *vt* éveiller; exciter.
arraign *vt* traduire en justice.
arraignment *n* accusation *f*; procès criminel *m*.
arrange *vt* arranger, organiser.
arrangement *n* arrangement *m*.
arrant *adj* fieffé.
array *n* série *f*.
arrears *npl* arriéré *m*; retard *m*.
arrest *n* arrestation *f*; * *vt* arrêter.
arrival *n* arrivée *f*.
arrive *vi* arriver.
arrogance *n* arrogance *f*.
arrogant *adj* arrogant; ~**ly** *adv* avec arrogance.
arrogate *vt* s'arroger.
arrogation *n* usurpation *f*.
arrow *n* flèche *f*.
arsenal *n* (*mil*) arsenal *m*.
arsenic *n* arsenic *m*.
arson *n* incendie criminel *m*.
art *n* art *m*.
arterial *adj* artériel.
artesian well *n* puits artésien *m*.
artery *n* artère *f*.
artful *adj* malin, astucieux.
artfulness *n* astuce *f*; habileté *f*.
art gallery *n* musée d'art *m*.
arthritis *n* arthrite *f*.
artichoke *n* artichaut *m*.
article *n* article *m*.

articulate *vt* articuler.

articulated *adj* articulé.

articulation *n* articulation *f.*

artifice *n* artifice *m.*

artificial *adj* artificiel; ~**ly** *adv* artificiellement.

artificiality *n* caractère artificiel *m.*

artillery *n* artillerie *f.*

artisan *n* artisan *m.*

artist *n* artiste *mf.*

artistic *adj* artistique.

artistry *n* habileté *f.*

artless *adj* naturel, simple; ~**ly** *adv* naturellement, simplement.

artlessness *n* simplicité *f,* naturel *m.*

art school *n* école des beaux-arts *f.*

as *conj* comme; pendant que; aussi; ~ **for,** ~ **to** quant à.

asbestos *n* asbeste *m,* amiante *f.*

ascend *vi* monter.

ascendancy *n* ascendant *m.*

ascension *n* ascension *f.*

ascent *n* montée *f.*

ascertain *vt* établir.

ascetic *adj* ascétique; * *n* ascète *mf.*

ascribe *vt* attribuer.

ash *n* (*bot*) frêne *m;* cendre *f.*

ashbin *n* poubelle *f.*

ashamed *adj* honteux.

ashore *adv* à terre; **to go** ~ débarquer.

ashtray *n* cendrier *m.*

Ash Wednesday *n* mercredi des Cendres *m.*

aside *adv* de côté.

ask *vt* demander; ~ **after** demander des nouvelles de; ~ **for** demander; ~ **out** inviter à sortir.

askance *adv* avec méfiance.

askew *adv* de côté.

asleep *adj* endormi; **to fall** ~ s'endormir.

asparagus *n* asperge *f.*

aspect *n* aspect *m.*

aspen *n* (*bot*) tremble *m.*

aspersion *n* calomnie *f.*

asphalt *n* asphalte *m.*

asphyxia *n* (*med*) asphyxie *f.*

asphyxiate *vt* asphyxier.

asphyxiation *n* asphyxie *f.*

aspirant *n* aspirant *m* -e *f.*

aspirate *vt* aspirer; * *n* aspirée *f.*

aspiration *n* aspiration *f.*

aspire *vi* aspirer, désirer.

aspirin *n* aspirine *f.*

ass *n* âne *m;* **she** ~ ânesse *f.*

assail *vt* assaillir, attaquer.

assailant *n* assaillant, agresseur *m.*

assassin *n* assassin *m.*

assassinate *vt* assassiner.

assassination *n* assassinat *m.*

assault *n* assaut *m;* agression *f;* * *vt* agresser.

assemblage *n* assemblage *m.*

assemble *vt* assembler; * *vi* s'assembler.

assembly *n* assemblée *f.*

assembly line *n* chaîne de montage *f.*

assent *n* assentiment *m;* * *vi* donner son assentiment.

assert *vt* soutenir; affirmer.

assertion *n* assertion *f.*

assertive *adj* péremptoire.

assess *vt* évaluer.

assessment *n* évaluation *f.*

assessor *n* assesseur *m.*

assets *npl* biens *mpl.*

assiduous *adj* assidu; ~**ly** *adv* assidûment.

assign *vt* assigner.

assignation *n* rendez-vous *m;* (*law*) cession *f.*

assignment *n* (*law*) cession *f;* mission *f.*

assimilate *vt* assimiler.

assimilation *n* assimilation *f.*

assist *vt* assister, aider; secourir.

assistance *n* assistance, aide *f;* secours *m.*

assistant *n* aide *mf,* assistant *m* -e *f.*

associate *vt* associer; * *adj* associé; * *n* associé *m* -e *f.*

association *n* association *f.*

assonance *n* assonance *f*.
assorted *adj* assorti.
assortment *n* assortiment *m*.
assuage *vt* calmer, adoucir.
assume *vt* assumer; supposer.
assumption *n* supposition *f*;
  Assumption *n* Assomption *f*.
assurance *n* assurance *f*.
assure *vt* assurer.
assuredly *adv* assurément.
asterisk *n* astérisque *m*.
astern *adv* (*mar*) en poupe.
asthma *n* asthme *m*.
asthmatic *adj* asthmatique.
astonish *vt* surprendre, stupéfier.
astonishing *adj* stupéfiant; ~ly
  adv incroyablement.
astonishment *n* surprise, stupéfaction *f*.
astound *vt* ébahir.
astray *adv*: **to go** ~ s'égarer; **to
  lead** ~ détourner du droit chemin.
astride *adv* à califourchon.
astringent *adj* astringent.
astrologer *n* astrologue *mf*.
astrological *adj* astrologique.
astrology *n* astrologie *f*.
astronaut *n* astronaute *mf*.
astronomer *n* astronome *mf*.
astronomical *adj* astronomique.
astronomy *n* astronomie *f*.
astute *adj* malin.
asylum *n* asile, refuge *m*.
at *prep* à; en; ~ **once** tout de suite;
  ~ **all** du tout; ~ **all events** en
  tout cas; ~ **first** au début,
  d'abord; ~ **last** enfin.
atheism *n* athéisme *m*.
atheist *n* athée *mf*.
athlete *n* athlète *mf*.
athletic *adj* athlétique.
atlas *n* atlas *m*.
atmosphere *n* atmosphère *f*.
atmospheric *adj* atmosphérique.
atom *n* atome *m*.
atom bomb *n* bombe atomique *f*.
atomic *adj* atomique.
atone *vt* expier.
atonement *n* expiation *f*.

atop *adv* en haut.
atrocious *adj* atroce; ~ly *adv*
  atrocement.
atrocity *n* atrocité, énormité *f*.
atrophy *n* (*med*) atrophie *f*.
attach *vt* joindre.
attaché *n* attaché *m* -e *f*.
attachment *n* attachement *m*.
attack *vt* attaquer; * *n* attaque *f*.
attacker *n* attaquant *m* -e *f*.
attain *vt* atteindre, obtenir.
attainable *adj* accessible.
attempt *vt* essayer; * *n* essai *m*,
  tentative *f*.
attend *vt* servir; assister à; ~ **to**
  s'occuper de; * *vi* faire attention.
attendance *n* service *m*; assistance *f*; présence *f*.
attendant *n* serviteur *m*.
attention *n* attention *f*; soin *m*.
attentive *adj* attentif; ~ly *adv*
  attentivement.
attenuate *vt* atténuer.
attest *vt* attester.
attic *n* grenier *m*.
attire *n* atours *mpl*.
attitude *n* attitude *f*.
attorney *n* avocat *m*.
attract *vt* attirer.
attraction *n* attraction *f*; attrait
  m.
attractive *adj* attrayant.
attribute *vt* attribuer; * *n* attribut *m*.
attrition *n* usure *f*.
auburn *adj* auburn.
auction *n* vente aux enchères *f*.
auctioneer *n* commissaire-
  priseur *m*.
audacious *adj* audacieux, téméraire; ~ly *adv* audacieusement.
audacity *n* audace, témérité *f*.
audible *adj* audible; ~ly *adv*
  audiblement.
audience *n* audience *f*; auditoire
  m.
audit *n* audit *m*; * *vt* vérifier.
auditor *n* vérificateur(-trice) de
  comptes *m(f)*; auditeur *m* -trice
  f.

auditory *adj* auditif.

augment *vt vi* augmenter.

augmentation *n* augmentation *f*.

August *n* août *m*.

august *adj* auguste, majestueux.

aunt *n* tante *f*.

au pair *n* (jeune fille) au pair *f*.

aura *n* aura *f*.

auspices *npl* auspices *mpl*.

auspicious *adj* favorable, propice; ~**ly** *adv* favorablement.

austere *adj* austère, sévère; ~**ly** *adv* austèrement.

austerity *n* austérité *f*.

authentic *adj* authentique; ~**ly** *adv* authentiquement.

authenticate *vt* légaliser.

authenticity *n* authenticité *f*.

author *n* auteur *m*.

authoress *n* femme auteur *f*.

authorisation *n* autorisation *f*.

authorise *vt* autoriser.

authoritarian *adj* autoritaire.

authoritative *adj* autoritaire; ~**ly** *adv* autoritairement.

authority *n* autorité *f*.

authorship *n* paternité *f* (d'un livre).

auto *n* voiture *f*.

autocrat *n* autocrate *mf*.

autocratic *adj* autocratique.

autograph *n* autographe *m*.

automated *adj* automatisé.

automatic *adj* automatique.

automaton *n* automate *m*.

autonomy *n* autonomie *f*.

autopsy *n* autopsie *f*.

autumn *n* automne *m*.

autumnal *adj* automnal.

auxiliary *adj* auxiliaire.

avail *vt*: **to ~ oneself of** profiter de; * *n*: **to no ~** en vain.

available *adj* disponible.

avalanche *n* avalanche *f*.

avarice *n* avarice *f*.

avaricious *adj* avare.

avenge *vt* venger.

avenue *n* avenue *f*.

aver *vt* affirmer, déclarer.

average *vt* atteindre la moyenne de; * *n* moyenne *f*, moyen terme *m*.

aversion *n* aversion *f*, dégoût *m*.

avert *vt* détourner, écarter.

aviary *n* volière *f*.

avoid *vt* éviter; échapper à.

avoidable *adj* évitable.

await *vt* attendre.

awake *vt* réveiller; * *vi* se réveiller; * *adj* éveillé.

awakening *n* réveil *m*.

award *vt* attribuer; * *n* prix *m*; décision *f*.

aware *adj* conscient; au courant.

awareness *n* conscience *f*.

away *adv* absent; loin; ~! va-t-en!; allez-vous-en! **far and ~** de loin.

away game *n* match à l'extérieur *m*.

awe *n* peur, crainte *f*.

awe-inspiring, awesome *adj* terrifiant; imposant.

awful *adj* horrible, terrible; ~**ly** *adv* horriblement, terriblement.

awhile *adv* un moment.

awkward *adj* gauche, maladroit; délicat; ~**ly** *adv* maladroitement.

awkwardness *n* maladroitesse *f*; difficulté *f*.

awl *n* alêne *f*.

awning *n* (*mar*) taud *m*.

awry *adv* de travers.

axe *n* hache *f*; * *vt* licencier; supprimer.

axiom *n* axiome *m*.

axis *n* axe *m*.

axle *n* axe *m*.

ay(e) *excl* oui.

B

baa n bêlement m; * vi bêler.
babble vi bavarder, babiller; ~,
  babbling n bavardage, babil-
  lage m.
babbler n bavard m.
babe, baby n bébé, enfant en bas-
  âge m; nourrisson m.
baboon n babouin m.
babyhood n petite enfance f.
babyish adj enfantin; puéril.
baby carriage n voiture d'enfant
  f.
baby linen n layette f.
bachelor n célibataire m;
  (diplôme) licencié m -e f.
bachelorship n célibat m.
back n dos m; * adv en arrière, à
  l'arrière; **a few years** ~ il y a
  quelques années, quelques années en arrière; * vt soutenir,
  appuyer, renforcer.
backbite vt médire de, sur.
backbiter n détracteur m -trice
  f.
backbone n colonne vertébrale,
  épine dorsale f.
backdate vt antidater.
backdoor n porte de derrière f.
backer n partisan m -e f.
backgammon n (jeu de) jacquet
  m.
background n fond m.
backlash n réaction violente f.
backlog n accumulation de travail en retard f.
back number n vieux numéro
  (magazine, journal) m.
backpack n sac à dos m.
back payment n rappel de salaire m.
backside n derrière m.
back-up lights npl (auto) feux de
  marche arrière mpl.
backward adj rétrograde; retardé; lent; * adv en arrière.
bacon n lard m.

bad adj mauvais, de mauvaise
  qualité; méchant; malade; ~ly
  adv mal.
badge n plaque f, insigne m,
  badge m; symbole m; signe m.
badger n blaireau m; * vt harceler.
badminton n badminton m.
badness n mauvaise qualité f;
  méchanceté f.
baffle vt déconcerter, confondre.
bag n sac m; valise f.
baggage n bagages mpl; équipement m.
bagpipe n cornemuse f.
bail n mise en liberté sous caution, caution f; * vt mettre en liberté sous caution; mettre en
  dépôt.
bailiff n huissier m; régisseur m.
bait vt tourmenter; appâter; * n
  appât m; amorce f.
baize n serge f.
bake vt faire cuire au four.
bakery n boulangerie f.
baker n boulanger m -ère f; ~'s
  dozen treize à la douzaine.
baking n cuisson f; fournée f.
baking powder n levure f.
balance n balance f; équilibre m;
  solde d'un compte m; **to lose
  one's** ~ perdre l'équilibre; * vt
  peser; peser le pour et le contre;
  solder; équilibrer.
balance sheet n bilan m.
balcony n balcon m.
bald adj chauve.
baldness n calvitie f.
bale n balle f; * vt emballer; écoper.
baleful adj sinistre, funeste, maléfique; ~ly adv sinistrement.
ball n balle f; boule f; ballon m.
ballad n ballade f.
ballast n lest m; * vt lester.
ballerina n ballerine f.

ballet n ballet m.

ballistic adj balistique.

balloon n montgolfière f, aérostat m.

ballot n scrutin m; vote m; * vi voter au scrutin.

ballpoint (pen) n stylo à bille m.

ballroom n salle de bal f.

balm, balsam n baume m.

balmy adj balsamique, parfumé; doux.

balustrade n balustrade f.

bamboo n bambou m.

bamboozle vt (fam) embobiner.

ban n interdiction f; * vt interdire.

banal adj banal.

banana n banane f.

band n bande f; reliure f; courroie de transmission f; orchestre m.

bandage n bande f, bandage m; * vt bander.

bandaid n pansement m adhésif.

bandit n bandit m.

bandstand n kiosque à musique m.

bandy vt avoir des mots.

bandy-legged adj aux jambes arquées.

bang n coup violent, claquement m, détonation f; * vt frapper violemment; claquer.

bangle n bracelet m.

bangs npl (US) frange (courte et droite) f.

banish vt bannir, exiler, chasser, expatrier.

banishment n exil, bannissement m.

banister(s) n(pl) rampe d'escalier f.

banjo n banjo m.

bank n rive f; remblai m; banque f; banc m; digue f; * vt déposer de l'argent à la banque; ~ on compter sur.

bank account n compte en banque m.

bank card n carte bancaire f.

banker n banquier m -ière f.

banking n opérations bancaires fpl.

banknote n billet de banque m.

bankrupt adj failli; * n failli m.

bankruptcy n banqueroute, faillite f.

bank statement n relevé de compte m.

banner n bannière f; étendard m.

banquet n banquet m.

baptise vt baptiser.

baptism n baptême m.

baptismal adj de baptême, baptismal.

baptistery n baptistère m.

bar n bar m; barre f; obstacle m; (law) barreau m; * vt empêcher; interdire; exclure.

barbarian n barbare mf; * adj barbare, cruel.

barbaric adj barbare.

barbarism n (gr) barbarisme m; barbarie f.

barbarity n barbarie, atrocité f.

barbarous adj barbare, cruel.

barbecue n barbecue m.

barber n coiffeur (pour hommes) m.

bar code n code barres m.

bard n barde m; poète m.

bare adj nu, dépouillé; simple; pur; * vt dénuder, découvrir.

barefaced adj éhonté, impudent.

barefoot(ed) adj aux pieds nus.

bareheaded adj nu-tête.

barelegged adj aux jambes nues.

barely adv à peine, tout juste.

bareness n nudité f.

bargain n affaire f; contrat, marché m; occasion f; * vi conclure un marché; négocier; ~ for s'attendre à.

barge n péniche f.

baritone n (mus) baryton m.

bark n écorce f; aboiement m; * vi aboyer.

barley n orge m.

barmaid n serveuse f.

barman n barman m.

barn n grange f; étable f.

barnacle n anatife m, bernacle f.

barometer n baromètre m.

baron n baron m.
baroness n baronne f.
baronial adj de baron.
barracks npl caserne f.
barrage n barrage m; (fig) torrent m.
barrel n tonneau, fût m; canon de fusil m.
barrelled adj (firearms) à canons.
barrel organ n orgue de Barbarie m.
barren adj stérile, infertile, improductif.
barricade n barricade f; barrière f; * vt barricader, barrer.
barrier n barrière f; obstacle m.
barring adv excepté, sauf.
barrow n brouette f.
bartender n barman m.
barter vi faire du troc; * vt troquer, échanger.
base n base f; partie inférieure f; pied m; point de départ m; * vt fonder sur; * adj vil, abject.
baseball n baseball m.
baseless adj sans fondement, injustifié.
basement n sous-sol m.
baseness n bassesse, vilenie f.
bash vt frapper.
bashful adj timide, modeste; ~ly adv timidement.
basic adj fondamental, de base; ~ally adv fondamentalement.
basilisk n (zool) basilic m.
basin n cuvette f; lavabo m.
basis n base f; fondement m.
bask vi se prélasser.
basket n panier m, corbeille f.
basketball n basket-ball m.
bass n (mus) contrebasse f.
bassoon n basson m.
bass viol n viole de gambe f.
bass voice n voix de basse f.
bastard n, adj bâtard m.
bastardy n bâtardise f.
baste vt arroser la viande de son jus; bâtir.

basting n bâti m; jus (de viande) m; rossée f.
bastion n (mil) bastion m.
bat n chauve-souris f.
batch n fournée f.
bath n bain m.
bathe vt (vi) (se) baigner.
bathing suit n maillot de bain m.
bathos n platitudes (dans un texte littéraire) fpl.
bathroom n salle de bain f.
baths npl piscine f.
bathtub n baignoire f.
baton n matraque f.
battalion n (mil) bataillon m.
batter vt battre; frapper, martyriser; * n pâte à frire f.
battering ram n (mil) bélier m.
battery n pile, batterie f.
battle n bataille f; combat m; * vi se battre, combattre.
battle array n ordre de bataille m.
battlefield n champ de bataille m.
battlement n remparts mpl.
battleship n cuirassé m.
bawdy adj paillard.
bawl vi brailler, (fam) gueuler.
bay n baie f; laurier m; * vi aboyer, hurler; * adj bai.
bayonet n baïonnette f.
bay window n fenêtre en saillie f.
bazaar n bazar m.
be vi être.
beach n plage f.
beacon n phare, signal lumineux m.
bead n perle f; ~s npl chapelet m.
beagle n beagle m.
beak n bec m.
beaker n gobelet m.
beam n rayon m; poutre f; * vi rayonner, resplendir.
bean n haricot m; **French ~** haricot m vert.
beansprouts npl germes de soja mpl.
bear vt porter, supporter, produire; * vi se diriger.
bear n ours m; **she ~** ourse f.

bearable *adj* supportable.

beard *n* barbe *f*.

bearded *adj* barbu.

bearer *n* porteur *m* -euse *f*; arbre fructifère *m*.

bearing *n* relation *f*; maintien, port *m*.

beast *n* bête *f*; brute *f*; ~ of burden bête de somme *f*.

beastliness *n* bestialité, brutalité *f*.

beastly *adj* bestial, brutal; abominable; * *adv* terriblement.

beat *vt* battre; * *vi* battre, palpiter; * *n* battement *m*; pulsation *f*.

beatific *adj* béatifique; béat.

beatify *vt* béatifier, sanctifier.

beating *n* correction, raclée *f*; battement *m*.

beatitude *n* béatitude *f*.

beautiful *adj* beau, belle, magnifique; ~ly *adv* à la perfection, merveilleusement.

beautify *vt* embellir; décorer.

beauty *n* beauté *f*; ~ salon *n* institut de beauté *m*; ~ spot *n* site touristique *m*.

beaver *n* castor *m*.

because *conj* parce que; * *prép*: ~ of en raison de.

beckon *vi* faire signe.

become *vt* convenir, aller à; * *vi* devenir, se faire.

becoming *adj* convenable, seyant.

bed *n* lit *m*.

bedclothes *npl* couvertures et draps *mpl*.

bedding *n* literie *f*.

bedecked *adj* orné.

bedlam *n* maison *f* de fous; chahut *m*.

bed-post *n* colonne de lit *f*.

bedridden *adj* cloué au lit; grabataire.

bedroom *n* chambre *f*.

bedspread *n* dessus-de-lit *m* invar.

bedtime *n* heure d'aller au lit *f*.

bee *n* abeille *f*.

beech *n* hêtre *m*.

beef *n* bœuf (viande) *m*.

beefburger *n* hamburger *m*.

beefsteak *n* bifteck *m*.

beehive *n* ruche *f*.

beeline *n* ligne droite *f*.

beer *n* bière *f*.

beeswax *n* cire *f*.

beet *n* betterave *f*.

beetle *n* scarabée *m*.

befall *vi* arriver, survenir; * *vt* arriver à.

befit *vt* convenir à.

before *adv, prep* avant; devant; * *conj* avant de, avant que.

beforehand *adv* à l'avance, au préalable.

befriend *vt* traiter en ami; aider.

beg *vt* mendier; solliciter; supplier; * *vi* demander la charité.

beget *vt* engendrer.

beggar *n* mendiant *m* -e *f*.

begin *vt vi* commencer.

beginner *n* débutant *m* -e *f*; novice *mf*.

beginning *n* commencement, début *m*, origine *f*.

begrudge *vt* donner à contrecœur; envier.

behalf *n* faveur *f*, intérêt *m*; nom *m*, part *f*.

behave *vi* se comporter, se conduire.

behavior *n* conduite *f*; comportement *m*.

behead *vt* décapiter.

behind *prep* derrière; * *adv* derrière, par-derrière, en arrière.

behold *vt* voir; contempler; observer.

behove *vi* (*impers*) incomber à.

beige *adj* beige.

being *n* existence *f*; être *m*.

belated *adj* tardif.

belch *vi* éructer; * *vt* vomir; * *n* éructation *f*, rot *m*.

belfry *n* beffroi, clocher *m*.

belie *vt* démentir, tromper.

belief *n* foi, croyance *f*; conviction, opinion *f*, credo *m*.

believable *adj* croyable.

believe *vt* croire; * *vi* penser, croire.

believer *n* croyant *m* -e *f*; adepte *mf*, partisan *m* -e *f*.

belittle *vt* rabaisser.

bell *n* cloche *f*.

bellicose *adj* belliqueux.

belligerent *adj* belligérant.

bellow *vi* beugler, mugir; hurler; * *n* beuglement, mugissement *m*.

bellows *npl* soufflet *m*.

belly *n* ventre *m*.

bellyful *n* ventrée *f*; ras-le-bol *m*.

belong *vi* appartenir à.

belongings *npl* affaires *fpl*.

beloved *adj* chéri, bien-aimé.

below *adv* en dessous, en bas; * *prep* sous, au-dessous de, en dessous.

belt *n* ceinture *f*.

beltway *n* (US) périphérique *m*.

bemoan *vt* déplorer; pleurer.

bemused *adj* déconcerté.

bench *n* banc *m*.

bend *vt* courber, plier; incliner; * *vi* se courber, s'incliner; * *n* courbe *f*.

beneath *adv* au-dessous; * *prep* sous, au-dessous de.

benediction *n* bénédiction *f*.

benefactor *n* bienfaiteur *m* -trice *f*.

benefice *n* bénéfice *m*; bénéfice ecclésiastique *m*.

beneficent *adj* bienfaisant.

beneficial *adj* profitable, salutaire, utile.

beneficiary *n* bénéficiaire *mf*.

benefit *n* intérêt, avantage *m*; profit *m*; bienfait *m*; * *vt* profiter à; * *vi* bénéficier.

benefit night *n* soirée de bienfaisance *f*.

benevolence *n* bienveillance *f*; générosité *f*.

benevolent *adj* bienveillant; de bienfaisance.

benign *adj* bienveillant, doux, affable; bénin.

bent *n* penchant *m*.

benzine *n* (*chem*) benzine *f*.

bequeath *vt* léguer à.

bequest *n* legs *m*.

bereave *vt* priver.

bereavement *n* perte *f*; deuil *m*.

beret *n* béret *m*.

berry *n* baie *f*.

berserk *adj* fou furieux.

berth *n* (*mar*) couchette *f*.

beseech *vt* supplier, implorer, conjurer.

beset *vt* assaillir.

beside(s) *prep* à côté de; excepté; * *adv* de plus, en outre.

besiege *vt* assiéger, assaillir.

best *adj* le meilleur, la meilleure; * *adv* le mieux; * *n* le meilleur, le mieux *m*.

bestial *adj* bestial, brutal; ~ly *adv* bestialement.

bestiality *n* bestialité, brutalité *f*.

bestow *vt* accorder, conférer; consacrer.

bestseller *n* best-seller *m*.

bet *n* pari *m*; * *vt* parier.

betray *vt* trahir.

betrayal *n* trahison *f*.

betroth *vt* promettre en mariage.

betrothal *n* fiançailles *fpl*.

better *adj adv* meilleur, mieux; **so much the** ~ tant mieux; * *vt* améliorer.

betting *n* pari *m*.

between *prep* entre;* *adv* au milieu.

bevel *n* biseau *m*.

beverage *n* boisson *f*.

bevy *n* bande *f*, groupe *m*.

beware *vi* prendre garde.

bewilder *vt* déconcerter, dérouter.

bewilderment *n* perplexité *f*.

bewitch *vt* ensorceler, enchanter.

beyond *prep* au-delà de; au-dessus de; plus de; sauf; * *adv* au-delà, plus loin.

bias *n* préjugé *m*; tendance, inclination *f*.

bib n bavoir m.

Bible n Bible f.

biblical adj biblique.

bibliography n bibliographie f.

bicarbonate of soda n bicarbonate de soude m.

bicker vi se chamailler.

bicycle n bicyclette f.

bid vt ordonner, commander; offrir; * n offre, tentative f.

bidding n ordre m; enchère, offre f.

bide vt attendre, supporter.

biennial adj biennal, bisannuel.

bifocals npl verres à double foyer mpl.

bifurcated adj divisé en deux branches.

big adj grand, gros; important.

bigamist n bigame mf.

bigamy n bigamie f.

Big Dipper n Grande Ourse f.

bigheaded adj frimeur.

bigness n grandeur, grosseur f.

bigot n fanatique mf.

bigoted adj fanatique.

bike n vélo m.

bikini n bikini m.

bilberry n airelle f.

bile n bile f.

bilingual adj bilingue.

bilious adj bilieux.

bill n bec (d'oiseau) m; addition f; billet m.

billboard n panneau d'affichage m.

billet n logement m.

billfold n (US) portefeuille m.

billiards npl billard m.

billiard table n table de billard f.

billion n milliard m.

billy n (US) matraque f.

bin n coffre m.

bind vt attacher; lier; entourer; relier.

binder n relieur m -euse f.

binding n reliure f, extra-fort m.

binge n beuverie, bringue f.

bingo n loto m.

biochemistry n biochimie f.

binoculars npl jumelles fpl.

biographer n biographe mf.

biographical adj biographique.

biography n biographie f.

biological adj biologique.

biology n biologie f.

biped n bipède m.

birch n bouleau m.

bird n oiseau m.

bird's-eye view n vue d'ensemble f.

bird-watcher n ornithologue mf.

birth n naissance f.

birth certificate n extrait de naissance m.

birth control n limitation des naissances f.

birthday n anniversaire m.

birthplace n lieu de naissance m.

birthright n droit de naissance m.

biscuit n biscuit m.

bisect vt couper en deux.

bishop n évêque m.

bison n bison m.

bit n morceau m; peu m.

bitch n chienne f; (fig) plainte f.

bite vt mordre; ~ **the dust** (fam) mordre la poussière; * n morsure f.

bitter adj amer, âpre; cuisant, acerbe; glacial; ~ly adv amèrement; avec amertume; âprement.

bitterness n amertume f; rancœur f.

bitumen n bitume m.

bizarre adj étrange, bizarre.

blab vi jacasser; lâcher le morceau.

black adj noir, obscur; * n noir m.

blackberry n mûre f.

blackbird n merle m.

blackboard n tableau (noir) m.

blacken vt noircir, ternir.

black ice n verglas m.

blackjack n vingt-et-un m.

blackleg n jaune m (pendant une grève).

blacklist n liste noire f.

blackmail n chantage m; * vt faire chanter.

black market n marché noir m.

blackness n couleur noire f; obscurité f; noirceur f.
black pudding n boudin m.
black sheep n brebis galeuse f.
blacksmith n forgeron m.
blackthorn n épine noire f.
bladder n vessie f.
blade n lame f.
blame vt blâmer; * n faute f.
blameless adj irréprochable; ~ly adv irréprochablement.
blanch vt blanchir.
bland adj affable, suave; doux; apaisant.
blank adj blanc; vide, déconcerté; * n blanc m.
blank check n chèque en blanc m.
blanket n couverture f.
blare vi retentir.
blasé adj blasé.
blaspheme vt blasphémer.
blasphemous adj blasphématoire.
blasphemy n blasphème m.
blast n souffle d'air m; explosion f; * vt faire sauter.
blast-off n lancement m, mise à feu f.
blatant adj flagrant.
blaze n flamme f; * vi flamber; resplendir.
bleach vt blanchir; décolorer; * vi blanchir; * n eau de Javel f.
bleached adj blanchi; décoloré.
bleachers npl gradins mpl.
bleak adj morne, lugubre, glacial, désolé.
bleakness n froid m; austérité f.
bleary(-eyed) adj larmoyant.
bleat n bêlement m; * vi bêler.
bleed vt vi saigner.
bleeding n saignement m.
bleeper n bip m.
blemish vt gâter; ternir; * n tache f; infamie f.
blend vt mélanger.
bless vt bénir.
blessing n bénédiction f; bienfait m.

blight vt détruire.
blind adj aveugle; ~ **alley** n impasse f; * vt aveugler; éblouir; * n aveugle mf; **(Venetian)** ~ store vénitien m.
blinders npl (US) œillères fpl.
blindfold vt bander les yeux de; ~ed adj les yeux bandés.
blindly adv à l'aveuglette, aveuglément.
blindness n cécité f.
blind side n côté faible de quelqu'un m.
blind spot n angle mort m.
blink vi clignoter.
blinkers npl clignotants mpl.
bliss n bonheur extrême m; félicité f.
blissful adj heureux; béat, bienheureux; ~ly adv heureusement.
blissfulness n bonheur extrême m, félicité f.
blister n ampoule f, cloque f; * vi se couvrir de cloques.
blitz n bombardement aérien m.
blizzard n tempête de neige f.
bloated adj gonflé, boursouflé, bouffi.
blob n goutte, tache f.
bloc n bloc m.
block n bloc m; encombrement, blocage m; pâté de maisons m; ~ **(up)** vt bloquer.
blockade n blocus m; * vt faire le blocus, bloquer.
blockage n obstruction f.
blockbuster n grand succès m.
blockhead n lourdaud, sot, crétin m.
blond adj blond; * n blond m -e f.
blood n sang m.
blood donor n donneur(-euse) de sang m(f).
blood group n groupe sanguin m.
bloodhound n limier m.
bloodily adv cruellement.
bloodiness n (fig) cruauté f.
bloodless adj exangue, anémié; sans effusion de sang.

blood poisoning n empoisonnement du sang m.

blood pressure n pression artérielle f.

bloodshed n effusion de sang f; carnage m.

bloodshot adj injecté de sang.

bloodstream n système sanguin m.

bloodsucker n sangsue f; (fig) vampire m.

blood test n analyse de sang f.

bloodthirsty adj sanguinaire.

blood transfusion n transfusion sanguine f.

blood vessel n veine f; vaisseau sanguin m.

bloody adj sanglant, ensanglanté; cruel; ~ **minded** adj pas commode, buté.

bloom n fleur f; (also fig); * vi éclore, fleurir.

blossom n fleur f.

blot vt tacher; sécher; effacer; * n tache f.

blotchy adj marbré; couvert de taches.

blotting pad n buvard m.

blotting paper n papier buvard m.

blouse n chemisier m.

blow vi souffler; sonner; * vt souffler; faire voler; jouer de; ~ **up** exploser; * n coup m.

blowout n éclatement m.

blowpipe n sarbacane f.

blubber n blanc de baleine m; * vi pleurnicher.

bludgeon n gourdin m; matraque f.

blue adj bleu.

bluebell n campanule f.

bluebottle n (bot) bleuet m; mouche bleue f.

blueness n bleu m.

blueprint n (fig) projet m.

bluff n esbrouffe f; * vt faire de l'esbrouffe.

bluish adj bleuâtre.

blunder n gaffe f; * vi faire une gaffe.

blunt adj émoussé, obtus; direct; * vt émousser.

bluntly adv carrément; sans ménagements.

bluntness n brusquerie, rudesse f.

blur n image f floue; * vt brouiller.

blurt out vt laisser échapper.

blush n rougeur f; fard à joues m; * vi rougir.

blustery adj de tempête, violent.

boa n boa m (serpent).

boar n verrat m; **wild** ~ sanglier m.

board n planche f; table f; conseil m; * vt monter à bord de.

boarder n pensionnaire mf.

boarding card n carte d'embarquement f.

boarding house n internat m; pension (de famille) f.

boarding school n pensionnat m.

boast vi se vanter; * n vantardise f; rodomontade f.

boastful adj vantard.

boat n bateau m; canot m; barque f.

boating n canotage m; promenade en bateau f.

bobsleigh n bobsleigh m.

bode vt présager, augurer.

bodice n corsage m.

bodily adj adv physique(ment).

body n corps m; cadavre m; **any** ~ n'importe qui; **every** ~ tout le monde.

body-building n culturisme m.

bodyguard n garde du corps m.

bodywork n (auto) carrosserie f.

bog n marécage m.

boggy adj marécageux.

bogus adj faux.

boil vi bouillir; * vt faire bouillir; * n furoncle m; ébullition f.

boiled egg n œuf à la coque m.

boiled potatoes npl pommes de terre à l'eau fpl.

boiler n casserole f; chaudière f.

boiling point n point d'ébullition m.

boisterous *adj* bruyant; turbulent; tumultueux; ~**ly** *adv*
bruyamment, tumultueusement.

bold *adj* audacieux, téméraire,
osé, hardi; ~**ly** *adv* audacieusement, hardiment.

boldness *n* intrépidité *f*; audace
f; effronterie *f*.

bolster *n* traversin *m*; * *vt* soutenir.

bolt *n* verrou *m*; * *vt* verrouiller,
fermer au verrou.

bomb *n* bombe *f*; ~ **disposal** dé-
minage *m*.

bombard *vt* (*phys*) bombarder.

bombardier *n* bombardier *m*.

bombardment *n* bombardement
m.

bombshell *n* (*fig*) bombe *f*.

bond *n* lien *m*; attache *f*; engagement *m*; obligation *f*.

bondage *n* esclavage, asservissement *m*.

bond holder *n* obligataire *mf*.

bone *n* os *m*; * *vt* désosser.

boneless *adj* désossé, sans os.

bonfire *n* feu (de joie) *m*.

bonnet *n* bonnet *m*.

bonny *adj* joli.

bonus *n* prime *f*.

bony *adj* osseux.

boo *vt* huer.

booby trap *n* mine *f*.

book *n* livre *m*; **to bring to ~** *vt*
obliger à rendre des comptes.

bookbinder *n* relieur(-euse) de
livres *m(f)*.

bookcase *n* bibliothèque *f*.

bookkeeper *n* comptable *mf*.

bookkeeping *n* comptabilité *f*.

bookmaking *n* prise des paris *f*.

bookmarker *n* signet *m*.

bookseller *n* libraire *mf*.

bookstore *n* librairie *f*.

bookworm *n* rat de bibliothèque
m.

boom *n* grondement *m*; essor *m*;
* *vi* gronder.

boon *n* bienfait *m*, aubaine *f*; faveur *f*.

boor *n* rustre *m*; brute *f*.

boorish *adj* rustre, rustique.

boost *n* stimulation *f*; * *vt* stimuler.

booster *n* propulseur *m*.

boot *n* botte *f*; coffre *m*; **to ~** *adv*
de plus, de surcroît.

booth *n* cabine *f*; baraque *f*.

booty *n* butin *m*.

booze *vi* se saôuler; * *n* alcool *m*.

border *n* bord *m*; bordure *f*; lisière
f; frontière *f*; * *vt* border, avoisi-
ner.

borderline *n* limite *f*.

bore *vt* forer, percer; ennuyer; * *n*
perceuse *f*; calibre *m*; raseur *m*.

boredom *n* ennui *m*.

boring *adj* ennuyeux.

born *adj* né; originaire.

borrow *vt* emprunter.

borrower *n* emprunteur *m* -euse
f.

bosom *n* sein *m*, poitrine *f*.

bosom friend *n* ami(e) intime
m(f).

boss *n* chef *m*; patron(ne) *m(f)*.

botanic(al) *adj* botanique.

botanist *n* botaniste *mf*.

botany *n* botanique *f*.

botch *vt* cochonner.

both *pn* tou(te)s les deux, l'un(e)
et l'autre; * *adj* les deux; * *conj*
à la fois; autant que.

bother *vt* ennuyer, déranger; * *n*
ennui, problème *m*.

bottle *n* bouteille *f*; * *vt* mettre en
bouteille.

bottleneck *n* embouteillage *m*;
goulot *m*.

bottle-opener *n* ouvre-bouteille
m invar.

bottom *n* fond *m*; fondement *m*; *
adj du bas; dernier.

bottomless *adj* sans fond, insondable; inépuisable.

bough *n* branche *f*; rameau *m*.

boulder *n* gros galet *m*.

bounce *vi* rebondir; bondir, faire
des bonds; * *n* bond, rebond *m*.

bound *n* limite *f*; saut *m*; répercussion *f*; * *vi* bondir, sauter; * *adj* à destination de.

boundary *n* limite *f*; frontière *f*.

boundless *adj* illimité, infini.

bounteous, bountiful *adj* abondant; prodigue, généreux; bienfaisant.

bounty *n* libéralité, générosité *f*.

bouquet *n* bouquet *m*.

bourgeois *adj* bourgeois.

bout *n* attaque *f*; accès *m*; combat *m*.

bovine *adj* bovin.

bow *vt* incliner, baisser; * *vi* se courber; faire une révérence; * *n* salut *m*, révérence *f*.

bow *n* arc *m*; archet *m*; nœud *m*.

bowels *npl* intestins *mpl*; entrailles *fpl*.

bowl *n* bol, saladier *m*; boule *f*; * *vi* jouer aux boules.

bowling *n* boules *fpl*.

bowling alley *n* bowling *m*.

bowling green *n* terrain de boules *m*.

bowstring *n* corde (d'arc) *f*.

bow tie *n* nœud papillon *m*.

box *n* boîte, caisse *f*; loge *f*; ~ **on the ear** gifle *f*; * *vt* mettre en boîte; * *vi* boxer.

boxer *n* boxeur *m*.

boxing *n* boxe *f*.

boxing gloves *npl* gants de boxe *mpl*.

boxing ring *n* ring *m*.

box office *n* guichet *m*.

box-seat *n* place à côté du siège du cocher *f*.

boy *n* garçon *m*.

boycott *vt* boycotter; * *n* boycottage *m*.

boyfriend *n* petit ami *m*.

boyish *adj* d'enfant, puéril; de garçon.

bra *n* soutien-gorge *m*.

brace *n* attache *f*; bretelle *f*; appareil dentaire *m*.

bracelet *n* bracelet *m*

bracken *n* (*bot*) fougère *f*.

bracket *n* tranche *f*; parenthèse

f; crochet *m*; * ~ **with** *vt* réunir par une accolade; mettre ensemble.

bracing *adj* vivifiant, tonifiant.

brag *n* fanfaronnade *f*; * *vi* se vanter, fanfaronner.

braid *n* tresse *f*; * *vt* tresser.

brain *n* cerveau *m*; tête *f*; * *vt* assommer, défoncer le crâne à.

brainchild *n* invention personnelle *f*.

brainwash *vt* faire un lavage de cerveau à.

brainwave *n* idée lumineuse *f*.

brainy *adj* intelligent.

brainless *adj* stupide.

brake *n* frein *m*; * *vi* freiner.

brake fluid *n* liquide de frein *m*.

brake light *n* feu de stop *m*.

bramble *n* ronce *f*.

bran *n* son *m*.

branch *n* branche *f*; ramification *f*; * *vi* se ramifier.

branch line *n* (*rail*) ligne d'embranchement *f*.

brand *n* marque *f*; marque au fer *f*; * *vt* marquer au fer.

brandish *vt* brandir.

brand-new *adj* flambant-neuf.

brandy *n* cognac *m*.

brash *adj* grossier; impertinent.

brass *n* cuivre *m*.

brassiere *n* soutien-gorge *m*.

brat *n* môme, gosse *mf*.

bravado *n* bravade *f*.

brave *adj* courageux, brave, vaillant; * *vt* braver; * *n* brave *m*; ~**ly** *adv* bravement, courageusement.

bravery *n* bravoure *f*; courage *m*; magnificence *f*.

brawl *n* bagarre, rixe *f*; * *vi* se bagarrer.

brawn *n* muscle *m*; fromage de tête *m*.

bray *vi* braire; * *n* braiment *m*.

braze *vt* souder au laiton.

brazen *adj* de cuivre; impudent, effronté; * *vi* crâner.

brazier *n* brasero *m*.

breach *n* rupture *f*; brèche *f*; violation *f*.

bread *n* pain *m*; (*also fig*); **brown ~** pain bis *m*.

breadbox *n* panière *f*.

breadcrumbs *npl* chapelure *f*.

breadth *n* largeur *f*.

breadwinner *n* soutien de famille *m*.

break *vt* casser; briser; violer; interrompre; * *vi* se casser; **~ into** entrer par effraction; **~ out** s'échapper; * *n* cassure, rupture *f*; interruption *f*; **~ of day** point du jour *m*, aube *f*.

breakage *n* casse *f*.

breakdown *n* panne *f*; dépression nerveuse *f*.

breakfast *n* petit déjeuner *m*; * *vi* déjeuner.

breaking *n* bris *m*; violation *f*; fracture *f*.

breakthrough *n* percée, innovation *f*.

breakwater *n* digue *f*.

breast *n* poitrine *f*, sein *m*; cœur *m*.

breastbone *n* sternum *m*.

breastplate *n* pectoral *m*; plastron *m*.

breaststroke *n* brasse *f*.

breath *n* haleine *f*; respiration *f*; souffle *m*.

breathe *vt vi* respirer; exhaler.

breathing *n* respiration *f*; souffle *m*.

breathing space *n* moment de répit *m*.

breathless *adj* hors d'haleine.

breathtaking *adj* stupéfiant.

breed *n* race, espèce *f*; * *vt* élever, engendrer; produire; éduquer; * *vi* se reproduire.

breeder *n* éleveur *m* -euse *f*.

breeding *n* élevage *m*; éducation *f*.

breeze *n* brise *f*.

breezy *adj* frais.

brethren *npl* frères *mpl*.

breviary *n* bréviaire *m*.

brevity *n* brièveté *f*; concision *f*.

brew *vt* faire infuser; brasser; comploter * *vi* infuser; se tramer; * *n* infusion *f*.

brewer *n* brasseur *m*.

brewery *n* brasserie *f*.

briar, brier *n* ronce *f*; églantier *m*.

bribe *n* pot-de-vin *m*; * *vt* acheter, soudoyer.

bribery *n* corruption *f*.

bric-a-brac *n* bric-à-brac *m*.

brick *n* brique *f*; * *vt* bâtir en briques.

bricklayer *n* maçon *m*.

bridal *adj* de noces, nuptial.

bride *n* mariée *f*.

bridegroom *n* marié *m*.

bridesmaid *n* demoiselle d'honneur *f*.

bridge *n* pont *m*; arête du nez *f*; chevalet *m*; **~ (over)** *vt* relier par un pont.

bridle *n* bride *f*; frein *m*; * *vt* brider; réfréner.

brief *adj* bref, concis, succinct; * *n* affaire *f*; résumé *m*.

briefcase *n* serviette *f*.

briefly *adv* brièvement, en peu de mots.

brigade *n* (*mil*) brigade *f*.

brigadier *n* (*mil*) général de brigade *m*.

brigand *n* bandit, brigand *m*.

bright *adj* clair, brillant, éclatant; **~ly** *adv* avec éclat.

brighten *vt* faire briller; * *vi* s'éclairer.

brightness *n* éclat, brillant *m*.

brilliance *n* éclat *m*.

brilliant *adj* éclatant; génial; **~ly** *adv* avec éclat.

brim *n* bord *m*.

brimful *adj* plein jusqu'au bord.

bring *vt* apporter; amener; persuader; **~ about** entraîner, provoquer; **~ forth** produire; provoquer; **~ up** élever.

brink *n* bord *m*.

brisk *adj* vif, rapide, frais.

brisket *n* poitrine *f* (de bœuf).
briskly *adj* vivement; rapidement.
bristle *n* poil *m*; soie *f*; * *vi* se hérisser.
bristly *adj* hérissé.
brittle *adj* cassant, fragile.
broach *vt* aborder.
broad *adj* large.
broadbeans *npl* fèves *fpl.*
broadcast *n* émission *f*; * *vt vi* diffuser, émettre.
broadcasting *n* radiodiffusion *f*; émission de télévision *f.*
broaden *vt* élargir; * *vi* s'élargir.
broadly *adv* généralement.
broad-minded *adj* tolérant, aux idées larges.
broadness *n* largeur *f.*
broadside *n* flanc (d'un navire) *m*; attaque *f* cinglante.
broadways *adv* en large, dans le sens de la largeur.
brocade *n* brocart *m.*
broccoli *n* brocoli *m.*
brochure *n* brochure *f*, dépliant *m.*
brogue *n* accent *m* du terroir.
broil *vt* griller.
broken *adj* cassé; interrompu; ~ **English** mauvais anglais *m.*
broker *n* courtier *m.*
brokerage *n* courtage *m.*
bronchial *adj* des bronches.
bronchitis *n* bronchite *f.*
bronze *n* bronze *m*; * *vt* bronzer, brunir.
brooch *n* broche *f.*
brood *vi* couver; ruminer; * *n* couvée *f*; nichée *f.*
brood-hen *n* couveuse *f.*
brook *n* ruisseau *m.*
broom *n* genêt *m*; balai *m.*
broomstick *n* manche à balai *m.*
broth *n* bouillon de viande et de légumes *m.*
brothel *n* bordel *m.*
brother *n* frère *m.*
brotherhood *n* fraternité *f.*
brother-in-law *n* beau-frère *m.*

brotherly *adj* fraternel; *adv* fraternellement.
brow *n* sourcil *m*; front *m*; sommet *m.*
browbeat *vt* intimider.
brown *adj* marron; brun; ~ **paper** *n* papier d'emballage *m*; ~ **sugar** *n* cassonade *f*; * *n* marron *m*; * *vt* brunir.
browse *vt* parcourir; * *vi* paître.
bruise *vt* faire un bleu à; * *n* bleu *m*, ecchymose *f.*
brunette *n* brune *f.*
brunt *n* choc *m.*
brush *n* brosse *f*; pinceau *m*; accrochage *m*; * *vt* brosser.
brushwood *n* broussailles *fpl*; brindilles *fpl.*
brusque *adj* brusque.
Brussels sprout *n* chou de Bruxelles *m.*
brutal *adj* brutal; ~**ly** *adv* brutalement.
brutalise *vt* brutaliser.
brutality *n* brutalité *f.*
brute *n* brute *f*; * *adj* bestial, féroce.
brutish *adj* brutal, bestial; féroce; ~**ly** *adv* brutalement.
bubble *n* bulle *f*; * *vi* faire des bulles, bouillonner; pétiller.
bubblegum *n* bubble-gum *m.*
bucket *n* seau *m.*
buckle *n* boucle *f*; * *vt* attacher, boucler; * *vi* se déformer.
bucolic *adj* bucolique.
bud *n* bourgeon, bouton *m*; * *vi* bourgeonner.
Buddhism *n* bouddhisme *m.*
budding *adj* en bouton.
buddy *n* copain *m.*
budge *vi* bouger, remuer; céder.
budgerigar *n* perruche *f.*
budget *n* budget *m.*
buff *n* mordu *m.*
buffalo *n* bison *m.*
buffers *npl* (*rail*) pare-chocs *m invar.*
buffet *n* buffet *m*; * *vt* gifler; frapper.

buffoon n bouffon m.

bug n punaise f.

bugbear n épouvantail, croque-mitaine m.

bugle(horn) n clairon m.

build vt construire, bâtir.

builder n constructeur m; entrepreneur m.

building n bâtiment m; immeuble, édifice m.

building society n organisme de crédit immobilier m.

bulb n bulbe m; oignon m.

bulbous adj bulbeux.

bulge vi se renfler; * n gonflement, renflement m.

bulk n masse f; volume m; grosseur f; majeure partie f; **in ~** en gros.

bulky adj volumineux; encombrant.

bull n taureau m.

bulldog n bouledogue m.

bulldozer n bulldozer m.

bullet n balle f.

bulletin board n panneau d'affichage m.

bulletproof adj pare-balles, blindé.

bullfight n corrida f.

bullfighter n torero m.

bullfighting n tauromachie f.

bullion n or en barre m.

bullock n bouvillon m.

bullring n arène f.

bull's-eye n centre de la cible m.

bully n tyran m; * vt tyranniser.

bulwark n rempart m.

bum n clochard m.

bumblebee n bourdon m.

bump n heurt m; secousse f; bosse f; * vt heurter.

bumpkin n rustre m; plouc m.

bumpy adj cahoteux, bosselé.

bun n petit pain m; chignon m.

bunch n botte f; groupe m.

bundle n paquet m, liasse f; ballot m; fagot m; * vt empaqueter, mettre en liasse.

bung n bonde f; * vt boucher.

bungalow n bungalow m.

bungle vt bousiller; * vi faire mal les choses.

bunion n (med) oignon m.

bunk n couchette f.

bunker n abri m; bunker m.

buoy n (mar) bouée f.

buoyancy n flottabilité f; optimisme m.

buoyant adj flottable; gai, enjoué.

burden n charge f; fardeau m; * vt charger.

bureau n commode f; bureau m.

bureaucracy n bureaucratie f.

bureaucrat n bureaucrate mf.

burglar n cambrioleur m -euse f.

burglar alarm n signal d'alarme, signal antivol m.

burglary n cambriolage m.

burial n enterrement m; obsèques fpl.

burial place n lieu de sépulture m.

burlesque n caricature, parodie f; * adj burlesque, caricatural.

burly adj robuste, de forte carrure.

burn vt brûler; incendier, mettre le feu à; * vi brûler; * n brûlure f.

burner n brûleur m.

burning adj brûlant.

burrow n terrier m; * vi se terrer.

bursar n intendant(e) m(f).

burst vi éclater; **~ into tears** éclater en sanglots; **~ out laughing** éclater de rire; * vt **~ into** faire irruption dans; * n éclatement m; explosion f.

bury vt enterrer, inhumer.

bus n (auto)bus m.

bush n buisson, taillis m.

bushy adj touffu, plein de buissons.

busily adv activement, avec empressement.

business n entreprise f; commerce m; affaires fpl; activité f.

businesslike adj sérieux.

businessman n homme d'affaires m.

business trip n voyage d'affaires m.

businesswoman n femme d'affaires f.

bust n buste m.

bus-stop n arrêt d'autobus m.

bustle vi s'affairer; s'activer; * n remue-ménage m; animation f.

bustling adj animé.

busy adj occupé; actif.

busybody n mouche du coche f.

but conj mais; sauf, excepté, seulement.

butcher n boucher m -ère f; * vt abattre, massacrer.

butcher's (shop) n boucherie f.

butchery n boucherie f, carnage m.

butler n majordome m.

butt n butte f; mégot m; * vt donner un coup de tête à.

butter n beurre m; * vt beurrer.

buttercup n (bot) bouton d'or m.

butterfly n papillon m.

buttermilk n babeurre m.

buttocks npl fesses fpl.

button n bouton m; * vt boutonner.

buttonhole n boutonnière f.

buttress n contre-fort m; soutien m; * vt soutenir.

buxom adj bien en chair.

buy vt acheter.

buyer n acheteur m -euse f.

buzz n bourdonnement, murmure m; * vi bourdonner.

buzzard n buse f.

buzzer n interphone m.

by prep à côté de, près de; par; de; ~ and ~ bientôt; ~ the ~ à propos; ~ much de loin; ~ all means certainement; * adv près.

bygone adj passé.

by-law n arrêté municipal m.

bypass n route de contournement f.

by-product n sous-produit m.

by-road n chemin de traverse m.

bystander n spectateur m -trice f, badaud m -e f.

byte n (comput) octet m.

byword n proverbe, dicton m.

C

cab n taxi m.

cabbage n chou m.

cabin n cabine f; cabane f.

cabinet n conseil des ministres m; meuble de rangement m; console f.

cabinet-maker n ébéniste m.

cable n (mar) câble m.

cable car n téléphérique m.

cable television n télévision par câble f.

caboose n (mar) coquerie f.

cabstand n station de taxis f.

cache n cachette f.

cackle vi caqueter, jacasser; * n caquetage m; jacasserie f.

cactus n cactus m.

cadence n (mus) cadence f.

cadet n cadet m.

cadge vt taper (fam).

café n café m.

cafeteria n cafétéria f.

caffein(e) n caféine f.

cage n cage f; prison f; * vt mettre en cage; emprisonner.

cagey adj circonspect.

cajole vt cajoler.

cake n gâteau m.

calamitous adj calamiteux, catastrophique.

calamity n calamité f, désastre m.

calculable adj calculable.

calculate vt calculer, compter.

calculation n calcul m.

calculator *n* calculatrice *f*.

calculus *n* (*math*, *med*) calcul *m*.

calendar *n* calendrier *m*.

calf *n* veau *m*; vachette *f*; mollet *m*.

calibre *n* calibre *m*.

calisthenics *npl* gymnastique rythmique *f*.

call *vt* appeler; appeler au téléphone; convoquer; ~ **for** demander, nécessiter; aller chercher quelqu'un; ~ **on** rendre visite à; ~ **attention** demander l'attention; ~ **names** insulter; * *n* appel *m*; cri *m*; visite *f*; nomination *f*; vocation *f*; profession *f*.

caller *n* visiteur *m* -euse *f*.

calligraphy *n* calligraphie *f*.

calling *n* profession, vocation *f*.

callous *adj* dur; insensible.

calm *n* calme *m*, tranquillité *f*; * *adj* calme, tranquille; * *vt* calmer; apaiser; ~**ly** *adv* calmement.

calmness *n* calme *m*, tranquillité *f*.

calorie *n* calorie *f*.

calumny *n* calomnie *f*.

Calvary *n* Calvaire *m*.

calve *vi* vêler, mettre bas.

Calvinist *n* calviniste *mf*.

camel *n* chameau *m*.

cameo *n* camée *m*.

camera *n* appareil photographique *m*; caméra *f*.

cameraman *n* cameraman, cadreur *m*.

camomile *n* camomille *f*.

camouflage *n* camouflage *m*.

camp *n* camp *m*; * *vi* camper.

campaign *n* campagne *f*; * *vi* faire campagne.

campaigner *n* militant, candidat en campagne électorale *m*.

camper *n* campeur *m* -euse *f*.

camphor *n* camphre *m*.

campsite *n* camping *m*.

can *v aux* pouvoir; * *n* boîte de conserve *f*.

canal *n* conduit *m*; canal *m*.

cancel *vt* annuler.

cancellation *n* annulation *f*.

cancer *n* cancer *m*.

Cancer *n* Cancer *m* (signe du zodiaque).

cancerous *adj* cancéreux.

candid *adj* candide, simple, sincère; ~**ly** *adv* candidement, franchement.

candidate *n* candidat(e) *m(f)*.

candied *adj* confit.

candle *n* bougie *f*; cierge *m*.

candlelight *n* lueur d'une bougie *f*.

candlestick *n* bougeoir *m*.

candour *n* candeur *f*; sincérité *f*.

candy *n* bonbon *m*.

cane *n* canne *f*; bâton *m*.

canine *adj* canin.

canister *n* boîte *f* métallique.

cannabis *n* cannabis *m*.

cannibal *n* cannibale *mf*; anthropophage *mf*.

cannibalism *n* cannibalisme *m*.

cannon *n* canon *m*.

cannonball *n* boulet de canon *m*.

canny *adj* rusé; prudent.

canoe *n* canoë *m*.

canon *n* canon *m*; règle *f*; ~**law** droit canon *m*.

canonisation *n* canonisation *f*.

canonise *vt* canoniser.

can opener *n* ouvre-boîte *m*.

canopy *n* baldaquin *m*, marquise *f*.

cantankerous *adj* acariâtre, atrabilaire.

canteen *n* cantine *f*.

canter *n* petit galop *m*.

canvas *n* toile *f*.

canvass *vt* sonder, examiner; débattre; * *vi* solliciter des voix; faire du démarchage.

canvasser *n* prospecteur *m* -trice *f*, démarcheur *m* -euse *f*.

canyon *n* canyon *m*.

cap *n* casquette *f*.

capability *n* capacité, aptitude, faculté *f*; potentiel *m*.

capable *adj* capable.

capacitate vt rendre capable.

capacity n capacité, aptitude f; potentiel m.

cape n cap, promontoire m.

caper n cabriole f; gambade f; * vi cabrioler; gambader.

capillary adj capillaire.

capital adj capital; principal; * n capital m; capitale f; majuscule f.

capitalise vt capitaliser; ~ on profiter de.

capitalism n capitalisme m.

capitalist n capitaliste mf.

capital punishment n peine de mort, peine capitale f.

Capitol n Capitole m.

capitulate vi capituler.

capitulation n capitulation f.

caprice n caprice m.

capricious adj capricieux; ~ly adv capricieusement.

Capricorn n Capricorne m (signe du zodiaque).

capsize vt (mar) chavirer.

capsule n capsule f.

captain n capitaine m.

captaincy, captainship n grade de capitaine m; statut de capitaine m.

captivate vt captiver.

captivation n fascination f.

captive n captif m -ive f, prisonnier m -ière f.

captivity n captivité f.

capture n capture f; * vt prendre, capturer.

car n voiture f, automobile f; wagon m.

carafe n carafe f.

caramel n caramel m.

carat n carat m.

caravan n caravane f.

caraway n (bot) cumin m.

carbohydrates npl hydrates de carbone mpl.

carbon n carbone m.

carbon copy n copie carbone f, double carbone m.

carbonise vt carboniser.

carbon paper n papier carbone m.

carbuncle n escarboucle f; furoncle m, tumeur maligne f.

carburettor n carburateur m.

carcass n cadavre m.

card n carte f.

cardboard n carton m.

card game n jeu de cartes m.

cardiac adj cardiaque.

cardinal adj cardinal, principal; * n cardinal m.

card table n table de jeu f.

care n soin m; souci m; * vi se soucier de, être concerné par; **what do I ~?** qu'est-ce que cela peut me faire?; ~ **for** vt soigner; aimer.

career n carrière f; cours m; * vi aller à toute vitesse.

carefree n insouciant.

careful adj soigneux, consciencieux, prudent; ~ly adv soigneusement.

careless adj insouciant, négligent; indolent; ~ly adv négligemment.

carelessness n négligence, indifférence f.

caress n caresse f; * vt caresser.

caretaker n gardien m -ne f, concierge mf.

car-ferry n ferry m.

cargo n cargaison de navire f.

car hire n location de voiture f.

caricature n caricature f; * vt caricaturer.

caries n carie f.

caring adj aimant; humanitaire.

Carmelite n carmélite f.

carnage n carnage m.

carnal adj charnel; sensuel; ~ly adv charnellement.

carnation n œillet m.

carnival n carnaval m.

carnivorous adj carnivore.

carol n chant m (de Noël).

carpenter n charpentier m; ~'s **bench** banc de menuisier m.

carpentry n charpenterie f.

carpet n tapis m; * vt recouvrir d'un tapis; moquetter.

carpeting n moquette f.

carriage n port m; voiture f; wagon m.

carriage-free adj franco de port.

carrier n porteur, transporteur m.

carrier pigeon n pigeon voyageur m.

carrion n charogne f.

carrot n carotte f.

carry vt porter; transporter; conduire; * vi porter; ~ **the day** être victorieux; ~ **on** continuer.

cart n charrette f; chariot m; * vt charrier.

cartel n cartel m.

carthorse n cheval de trait m.

Carthusian n chartreux m.

cartilage n cartilage m.

cartload n charretée f.

carton n pot m; boîte f.

cartoon n dessin animé m.

cartridge n cartouche f.

carve vt tailler, sculpter, ciseler.

carving n sculpture f.

carving knife n couteau à découper m.

car wash n station de nettoyage pour voitures f.

case n boîte f; valise f; cas m; étui m; enveloppe f; **in** ~ au cas où.

cash n espèces fpl; * vt encaisser.

cash card n carte bancaire f.

cash dispenser n distributeur automatique de billets m.

cashier n caissier m -ière f.

cashmere n cachemire m.

casing n chambranle m; enveloppe f.

casino n casino m.

cask n tonneau, fût m.

casket n cercueil m.

casserole n cocotte f.

cassette n cassette f.

cassette player, recorder n lecteur de cassettes, magnétophone m.

cassock n soutane f.

cast vt jeter, lancer; couler; * n coup m; moule m.

castanets npl castagnettes fpl.

castaway n réprouvé, paria m.

caste n caste f.

castigate vt punir sévèrement.

casting vote n voix prépondérante f.

cast iron n fonte f.

castle n château m.

castor oil n huile de ricin f.

castrate vt castrer.

castration n castration f.

cast steel n acier fondu m.

casual adj accidentel, fortuit; ~ly adv par hasard, fortuitement.

casualty n victime f, mort m -e f.

cat n chat m, chatte f.

catalogue n catalogue m.

catalyst n catalyseur m.

cataplasm n cataplasme m.

catapult n catapulte f.

cataract n cataracte f.

catarrh n rhume m; catarrhe m.

catastrophe n catastrophe f.

catcall n sifflet m.

catch vt attraper, saisir; prendre; surprendre; ~ **cold** attraper froid; ~ **fire** prendre feu; * n prise f; capture f; (mus) canon m; attrape f.

catching adj contagieux, communicatif.

catchphrase n rengaine f.

catchword n slogan m.

catchy adj qui attire l'attention; accrocheur.

catechise vt cathéchiser; interroger.

catechism n catéchisme m.

categorical adj catégorique; ~ly adv catégoriquement.

categorise vt classer par catégories.

category n catégorie f.

cater vi approvisionner en nourriture.

caterer n fournisseur, traiteur m.

catering n restauration f.

caterpillar n chenille f.

catgut n boyau de chat m.

cathedral n cathédrale f.

catholic adj n catholique mf.

Catholicism n catholicisme m.

cattle n bétail m.

cattle show n exposition bovine f.

caucus n réunion d'un comité électoral f.

cauliflower n chou-fleur m.

cause n cause f; raison f; motif m; procès m; * vt causer.

causeway n chaussée f.

caustic adj n caustique m/f.

cauterise vt cautériser.

caution n prudence, précaution f; avertissement m; * vt avertir.

cautionary adj d'avertissement.

cautious adj prudent, circonspect.

cavalier adj cavalier.

cavalry n cavalerie f.

cave n grotte f; caverne f.

caveat n avertissement m; mise en garde f; (law) notification f.

cavern n caverne f.

cavernous adj caverneux.

cavity n cavité f.

cease vt cesser, arrêter; * vi cesser.

ceasefire n cessez-le-feu m.

ceaseless adj incessant, continuel; ~ly adv continuellement.

cedar n cèdre m.

cede vt (law) céder.

ceiling n plafond m.

celebrate vt célébrer, fêter.

celebration n fête f.

celebrity n célébrité f.

celery n céleri m.

celestial adj céleste, divin.

celibacy n célibat m.

celibate adj célibataire.

cell n cellule f.

cellar n cave f; cellier m.

cello n violoncelle m.

cellophane n cellophane f.

cellular adj cellulaire.

cellulose n (chem) cellulose f.

cement n ciment m; (also fig); * vt cimenter.

cemetery n cimetière m.

cenotaph n cénotaphe m.

censor n censeur m, critique mf.

censorious adj sévère, critique.

censorship n censure f.

censure n censure, critique f; * vt censurer, condamner; critiquer.

census n recensement m.

cent n centime m.

centenarian n centenaire mf.

centenary n centenaire m; * adj centenaire.

centennial adj centenaire.

centigrade n centigrade m.

centilitre n centilitre m.

centimetre n centimètre m.

centipede n mille-pattes m invar.

central adj central; ~ly adv de façon centralisée; dans le centre.

centralise vt centraliser.

centre n centre m; * vt centrer; concentrer; * vi se concentrer.

centrifugal adj centrifuge.

century n siècle m.

ceramic adj en céramique.

cereals npl céréales fpl.

cerebral adj cérébral.

ceremonial adj n cérémonial m; rituel m.

ceremonious adj cérémonieux; ~ly adv solennellement.

ceremony n cérémonie f; cérémonies fpl.

certain adj certain, sûr; ~ly adv certainement, sans aucun doute.

certainty, certitude n certitude, conviction f.

certificate n certificat, acte m.

certification n authentification f.

certified mail n envoi avec accusé de réception m.

certify vt certifier, assurer.

cervical adj cervical.

cesarean section, ~ operation n (med) césarienne f.

cessation n cessation f.

cesspool n cloaque m; fosse d'aisances f.

chafe vt irriter; frotter.

chaff n menue paille f.

chaffinch n pinson m.

chagrin n dépit m.

chain n chaîne f; série, suite f; * vt enchaîner; attacher avec une chaîne.

chain reaction n réaction en chaîne f.

chainstore n grand magasin à succursales m.

chair n chaise f; * vt présider.

chairman n président m.

chalice n calice m.

chalk n craie f.

challenge n défi m; * vt défier.

challenger n provocateur m -trice f.

challenging adj provocateur.

chamber n pièce f; chambre f.

chambermaid n femme de chambre f.

chameleon n caméléon m.

chamois leather n peau de chamois f.

champagne n champagne m.

champion n champion m -ne f; * vt défendre.

championship n championnat m.

chance n hasard m; chance f; occasion f; **by ~** par hasard; * vt faire par hasard.

chancellor n chancelier m.

chancery n chancellerie f.

chandelier n lustre m.

change vt changer; * vi changer, se transformer; * n changement m, modification f; variété f; change m.

changeable adj changeant, variable; inconstant.

changeless adj constant, immuable.

changing adj variable, changeant.

channel n canal m; chaîne f; * vt canaliser.

chant n chant m scandé; * vt scander.

chaos n chaos m.

chaotic adj chaotique.

chapel n chapelle f.

chaplain n chapelain m.

chapter n chapitre m.

char vt carboniser.

character n caractère m; personnage m.

characterise vt caractériser.

characteristic adj caractéristique; **~ally** adv typiquement.

characterless adj sans caractère.

charade n charade f.

charcoal n charbon de bois m.

charge vt charger; accuser; * n fardeau m; accusation f; (mil) attaque f; prix m.

chargeable adj passible.

charge card n carte de crédit f.

charitable adj caritatif; charitable; **~bly** adv charitablement.

charity n charité, bienfaisance f; aumône f.

charlatan n charlatan m.

charm n charme m; attrait m; * vt charmer, enchanter.

charming adj charmant.

chart n carte de navigation f; diagramme m.

charter n charte f; privilège m; * vt affréter.

charter flight n vol charter m.

chase vt donner la chasse à; poursuivre; * n chasse f.

chasm n abîme m.

chaste adj chaste; pur; sobre.

chasten vt châtier, corriger.

chastise vt châtier, punir, corriger.

chastisement n châtiment m.

chastity n chasteté, pureté f.

chat vi causer; * n petite conversation f, bavardage m.

chatter vi bavarder; jacasser; * n bavardage m; jacasserie f.

chatterbox n moulin à paroles m, pipelette f.

chatty adj bavard.

chauffeur n chauffeur m.

chauvinist n chauvin m -e f.

cheap adj bon marché, peu cher; **~ly** adv bon marché.

cheapen vt baisser le prix de.

cheaper adj moins cher.

cheat vt tromper, frauder; * n fraude, tricherie f; tricheur m - euse f.

check vt vérifier; contrôler; réprimer, enrayer; stopper; enregistrer; * n contrôle m.

checkmate n échec et mat m.

checkout n caisse f.

checkpoint n poste de contrôle m.

checkroom n (US) consigne f.

checkup n bilan de santé m.

cheek n joue f; culot (fam) m.

cheekbone n pommette f.

cheer n gaieté f; joie f; applaudissement m; * vt réconforter, égayer.

cheerful adj gai, enjoué, joyeux; **~ly** adv gaiement.

cheerfulness, cheeriness n gaieté f; bonne humeur f.

cheese n fromage m.

chef n chef (de cuisine) m.

chemical adj chimique.

chemist n chimiste mf; pharmacien m -ne f.

chemistry n chimie f.

cheque n chèque m.

cheque account n compte courant m.

chequerboard n échiquier m.

chequered adj à carreaux.

cherish vt chérir, aimer.

cheroot n petit cigare m.

cherry n cerise f; * adj vermeil.

cherrytree n cerisier m.

cherub n chérubin m.

chess n échecs mpl.

chessboard n échiquier m.

chessman n pièce de jeu d'échecs f.

chest n poitrine f; cage thoracique f; ~ **of drawers** commode f.

chestnut n châtaigne f.

chestnut tree n châtaigner m.

chew vt mâcher, mastiquer.

chewing gum n chewing-gum m.

chic adj chic.

chicanery n chicane, chicanerie f.

chick n poussin m; (fig) poulette (fam) f, nana (fam) f.

chicken n poulet m.

chickenpox n varicelle f.

chickpea n pois chiche m.

chicory n chicorée f.

chide vt gronder, réprimander.

chief adj principal, en chef; **~ly** adv principalement; * n chef m.

chief executive n directeur général m.

chieftain n chef m (de tribu).

chiffon n mousseline de soie f.

chilblain n engelure f.

child n enfant m; **from a ~** tout enfant; **with ~** enceinte.

childbirth n accouchement m.

childhood n enfance f.

childish adj enfantin, puéril; **~ly** adv puérilement.

childishness n enfantillage m, puérilité f.

childless adj sans enfants.

childlike adj d'enfant.

children npl de **child**: enfants mpl.

chill adj froid, frais, f fraîche; * n froid m; * vt refroidir; glacer.

chilly adj froid, très frais.

chime n carillon m; harmonie f; * vi sonner; s'accorder.

chimney n cheminée f.

chimpanzee n chimpanzé m.

chin n menton m.

china(ware) n porcelaine f.

chink n fente f; tintement m; * vi tinter.

chip vt ébrécher; * vi s'ébrécher; * n fragment, éclat m; puce f; frite f.

chiropodist n pédicure mf.

chirp vi pépier, gazouiller; * n pépiement, gazouillis m.

chirping n chant des oiseaux m.

chisel n ciseau m; * vt ciseler.

chitchat n bavardage, papotage m.

chivalrous adj chevaleresque.

chivalry n chevalerie f.

chives npl ciboulette f.

chlorine n chlore m.

chloroform n chloroforme m.

chock-full adj plein à craquer, comble.

chocolate n chocolat m.

choice n choix m, préférence f; assortiment m; sélection f; * adj de choix, de qualité.

choir n chœur m.

choke vt étrangler; étouffer.

cholera n choléra m.

choose vt choisir, élire.

chop vt trancher, couper, hacher; * n côtelette f; ~s pl (sl) babines fpl.

chopper n hélicoptère m.

chopping block n billot m.

chopsticks npl baguettes fpl.

choral adj choral.

chord n corde f, (mus) accord m.

chore n corvée f; travail routinier m.

chorist, chorister n choriste mf.

chorus n chœur m.

Christ n Jésus-Christ.

christen vt baptiser.

Christendom n christianisme m; chrétienté f.

christening n baptême m.

Christian adj n chrétien m -ne f; ~ name prénom m.

Christianity n christianisme m; chrétienté f.

Christmas n Noël f.

Christmas card n carte de Noël f.

Christmas Eve n veille de Noël f.

chrome n chrome m.

chronic adj chronique.

chronicle n chronique f.

chronicler n chroniqueur m.

chronological adj chronologique; ~ly adv chronologiquement.

chronology n chronologie f.

chronometer n chronomètre m.

chubby adj potelé.

chuck vt lancer, jeter.

chuckle vi rire, glousser.

chug vi souffler, haleter.

chum n copain m, copine f.

chunk n gros morceau m.

church n église f.

churchyard n cimetière m.

churlish adj fruste, grossier; hargneux.

churn n baratte f; * vt baratter.

cider n cidre m.

cigar n cigare m.

cigarette n cigarette f.

cigarette case n étui à cigarettes m.

cigarette end n mégot m.

cigarette holder n fume-cigarette m invar.

cinder n braise f.

cinema n cinéma m.

cinnamon n cannelle f.

cipher n chiffre m (code).

circle n cercle m; groupe m; * vt encercler; tourner autour de * vi décrire des cercles.

circuit n circuit m; tour m; tournée f.

circuitous adj détourné, indirect.

circular adj circulaire; * n circulaire f.

circulate vi circuler.

circulation n circulation f.

circumcise vt circoncire.

circumcision n circoncision f.

circumference n circonférence f.

circumflex n accent circonflexe m.

circumlocution n circonlocution f.

circumnavigate vt contourner.

circumnavigation n circumnavigation f.

circumscribe vt circonscrire.

circumspect adj circonspect.

circumspection n circonspection f.

circumstance n circonstance, situation f.

circumstantial adj circonstancié; accessoire.

circumstantiate *vt* détailler.

circumvent *vt* circonvenir.

circumvention *n* évitement *m*; tricherie *f*.

circus *n* cirque *m*.

cistern *n* citerne *f*.

citadel *n* citadelle *f*.

citation *n* citation *f*.

cite *vt* citer.

citizen *n* citoyen *m* -ne *f*.

citizenship *n* citoyenneté *f*.

city *n* ville *f*.

civic *adj* civique.

civil *adj* civil, courtois; ~**ly** *adv* poliment.

civil defence *n* défense passive *f*.

civil engineer *n* ingénieur des travaux publics *m*.

civilian *n* civil *m* -e *f*.

civilisation *n* civilisation *f*.

civilise *vt* civiliser.

civility *n* civilité, courtoisie *f*.

civil law *n* droit civil *m*.

civil war *n* guerre civile *f*.

clad *adj* vêtu, habillé.

claim *vt* revendiquer, réclamer; * *n* demande *f*; réclamation *f*.

claimant *n* demandeur *m*.

clairvoyant *n* voyant *m* -e *f*.

clam *n* palourde *f*.

clamber *vi* grimper (avec difficulté).

clammy *adj* moite.

clamour *n* clameur *f*, cris *mpl*; * *vi* vociférer, crier.

clamp *n* attache *f*; * *vt* serrer; imposer; ~ **down on** resserrer le contrôle.

clan *n* clan, groupe *m*.

clandestine *adj* clandestin.

clang *n* bruit métallique *m*; * *vi* faire un bruit métallique.

clap *vt vi* applaudir.

clapping *n* applaudissements *mpl*.

claret *n* vin rouge de Bordeaux *m*.

clarification *n* clarification *f*, éclaircissement *m*.

clarify *vt* clarifier, éclaircir.

clarinet *n* clarinette *f*.

clarity *n* clarté *f*.

clash *vi* se heurter; s'entrechoquer; * *n* choc *m*; affrontement *m*.

clasp *n* fermoir *m*; boucle *f*; étreinte *f*; * *vt* agrafer; étreindre.

class *n* classe *f*; catégorie *f*; * *vt* classer, classifier.

classic(al) *adj* classique; * *n* auteur classique *m*.

classification *n* classification *f*.

classified advertisement *n* petite annonce *f*.

classify *vt* classifier, classer.

classmate *n* camarade de classe *mf*.

classroom *n* salle de classe *f*.

clatter *vi* résonner; cliqueter; * *n* cliquetis *m*.

clause *n* (*gram*) proposition *f*; clause *f*.

claw *n* griffe *f*; serre *f*; pince *f*; * *vt* griffer; agripper.

clay *n* argile *m*.

clean *adj* propre; net; * *vt* nettoyer.

cleaning *n* nettoyage *m*.

cleanliness *n* propreté, pureté *f*.

cleanly *adj* propre; * *adv* proprement, nettement.

cleanness *n* propreté *f*.

cleanse *vt* nettoyer.

clear *adj* clair; net; transparent; évident; * *adv* distinctement; * *vt* clarifier, éclaircir; dégager; disculper; * *vi* s'éclaircir.

clearance *n* déblaiement *m*; autorisation *f*.

clear-cut *adj* net.

clearly *adv* clairement; manifestement.

cleaver *n* couperet *m*.

clef *n* (*mus*) clé *f*.

cleft *n* fissure, crevasse *f*.

clemency *n* clémence *f*.

clement *adj* clément.

clenched *adj* serré.

clergy *n* clergé *m*.

clergyman *n* ecclésiastique *m*.

clerical *adj* clérical, ecclésiastique.

clerk *n* ecclésiastique *m*; employé *m*.

clever *adj* intelligent; habile; astucieux; ~**ly** *adv* intelligemment, habilement.

click *vt* claquer; * *vi* faire un bruit sec.

client *n* client *m* -e *f*.

cliff *n* falaise *f*.

climate *n* climat *m*.

climatic *adj* climatique.

climax *n* point culminant *m*, apogée *m*.

climb *vt* grimper, escalader; * *vi* grimper, escalader.

climber *n* alpiniste *mf*.

climbing *n* alpinisme *m*.

clinch *vt* serrer fort.

cling *vi* s'accrocher (à), se cramponner (à); adhérer, (se) coller.

clinic *n* clinique *f*.

clink *vt* faire tinter; * *vi* tinter, résonner; * *n* tintement *m*.

clip *vt* couper; * *n* clip *m*; pince *f*.

clipping *n* coupure *f*.

clique *n* clique *f*.

cloak *n* cape *f*; prétexte *m*; * *vt* masquer.

cloakroom *n* vestiaire *m*.

clock *n* horloge *f*.

clockwork *n* mécanisme d'horloge *m*; * *adj* précis.

clod *n* motte (de terre) *f*.

clog *n* sabot *m*; * *vi* se boucher.

cloister *n* cloître *m*.

close *vt* fermer; clore, conclure; terminer; * *vi* se fermer; * *n* fin *f*; conclusion *f*; * *adj* proche; étroit; ajusté; dense; réservé; * *adv* de près; ~ **by** tout près.

closed *adj* fermé.

closely *adv* étroitement; de près.

closeness *n* proximité *f*; fidélité, exactitude *f*; intimité *f*; minutie *f*.

closet *n* placard *m*.

close-up *n* gros plan *m*.

closure *n* fermeture *f*; clôture *f*.

clot *n* caillot *m*; grumeau *m*.

cloth *n* tissu *m*; chiffon *m*; toile *f*; clergé *m*.

clothe *vt* habiller, vêtir.

clothes *npl* vêtements *mpl*; linge *m*; **bed** ~ draps et couvertures *mpl*.

clothes basket *n* panière à linge *f*.

clotheshorse *n* séchoir à linge *m*.

clothesline *n* corde à linge *f*.

clothespin *n* pince à linge *f*.

clothing *n* vêtements *mpl*.

cloud *n* nuage *m*; nuée *f*; * *vt* rendre trouble; assombrir; * *vi* se couvrir; s'obscurcir.

cloudiness *n* nébulosité *f*; obscurité *f*.

cloudy *adj* nuageux, nébuleux; obscur; sombre, trouble.

clout *n* coup de poing *m*.

clove *n* clou de girofle *m*.

clover *n* trèfle *m*.

clown *n* clown *m*.

club *n* matraque *f*; club *m*.

club car *n* wagon-bar *m* (1ère classe).

clue *n* indice *m*, indication *f*; idée *f*.

clump *n* massif *m*.

clumsily *adv* gauchement.

clumsiness *n* gaucherie *f*.

clumsy *adj* gauche, maladroit; lourd.

cluster *n* bouquet *m*; grappe *f*; groupe *m*; * *vt* grouper; * *vi* rassembler.

clutch *n* prise *f*; embrayage *m*; * *vt* empoigner, agripper.

clutter *vt* encombrer.

coach *n* autocar *m*; wagon *m*; entraîneur *m*; * *vt* entraîner, donner des cours particuliers à.

coach trip *n* excursion en car *f*.

coagulate *vt* coaguler; agglutiner; * *vi* se coaguler; s'agglutiner.

coal *n* charbon *m*.

coalesce *vi* s'unir, se fondre.

coalfield *n* gisement charbonnier *m*.

coalition *n* coalition *f*.

coalman *n* charbonnier *m*.

coalmine *n* mine de charbon, houillère *f*.

coarse *adj* rude; grossier; ~ly *adv* grossièrement.

coast *n* côte *f*.

coastal *adj* côtier.

coastguard *n* gendarmerie maritime *f*, garde-côte *m*.

coastline *n* littoral *m*.

coat *n* manteau *m*; pelage *m*; couche *f*; * *vt* enduire, revêtir.

coat hanger *n* cintre *m*.

coating *n* revêtement *m*.

coax *vt* cajôler.

cob *n* épi de maïs *m*.

cobbler *n* cordonnier *m*.

cobbles, cobblestones *npl* pavés ronds *mpl*.

cobweb *n* toile d'araignée *f*.

cocaine *n* cocaïne *f*.

cock *n* coq *m*; (*zool*) mâle *m*; * *vt* armer; dresser.

cock-a-doodle-doo *n* cocorico *m*.

cockcrow *n* chant du coq *m*.

cockerel *n* jeune coq *m*.

cockfight(ing) *n* combat de coqs *m*.

cockle *n* (*zool*) coque *f*.

cockpit *n* cabine de pilotage *f*.

cockroach *n* cafard *m*.

cocktail *n* cocktail *m*.

cocoa *n* cacao *m*.

coconut *n* noix de coco *f*.

cocoon *n* cocon *m*.

cod *n* morue *f*.

code *n* code *m*; indicatif *m*.

cod-liver oil *n* huile de foie de morue *f*.

coefficient *n* coefficient *m*.

coercion *n* coercition, contrainte *f*.

coexistence *n* coexistence *f*.

coffee *n* café *m*.

coffee break *n* pause-café *f*.

coffee house *n* café *m*.

coffeepot *n* cafetière *f*.

coffee table *n* table basse *f*.

coffer *n* coffre *m*; caisse *f*.

coffin *n* cercueil *m*.

cog *n* dent d'engrenage *f*.

cogency *n* puissance, force *f*.

cogent *adj* convaincant, puissant;

~ly *adv* d'une manière convaincante.

cognac *n* cognac *m*.

cognate *adj* apparenté.

cognisance *n* connaissance *f*; compétence *f*.

cognisant *adj* instruit; (*law*) compétent.

cognition *n* connaissance *f*; cognition *f*.

cogwheel *n* roue dentée *f*.

cohabit *vi* cohabiter.

cohabitation *n* cohabitation *f*.

cohere *vi* se tenir; être cohérent.

coherence *n* cohérence *f*.

coherent *adj* cohérent; logique.

cohesion *n* cohésion *f*.

cohesive *adj* cohésif.

coil *n* rouleau *m*; bobine *f*; * *vt* enrouler.

coin *n* pièce de monnaie *f*; * *vt* frapper.

coincide *vi* coïncider.

coincidence *n* coïncidence *f*.

coincident *adj* coïncident.

coke *n* coke *m*.

colander *n* passoire *f*.

cold *adj* froid; indifférent; ~ly *adv* froidement; avec froideur; * *n* froid *m*; rhume *m*.

cold-blooded *adj* insensible.

coldness *n* froideur *f*.

cold sore *n* bouton de fièvre *m*.

coleslaw *n* salade de chou cru *f*.

colic *n* coliques *fpl*.

collaborate *vi* collaborer.

collaboration *n* collaboration *f*.

collapse *vi* s'écrouler; * *n* écroulement; (*med*) évanouissement *m*.

collapsible *adj* pliant.

collar *n* col *m*.

collarbone *n* clavicule *f*.

collate *vt* collationner, confronter.

collateral *adj* concomitant; parallèle; * *n* nantissement *m*.

collation *n* collation *f*.

colleague *n* collègue *mf*, confrère *m*, consœur *f*.

collect *vt* rassembler; collectionner.

collection *n* collection *f*.

collective *adj* collectif; **~ly** collectivement.

collector *n* collectionneur *m* -euse *f*.

college *n* faculté *f*.

collide *vi* entrer en collision, se heurter.

collision *n* collision *f*, heurt *m*.

colloquial *adj* familier; parlé; **~ly** *adv* familièrement.

colloquialism *n* expression familière *f*.

collusion *n* collusion *f*.

colon *n* deux-points *m invar*; (*med*) colon *m*.

colonel *n* (*mil*) colonel *m*.

colonial *adj* colonial.

colonise *vt* coloniser.

colonist *n* colon *m*.

colony *n* colonie *f*.

colossal *adj* colossal.

colossus *n* colosse *m*.

colour *n* couleur *f*; prétexte *m*; **~s** *pl* drapeau *m*; * *vt* colorer; * *vi* se colorer.

colour-blind *adj* daltonien.

colourful *adj* coloré.

colouring *n* teint *m*; coloris *m*.

colourless *adj* sans couleur, incolore.

colour television *n* télévision en couleur *f*.

colt *n* poulain *m*.

column *n* colonne *f*.

columnist *n* chroniqueur *m*.

coma *n* coma *m*.

comatose *adj* comateux.

comb *n* peigne *m*; * *vt* peigner.

combat *n* combat *m*; **single ~** duel *m*; * *vt* combattre.

combatant *n* combattant *m* -e *f*.

combative *adj* combatif.

combination *n* combinaison, association *f*.

combine *vt* combiner; * *vi* s'unir.

combustion *n* combustion *f*.

come *vi* venir; **~ across, ~ upon** *vt* rencontrer par hasard, tomber sur; **~ by** *vt* obtenir; **~ down**

vi descendre; se résumer à, baisser (prices); **~ from** *vt* provenir de; être originaire de; **~ in for** *vt* être l'objet de; **~ into** *vt* hériter de; **~ round, ~ to** *vi* revenir à soi; **~ up with** *vt* suggérer.

comedian *n* comédien *m*; comique *m*.

comedienne *n* comédienne *f*; comique *f*.

comedy *n* comédie *f*.

comet *n* comète *f*.

comfort *n* confort *m*; aises *fpl*; commodités *fpl*; consolation *f*; * *vt* réconforter; soulager; consoler.

comfortable *adj* confortable; réconfortant.

comfortably *adv* confortablement; agréablement.

comforter *n* personne qui réconforte *f*; édredon *m*.

comic(al) *adj* comique; **~ly** *adv* comiquement.

coming *n* venue, arrivée *f*; * *adj* à venir.

comma *n* (*gr*) virgule *f*.

command *vt* ordonner, commander; * *n* ordre *m*.

commander *n* commandant *m*.

commandment *n* commandement *m*.

commando *n* commando *m*.

commemorate *vt* commémorer.

commemoration *n* commémoration *f*.

commence *vt vi* commencer.

commencement *n* commencement *m*.

commend *vt* recommander, confier à; louer.

commendable *adj* louable.

commendably *adv* élogieusement.

commendation *n* louange *f*; recommandation *f*.

commensurate *adj* proportionné.

comment *n* commentaire *m*; * *vt* commenter.

commentary n commentaire m; observation f.

commentator n commentateur m -trice f.

commerce n commerce m, affaires fpl; relations fpl.

commercial adj commercial.

commiserate vt compatir.

commiseration n commisération, pitié f.

commissariat n (mil) intendance f, ravitaillement m.

commission n commission f; * vt commissionner; commander.

commissioner n commissionnaire, coursier m.

commit vt commettre; confier à; engager.

commitment n engagement m.

committee n comité m.

commodity n produit m, denrée f.

common adj commun; ordinaire; in ~ en commun; * n terrain communal m.

commoner n roturier m -ière f.

common law n droit coutumier m.

commonly adv communément, généralement.

commonplace n lieux communs mpl; * adj banal.

common sense n bon sens m.

Commonwealth n Commonwealth m.

commotion n vacarme m; perturbation f.

commune vi discuter avec sincérité.

communicable adj communicable, transmissible.

communicate vt communiquer, transmettre; * vi communiquer.

communication n communication f.

communicative adj communicatif.

communion n communion f.

communiqué n communiqué m.

communism n communisme m.

communist n communiste mf.

community n communauté f.

community centre n centre social m.

community chest n fonds commun m.

commutable adj interchangeable, permutable.

commutation ticket n carte d'abonnement f.

commute vt échanger.

compact adj compact, serré, dense; * n accord, contrat m; ~ly adv de façon compacte; en peu de mots.

compact disc n disque compact m.

companion n compagnon m, compagne f.

companionship n camaraderie f; compagnie f.

company n compagnie, fréquentation f; société f.

comparable adj comparable.

comparative adj comparatif; ~ly adv comparativement.

compare vt comparer.

comparison n comparaison f.

compartment n compartiment m.

compass n boussole f.

compassion n compassion f.

compassionate adj compatissant.

compatibility n compatibilité f.

compatible adj compatible.

compatriot n compatriote mf.

compel vt contraindre, obliger, forcer.

compelling adj irrésistible.

compensate vt compenser.

compensation n compensation f; dédommagement m.

compère n animateur m -trice f.

compete vi rivaliser (avec), faire concurrence (à).

competence n compétence f; aptitude f.

competent adj compétent; suffisant; ~ly adv avec compétence.

competition n compétition f; concurrence f.

competitive *adj* concurrentiel, compétitif.
competitor *n* concurrent *m* -e *f*.
compilation *n* compilation *f*.
compile *vt* compiler.
complacency *n* suffisance *f*.
complacent *adj* suffisant.
complain *vi* se plaindre; déposer une plainte.
complaint *n* plainte *f*; réclamation *f*.
complement *n* complément *m*.
complementary *adj* complémentaire.
complete *adj* complet; achevé; ~**ly** *adv* complètement; * *vt* achever, mener à bien, compléter.
completion *n* achèvement *m*.
complex *adj* complexe.
complexion *n* teint *m*; aspect *m*.
complexity *n* complexité *f*.
compliance *n* conformité *f*; soumission *f*.
compliant *adj* docile, soumis.
complicate *vt* compliquer.
complication *n* complication *f*.
complicity *n* complicité *f*.
compliment *n* compliment *m*; * *vt* complimenter.
complimentary *adj* flatteur; à titre gracieux.
comply *vi* se soumettre, se plier, se conformer.
component *adj* composant.
compose *vt* composer; constituer.
composed *adj* calme, posé.
composer *n* auteur *m*; compositeur *m* -trice *f*.
composite *adj* composite, composé.
composition *n* composition *f*.
compositor *n* compositeur *m* -trice *f*.
compost *n* compost *m*.
composure *n* maîtrise de soi *f*, calme *m*, sang-froid *m*.
compound *vt* composer, combiner; * *adj* *n* composé *m*.
comprehend *vt* comprendre; englober.

comprehensible *adj* compréhensible; ~**ly** *adv* intelligiblement.
comprehension *n* compréhension *f*; inclusion *f*.
comprehensive *adj* global; complet; compréhensif; ~**ly** *adv* globalement.
compress *vt* comprimer, concentrer; * *n* compresse *f*.
comprise *vt* comprendre, embrasser.
compromise *n* compromis *m*; * *vt* compromettre; * *vi* adopter un compromis.
compulsion *n* contrainte *f*; compulsion *f*.
compulsive *adj* compulsif; ~**ly** *adv* compulsivement.
compulsory *adj* obligatoire.
compunction *n* remords, scrupule *m*.
computable *adj* computable, calculable.
computation *n* computation *f*, calcul *m*.
compute *vt* calculer.
computer *n* ordinateur *m*.
computerise *vt* traiter par ordinateur, informatiser.
computer programming *n* programmation *f*.
computer science *n* informatique *f*.
comrade *n* camarade *mf*, compagnon *m*, compagne *f*.
comradeship *n* camaraderie *f*.
con *vt* duper; * *n* duperie *f*.
concave *adj* concave.
concavity *n* concavité *f*.
conceal *vt* cacher, dissimuler.
concealment *n* dissimulation *f*; recel *m*.
concede *vt* concéder, accorder.
conceit *n* vanité *f*; trait d'esprit *m*.
conceited *adj* vaniteux, prétentieux.
conceivable *adj* concevable.
conceive *vt* concevoir; * *vi* concevoir.

concentrate *vt* concentrer.

concentration *n* concentration *f.*

concentration camp *n* camp de concentration *m.*

concentric *adj* concentrique.

concept *n* concept *m.*

conception *n* conception *f.*

concern *vt* concerner, toucher; * *n* affaire *f*; souci *m.*

concerning *prep* en ce qui concerne, concernant.

concerto *n* concerto *m.*

concession *n* concession *f.*

conciliate *vt* concilier.

conciliation *n* conciliation *f.*

conciliatory *adj* conciliateur, conciliant.

concise *adj* concis, succinct; ~ly *adv* avec concision.

conclude *vt* conclure; décider; déduire.

conclusion *n* conclusion, déduction *f*; fin *f.*

conclusive *adj* décisif, concluant; ~ly *adv* de façon concluante.

concoct *vt* confectionner, fabriquer.

concoction *n* préparation *f*; élaboration *f.*

concomitant *adj* concomitant.

concord *n* entente, harmonie *f.*

concordance *n* accord *m.*

concordant *adj* concordant.

concourse *n* rassemblement *m*; carrefour *m*; foule *f.*

concrete *n* béton *m*; * *vt* bétonner.

concubine *n* concubine *f.*

concur *vi* coïncider; s'entendre.

concurrence *n* consentement *m*, coïncidence *f*; union *f.*

concurrently *adv* simultanément.

concussion *n* commotion *f.*

condemn *vt* condamner; désapprouver.

condemnation *n* condamnation *f.*

condensation *n* condensation *f.*

condense *vt* condenser.

condescend *vi* condescendre; daigner.

condescending *adj* condescendant.

condescension *n* condescendance *f.*

condiment *n* condiment *m.*

condition *vt* conditionner; * *n* condition, situation *f*; état *m.*

conditional *adj* conditionnel, hypothétique; ~ly *adv* conditionnellement.

conditioned *adj* conditionné.

conditioner *n* après-shampoing *m.*

condolences *npl* condoléances *fpl.*

condom *n* préservatif *m.*

condominium *n* condominium *m*, copropriété *f.*

condone *vt* pardonner, fermer les yeux sur.

conducive *adj* propice, opportun.

conduct *n* conduite *f*; comportement *m*; * *vt* conduire, mener.

conductor *n* receveur *m*; chef d'orchestre *m*; conducteur *m.*

conduit *n* conduit *m*; tuyau *m.*

cone *n* cône *m.*

confection *n* sucrerie, confiserie *f*; confection *f.*

confectioner *n* confiseur *m* -euse *f.*

confectioner's (shop) *n* confiserie *f*; pâtisserie *f.*

confederacy *n* confédération *f.*

confederate *vi* se confédérer; * *adj n* confédéré *m.*

confer *vt vi* conférer.

conference *n* conférence *f.*

confess *vt* confesser; * *vi* se confesser.

confession *n* confession *f.*

confessional *n* confessionnal *m.*

confessor *n* confesseur *m.*

confidant *n* confident *m* -e *f.*

confide *vt* confier; ~ **in** se confier à.

confidence *n* confiance *f*; assurance *f.*

confidence trick *n* abus de confiance *m*, escroquerie *f*.
confident *adj* confiant, assuré, sûr (de soi).
confidential *adj* confidentiel.
configuration *n* configuration *f*.
confine *vt* limiter; emprisonner.
confinement *n* détention *f*; alitement *m*.
confirm *vt* confirmer; ratifier.
confirmation *n* confirmation *f*; ratification *f*; corroboration *f*.
confirmed *adj* invétéré, endurci.
confiscate *vt* confisquer.
confiscation *n* confiscation *f*.
conflagration *n* incendie *m*; conflagration *f*.
conflict *n* conflit *m*; lutte *f*; dispute *f*.
conflicting *adj* contradictoire.
confluence *n* confluence *f*; rencontre *f*.
conform *vt* conformer, adapter; * *vi* se conformer (à), s'adapter (à).
conformity *n* conformité *f*, accord *m*.
confound *vt* confondre.
confront *vt* confronter; affronter.
confrontation *n* affrontement *m*, confrontation *f*.
confuse *vt* confondre; embarrasser; embrouiller.
confusing *adj* déroutant.
confusion *n* confusion *f*; désordre *m*.
congeal *vt* solidifier, congeler; * *vi* se solidifier, se congeler.
congenial *adj* sympathique; similaire.
congenital *adj* congénital.
congested *adj* encombré, congestionné.
congestion *n* encombrement *m*, congestion *f*.
conglomerate *vt* conglomérer, agglomérer; * *adj* aggloméré; * *n* (*com*) conglomérat *m*.
conglomeration *n* conglomération *f*.

congratulate *vt* complimenter, féliciter.
congratulations *npl* félicitations *fpl*.
congratulatory *adj* de félicitations.
congregate *vt* rassembler, réunir.
congregation *n* assemblée *f*, rassemblement *m*.
congress *n* congrès *m*; conférence *f*.
congressman *n* membre du Congrès *m*.
congruity *n* congruence *f*.
congruous *adj* congru, approprié.
conic(al) *adj* conique.
conifer *n* conifère *m*.
coniferous *adj* (*bot*) conifère.
conjecture *n* conjecture, supposition *f*; * *vt* conjecturer, supposer.
conjugal *adj* conjugal.
conjugate *vt* (*gr*) conjuguer.
conjugation *n* conjugaison *f*.
conjunction *n* conjonction *f*; union *f*.
conjuncture *n* conjoncture *f*; occasion *f*.
conjure *vt* conjurer; exorciser.
conjurer *n* magicien *m* -ne *f*, illusionniste *mf*.
con man *n* escroc *m*.
connect *vt* relier, joindre, rattacher.
connection *n* liaison, connexion *f*.
connivance *n* connivence *f*.
connive *vi* fermer les yeux (sur); être de connivence.
connoisseur *n* connaisseur *m* -euse *f*.
conquer *vt* conquérir; vaincre.
conqueror *n* vainqueur *m*; conquérant *m*.
conquest *n* conquête *f*.
conscience *n* conscience *f*.
conscientious *adj* consciencieux; de conscience; ~**ly** *adv* consciencieusement.
conscious *adj* conscient; intentionnel; ~**ly** *adv* consciemment, sciemment.

consciousness n conscience f.

conscript n conscrit m.

conscription n conscription f.

consecrate vt consacrer.

consecration n consécration f.

consecutive adj consécutif; ~ly adv consécutivement.

consensus n consensus m.

consent n consentement m; assentiment m; * vi consentir.

consequence n conséquence f; importance f.

consequent adj consécutif; ~ly adv par conséquent.

conservation n conservation f.

conservative adj conservateur.

conservatory n conservatoire m.

conserve vt conserver; * n conserve f.

consider vt considérer, examiner; * vi penser, délibérer.

considerable adj considérable; important; ~bly adv considérablement.

considerate adj prévenant, attentionné; prudent; ~ly adv avec prévenance; prudemment.

consideration n considération f; réflexion f; estime f; rémunération f.

considering conj étant donné que; ~ that vu que; étant donné que.

consign vt confier, remettre, expédier.

consignment n expédition f, envoi m.

consist vi consister (en).

consistency n consistance f; cohérence f; constance f.

consistent adj constant; cohérent; compatible; ~ly adv régulièrement.

consolable adj consolable.

consolation n consolation f; réconfort m.

consolatory adj consolateur.

console vt consoler.

consolidate vt consolider, grouper; * vi se consolider.

consolidation n consolidation f.

consonant adj en accord; * n (gr) consonne f.

consort n consort m; associé m -e f.

conspicuous adj voyant, manifeste; notable; ~ly adv manifestement.

conspiracy n conspiration f.

conspirator n conspirateur m -trice f.

conspire vi conspirer.

constancy n constance, fermeté d'âme f; persévérance f.

constant adj constant; persévérant; ~ly adv constamment.

constellation n constellation f.

consternation n consternation f.

constipated adj constipé.

constituency n électorat m; circonscription f.

constituent n composant m; * adj constituant.

constitute vt constituer; établir.

constitution n constitution f.

constitutional adj constitutionnel.

constrain vt contraindre, forcer, obliger.

constraint n contrainte f.

constrict vt serrer; gêner.

construct vt construire, bâtir.

construction n construction f.

construe vt interpréter, analyser.

consul n consul m.

consular adj consulaire.

consulate, consulship n consulat m.

consult vt consulter; * vi (se) consulter.

consultation n consultation, délibération f.

consume vt consommer; dissiper; consumer, brûler; * vi se consommer.

consumer n consommateur m -trice f.

consumer goods npl biens de consommation mpl.

consumerism n consumérisme m.

consumer society n société de consommation f.

consummate vt consommer, accomplir; perfectionner; * adj accompli, consommé.

consummation n consommation f; perfection f.

consumption n consommation f.

contact n contact m.

contact lenses npl lentilles de contact fpl.

contagious adj contagieux.

contain vt contenir, renfermer; refréner.

container n récipient m.

contaminate vt contaminer; ~d adj contaminé.

contamination n contamination f.

contemplate vt contempler.

contemplation n contemplation f.

contemplative adj contemplatif.

contemporaneous, contemporary adj contemporain.

contempt n mépris, dédain m.

contemptible adj méprisable, vil; ~bly adv vilement.

contemptuous adj méprisant, dédaigneux; ~ly adv dédaigneusement.

contend vi combattre, lutter; * vt affirmer.

content adj content, satisfait; * vt contenter, satisfaire; * n contentement m; ~s pl contenu m; table des matières f.

contentedly adv avec contentement.

contention n querelle, altercation f.

contentious adj litigieux; querelleur; ~ly adv en chicanant.

contentment n contentement m, satisfaction f.

contest vt contester, discuter, disputer; * n concours m; altercation f.

contestant n concurrent m -e f.

context n contexte m.

contiguous adj contigu, voisin.

continent adj continent, chaste; * n continent m.

continental adj continental.

contingency n contingence f; événement imprévu m; éventualité f.

contingent n contingent m; * adj contingent, éventuel; ~ly fortuitement.

continual adj continuel; ~ly adv continuellement.

continuation n continuation, reprise, suite f.

continue vt vi continuer.

continuity n continuité f.

continuous adj continu; ~ly adv sans interruption.

contort vt tordre, déformer.

contortion n contorsion f.

contour n contour m.

contraband n contrebande f; * adj de contrebande.

contraception n contraception f.

contraceptive n contraceptif m; * adj contraceptif.

contract vt contracter; * vi se contracter; * n contrat m.

contraction n contraction f.

contractor n entrepreneur m.

contradict vt contredire.

contradiction n contradiction f.

contradictory adj contradictoire.

contraption n gadget, bidule (fam) m.

contrariness n esprit de contradiction m.

contrary adj contraire, opposé; * n contraire m; on the ~ au contraire.

contrast n contraste m; * vt contraster, mettre en contraste.

contrasting adj contrasté, opposé.

contravention n infraction f.

contributary adj contributif.

contribute vt contribuer.

contribution n contribution f; cotisation f.

contributor n souscripteur (-trice), collaborateur(-trice) *m(f)*.

contributory *adj* contribuant.

contrite *adj* contrit, repentant.

contrition *n* contrition *f*, repentir *m*.

contrivance *n* dispositif *m*; invention *f*.

contrive *vt* inventer, combiner; trouver le moyen de.

control *n* contrôle *m*; maîtrise *f*; autorité *f*; * *vt* maîtriser; réguler; contrôler; gouverner.

control room *n* salle des commandes *f*.

control tower *n* tour de contrôle *f*.

controversial *adj* polémique.

controversy *n* polémique *f*.

contusion *n* contusion *f*.

conundrum *n* énigme *f*.

conurbation *n* conurbation *f*.

convalesce *vi* être en convalescence.

convalescence *n* convalescence *f*.

convalescent *adj* convalescent.

convene *vt* convoquer; réunir; * *vi* se réunir.

convenience *n* commodité, convenance *f*.

convenient *adj* commode, pratique; qui convient; ~ly *adv* commodément.

convent *n* couvent *m*.

convention *n* convention *f*; contrat *m*; assemblée *f*.

conventional *adj* conventionnel.

converge *vi* converger.

convergence *n* convergence *f*.

convergent *adj* convergent.

conversant *adj* au courant; compétent.

conversation *n* conversation *f*.

converse *vi* converser.

conversely *adv* inversement, réciproquement.

conversion *n* conversion; transformation *f*.

convert *vt* convertir; * *n* converti *m* -e *f*.

convertible *adj* convertible; * *n*

décapotable *f*.

convex *adj* convexe.

convexity *n* convexité *f*.

convey *vt* transporter; transmettre, communiquer.

conveyance *n* transport *m*; transfert *m*; cession *f*.

conveyancer *n* notaire *m*.

convict *vt* déclarer coupable; * *n* détenu *m* -e *f*.

conviction *n* condamnation *f*; conviction *f*.

convince *vt* convaincre, persuader.

convincing *adj* convaincant.

convincingly *adv* de façon convaincante.

convivial *adj* jovial.

conviviality *n* jovialité *f*.

convoke *vt* convoquer.

convoy *n* convoi *m*.

convulse *vt* ébranler, convulser.

convulsion *n* convulsion *f*; bouleversement *m*; forte agitation *f*.

convulsive *adj* convulsif; ~ly *adv* convulsivement.

coo *vt vi* roucouler.

cook *n* cuisinier *m* -ière *f*; * *vt* cuire; falsifier; * *vi* faire la cuisine, cuisiner.

cookbook *n* livre de cuisine *m*.

cooker *n* cuisinière *f*.

cookery *n* cuisine *f*.

cookie *n* gâteau *m* sec.

cool *adj* frais; calme; * *n* fraîcheur *f*; * *vt* rafraîchir, refroidir.

coolly *adv* fraîchement; de sang-froid.

coolness *n* fraîcheur *f*; froideur *f*; sang-froid *m*.

cooperate *vi* coopérer.

cooperation *n* coopération *f*.

cooperative *adj* coopératif.

coordinate *vt* coordonner.

coordination *n* coordination *f*.

cop *n* (*fam*) flic *m*.

copartner *n* coassocié *m* -e *f*.

cope *vi* se débrouiller.

copier *n* photocopieuse *f*.

copious *adj* copieux, abondant;

~ly *adv* abondamment.
copper *n* cuivre *m*.
coppice, copse *n* taillis *m*.
copulate *vi* copuler.
copy *n* copie *f*; reproduction *f*; exemplaire *m*; * *vt* copier; imiter.
copybook *n* cahier *m*.
copying machine *n* photocopieuse *f*.
copyist *n* copiste *mf*.
copyright *n* droit d'auteur *m*.
coral *n* corail *m*.
coral reef *n* récif de corail *m*.
cord *n* cordon *m*, corde *f*.
cordial *adj* cordial, chaleureux; ~ly *adv* cordialement.
corduroy *n* velours côtelé *m*.
core *n* trognon *m*; noyau, centre, cœur *m*.
cork *n* liège *m*; bouchon *m*; * *vt* boucher.
corkscrew *n* tire-bouchon *m*.
corn *n* maïs *m*; grain *m*; blé *m*.
corncob *n* épi de maïs *m*.
cornea *n* cornée *f*.
corned beef *n* corned-beef *m*.
corner *n* coin *m*; angle *m*.
cornerstone *n* pierre angulaire *f*.
cornet *n* cornet *m*.
cornfield *n* champ de maïs *m*.
cornflakes *npl* flocons de maïs, cornflakes *mpl*.
cornice *n* corniche *f*.
cornstarch *n* (US) farine de maïs *f*.
corollary *n* corollaire *m*.
coronary *n* infarctus *m*.
coronation *n* couronnement *m*.
coroner *n* coroner *m*.
coronet *n* couronne *f*.
corporal *n* caporal *m*.
corporate *adj* en commun; d'entreprise.
corporation *n* corporation *f*; société par actions *f*.
corporeal *adj* corporel.
corps *n* (mil) corps *m*.
corpse *n* cadavre *m*.

corpulent *adj* corpulent.
corpuscle *n* corpuscule *m*; électron *m*.
corral *n* corral *m*.
correct *vt* corriger; rectifier; * *adj* correct, juste; ~ly *adv* correctement.
correction *n* correction *f*; rectification *f*.
corrective *adj* correcteur, correctif; * *n* rectificatif *m*.
correctness *n* correction *f*.
correlation *n* corrélation *f*.
correlative *adj* corrélatif.
correspond *vi* correspondre.
correspondence *n* correspondance *f*.
correspondent *adj* correspondant; * *n* correspondant *m* -e *f*.
corridor *n* couloir, corridor *m*.
corroborate *vt* corroborer.
corroboration *n* corroboration *f*.
corroborative *adj* qui corrobore.
corrode *vt* corroder.
corrosion *n* corrosion *f*.
corrosive *adj n* corrosif *m*.
corrugated iron *n* tôle ondulée *f*.
corrupt *vt* corrompre; * *vi* se corrompre, se pourrir; * *adj* corrompu; dépravé.
corruptible *adj* corruptible.
corruption *n* corruption *f*; dépravation *f*.
corruptive *adj* qui corrompt.
corset *n* corset *m*, gaine *f*.
cortege *n* cortège *m*.
cosily *adv* confortablement, douillettement.
cosmetic *adj n* cosmétique *m*.
cosmic *adj* cosmique.
cosmonaut *n* cosmonaute *mf*.
cosmopolitan *adj* cosmopolite.
cosset *vt* dorloter.
cost *n* prix, coût *m*; * *vi* coûter.
costly *adj* coûteux, cher.
costume *n* costume *m*.
cottage *n* cottage *m*.
cotton *n* coton *m*.
cotton candy *n* barbe à papa *f*.

cotton mill n filature de coton f.

cotton wool n coton hydrophile m.

couch n canapé, divan m.

couchette n couchette f.

cough n toux f; * vi tousser.

council n conseil m.

councillor n membre du conseil m; conseiller m -ère f.

counsel n conseil m; avocat m.

counsellor n conseiller m -ère f; avocat m.

count vt compter, dénombrer; calculer; ~ on compter sur; * n compte m; calcul m; chef d'accusation m; comte m.

countdown n compte à rebours m.

countenance n visage m; aspect m; mine f.

counter n comptoir m; pion m.

counteract vt contrecarrer; neutraliser; contrebalancer.

counterbalance vt contrebalancer; compenser; * n contrepoids m.

counterfeit vt contrefaire; * adj faux.

countermand vt annuler.

counterpart n contrepartie f; homologue mf.

counterproductive adj qui va à l'encontre du but visé.

countersign vt contresigner.

countess n comtesse f.

countless adj innombrable.

countrified adj rustique; campagnard.

country n pays m; patrie f; campagne f; région f; * adj rustique; campagnard.

country house n maison de campagne f.

countryman n campagnard m; compatriote m.

county n comté m.

coup n coup m d'État.

coupé n coupé m.

couple n couple m; a ~ of deux; * vt unir, associer.

couplet n distique m; couplet m.

coupon n coupon m, bon m.

courage n courage m.

courageous adj courageux; ~ly adv courageusement.

courier n messager m; guide m.

course n cours m; route f; chemin m; plat m; marche à suivre f; of ~ bien sûr, naturellement.

court n cour f; tribunal m; * vt courtiser; solliciter.

courteous adj courtois; poli; ~ly adv courtoisement.

courtesan n courtisane f.

courtesy n courtoisie f.

courthouse n palais de justice m.

courtly adj élégant, raffiné.

court-martial n conseil de guerre m.

courtroom n salle de tribunal f.

courtyard n cour f.

cousin n cousin m -e f; first ~ cousin(e) germain(e) m(f).

cove n (mar) crique, anse f.

covenant n contrat m; convention f; * vi convenir, stipuler par contrat.

cover n couverture f; abri m; prétexte m; * vt (re)couvrir; dissimuler; protéger.

coverage n reportage m, couverture f.

coveralls npl bleu de travail m.

covering n couverture f; couche f.

cover letter n lettre explicative f.

covert adj voilé; caché, secret; ~ly adv secrètement.

cover-up n dissimulation f.

covet vt convoiter.

covetous adj avide, cupide.

cow n vache f.

coward n lâche mf.

cowardice n lâcheté f.

cowardly adj lâche; adv lâchement.

cowboy n cowboy m.

cower vi se tapir.

cowherd n vacher m.

coy adj timide; coquet; évasif; ~ly adv évasivement.

coyness n timidité f; modestie f.

cozy *adj* douillet.

crab *n* crabe *m*.

crab-apple *n* pomme sauvage *f*; **crab-apple tree** *n* pommier sauvage *m*.

crack *n* craquement *m*; fente, fissure *f*; * *vt* fêler, craquer; ~ **down on** sévir; * *vi* se fêler; craquer.

cracker *n* pétard *m*; biscuit salé *m*.

crackle *vi* crépiter, pétiller.

crackling *n* crépitement *m*; friture *f*.

cradle *n* berceau *m*; * *vt* bercer.

craft *n* habileté *f*; métier manuel *m*; barque *f*.

craftily *adv* astucieusement.

craftiness *n* astuce, ruse *f*.

craftsman *n* artisan *m*.

craftsmanship *n* artisanat *m*.

crafty *adj* astucieux, rusé.

crag *n* rocher escarpé *m*.

cram *vt* bourrer; fourrer; * *vi* s'entasser.

crammed *adj* bourré.

cramp *n* crampe *f*; * *vt* entraver.

cramped *adj* à l'étroit.

crampon *n* crampon *m*.

cranberry *n* canneberge *f*.

crane *n* grue *f*.

crash *vi* s'écraser; * *n* fracas *m*; collision *f*.

crash helmet *n* casque *m*.

crash landing *n* atterrissage en catastrophe *m*.

crass *adj* grossier, crasse.

crate *n* caisse *f*; cageot *m*.

crater *n* cratère *m*.

cravat *n* foulard *m*, cravate *f*.

crave *vt* avoir extrêmement besoin de.

craving *n* désir extrême *m*, soif *f*.

crawfish *n* écrevisse *f*.

crawl *vi* ramper; ~ **with** grouiller de.

crayfish *n* écrevisse *f*.

crayon *n* crayon de couleur *m*.

craze *n* manie *f*, engouement *m*.

craziness *n* folie *f*.

crazy *adj* fou.

creak *vi* grincer, craquer.

cream *n* crème *f*; * *adj* crème.

creamy *adj* crémeux.

crease *n* pli *m*; * *vt* froisser.

create *vt* créer; causer.

creation *n* création *f*.

creative *adj* créatif.

creator *n* créateur *m* -trice *f*.

creature *n* créature *f*.

credence *n* créance *f*; crédit *m*.

credentials *npl* lettres de créance *fpl*; preuves d'identité *fpl*.

credibility *n* crédibilité *f*.

credible *adj* crédible.

credit *n* crédit *m*; honneur *m*; reconnaissance *f*; * *vt* croire, reconnaître; créditer.

creditable *adj* estimable, honorable; ~**bly** *adv* honorablement.

credit card *n* carte de crédit *f*.

creditor *n* créancier *m* -ière *f*.

credulity *n* crédulité *f*.

credulous *adj* crédule; ~**ly** *adv* avec crédulité.

creed *n* credo *m*.

creek *n* ruisseau *m*.

creep *vi* ramper; avancer lentement.

creeper *n* (*bot*) plante grimpante *f*.

creepy *adj* terrifiant, qui donne la chair de poule.

cremate *vt* incinérer.

cremation *n* incinération, crémation *f*.

crematorium *n* crématoire *m*.

crescent *adj* croissant; * *n* croissant de lune *m*.

cress *n* cresson *m*.

crest *n* crête *f*.

crested *adj* à crête.

crestfallen *adj* découragé, abattu.

crevasse *n* crevasse *f*.

crevice *n* fissure, lézarde *f*.

crew *n* bande, équipe *f*; équipage *m*.

crib *n* berceau *m*; mangeoire *f*.

cricket *n* grillon *m*.

crime *n* crime *m*; délit *m*.

criminal *adj* criminel; **~ly** *adv* criminellement; * *n* criminel *m* -le *f*.

criminality *n* criminalité *f*.

crimson *adj n* cramoisi *m*.

cripple *n*, *adj* invalide *mf*; * *vt* estropier; (*fig*) paralyser.

crisis *n* crise *f*.

crisp *adj* frais; croquant.

crispness *n* croquant *m*.

criss-cross *adj* entrecroisé.

criterion *n* critère *m*.

critic *n* critique *m*.

critical *adj* critique; exigeant, sévère; **~ly** *adv* d'un œil critique; sévèrement.

criticise *vt* critiquer.

criticism *n* critique *f*.

croak *vi* coasser, croasser.

crochet *n* crochet *m*; * *vt* faire au crochet; *vi* faire du crochet.

crockery *n* poterie *f*.

crocodile *n* crocodile *m*.

crony *n* copain *m* (copine *f*) de longue date.

crook *n* escroc *m*; filou *m*.

crooked *adj* tordu; malhonnête.

crop *n* culture *f*; récolte *f*; * *vt* récolter.

cross *n* croix *f*; croisement *m*; * *adj* de mauvaise humeur, fâché; * *vt* traverser, croiser; **~ over** traverser.

crossbar *n* barre transversale *f*.

crossbreed *n* hybride *m*.

cross-country *n* cross-country *m*.

cross-examine *vt* soumettre à un contre-interrogatoire.

crossfire *n* feux croisés *mpl*.

crossing *n* traversée *f*; passage pour piétons *m*.

cross-purpose *n* malentendu *m*; quiproquo *m*; **to be at ~s** comprendre (quelqu'un) de travers.

cross-reference *n* renvoi *m*, référence *f*.

crossroad *n* carrefour *m*.

crosswalk *n* (US) passage clouté *m*.

crotch *n* entre-jambes *m*.

crouch *vi* s'accroupir, se tapir.

crow *n* corbeau *m*; chant du coq *m*; * *vi* chanter victoire.

crowd *n* foule *f*; monde *m*; * *vt* entasser; * *vi* s'entasser.

crown *n* couronne *f*; sommet *m*; * *vt* couronner.

crown prince *n* prince héritier *m*.

crucial *adj* crucial.

crucible *n* creuset *m*.

crucifix *n* crucifix *m*.

crucifixion *n* crucifixion *f*.

crucify *vt* crucifier.

crude *adj* brut, grossier; **~ly** *adv* crûment.

cruel *adj* cruel; **~ly** *adv* cruellement.

cruelty *n* cruauté *f*.

cruet *n* huilier-vinaigrier *m*.

cruise *n* croisière *f*; * *vi* croiser.

cruiser *n* croiseur *m*.

crumb *n* miette *f*.

crumble *vt* émietter; effriter; * *vi* s'émietter; se désintégrer.

crumple *vt* froisser.

crunch *vt* croquer; * *n* (*fig*) crise *f*.

crunchy *adj* croquant.

crusade *n* croisade *f*.

crush *vt* écraser; opprimer; * *n* cohue *f*.

crust *n* croûte *f*.

crusty *adj* croustillant; hargneux, bourru.

crutch *n* béquille *f*.

crux *n* cœur *m* (d'une question).

cry *vt vi* crier; pleurer; * *n* cri *m*; sanglot *m*.

crypt *n* crypte *f*.

cryptic *adj* énigmatique.

crystal *n* cristal *m*.

crystal-clear *adj* clair comme de l'eau de roche.

crystalline *adj* cristallin; pur.

crystallise *vi* se cristalliser; * *vt* cristalliser.

cub *n* petit *m* (animal).

cube *n* cube *m*.

cubic *adj* cubique.

cuckoo *n* coucou *m*.

cucumber n concombre m.

cud n: to chew the ~ ruminer (also fig).

cuddle vt embrasser; * vi s'enlacer; * n étreinte f, câlin m.

cudgel n gourdin m, trique f.

cue n queue de billard f.

cuff n manchette f; revers de pantalon m.

culinary adj culinaire.

cull vt sélectionner; éliminer.

culminate vi culminer.

culmination n point culminant m.

culpability n culpabilité f.

culpable adj coupable; blâmable; ~bly adv coupablement.

culprit n coupable mf.

cult n culte m.

cultivate vt cultiver; améliorer, perfectionner.

cultivation n culture f.

cultural adj culturel.

culture n culture f.

cumbersome adj encombrant; lourd, pesant.

cumulative adj cumulatif.

cunning adj astucieux, rusé; ~ly adv astucieusement; habilement; * n astuce, finesse f.

cup n tasse, coupe f; (bot) corolle f.

cupboard n placard m.

curable adj guérissable.

curate n vicaire m.

curator n conservateur m; curateur m.

curb n frein m; bord du trottoir m; * vt freiner, juguler, modérer.

curd n lait caillé m.

curdle vt cailler, figer; vi se cailler, se figer.

cure n remède m; cure f; * vt guérir.

curfew n couvre-feu m.

curing n salaison f.

curiosity n curiosité f.

curious adj curieux; ~ly adv avec curiosité; curieusement.

curl n boucle de cheveux f; * vt boucler; friser; * vi friser.

curling iron n, curling tongs npl fer à friser m.

curly adj frisé, bouclé.

currant n raisin m sec.

currency n monnaie f; circulation f; cours m.

current adj courant; actuel; * n cours m; tendance f; courant m.

current affairs npl actualité f; problèmes actuels mpl.

currently adv actuellement.

curriculum vitae n curriculum vitae m.

curry n curry m.

curse vt maudire; * vi jurer; * n malédiction f.

cursor n curseur m.

cursory adj superficiel; hâtif.

curt adj succinct; sec.

curtail vt réduire; écourter.

curtain n rideau m.

curtain rod n tringle à rideaux f.

curtsy n révérence f; * vi faire une révérence.

curvature n courbure f.

curve vt courber; * n courbe f.

cushion n coussin m.

custard n crème anglaise f.

custodian n gardien m -ne f.

custody n garde f; emprisonnement m.

custom n coutume f, usage m.

customary adj habituel, coutumier, ordinaire.

customer n client m -e f.

customs npl douane f.

customs duty n droits de douane mpl.

customs officer n douanier m.

cut vt découper; couper; tailler; réduire; blesser; ~ short écourter; interrompre; ~ a tooth percer une dent; * vi couper; se couper; * n coupe f; coupure f; réduction f; ~ and dried adj arrangé.

cutback n réduction f.

cute adj mignon.

cutlery n couverts mpl.
cutlet n côtelette f.
cut-rate adj à prix réduit.
cut-throat n assassin m; * adj acharné.
cutting n coupure f; * adj coupant; tranchant.
cyanide n cyanure m.
cycle n cycle m; bicyclette f; * vi aller à bicyclette.
cycling n cyclisme m.

cyclist n cycliste mf.
cyclone n cyclone m.
cygnet n jeune cygne m.
cylinder n cylindre m; rouleau m.
cylindric(al) adj cylindrique.
cymbals n cymbale f.
cynic(al) adj cynique; sceptique; * n cynique mf.
cynicism n cynisme m.
cypress n cyprès m.
cyst n kyste m.
czar n tsar m.

D

dab n petit peu m; touche f.
dabble vi barboter.
Dacron n dacron m.
dad(dy) n papa m.
daddy-long-legs n (zool) cousin m.
daffodil n narcisse m, jonquille f.
dagger n poignard m.
daily adj quotidien; * adv quotidiennement, tous les jours; * n quotidien m.
daintily adv délicatement.
daintiness n élégance f; délicatesse f.
dainty adj délicat; élégant.
dairy n laiterie f.
dairy farm n laiterie f.
dairy produce n produits laitiers mpl.
daisy n marguerite f.
daisy wheel n marguerite f.
dale n vallée f.
dally vi traîner.
dam n barrage m; * vt endiguer.
damage n dommage m; tort m; * vt endommager; faire du tort à.
damask n damas m; * adj damassé.
dame n dame f; fille f.
damn vt condamner; * adj maudit.
damnable adj maudit; ~bly adv terriblement.
damnation n damnation f.
damning adj accablant.

damp adj humide; * n humidité f; * vt humidifier.
dampen vt humidifier.
dampness n humidité f.
damson n prune de Damas f.
dance n danse f; soirée dansante f; * vt vi danser.
dance hall n dancing m.
dancer n danseur m -euse f.
dandelion n pissenlit m.
dandruff n pellicules fpl.
dandy adj génial.
danger n danger m.
dangerous adj dangereux; ~ly adv dangereusement.
dangle vi pendre.
dank adj humide.
dapper adj soigné.
dappled adj tacheté.
dare vi oser; * vt défier.
daredevil n casse-cou m invar.
daring n audace f; * adj audacieux; ~ly adv audacieusement.
dark adj sombre, obscur; * n obscurité f; ignorance f.
darken vt assombrir, obscurcir; * vi s'assombrir, s'obscurcir.
dark glasses npl lunettes de soleil fpl.
darkness n obscurité f.
darkroom n chambre noire f.
darling n, adj chéri m -e f.
darn vt repriser.
dart n dard m.

darts n jeu de fléchettes m.

dash vi se dépêcher; * n goutte f; tiret, trait m; **at one ~** tout d'un coup.

dashboard n tableau de bord m.

dashing adj impétueux; élégant.

dastardly adj infâme.

data n données fpl.

database n base de données f.

data processing n traitement de données m.

date n date f; rendez-vous m; (bot) datte f; * vt dater; sortir avec.

dated adj démodé.

dative n (gr) datif m.

daub vt barbouiller.

daughter n fille f; **~ in-law** belle-fille f.

daunting adj décourageant.

dawdle vi traîner.

dawn n aube f; * vi se lever.

day n jour m, journée f; **by ~** de jour; **~ by ~** de jour en jour.

daybreak n aube f.

day laborer n (US) journalier m.

daylight n lumière du jour, lumière naturelle f; **~ saving time** n heure d'été f.

daytime n journée f, jour m.

daze vt étourdir.

dazed adj étourdi.

dazzle vt éblouir.

dazzling adj éblouissant.

deacon n diacre m.

dead adj mort; **~wood** n bois mort m; **~ silence** n silence de mort m; **the ~** npl les morts mpl.

dead-drunk adj ivre-mort.

deaden vt amortir.

dead heat n arrivée ex-aequo f.

deadline n date limite f.

deadlock n impasse f.

deadly adj mortel; * adv terriblement.

dead march n marche funèbre f.

deadness n inertie f.

deaf adj sourd.

deafen vt assourdir.

deaf-mute n sourd(e)-muet(te) mf.

deafness n surdité f.

deal n accord m; marché m; **a great ~** beaucoup; **a good ~** pas mal; * vt distribuer, donner; * vi **~ in** être dans le commerce de; **~ with** avoir affaire à.

dealer n commerçant m; trafiquant m; donneur m.

dealings npl rapports mpl; transactions fpl.

dean n doyen m.

dear adj **~ly** adv cher.

dearness n cherté f.

dearth n pénurie f.

death n mort f.

deathbed n lit de mort m.

deathblow n coup mortel m.

death certificate n acte de décès m.

death penalty n peine de mort f.

death throes npl agonie f.

death warrant n condamnation à mort f.

debacle n débâcle f.

debar vt exclure.

debase vt dégrader.

debasement n dégradation f.

debatable adj discutable.

debate n débat m; * vt discuter; examiner.

debauched adj débauché.

debauchery n débauche f.

debilitate vt débiliter.

debit n débit m; * vt (com) débiter.

debt n dette f; **to get into ~** s'endetter.

debtor n débiteur m -trice f.

debunk vt démystifier.

decade n décennie f.

decadence n décadence f.

decaffeinated adj décaféiné.

decanter n carafe f.

decapitate vt décapiter.

decapitation n décapitation f.

decay vi décliner; pourrir; * n déclin m; pourissement m; carie f.

deceased adj décédé.

deceit n tromperie f.

deceitful adj trompeur; **~ly** adv faussement.

deceive *vt* tromper.
December *n* décembre *m*.
decency *n* décence *f*; pudeur *f*.
decent *adj* décent; bien, bon; ~**ly**
adv décemment.
deception *n* tromperie *f*.
deceptive *adj* trompeur.
decibel *n* décibel *m*.
decide *vt* decider; * *vi* se décider.
decided *adj* décidé.
decidedly *adv* décidément.
deciduous *adj* (*bot*) à feuilles ca-
duques.
decimal *adj* décimal.
decimate *vt* décimer.
decipher *vt* déchiffrer.
decision *n* décision, détermination *f*.
decisive *adj* décisif; ~**ly** *adv* avec
décision.
deck *n* pont *m*; * *vt* orner.
deckchair *n* chaise longue *f*.
declaim *vt vi* déclamer.
declamation *n* déclamation *f*.
declaration *n* déclaration *f*.
declare *vt* déclarer.
declension *n* déclinaison *f*.
decline *vt* (*gr*) décliner; refuser;
* *vi* décliner; * *n* déclin *m*; décadence *f*.
declutch *vi* débrayer.
decode *vt* décoder.
decompose *vt* décomposer.
decomposition *n* décomposition
f.
decor *n* décor *m*; décoration *f*.
decorate *vt* décorer, orner.
decoration *n* décoration *f*.
decorative *adj* décoratif.
decorator *n* décorateur *m* -trice
f.
decorous *adj* bienséant, convenable; ~**ly** *adv* convenablement.
decorum *n* décorum *m*.
decoy *n* leurre *m*.
decrease *vt* diminuer; * *n* diminution *f*.
decree *n* décret *m*; * *vt* décréter;
ordonner.
decrepit *adj* décrépit.

decry *vt* décrier.
dedicate *vt* dédier; consacrer.
dedication *n* dédicace *f*;
consacration *f*.
deduce *vt* déduire, conclure.
deduct *vt* déduire, soustraire.
deduction *n* déduction *f*.
deed *n* action *f*; exploit *m*.
deem *vt* juger, considérer.
deep *adj* profond.
deepen *vt* approfondir.
deep-freeze *n* congélateur *m*.
deeply *adv* profondément.
deepness *n* profondeur *f*.
deer *n* cerf *m*.
deface *vt* défigurer.
defacement *n* défiguration *f*.
defamation *n* diffamation *f*.
default *n* défaut *m*; manque *m*; *
vi manquer à ses engagements.
defaulter *n* (*law*) défaillant *m* -e
f.
defeat *n* défaite *f*; * *vt* vaincre;
frustrer.
defect *n* défaut *m*.
defection *n* désertion *f*.
defective *adj* défectueux.
defend *vt* défendre; protéger.
defendant *n* accusé *m* -e *f*.
defense *n* défense *f*; protection *f*.
defenseless *adj* sans défense.
defensive *adj* défensif; ~**ly** *adv*
défensivement.
defer *vt* déférer.
deference *n* déférence *f*.
deferential *adj* respectueux.
defiance *n* défi *m*.
defiant *adj* provocant.
deficiency *n* défaut *m*; manque *m*.
deficient *adj* insuffisant.
deficit *n* déficit *m*.
defile *vt* souiller.
definable *adj* définissable.
define *vt* définir.
definite *adj* sûr; précis; ~**ly** *adv*
sans aucun doute.
definition *n* définition *f*.
definitive *adj* définitif; ~**ly** *adv*
définitivement.
deflate *vt* dégonfler.

deflect *vt* dévier.
deflower *vt* déflorer.
deform *vt* déformer.
deformity *n* déformité *f*.
defraud *vt* escroquer.
defray *vt* payer.
defrost *vt* dégivrer; décongeler.
defroster *n* dégivreur *m*.
deft *adj* habile; ~**ly** *adv* habilement.
defunct *adj* défunt.
defuse *vt* désamorcer.
degenerate *vi* dégénérer; * *adj* dégénéré.
degeneration *n* dégénération *f*.
degradation *n* dégradation *f*.
degrade *vt* dégrader.
degree *n* degré *m*; diplôme *m*.
dehydrated *adj* déshydraté.
de-ice *vt* dégivrer.
deign *vi* daigner.
deity *n* divinité *f*.
dejected *adj* découragé.
dejection *n* découragement *m*.
delay *vt* retarder; * *n* retard *m*.
delectable *adj* délectable.
delegate *vt* déléguer; * *n* délégué *m* -e *f*.
delegation *n* délégation *f*.
delete *vt* effacer.
deliberate *vt* examiner; * *adj* délibéré; ~**ly** *adv* délibérément, exprès.
deliberation *n* délibération *f*.
deliberative *adj* délibérant.
delicacy *n* délicatesse *f*.
delicate *adj* délicat; ~**ly** *adv* délicatement.
delicious *adj* délicieux, exquis; ~**ly** *adv* délicieusement.
delight *n* délice *m*; enchantement *m*; * *vt* enchanter; * *vi* adorer.
delighted *adj* enchanté.
delightful *adj* charmant; ~**ly** *adv* merveilleusement.
delineate *vt* décrire; délimiter.
delineation *n* tracé *m*.
delinquency *n* délinquance *f*.
delinquent *n* délinquant *m* -e *f*.
delirious *adj* délirant.

delirium *n* délire *m*.
deliver *vt* livrer; délivrer; prononcer.
deliverance *n* libération *f*.
delivery *n* livraison *f*; accouchement *m*.
delude *vt* tromper.
deluge *n* déluge *m*.
delusion *n* tromperie *f*; illusion *f*.
delve *vi* creuser; chercher.
demagogue *n* démagogue *m*.
demand *n* demande *f*; * *vt* exiger; réclamer.
demanding *adj* exigeant.
demarcation *n* démarcation *f*.
demean *vi* s'abaisser.
demeanor *n* conduite *f*, comportement *m*.
demented *adj* dément.
demise *n* disparition *f*.
democracy *n* démocratie *f*.
democrat *n* démocrate *mf*.
democratic *adj* démocratique.
demolish *vt* démolir.
demolition *n* démolition *f*.
demon *n* démon, diable *m*.
demonstrable *adj* démontrable; ~**bly** *adv* manifestement.
demonstrate *vt* démontrer, prouver; * *vi* manifester.
demonstration *n* démonstration *f*; manifestation *f*.
demonstrative *adj* démonstratif.
demonstrator *n* manifestant *m* -e *f*.
demoralisation *n* démoralisation *f*.
demoralise *vt* démoraliser.
demote *vt* rétrograder.
demur *vi* émettre une objection; rechigner.
demure *adj* réservé; ~**ly** *adv* avec réserve.
den *n* antre *m*.
denatured alcohol *n* alcool dénaturé *m*.
denial *n* dénégation *f*.
denims *npl* jean *m*.
denomination *n* valeur *f*; dénomination *f*.

denominator n (*math*) dénominateur m.

denote vt dénoter, indiquer.

denounce vt dénoncer.

dense adj dense, épais.

density n densité f.

dent n bosse f; * vt cabosser.

dental adj dentaire.

dentifrice n dentifrice m.

dentist n dentiste mf.

dentistry n dentisterie f.

denture n dentier m.

denude vt dénuder, dépouiller.

denunciation n dénonciation f.

deny vt nier.

deodorant n déodorant m.

deodorise vt déodoriser.

depart vi partir.

department n département m; service m.

department store n grand magasin m.

departure n départ m.

departure lounge n salle d'embarquement f.

depend vi dépendre; ~ **on/upon** compter sur.

dependable adj fiable; sûr.

dependant n personne à charge f.

dependency n dépendance f.

dependent adj dépendant.

depict vt dépeindre, décrire.

depleted adj réduit.

deplorable adj déplorable, lamentable; **~bly** adv déplorablement.

deplore vt déplorer, lamenter.

deploy vt (*mil*) déployer.

depopulated adj dépeuplé.

depopulation n dépopulation f.

deport vt déporter; expulser.

deportation n déportation f; expulsion f.

deportment n comportement m.

deposit vt déposer; * n dépôt m; caution f.

deposition n déposition f.

depositor n déposant m -e f.

depot n dépôt m.

deprave vt dépraver, corrompre.

depraved adj dépravé.

depravity n dépravation f.

deprecate vt désapprouver.

depreciate vi se déprécier.

depreciation n dépréciation f.

depredation n déprédation f.

depress vt déprimer.

depressed adj déprimé.

depression n dépression f.

deprivation n privation f.

deprive vt priver.

deprived adj défavorisé.

depth n profondeur f.

deputation n députation f.

depute vt députer, déléguer.

deputise vi remplacer.

deputy n remplaçant m -e f; député m; délégué m -e f.

derail vt faire dérailler.

deranged adj dérangé.

derby n chapeau melon m.

derelict adj abandonné, en ruines.

deride vt se moquer de.

derision n dérision f.

derisive adj ridicule; moqueur.

derivable adj déductible.

derivation n dérivation f.

derivative n dérivé m.

derive vt vi dériver.

derogatory adj désobligeant.

derrick n derrick m.

descant n (*mus*) déchant m.

descend vi descendre.

descendant n descendant m -e f.

descent n descente f.

describe vt décrire.

description n description f.

descriptive adj descriptif.

descry vt distinguer.

desecrate vt profaner.

desecration n profanation f.

desert n désert m; * adj désert; * vt abandonner; déserter.

deserter n déserteur m.

desertion n désertion f.

deserve vt mériter.

deservedly adv à juste titre.

deserving adj méritant.

déshabillé n déshabillé m.
desideratum n desideratum m.
design vt concevoir; dessiner; * n dessein m; design m; dessin m.
designate vt désigner.
designation n désignation f.
designedly adv exprès, délibérément.
designer n créateur m -trice f; styliste mf.
desirability n avantage m; attrait m.
desirable adj désirable.
desire n désir m; * vt désirer.
desirous adj désireux.
desist vi abandonner.
desk n bureau m.
desolate adj désert, désolé.
desolation n désolation f.
despair n désespoir m; * vi se désespérer.
despairingly adv désespérément.
despatch = dispatch.
desperado n bandit m.
desperate adj désespéré; ~ly adv désespérément; extrêmement.
desperation n désespoir m.
despicable adj méprisable.
despise vt mépriser.
despite prep malgré.
despoil vt dépouiller.
despondency n abattement m.
despondent adj abattu.
despot n despote m.
despotic adj despotique; ~ally adv despotiquement.
despotism n despotisme m.
dessert n dessert m.
destination n destination f.
destine vt destiner.
destiny n destin, sort m.
destitute adj indigent.
destitution n indigence f.
destroy vt détruire.
destruction n destruction f.
destructive adj destructeur.
desultory adj irrégulier; sans méthode.
detach vt séparer, détacher.
detachable adj détachable.

detachment n (mil) détachement m.
detail n détail m; in ~ en détail; * vt détailler.
detain vt retenir; détenir.
detect vt détecter.
detection n détection f; découverte f.
detective n détective m.
detector n détecteur m.
detention n détention f.
deter vt dissuader.
detergent n détergent m.
deteriorate vt détériorer.
deterioration n détérioration f.
determination n détermination f.
determine vt déterminer, décider.
determined adj déterminé.
deterrent n force de dissuasion f.
detest vt détester.
detestable adj détestable.
dethrone vt détrôner.
dethronement n détrônement m.
detonate vi détoner.
detonation n détonation f.
detour n déviation f.
detract vi nuire à.
detriment n détriment m.
detrimental adj préjudiciable.
deuce n deux m; égalité f.
devaluation n dévaluation f.
devastate vt dévaster.
devastating adj dévastateur.
devastation n dévastation f.
develop vt développer.
development n développement m.
deviate vi dévier.
deviation n déviation f.
device n mécanisme m.
devil n diable, démon m.
devilish adj diabolique; ~ly adv diaboliquement.
devious adj tortueux.
devise vt inventer; concevoir.
devoid adj dépourvu.
devolve vt déléguer.
devote vt consacrer.
devoted adj dévoué.

devotee n partisan m -e f.

devotion n dévotion f.

devotional adj dévot.

devour vt dévorer.

devout adj dévot, pieux; ~**ly** adv pieusement.

dew n rosée f.

dewy adj couvert de rosée; ingénu.

dexterity n dextérité f.

dexterous adj adroit, habile.

diabetes n diabète m.

diabetic n diabétique mf.

diabolic adj diabolique; ~**ally** adv diaboliquement.

diadem n diadème m.

diagnosis n (med) diagnostic m.

diagnostic adj diagnostique; * npl ~**s** diagnostic m.

diagonal adj diagonal; ~**ly** adv diagonalement; * n diagonale f.

diagram n diagramme m.

dial n cadrant m.

dial code n code m.

dialect n dialecte m.

dialogue n dialogue m.

dial tone n tonalité f.

diameter n diamètre m.

diametrical adj diamétral; ~**ly** adv diamétralement.

diamond n diamant m.

diamond-cutter n tailleur de diamant m.

diamonds npl (cards) carreaux mpl.

diaper n couche f.

diaphragm n diaphragme m.

diarrhoea n diarrhée f.

diary n journal m.

dice npl dés mpl.

dictate vt dicter; * n ordre m.

dictation n dictée f.

dictatorial adj dictatorial.

dictatorship n dictature f.

diction n diction f

dictionary n dictionnaire m.

didactic adj didactique.

die vi mourir; ~ **away** s'affaiblir; ~ **down** s'éteindre.

die n (sing de **dice**) dé m.

diehard n réactionnaire mf.

diesel n diesel m.

diet n diète f; régime m; * vi être au régime.

dietary adj diététique.

differ vi différer.

difference n différence f.

different adj différent; ~**ly** adv différemment.

differentiate vt différencier.

difficult adj difficile.

difficulty n difficulté f.

diffidence n timidité f; manque d'assurance m.

diffident adj timide; mal assuré; ~**ly** adv avec timidité.

diffraction n diffraction f.

diffuse vt diffuser, répandre; * adj diffus.

diffusion n diffusion f.

dig vt creuser; * n coup m.

digest vt digérer.

digestible adj digestible.

digestion n digestion f.

digestive adj digestif.

digger n excavatrice f.

digit n chiffre m.

digital adj digital; numérique.

dignified adj digne.

dignitary n dignitaire m.

dignity n dignité f.

digress vi faire une digression.

digression n digression f.

dike n digue f.

dilapidated adj délabré.

dilapidation n délabrement m.

dilate vt dilater; * vi se dilater.

dilemma n dilemme m.

diligence n assiduité f.

diligent adj assidu; ~**ly** adv avec assiduité.

dilute vt diluer.

dim adj indistinct; faible; sombre; * vt affaiblir; troubler.

dime n pièce de dix cents f.

dimension n dimension f.

diminish vt vi diminuer.

diminution n diminution f.

diminutive n diminutif m.

dimly adv indistinctement; faiblement.

dimmer n interrupteur d'intensité m.

dimple n fossette f.

din n vacarme m.

dine vi dîner.

diner n restaurant (économique) m; dîneur m -euse f.

dinghy n canot pneumatique f.

dingy adj sale; miteux.

dinner n dîner m.

dinner time n heure du dîner f.

dinosaur n dinosaure m.

dint n: by ~ of à force de.

diocese n diocèse m.

dip vt tremper.

diphtheria n diphtérie f.

diphthong n diphtongue f.

diploma n diplôme m.

diplomacy n diplomatie f.

diplomat n diplomate m.

diplomatic adj diplomatique.

dipsomania n dipsomanie f.

dipstick n (auto) jauge f.

dire adj atroce, affreux.

direct adj direct; * vt diriger.

direction n direction f; instruction f.

directly adj directement; immédiatement.

director n directeur m -trice f.

directory n annuaire m.

dirt n saleté f.

dirtiness n saleté f.

dirty adj sale.

disability n incapacité f; infirmité f.

disabled adj infirme.

disabuse vt détromper.

disadvantage n désavantage m; * vt désavantager.

disadvantageous adj désavantageux.

disaffected adj mécontent.

disagree vi ne pas être d'accord.

disagreeable adj désagréable; ~bly adv désagréablement.

disagreement n désaccord m.

disallow vt rejeter.

disappear vi disparaître.

disappearance n disparition f.

disappoint vt décevoir.

disappointed adj déçu.

disappointing adj décevant.

disappointment n déception f.

disapproval n désapprobation f.

disapprove vt désapprouver.

disarm vt désarmer.

disarmament n désarmement m.

disarray n désordre m.

disaster n désastre m.

disastrous adj désastreux.

disband vt disperser.

disbelief n incrédulité f.

disbelieve vt ne pas croire.

disburse vt débourser.

discard vt jeter.

discern vt discerner, percevoir.

discernible adj perceptible.

discerning adj perspicace.

discernment n perspicacité f.

discharge vt décharger; régler (une dette); remplir; * n décharge f; règlement m.

disciple n disciple m.

discipline n discipline f; * vt discipliner.

disclaim vt nier.

disclaimer n dénégation f.

disclose vt révéler.

disclosure n révélation f.

disco n discothèque f.

discoloration n décoloration f.

discolour vt décolorer.

discomfort n incommodité f.

disconcert vt déconcerter.

disconnect vt débrancher.

disconsolate adj inconsolable; ~ly adv inconsolablement.

discontent n mécontentement m; * adj mécontent.

discontented adj mécontent.

discontinue vt interrompre.

discord n discorde f.

discordant adj discordant.

discount n escompte m; remise f; * vt escompter.

discourage vt décourager.

discouraged adj découragé.

discouragement n découragement m.

discouraging *adj* décourageant.

discourse *n* discours *m*.

discourteous *adj* discourtois; ~ly *adv* de manière discourtoise.

discourtesy *n* manque de courtoisie *m*.

discover *vt* découvrir.

discovery *n* découverte *f*.

discredit *vt* discréditer.

discreditable *adj* peu honorable.

discreet *adj* discret; ~ly *adv* discrètement.

discrepancy *n* contradiction *f*.

discretion *n* discrétion *f*.

discretionary *adj* discrétionnaire.

discriminate *vt* distinguer; discriminer.

discrimination *n* discrimination *f*.

discursive *adj* discursif.

discuss *vt* discuter.

discussion *n* discussion *f*.

disdain *vt* dédaigner; * *n* dédain, mépris *m*.

disdainful *adj* dédaigneux, méprisant; ~ly *adv* dédaigneusement, avec mépris.

disease *n* maladie *f*.

diseased *adj* malade.

disembark *vt vi* débarquer.

disembarkation *n* (*mil*) débarquement *m*.

disenchant *vt* désenchanter.

disenchanted *adj* désenchanté.

disenchantment *n* désenchantement *m*.

disengage *vt* dégager.

disentangle *vt* démêler.

disfigure *vt* défigurer.

disgrace *n* honte *f*; scandale *m*; * *vt* déshonorer.

disgraceful *adj* honteux; scandaleux; ~ly *adv* honteusement.

disgruntled *adj* mécontent.

disguise *vt* déguiser; * *n* déguisement *m*.

disgust *n* dégoût *m*; * *vt* dégoûter.

disgusting *adj* dégoûtant.

dish *n* plat *m*; assiette *f*; * *vt* servir dans un plat; ~ up servir.

dishcloth *n* torchon à vaisselle *m*.

dishearten *vt* démoraliser.

dishevelled *adj* ébouriffé.

dishonest *adj* malhonnête; ~ly *adv* malhonnêtement.

dishonesty *n* malhonnêteté *f*.

dishonour *n* déshonneur *m*; * *vt* déshonorer.

dishonourable *adj* déshonorable; ~bly *adv* de manière déshonorante.

dishtowel *n* torchon à vaisselle *m*.

dishwarmer *n* chauffe-plats *m*.

dishwasher *n* lave-vaisselle *m*; plongeur *m* -euse *f*.

disillusion *vt* désillusionner.

disillusioned *adj* désillusionné.

disincentive *n* élément dissuasif *m*.

disinclination *n* aversion *f*.

disinclined *adj* peu enclin.

disinfect *vt* désinfecter.

disinfectant *n* désinfectant *m*.

disinherit *vt* déshériter.

disintegrate *vi* se désintégrer.

disinterested *adj* désintéressé; ~ly *adv* de manière désintéressée.

disjointed *adj* déréglé; décousu.

disk *n* disque *m*; disquette *f*.

diskette *n* disque *m*, disquette *f*.

dislike *n* aversion *f*; * *vt* ne pas aimer.

dislocate *vt* disloquer.

dislocation *n* dislocation *f*.

dislodge *vt* déloger.

disloyal *adj* déloyal; ~ly *adv* déloyalement.

disloyalty *n* déloyauté *f*.

dismal *adj* triste, lugubre.

dismantle *vt* démonter.

dismay *n* consternation *f*.

dismember *vt* démembrer.

dismiss *vt* renvoyer; écarter.

dismissal *n* renvoi *m*; rejet *m*.

dismount *vt* désarçonner; * *vi* descendre.

disobedience *n* désobéissance *f*.

disobedient *adj* désobéissant.

disobey *vt* désobéir.

disorder n désordre m.

disorderly adj en désordre, confus.

disorganisation n désorganisation f.

disorganised adj désorganisé.

disorientated adj désorienté.

disown vt renier.

disparage vt dénigrer.

disparaging adj désobligeant.

disparity n disparité f.

dispassionate adj impartial; calme.

dispatch vt envoyer; * n envoi m; dépêche f.

dispel vt dissiper.

dispensary n dispensaire m.

dispense vt dispenser; distribuer.

disperse vt disperser.

dispirited adj démoralisé.

displace vt déplacer.

display vt exposer; faire preuve de; * n exposition f; déploiement m.

displeased adj mécontent.

displeasure n mécontentement m.

disposable adj à jeter.

disposal n disposition f.

dispose vt disposer.

disposed adj disposé.

disposition n disposition f.

dispossess vt déposséder.

disproportionate adj disproportionné.

disprove vt réfuter.

dispute n dispute f; controverse f; * vt mettre en cause.

disqualify vt exclure; disqualifier.

disquiet n inquiétude f.

disquieting adj inquiétant.

disquisition n dissertation f.

disregard vt ne pas tenir compte de; mépriser; * n dédain m.

disreputable adj de mauvaise réputation.

disrespect n irrévérence f.

disrespectful adj irrespectueux; ~ly adv irrespectueusement.

disrobe vt dévêtir.

disrupt vt interrompre.

disruption n interruption f.

dissatisfaction n mécontentement m.

dissatisfied adj mécontent.

dissect vt disséquer.

dissection n dissection f.

disseminate vt disséminer.

dissension n dissension f.

dissent vi être en dissension; * n dissension f.

dissenter n dissident m -e f.

dissertation n thèse f.

dissident n dissident m -e f.

dissimilar adj dissemblable.

dissimilarity n dissemblance f.

dissimulation n dissimulation f.

dissipate vt dissiper.

dissipation n dissipation f.

dissociate vt dissocier.

dissolute adj dissolu.

dissolution n dissolution f.

dissolve vt dissoudre; * vi se dissoudre.

dissonance n dissonance f.

dissuade vt dissuader.

distance n distance f; at a ~ de loin; * vt distancer.

distant adj distant.

distaste n dégoût m.

distasteful adj désagréable.

distend vt distendre.

distil vt distiller.

distillation n distillation f.

distillery n distillerie f.

distinct adj distinct; ~ly adv distinctement.

distinction n distinction f.

distinctive adj distinctif.

distinctness n clarté f.

distinguish vt distinguer; discerner.

distort vt déformer.

distorted adj déformé.

distortion n distortion f.

distract vt distraire.

distracted adj distrait; ~ly adj distraitement.

distraction n distraction f; confusion f.

distraught *adj* éperdu.

distress *n* souffrance *f*; détresse *f*; * *vt* désoler; affliger.

distressing *adj* affligeant.

distribute *vt* distribuer, répartir.

distribution *n* distribution *f*.

distributor *n* distributeur *m*.

district *n* district *m*.

district attorney *n* procureur de la République *m*.

distrustful *adj* méfiant.

disturb *vt* déranger.

disturbance *n* dérangement *m*; trouble *m*.

disturbed *adj* troublé.

disturbing *adj* troublant.

disuse *n* désuétude *f*.

disused *adj* abandonné.

ditch *n* fossé *m*.

dither *vi* hésiter.

ditto *adv* idem.

ditty *n* chansonnette *f*.

diuretic *adj* (*med*) diurétique.

dive *vi* plonger.

diver *n* plongeur *m* -euse *f*.

diverge *vi* diverger.

divergence *n* divergence *f*.

divergent *adj* divergent.

diverse *adj* divers, différent; ~**ly** *adv* différemment.

diversion *n* diversion *f*.

diversity *n* diversité *f*.

divert *vt* dévier; divertir.

divest *vt* dénuder; dépouiller.

divide *vt* diviser; * *vi* se diviser.

dividend *n* dividende *m*.

dividers *npl* (*math*) compas à pointes sèches *m*.

divine *adj* divin.

divinity *n* divinité *f*.

diving *n* plongeon *m*.

diving board *n* plongeoir *m*.

divisible *adj* divisible.

division *n* (*math*) division *f*.

divisor *n* (*math*) diviseur *m*.

divorce *n* divorce *m*; * *vi* divorcer.

divorced *adj* divorcé.

divulge *vt* divulguer.

dizziness *n* vertige *m*.

dizzy *adj* pris de vertige.

DJ *n* disc-jockey, DJ *m*.

do *vt* faire.

docile *adj* docile.

dock *n* dock *m*; * *vi* entrer aux docks.

docker *n* docker *m*.

dockyard *n* chantier *m* naval.

doctor *n* docteur *m*.

doctrinal *adj* doctrinal.

doctrine *n* doctrine *f*.

document *n* document *m*.

documentary *adj* documentaire.

dodge *vt* esquiver.

doe *n* biche *f*; ~ **rabbit** lapine *f*.

dog *n* chien *m*.

dogged *adj* tenace; ~**ly** *adv* tenacement.

dog kennel *n* refuge pour chiens *m*.

dogmatic *adj* dogmatique; ~**ly** *adv* dogmatiquement.

doings *npl* faits *mpl*.

do-it-yourself *n* bricolage *m*.

doleful *adj* lugubre, triste.

doll *n* poupée *f*.

dollar *n* dollar *m*.

dolphin *n* dauphin *m*.

domain *n* domaine *m*.

dome *n* dôme *m*.

domestic *adj* domestique.

domesticate *vt* domestiquer.

domestication *n* domestication *f*.

domesticity *n* domesticité *f*.

domicile *n* domicile *m*.

dominant *adj* dominant.

dominate *vi* dominer.

domination *n* domination *f*.

domineer *vi* dominer.

domineering *adj* autoritaire.

dominion *n* domination *f*.

dominoes *npl* domino *m*.

donate *vt* donner, faire don de.

donation *n* donation *f*.

done *p*, *adj* fait; cuit.

donkey *n* âne *m*.

donor *n* donneur *m*; donateur *m*.

doodle *vi* gribouiller.

doom *n* sort *m*.

door *n* porte *f*.

doorbell *n* sonnette *f*.
door handle *n* poignée de porte *f*.
doorman *n* portier *m*.
doormat *n* paillasson *m*.
doorplate *n* plaque *f*.
doorstep *n* pas de porte *m*.
doorway *n* entrée *f*.
dormant *adj* latent; dormant.
dormer window *n* lucarne *f*.
dormitory *n* dortoir *m*.
dormouse *n* loir *m*.
dosage *n* dose *f*; dosage *m*.
dose *n* dose *f*; * *vt* doser; donner une dose à.
dossier *n* dossier *m*.
dot *n* point *m*.
dote *vi* adorer.
dotingly *adv* avec adoration.
double *adj* double; * *vt* doubler; * *n* double *m*.
double bed *n* lit *m* à deux places.
double-breasted *adj* croisé.
double chin *n* double menton *m*.
double-dealing *n* duplicité *f*.
double-edged *adj* à double tranchant.
double entry *n* (*com*) comptabilité en partie double *f*.
double-lock *vt* fermer à double tour.
double room *n* chambre pour deux *f*.
doubly *adv* doublement.
doubt *n* doute *m*; * *vt* douter de.
doubtful *adj* douteux.
doubtless *adv* indubitablement.
dough *n* pâte *f*.
douse *vt* éteindre.
dove *n* colombe *f*.
dovecot *n* colombier *m*.
dowdy *adj* mal habillé.
down *n* duvet *m*; * *prep* en bas; **to sit ~** s'asseoir; **upside ~** à l'envers.
downcast *adj* démoralisé; baissé.
downfall *n* ruine *f*.
downhearted *adj* découragé.
downhill *adv* en descendant, dans la descente.
down payment *n* acompte *m*.

downpour *n* grosse averse *f*.
downright *adj* manifeste.
downstairs *adv* en bas.
down-to-earth *adj* pratique; terre à terre.
downtown *adv* dans le centre, en ville.
downward(s) *adv* vers le bas.
dowry *n* dot *f*.
doze *vi* somnoler.
dozen *n* douzaine *f*.
dozy *adj* somnolent.
drab *adj* gris; morne.
draft *n* brouillon *m*; traite *f*.
drag *vt* tirer; * *n* drague *f*; ennui *m*.
dragnet *n* seine *f*; filet *m*.
dragon *n* dragon *m*.
dragonfly *n* libellule *f*.
drain *vt* drainer; vider; * *n* tuyau d'écoulement *m*.
drainage *n* drainage *m*.
drainboard *n* égouttoir *m*.
drainpipe *n* tuyau d'écoulement *m*.
drake *n* canard mâle *m*.
dram *n* petit verre *m*.
drama *n* drame *m*.
dramatic *adj* dramatique; **~ally** *adv* dramatiquement.
dramatise *vt* dramatiser.
dramatist *n* dramaturge *mf*.
drape *vt* draper.
drapes *npl* tentures *fpl*.
drastic *adj* radical.
draught *n* courant d'air *m*.
draughts *npl* jeu de dames *m*.
draughty *adj* exposé aux courants d'air.
draw *vt* tirer; dessiner; **~ nigh** s'approcher.
drawback *n* désavantage, inconvénient *m*.
drawer *n* tiroir *m*.
drawing *n* dessin *m*.
drawing board *n* planche à dessin *f*.
drawing room *n* salon *m*.
drawl *vi* parler d'une voix traînante.

dread n terreur f; * vt redouter, craindre.

dreadful adj horrible; ~ly adv horriblement.

dream n rêve m; * vt vi rêver.

dreary adj triste, morne.

dredge vt draguer.

dregs npl lie f.

drench vt tremper.

dress vt habiller; panser; * vi s'habiller; * n robe f.

dresser n buffet m.

dressing n pansement m; sauce f.

dressing gown n peignoir m.

dressing room n loge f; garde-robe f.

dressing table n coiffeuse f.

dressmaker n couturier m -ière f.

dressy adj élégant.

dribble vi tomber goutte à goutte.

dried adj séché.

drift n amoncellement m; courant m; sens m; * vi aller à la dérive.

driftwood n bois flottant m.

drill n perceuse f; (mil) exercice m; * vt percer.

drink vt vi boire; * n boisson f.

drinkable adj potable; buvable.

drinker n buveur m -euse f.

drinking bout n beuverie f.

drinking water n eau potable f.

drip vi goutter; * n goutte f; goutte-à-goutte m.

dripping n graisse f.

drive vt conduire; pousser; * vi conduire; * n promenade en voiture f; allée, entrée f.

drivel n imbécilités fpl; * vi baver; dire des imbécilités.

driver n conducteur m -trice f; chauffeur m.

driveway n allée, entrée f.

driving n conduite f.

driving instructor n moniteur (-trice) d'auto-école m(f).

driving licence n permis m de conduire.

driving school n auto-école f.

driving test n examen m du permis de conduire.

drizzle vi bruiner.

droll adj drôle.

drone n bourdonnement m.

droop vi tomber.

drop n goutte f; * vt laisser tomber; * vi tomber; ~ out se retirer; abandonner.

drop-out n marginal m.

dropper n compte-gouttes m invar.

dross n scories fpl.

drought n sécheresse f.

drove n: in ~s en troupe.

drown vt noyer; * vi se noyer.

drowsiness n somnolence f.

drowsy adj somnolent.

drudgery n corvée f.

drug n drogue f; * vt droguer.

drug addict n drogué m -e f.

druggist n pharmacien m -ne f.

drugstore n pharmacie f.

drum n tambour m; * vi jouer du tambour.

drum majorette n majorette f.

drummer n batteur m.

drumstick n baguette de tambour f.

drunk adj ivre.

drunkard n ivrogne mf.

drunken adj ivre.

drunkenness n ivresse f.

dry adj sec; * vt faire sécher; * vi sécher.

dry-cleaning n nettoyage à sec m.

dry-goods store n (US) mercerie f.

dryness n sécheresse f.

dry rot n pourriture f.

dual adj double.

dual-purpose adj à double emploi.

dubbed adj doublé.

dubious adj douteux.

duck n canard m; * vt vi plonger.

duckling n caneton m.

dud adj nul; faux.

due adj dû, f due; * adv exactement; * n droit m; chose due f.

duel n duel m.

duet n (mus) duo m.

dull adj terne; insipide; gris; * vt ternir; atténuer.

duly adv dûment; en temps voulu.

dumb adj muet; ~ly adv sans dire un mot.

dumbbell n haltère m; (US) abruti m.

dumbfounded adj interloqué.

dummy n mannequin m; prête-nom m.

dump n tas m; * vt jeter; laisser tomber.

dumping n (com) dumping m.

dumpling n boulette de pâte f.

dumpy adj boulot;-te f.

dunce n cancre m.

dune n dune f.

dung n fumier m.

dungarees npl salopette f.

dungeon n donjon m; cachot m.

dupe n dupe f; * vt duper.

duplex n duplex m.

duplicate n duplicata m; copie f; * vt dupliquer.

duplicity n duplicité f.

durability n durabilité f.

durable adj durable.

duration n durée f.

during prep pendant.

dusk n crépuscule m.

dust n poussière f; * vt épousseter.

duster n chiffon m.

dusty adj poussiéreux.

Dutch courage n courage puisé dans la boisson m.

duteous adj fidèle, loyal.

dutiful adj obéissant, soumis; ~ly adv avec obéissance.

duty n devoir m; obligation f.

duty-free adj hors taxe.

dwarf n nain m, naine f; * vt rapetisser.

dwell vi habiter, vivre.

dwelling n habitation f; domicile m.

dwindle vi diminuer.

dye vt teindre; * n teinture f.

dyer n teinturier m.

dyeing n teinturerie f; teinture f.

dye-works npl teinturerie f.

dying p, adj mourant, agonisant; * n mort f.

dynamic adj dynamique.

dynamics n dynamique f.

dynamite n dynamite f.

dynamiter n dynamiteur m -euse f.

dynamo n dynamo f.

dynasty n dynastie f.

dysentery n dysenterie f.

dyspepsia n (med) dyspepsie f.

dyspeptic adj dyspeptique.

E

each pn chacun(e); ~ **other** les un(e)s les autres.

eager adj enthousiaste; ardent; ~ly adv avec enthousiasme; ardemment.

eagerness n enthousiasme m; ardeur f; désir m.

eagle n aigle m.

eagle-eyed adj aux yeux d'aigle.

eaglet n aiglon m.

ear n oreille f; ouïe f; by ~ en improvisant.

earache n mal d'oreille m.

eardrum n tympan m.

early adj premier; adv tôt, de bonne heure.

earmark vt (fig) désigner.

earn vt gagner.

earnest adj sérieux; ~ly adv sérieusement.

earnestness *n* sérieux *m*.

earnings *npl* revenus *mpl*.

earphones *npl* écouteurs *mpl*.

earring *n* boucle d'oreille *f*.

earth *n* terre *f*; * *vt* brancher à la terre.

earthen *adj* de terre.

earthenware *n* poterie *f*.

earthquake *n* tremblement de terre *m*.

earthworm *n* ver de terre *m*.

earthy *adj* terreux; truculent.

earwig *n* perce-oreille *m*.

ease *n* aise *f*; facilité *f*; at ~ à l'aise; * *vt* apaiser; soulager.

easel *n* chevalet *m*.

easily *adv* facilement.

easiness *n* facilité *f*.

east *n* est *m*; orient *m*.

Easter *n* Pâques *fpl*.

Easter egg *n* œuf de Pâques *m*.

easterly *adj* d'est.

eastern *adj* de l'est, oriental.

eastward(s) *adv* vers l'est.

easy *adj* facile; commode; ~ going décontracté.

easy chair *n* fauteuil *m*.

eat *vt vi* manger.

eatable *adj* comestible; mangeable; * ~s *npl* vivres *mpl*.

eaves *npl* avant-toit *m*.

eau de Cologne *n* eau *f* de Cologne.

eavesdrop *vt* espionner; écouter discrètement.

ebb *n* reflux *m*; * *vi* refluer; décliner.

ebony *n* ébène *f*.

eccentric *adj* excentrique.

eccentricity *n* excentricité *f*.

ecclesiastic *adj* ecclésiastique.

echo *n* écho *m*; * *vi* résonner.

eclectic *adj* éclectique.

eclipse *n* éclipse *f*; * *vt* éclipser.

ecology *n* écologie *f*.

economic(al) *adj* économique; économe.

economics *npl* économie *f*.

economise *vt* économiser.

economist *n* économiste *mf*.

economy *n* économie *f*.

ecstasy *n* extase *f*.

ecstatic *adj* extatique; ~ally *adv* avec extase.

eczema *n* eczéma *m*.

eddy *n* tourbillon *m*; * *vi* tourbillonner.

edge *n* fil *m*; pointe *f*; bord *m*; acrimonie *f*; * *vt* border; affiler.

edgeways, edgewise *adv* de côté.

edging *n* bordure *f*.

edgy *adj* nerveux.

edible *adj* mangeable; comestible.

edict *n* édit *m*; décret *m*.

edification *n* édification *f*.

edifice *n* édifice *m*.

edify *vt* édifier.

edit *vt* diriger; rédiger; couper.

edition *n* édition *f*.

editor *n* directeur *m* -trice *f*; rédacteur *m* -trice *f*.

editorial *adj* rédactionnel; * *n* éditorial *m*.

educate *vt* éduquer; instruire.

education *n* éducation *f*; instruction *f*.

eel *n* anguille *f*.

eerie *adj* inquiétant; surnaturel.

efface *vt* effacer.

effect *n* effet *m*; réalité *f*; ~s *npl* biens *mpl*; * *vt* effectuer.

effective *adj* efficace; effectif; ~ly *adv* effectivement, en effet.

effectiveness *n* efficacité *f*.

effectual *adj* efficace; ~ly *adv* efficacement.

effeminacy *n* caractère efféminé *m*.

effeminate *adj* efféminé.

effervescence *n* effervescence *f*.

effete *adj* (*bot*) stérile; faible.

efficacy *n* efficacité *f*.

efficiency *n* efficacité *f*.

efficient *adj* efficace.

effigy *n* effigie *f*.

effort *n* effort *m*.

effortless *adj* sans effort.

effrontery *n* effronterie *f*.

effusive *adj* chaleureux; expansif.

egg *n* œuf *m*; * ~ **on** *vt* encourager.

eggcup *n* coquetier *m*.

eggplant *n* (US) aubergine *f*.

eggshell *n* coquille d'œuf *f*.

ego(t)ism *n* égoïsme *m*.

ego(t)ist *n* égoïste *mf*.

ego(t)istical *adj* égoïste.

eiderdown *n* édredon *m*.

eight *adj n* huit *m*.

eighteen *adj n* dix-huit *m*.

eighteenth *adj n* dix-huitième *mf*.

eighth *adj n* huitième *mf*.

eightieth *adj n* quatre-vingtième *mf*.

eighty *adj n* quatre-vingt.

either *pn* n'importe lequel, n'importe laquelle; * *conj* ou, soit.

ejaculate *vi* s'exclamer; éjaculer.

ejaculation *n* exclamation *f*; éjaculation *f*.

eject *vt* éjecter, expulser.

ejection *n* éjection, expulsion *f*.

ejector seat *n* siège éjectable *m*.

eke *vt* augmenter; prolonger.

elaborate *vt* élaborer; * *adj* élaboré; compliqué; ~**ly** *adv* avec soin.

elapse *vi* s'écouler.

elastic *adj* élastique.

elasticity *n* élasticité *f*.

elated *adj* exultant.

elation *n* exultation *f*.

elbow *n* coude *m*; * *vt* pousser du coude.

elbow-room *n* espace *m*; (*fig*) liberté, latitude *f*.

elder *n* sureau *m*; * *adj* aîné.

elderly *adj* d'un âge avancé.

elders *npl* anciens *mpl*.

eldest *adj* aîné.

elect *vt* élire; choisir; * *adj* élu; choisi.

election *n* élection *f*; choix *m*.

electioneering *n* propagande électorale *f*.

elective *adj* facultatif; électif.

elector *n* électeur *m* -trice *f*.

electoral *adj* électoral.

electorate *n* électorat *m*.

electric(al) *adj* électrique.

electric blanket *n* couverture électrique *f*.

electric cooker *n* cuisinière électrique *f*.

electric fire *n* radiateur électrique *m*.

electrician *n* électricien *m*.

electricity *n* électricité *f*.

electrify *vt* électriser.

electron *n* électron *m*.

electronic *adj* électronique; ~**s** *npl* électronique *f*.

elegance *n* élégance *f*.

elegant *adj* élégant; ~**ly** *adv* élégamment.

elegy *n* élégie *f*.

element *n* élément *m*.

elemental, elementary *adj* élémentaire.

elephant *n* éléphant *m*.

elephantine *adj* lourd.

elevate *vt* élever, hausser.

elevation *n* élévation *f*; hauteur *f*.

elevator *n* ascenseur *m*.

eleven *adj n* onze *m*.

eleventh *adj n* onzième *mf*.

elf *n* elfe *m*.

elicit *vt* tirer, obtenir.

eligibility *n* éligibilité *f*.

eligible *adj* éligible.

eliminate *vt* éliminer, écarter.

elk *n* élan *m*.

elliptic(al) *adj* elliptique.

elm *n* orme *m*.

elocution *n* élocution *f*.

elocutionist *n* professeur d'élocution *m*.

elongate *vt* allonger.

elope *vi* s'échapper, s'enfuir.

elopement *n* fugue, évasion *f*.

eloquence *n* éloquence *f*.

eloquent *adj* éloquent; ~**ly** *adv* éloquemment.

else *pn* autre.

elsewhere *adv* ailleurs.

elucidate *vt* élucider, expliquer.

elucidation *n* élucidation, explication *f*.

elude *vt* éluder; éviter.

elusive, elusory *adj* insaisissable.

emaciated *adj* émacié.

emanate (from) *vi* émaner (de).

emancipate *vt* émanciper; affranchir.

emancipation *n* émancipation *f*; affranchissement *m*.

embalm *vt* embaumer.

embankment *n* talus *m*; quai *m*.

embargo *n* embargo *m*.

embark *vt* embarquer.

embarkation *n* embarcation *f*.

embarrass *vt* embarrasser.

embarrassed *adj* embarrassé.

embarrassing *adj* embarrassant.

embarrassment *n* embarras *m*.

embassy *n* ambassade *f*.

embed *vt* enchâsser; intégrer.

embellish *vt* embellir, orner.

embellishment *n* ornement *m*.

ember *n* braise *f*.

embezzle *vt* détourner.

embezzlement *n* détournement de fonds *m*.

embitter *vt* rendre amer.

emblem *n* emblème *m*.

emblematic(al) *adj* emblématique, symbolique.

embodiment *n* (*law*) incorporation *f*; incarnation *f*.

embody *vt* (*law*) incorporer; incarner.

embrace *vt* étreindre; comprendre; * *n* étreinte *f*.

embroider *vt* broder.

embroidery *n* broderie *f*.

embroil *vt* impliquer.

embryo *n* embryon *m*.

emendation *n* correction *f*.

emerald *n* émeraude *f*.

emerge *vi* émerger; apparaître.

emergency *n* urgence *f*.

emergency cord *n* sonnette d'alarme *f*.

emergency exit *n* sortie de secours *f*.

emergency landing *n* atterrissage forcé *m*.

emergency meeting *n* réunion extraordinaire *f*.

emery *n* émeri *m*.

emigrant *n* émigré *m* -e *f*.

emigrate *vi* émigrer.

emigration *n* émigration *f*.

eminence *n* hauteur *f*; éminence, excellence *f*.

eminent *adj* élevé; éminent, distingué; **~ly** *adv* éminemment.

emission *n* émission *f*.

emit *vt* émettre.

emoluments *npl* émoluments *mpl*.

emotion *n* émotion *f*.

emotional *adj* émotionnel; ému.

emotive *adj* émotif.

emperor *n* empereur *m*.

emphasis *n* emphase *f*.

emphasise *vt* souligner, accentuer.

emphatic *adj* emphatique; **~ally** *adv* avec emphase.

empire *n* empire *m*.

employ *vt* employer.

employee *n* employé *m* -e *f*.

employer *n* employeur *m*.

employment *n* emploi, travail *m*.

emporium *n* grand magasin *m*.

empress *n* impératrice *f*.

emptiness *n* vide *m*; futilité *f*.

empty *adj* vide; vain; * *vt* vider.

empty-handed *adj* les mains vides.

emulate *vt* imiter.

emulsion *n* émulsion *f*.

enable *vt* permettre.

enact *vt* promulguer; représenter.

enamel *n* émail *m*; * *vt* émailler.

enamour *vt* s'éprendre de.

encamp *vi* camper.

encampment *n* campement *m*.

encase *vt* entourer.

enchant *vt* enchanter.

enchanting *adj* enchanteur.

enchantment *n* enchantement *m*.

encircle *vt* encercler.

enclose *vt* entourer; inclure, joindre.

enclosure *n* clôture *f*; enceinte *f*.

encompass *vt* comprendre.
encore *adv* encore.
encounter *n* rencontre *f*; combat *m*; * *vt* rencontrer.
encourage *vt* encourager.
encouragement *n* encouragement *m*.
encroach *vi* empiéter (sur).
encroachment *n* empiètement *m*.
encrusted *adj* incrusté.
encumber *vt* embarrasser.
encumbrance *n* embarras *m*.
encyclical *adj* encyclique.
encyclopedia *n* encyclopédie *f*.
end *n* fin *f*; extrémité *f*; bout *m*; dessein *m*; **to that** ~ afin que; **to no** ~ en vain; **on** ~ debout; * *vt* terminer, conclure; * *vi* terminer.
endanger *vt* mettre en danger.
endear *vt* faire aimer.
endearing *adj* attachant.
endearment *n* expression de tendresse *f*.
endeavour *vi* s'efforcer, tenter; * *n* effort *m*.
endemic *adj* endémique.
ending *n* fin, conclusion *f*; dénouement *m*; terminaison *f*.
endive *n* (*bot*) endive *f*.
endless *adj* infini, perpétuel; **~ly** *adv* sans fin, perpétuellement.
endorse *vt* endosser; approuver.
endorsement *n* endos *m*; approbation *f*.
endow *vt* doter.
endowment *n* dotation *f*.
endurable *adj* supportable.
endurance *n* endurance *f*; patience *f*.
endure *vt* supporter; * *vi* durer.
endways, endwise *adv* debout.
enemy *n* ennemi *mf*.
energetic *adj* énergique, vigoureux.
energy *n* énergie, force *f*.
enervate *vt* débiliter.
enfeeble *vt* affaiblir.
enfold *vt* envelopper.

enforce *vt* mettre en vigueur.
enforced *adj* forcé.
enfranchise *vt* émanciper.
engage *vt* aborder; engager.
engaged *adj* fiancé; occupé.
engagement *n* engagement *m*; combat *m*; fiançailles *fpl*; ~ **ring** *n* bague de fiançailles *f*.
engaging *adj* attrayant.
engender *vt* engendrer; produire.
engine *n* moteur *m*; locomotive *f*.
engine driver *n* conducteur *m*.
engineer *n* ingénieur *m*; mécanicien *m*.
engineering *n* ingénierie *f*.
engrave *vt* graver.
engraving *n* gravure *f*.
engrossed *adj* absorbé.
engulf *vt* submerger.
enhance *vt* améliorer; réhausser.
enigma *n* énigme *f*.
enjoy *vt* aimer; jouir de; ~ **o.s.** s'amuser.
enjoyable *adj* agréable; amusant.
enjoyment *n* plaisir *m*; jouissance *f*.
enlarge *vt* agrandir; étendre; dilater.
enlargement *n* agrandissement *m*; extension *f*; dilatation *f*.
enlighten *vt* éclairer.
enlightened *adj* éclairé.
Enlightenment *n*: **the** ~ le Siècle des lumières *m*.
enlist *vt* recruter.
enlistment *n* recrutement *m*.
enliven *vt* animer; égayer.
enmity *n* inimitié *f*; haine *f*.
enormity *n* énormité *f*; atrocité *f*.
enormous *adj* énorme; **~ly** *adv* énormément.
enough *adv* suffisamment; assez; * *n* assez *m*.
enounce *vt* déclarer.
enquire *vt* = inquire.
enrage *vt* rendre furieux.
enrapture *vt* enchanter, enthousiasmer.
enrich *vt* enrichir; orner.

enrichment n enrichissement m.
enrol vt enrôler; inscrire.
enrolment n inscription f.
en route adv en route.
ensign n (mil) drapeau m; porte-étendard m; (mar) pavillon m.
enslave vt asservir.
ensue vi s'ensuivre.
ensure vt assurer.
entail vt impliquer, entraîner.
entangle vt emmêler, embrouiller.
entanglement n emmêlement m.
enter vt entrer dans; inscrire; ~ for se présenter à; ~ into commencer; faire partie de.
enterprise n entreprise f.
enterprising adj entreprenant.
entertain vt divertir; recevoir; avoir.
entertainer n artiste mf.
entertaining adj divertissant, amusant.
entertainment n divertissement, passe-temps m.
enthralled adj captivé.
enthralling adj captivant.
enthrone vt introniser.
enthusiasm n enthousiasme m.
enthusiast n enthousiaste mf.
enthusiastic adj enthousiaste.
entice vt tenter; séduire.
entire adj entier, complet; parfait; ~ly adv entièrement.
entirety n intégralité f.
entitle vt intituler; conférer un droit à.
entitled adj intitulé; **to be ~ to** avoir le droit de.
entity n entité f.
entourage n entourage m.
entrails npl entrailles fpl.
entrance n entrée f; admission f.
entrance examination n examen d'entrée m.
entrance fee n droit d'inscription m.
entrance hall n vestibule m.
entrance ramp n bretelle d'accès f.

entrant n participant m -e f; candidat m -e f.
entrap vt piéger.
entreat vt implorer, supplier.
entreaty n supplication, prière f.
entrepreneur n entrepreneur m.
entrust vt confier.
entry n entrée f.
entry phone n interphone m.
entwine vt entrelacer.
enumerate vt énumérer.
enunciate vt énoncer.
enunciation n énonciation f.
envelop vt envelopper.
envelope n enveloppe f.
enviable adj enviable.
envious adj envieux; ~ly adv avec envie.
environment n environnement m.
environmental adj relatif à l'environnement.
environs npl environs mpl.
envisage vt envisager.
envoy n envoyé m -e f.
envy n envie f; * vt envier.
ephemeral adj éphémère.
epic adj épique; * n récit épique m.
epidemic adj épidémique; * n épidémie f.
epilepsy n épilepsie f.
epileptic adj épileptique.
epilogue n épilogue m.
Epiphany n Epiphanie f.
episcopacy n épiscopat m.
episcopal adj épiscopal.
episcopalian n épiscopalien m -ne f.
episode n épisode m.
epistle n épître f.
epistolary adj épistolaire.
epithet n épithète f.
epitome n modèle m; résumé m.
epitomise vt incarner; résumer.
epoch n époque f.
equable adj uniforme; ~bly adv uniformément.
equal adj égal; semblable; * n égal m -e f; * vt égaler.
equalise vt égaliser.

equaliser n point égalisateur m.
equality n égalité f.
equally adv également.
equanimity n équanimité f.
equate vt comparer; assimiler.
equation n équation f.
equator n équateur m.
equatorial adj équatorial.
equestrian adj équestre.
equilateral adj équilatéral.
equilibrium n équilibre m.
equinox n équinoxe m.
equip vt équiper.
equipment n équipement m.
equitable adj équitable, impartial; ~**bly** adv équitablement.
equity n équité, justice, impartialité f.
equivalent adj n équivalent m.
equivocal adj équivoque, ambigu; ~**ly** adv d'une manière équivoque.
equivocate vt équivoquer, user d'équivoques.
equivocation n faux-fuyants mpl.
era n ère f.
eradicate vt supprimer; extirper.
eradication n suppression f; extirpation f.
erase vt effacer; gommer.
eraser n gomme f.
erect vt ériger; élever; * adj droit, debout.
erection n érection f; structure f.
ermine n hermine f.
erode vt éroder; ronger.
erotic adj érotique.
err vi se tromper.
errand n message m; commission f.
errand boy n garçon de courses, messager m.
errata npl errata m.
erratic adj changeant; irrégulier.
erroneous adj erroné, faux; ~**ly** adv erronément, faussement.
error n erreur f.
erudite adj érudit.
erudition n érudition f.

erupt vi entrer en éruption; faire éruption.
eruption n éruption f.
escalate vi monter en flèche; s'intensifier.
escalation n montée en flèche f; intensification f.
escalator n escalier roulant m.
escapade n fredaine f.
escape vt éviter; échapper à; * vi s'évader, s'échapper; * n évasion, fuite f; **to make one's** ~ prendre la fuite.
escapism n évasion de la réalité f.
eschew vt fuir; éviter.
escort n escorte f; * vt escorter.
esoteric adj ésotérique.
especial adj spécial; ~**ly** adv spécialement.
espionage n espionnage m.
esplanade n (mil) esplanade f.
espouse vt épouser.
essay n essai m.
essence n essence f.
essential n essentiel m; * adj essentiel, principal; ~**ly** adv essentiellement.
establish vt établir; fonder; démontrer.
establishment n établissement m; fondation f; institution f.
estate n état m; domaine m; biens mpl.
esteem vt estimer; apprécier; * n estime f; considération f.
esthetic adj esthétique; ~**s** npl esthétique f.
estimate vt estimer; évaluer.
estimation n estimation, évaluation f; opinion f.
estrange vt éloigner, séparer.
estranged adj séparé.
estrangement n séparation f; distance f.
estuary n estuaire m.
etch vt graver à l'eau forte.
etching n gravure à l'eau forte f.
eternal adj éternel, perpétuel; ~**ly** adv éternellement.
eternity n éternité f.

ether n éther m.
ethical adj éthique, moral; **~ly** adv éthiquement.
ethics npl éthique f.
ethnic adj ethnique.
ethos n génie m, esprit m.
etiquette n étiquette f.
etymological adj étymologique.
etymologist n étymologiste mf.
etymology n étymologie f.
Eucharist n Eucharistie f.
eulogy n éloge m.
eunuch n eunuque m.
euphemism n euphémisme m.
evacuate vt évacuer.
evacuation n évacuation f.
evade vt éviter; échapper à.
evaluate vt évaluer.
evangelic(al) adj évangélique.
evangelist n évangéliste m.
evaporate vt faire évaporer; * vi s'évaporer; se volatiliser.
evaporated milk n lait condensé m.
evaporation n évaporation f.
evasion n dérobade f.
evasive adj évasif; **~ly** adv évasivement.
eve n veille f.
even adj égal; uni; pair; * adv même; encore; * vt égaliser; unir; * vi: ~ **out** s'égaliser.
even-handed adj impartial, équitable.
evening n soir m, soirée f.
evening class n cours du soir m.
evening dress n robe du soir f; tenue de soirée f.
evenly adv également; uniment.
evenness n égalité f; uniformité f; régularité f; impartialité f.
event n événement m; épreuve f.
eventful adj mouvementé.
eventual adj final; **~ly** adv finalement, en fin de comptes.
eventuality n éventualité f.
ever adv toujours; jamais; déjà; **for ~ and ~** pour toujours; ~ **since** depuis.
evergreen adj à feuilles persistantes; * n arbre à feuilles persistantes m.
everlasting adj éternel.
evermore adv toujours.
every adj chacun, chacune; ~ **where** partout; ~ **thing** tout; ~ **one**, ~ **body** tout le monde.
evict vt expulser.
eviction n expulsion f.
evidence n évidence f; témoignage m; preuve f; * vt témoigner de.
evident adj évident; manifeste; **~ly** adv manifestement, de toute évidence.
evil adj mauvais; malveillant; * n mal m.
evil-minded adj malintentionné.
evocative adj évocateur.
evoke vt évoquer.
evolution n évolution f.
evolve vt développer; * vi se développer, évoluer.
ewe n brebis f.
exacerbate vt exacerber.
exact adj exact; * vt exiger.
exacting adj exigeant.
exaction n exaction f; extorsion f.
exactly adv exactement.
exactness, exactitude n exactitude f.
exaggerate vt exagérer.
exaggeration n exagération f.
exalt vt exalter; élever.
exaltation n exaltation f; élévation f.
exalted adj exalté; élevé.
examination n examen m.
examine vt examiner.
examiner n examinateur m -trice f.
example n exemple m.
exasperate vt exaspérer, irriter.
exasperation n exaspération, irritation f.
excavate vt exhumer, creuser.
excavation n excavation f.
exceed vt excéder, dépasser.
exceedingly adv trop; extrêmement.

excel *vt* surpasser; *vi* exceller.

excellence *n* excellence *f*; supériorité *f*.

Excellency *n* Excellence (titre) *f*.

excellent *adj* excellent; ~**ly** *adv* excellemment, admirablement.

except *vt* excepter, exclure; ~**(ing)** *prep* excepté, à l'exception de.

exception *n* exception *f*.

exceptional *adj* exceptionnel.

excerpt *n* extrait *m*.

excess *n* excès *m*.

excessive *adj* excessif; ~**ly** *adv* excessivement.

exchange *vt* échanger; permuter; * *n* échange *m*; change *m*.

exchange rate *n* taux de change *m*.

excise *n* taxe *f*.

excitability *n* excitabilité *f*.

excitable *adj* excitable.

excite *vt* exciter; animer; enthousiasmer; stimuler.

excited *adj* animé, enthousiaste; excité.

excitement *n* animation *f*, enthousiasme *m*.

exciting *adj* passionnant; stimulant.

exclaim *vi* s'exclamer.

exclamation *n* exclamation *f*.

exclamation mark *n* point d'exclamation *m*.

exclamatory *adj* exclamatif.

exclude *vt* exclure.

exclusion *n* exclusion *f*; exception *f*.

exclusive *adj* exclusif; ~**ly** *adv* exclusivement.

excommunicate *vt* excommunier.

excommunication *n* excommunion *f*.

excrement *n* excrément *m*.

excruciating *adj* atroce, horrible.

exculpate *vt* disculper; justifier.

excursion *n* excursion *f*; digression *f*.

excusable *adj* excusable.

excuse *vt* excuser; pardonner; * *n* excuse *f*.

execute *vt* exécuter.

execution *n* exécution *f*.

executioner *n* bourreau *m*.

executive *adj* exécutif.

executor *n* exécuteur testamentaire *m*.

exemplary *adj* exemplaire.

exemplify *vt* exemplifier.

exempt *adj* exempt.

exemption *n* exemption *f*.

exercise *n* exercice *m*; * *vi* prendre de l'exercice; * *vt* exercer; montrer.

exercise book *n* cahier *m*.

exert *vt* employer, exercer; ~ **o.s.** s'efforcer.

exertion *n* effort *m*.

exhale *vt* exhaler; expirer.

exhaust *n* échappement *m*; * *vt* épuiser.

exhausted *adj* épuisé.

exhaustion *n* épuisement *m*.

exhaustive *adj* exhaustif, complet.

exhibit *vt* exhiber; montrer; * *n* (*law*) pièce à conviction *f*.

exhibition *n* exposition, présentation *f*.

exhilarating *adj* stimulant, grisant.

exhilaration *n* joie *f* intense.

exhort *vt* exhorter.

exhortation *n* exhortation *f*.

exhume *vt* exhumer, déterrer.

exile *n* exil *m*; * *vt* exiler, déporter.

exist *vi* exister.

existence *n* existence *f*.

existent *adj* existant.

existing *adj* actuel, présent.

exit *n* sortie *f*; * *vi* sortir.

exit ramp *n* bretelle d'accès *f*.

exodus *n* exode *m*.

exonerate *vt* disculper; décharger.

exoneration *n* disculpation *f*; décharge *f*.

exorbitant *adj* exorbitant, excessif.

exorcise *vt* exorciser.

exorcism *n* exorcisme *m*.

exotic *adj* exotique.

expand *vt* étendre; dilater.

expanse *n* étendue *f*.

expansion *n* expansion *f*.

expansive *adj* expansif.

expatriate *vt* expatrier.

expect *vt* attendre; espérer; penser.

expectance, expectancy *n* attente *f*; espoir *m*.

expectant *adj* d'attente.

expectant mother *n* femme enceinte *f*.

expectation *n* expectative *f*; attente *f*.

expediency *n* convenance *f*; opportunité *f*.

expedient *adj* opportun; * *n* expédient *m*; ~**ly** *adv* de manière opportune.

expedite *vt* accélérer; expédier.

expedition *n* expédition *f*.

expeditious *adj* expéditif; ~**ly** *adv* de manière expéditive.

expel *vt* expulser.

expend *vt* dépenser; utiliser.

expendable *adj* jetable; consommable.

expenditure *n* dépense *f*.

expense *n* dépense *f*; coût *m*.

expense account *n* frais *mpl* de représentation.

expensive *adj* cher; coûteux; ~**ly** *adv* de manière coûteuse.

experience *n* expérience *f*; pratique *f*; * *vt* ressentir, éprouver; connaître.

experienced *adj* expérimenté.

experiment *n* expérience *f*; * *vi* expérimenter.

experimental *adj* expérimental; ~**ly** *adv* expérimentalement.

expert *adj* expert.

expertise *n* compétences *fpl*.

expiration *n* expiration *f*.

expire *vi* expirer.

explain *vt* expliquer.

explanation *n* explication *f*.

explanatory *adj* explicatif.

expletive *adj* explétif.

explicable *adj* explicable.

explicit *adj* explicite; ~**ly** *adv* explicitement.

explode *vt* faire exploser; *vi* exploser.

exploit *vt* exploiter; * *n* exploit *m*.

exploitation *n* exploitation *f*.

exploration *n* exploration *f*.

exploratory *adj* exploratoire.

explore *vt* explorer, examiner; sonder.

explorer *n* explorateur *m* -trice *f*.

explosion *n* explosion *f*.

explosive *adj n* explosif *m*.

exponent *n* (*math*) exposant *m*.

export *vt* exporter.

export, exportation *n* exportation *f*.

exporter *n* exportateur *m* -trice *f*.

expose *vt* exposer; dévoiler.

exposed *adj* exposé.

exposition *n* exposition *f*; interprétation *f*.

expostulate *vi* faire des remonstrances.

exposure *n* exposition *f*; temps de pose *m*; cliché *m*.

exposure meter *n* photomètre *m*.

expound *vt* exposer; interpréter.

express *vt* exprimer; * *adj* exprès; * *n* exprès *m*; (*rail*) rapide *m*.

expression *n* expression *f*; locution *f*.

expressionless *adj* inexpressif.

expressive *adj* expressif; ~**ly** *adv* d'une manière expressive.

expressly *adv* expressément.

expressway *n* autoroute *f*.

expropriate *vt* exproprier.

expropriation *n* (*law*) expropriation *f*.

expulsion *n* expulsion *f*.

expurgate *vt* expurger.

exquisite *adj* exquis; ~**ly** *adv* exquisément.

extant *adj* (US) existant.

extempore *adv* à l'improviste.
extemporise *vi* improviser.
extend *vt* étendre; élargir; * *vi* s'étendre.
extension *n* extension *f*.
extensive *adj* étendu; important; **~ly** *adv* considérablement.
extent *n* extension *f*.
extenuate *vt* atténuer.
extenuating *adj* atténuant.
exterior *adj n* extérieur *m*.
exterminate *vt* exterminer; supprimer.
extermination *n* extermination *f*; suppression *f*.
external *adj* externe; **~ly** *adv* extérieurement; **~s** *npl* apparence *f*.
extinct *adj* disparu; éteint.
extinction *n* extinction *f*.
extinguish *vt* éteindre; supprimer.
extinguisher *n* extincteur *m*.
extirpate *vt* extirper.
extol *vt* louer, exalter.
extort *vt* extorquer; arracher.
extortion *n* extorsion *f*.
extortionate *adj* exorbitant.
extra *adv* particulièrement; *n* supplément *m*.
extract *vt* extraire; * *n* extrait *m*.
extraction *n* extraction *f*; origine *f*.
extracurricular *adj* périscolaire.
extradite *vt* extrader.
extradition *n* (*law*) extradition *f*.
extramarital *adj* extérieur au mariage.

extramural *adj* extra-muros.
extraneous *adj* superflu; sans rapport.
extraordinarily *adv* extraordinairement.
extraordinary *adj* extraordinaire.
extravagance *n* extravagance *f*; gaspillage *m*.
extravagant *adj* extravagant; exorbitant; gaspilleur; **~ly** *adv* de manière extravagante; en gaspillant.
extreme *adj* extrême; suprême; ultime; * *n* extrême *m*; **~ly** *adv* extrêmement.
extremist *adj n* extrémiste *mf*.
extremity *n* extrémité *f*.
extricate *vt* extirper, démêler.
extrinsic(al) *adj* extrinsèque.
extrovert *adj n* extraverti *m* -e *f*.
exuberance *n* exubérance *f*.
exuberant *adj* exubérant; **~ly** *adv* avec exubérance.
exude *vi* exsuder.
exult *vi* exulter, triompher.
exultation *n* exultation *f*.
eye *n* œil *m*; * *vt* regarder, observer; lorgner.
eyeball *n* globe oculaire *m*.
eyebrow *n* sourcil *m*.
eyelash *n* cil *m*.
eyelid *n* paupière *f*.
eyesight *n* vue *f*.
eyesore *n* monstruosité *f*.
eyetooth *n* canine *f*.
eyewitness *n* témoin oculaire *m*.
eyrie *n* aire *f*, nid *m* d'aigle.

F

fable *n* fable *f*; légende *f*.
fabric *n* tissu *m*.
fabricate *vt* fabriquer; inventer.
fabrication *n* fabrication *f*; invention *f*.
fabulous *adj* fabuleux; **~ly** *adv* fabuleusement.

facade *n* façade *f*.
face *n* visage *m*, figure *f*; surface *f*; façade *f*; mine *f*; apparence *f*; * *vt* faire face à; affronter; **~ up to** faire face à.
face cream *n* crème pour le visage *f*.

face-lift n lifting m.
face powder n poudre de riz f.
facet n facette f.
facetious adj facétieux, plaisant, spirituel; ~**ly** adv facétieusement.
face value n valeur nominale f.
facial adj facial.
facile adj facile; superficiel.
facilitate vt faciliter.
facility n facilité f; équipement m, infrastructure f.
facing n revers m; * prep en face de.
facsimile n fac-similé m.
fact n fait m; réalité f; **in** ~ en fait.
faction n faction f; dissension f.
factor n facteur m.
factory n usine f.
factual adj factuel, basé sur les faits.
faculty n faculté f; le corps enseignant m.
fad n engouement m.
fade vi se faner; perdre son éclat.
fail vt échouer à; omettre; manquer à ses engagements envers; * vi échouer; faiblir; manquer.
failing n défaut m.
failure n échec m; panne f; raté m; faillite f; manquement m.
faint vi s'évanouir, défaillir; * n évanouissement m; * adj faible; ~**ly** adv faiblement.
fainthearted adj timide, timoré, pusillanime.
faintness n faiblesse f; légèreté f.
fair adj beau; blond; clair; favorable; juste, équitable; considérable; passable; * adv loyalement; * n foire f.
fairly adv équitablement; absolument.
fairness n beauté f; justice f.
fair play n fair-play, franc-jeu m.
fairy n fée f.
fairy tale n conte de fées m.
faith n foi f; croyance f; fidélité f.
faithful adj fidèle, loyal; ~**ly** adv fidèlement.

faithfulness n fidélité, loyauté f.
fake n falsification f; imposteur m; * adj faux; * vt feindre; falsifier.
falcon n faucon m.
falconry n fauconnerie f.
fall vi tomber; s'effondrer; diminuer, baisser; ~ **asleep** s'endormir; ~ **back** reculer; ~ **back on** avoir recours à; ~ **behind** être à la traîne; ~ **down** tomber; ~ **for** se faire avoir; tomber amoureux de; ~ **in** s'effondrer; ~ **short** échouer; ~ **sick** tomber malade; ~ **in love** tomber amoureux; ~ **off** tomber; diminuer; ~ **out** se produire; se quereller; * n chute f; automne m.
fallacious adj fallacieux, trompeur; ~**ly** adv d'une manière fallacieuse.
fallacy n erreur f; sophisme m; tromperie f.
fallibility n faillibilité f.
fallible adj faillible.
fallout n retombées fpl.
fallout shelter n abri antiatomique m.
fallow adj en jachère; ~ **deer** n daim m.
false adj faux; ~**ly** adv faussement.
false alarm n fausse alerte f.
falsehood, falseness n mensonge m; fausseté f.
falsify vt falsifier.
falsity n fausseté f.
falter vi vaciller; faiblir.
faltering adj chancelant.
fame n réputation f; renommée, notoriété f.
famed adj célèbre.
familiar adj familier; domestique; ~**ly** adv familièrement.
familiarise vt familiariser.
familiarity n familiarité f.
family n famille f.
family business n affaire de famille f.
family doctor n médecin de famille m.

famine *n* famine *f*; disette *f*.

famished *adj* affamé.

famous *adj* célèbre, fameux; **~ly** *adv* fameusement.

fan *n* éventail *m*; ventilateur *m*; jeune admirateur *m* -trice *f*; * *vt* éventer; attiser.

fanatic *adj n* fanatique *mf*.

fanaticism *n* fanatisme *m*.

fan belt *n* courroie de ventilateur *f*.

fanciful *adj* fantasque, capricieux; **~ly** *adv* capricieusement.

fancy *n* fantaisie, imagination *f*; caprice *m*; * *vt* avoir envie de; s'imaginer.

fancy goods *npl* nouveautés *fpl*.

fancy dress ball *n* bal masqué *m*.

fanfare *n* (*mus*) fanfare *f*.

fang *n* croc *m*.

fantastic *adj* fantastique; excentrique; **~ally** *adv* fantastiquement.

fantasy *n* imagination *f*.

far *adv* loin; * *adj* lointain, éloigné; **~ and away** de très loin; **~ off** lointain.

faraway *adj* lointain.

farce *n* farce *f*.

farcical *adj* grotesque.

fare *n* prix (du voyage) *m*; tarif *m*; nourriture *f*; voyageur *m* -euse *f*; client *m* -e *f*.

farewell *n* adieu *m*; **~!** *excl* adieu!

farm *n* ferme *f*, exploitation agricole *f*; * *vt* cultiver.

farmer *n* fermier *m*; agriculteur *m*.

farmhand *n* ouvrier agricole *m*.

farmhouse *n* ferme *f*.

farming *n* agriculture *f*.

farmland *n* terres arables *fpl*.

farmyard *n* cour de ferme *f*.

far-reaching *adj* d'une grande portée, considérable.

fart *n* (*sl*) pet *m*; * *vi* péter.

farther *adv* plus loin; * *adj* plus éloigné.

farthest *adv* le plus lointain; le plus loin; au plus.

fascinate *vt* fasciner, captiver.

fascinating *adj* fascinant.

fascination *n* fascination *f*; charme *m*.

fascism *n* fascisme.

fashion *n* manière, façon *f*; forme *f*; coutume *f*; mode *f*; style *m*; **people of ~** personnes élégantes *fpl*; * *vt* façonner, confectionner.

fashionable *adj* à la mode; chic; **the ~ world** le beau monde; **~bly** *adv* à la mode.

fashion show *n* défilé de mode *m*.

fast *vi* jeûner; * *n* jeûne *m*; * *adj* rapide; ferme, stable; * *adv* rapidement; fermement; solidement.

fasten *vt* attacher; fixer; attribuer; * *vi* se fixer, s'attacher.

fastener, fastening *n* attache *f*; fermoir *m*.

fast food *n* restauration rapide *f*.

fastidious *adj* minutieux, méticuleux; **~ly** *adv* minutieusement.

fat *adj* gros, gras; * *n* graisse *f*.

fatal *adj* mortel; néfaste; **~ly** *adv* mortellement.

fatalism *n* fatalisme *m*.

fatalist *n* fataliste *mf*.

fatality *n* accident mortel *m*, fatalité *f*.

fate *n* destin, sort *m*.

fateful *adj* fatidique.

father *n* père *m*.

fatherhood *n* paternité *f*.

father-in-law *n* beau-père *m*.

fatherland *n* patrie *f*.

fatherly *adj* (*adv*) paternel(lement).

fathom *n* brasse (mesure) *f*; * *vt* sonder; pénétrer.

fatigue *n* fatigue *f*; * *vt* fatiguer, lasser.

fatten *vt vi* engraisser.

fatty *adj* gras, graisseux.

fatuous *adj* imbécile, stupide, niais.

faucet *n* (US) robinet *m*.

fault n défaut m, faute f; délit m; faille f.
faultfinder n chicaneur m -euse f.
faultless adj irréprochable.
faulty adj défectueux.
fauna n faune f.
faux pas n impair m.
favour n faveur f; approbation f; avantage m; * vt favoriser, préférer.
favourable adj favorable, propice; ~bly adv favorablement.
favoured adj favorisé.
favourite n favori m; * adj favori.
favouritism n favoritisme m.
fawn n faon m; * vi flatter servilement.
fawningly adv d'une flatterie servile.
fax n télécopieur, fax m; télécopie f, fax m; * vt envoyer par fax, télécopier.
fear vt craindre; * n crainte f.
fearful adj effrayant; craintif, peureux; ~ly adv terriblement; craintivement.
fearless adj intrépide, courageux; ~ly adv courageusement.
fearlessness n intrépidité f.
feasibility n faisabilité f.
feasible adj faisable, réalisable.
feast n festin, banquet m; fête f; * vi banqueter.
feat n exploit m; prouesse f.
feather n plume f;.
feather bed n lit de plumes m.
feature n caractéristique f; trait m; * vi figurer.
feature film n long métrage m.
February n février m.
federal adj fédéral.
federalist n fédéraliste mf.
federate vt fédérer; * vi se fédérer.
federation n fédération f.
fed-up adj: to be ~ en avoir marre.
fee n honoraires mpl; frais mpl.
feeble adj faible, frêle.

feebleness n faiblesse f.
feebly adv faiblement.
feed vt nourrir; alimenter; ~ on se nourrir de; * vi manger; se nourrir; * n nourriture f; alimentation f.
feedback n réaction f, répercussion f.
feel vt sentir; toucher; croire; ~ around tâtonner, fouiller; * n sensation f; toucher m.
feeler n antenne f; (fig) tentative f.
feeling n sensation f; sentiment m.
feelingly adv avec émotion.
feign vt inventer; feindre, simuler.
feline adj félin.
fellow n homme, type m; membre m.
fellow citizen n concitoyen m -enne f.
fellow countryman n compatriote m.
fellow feeling n sympathie f.
fellow men npl semblables mpl.
fellowship n camaraderie f; association f.
fellow student n copain (copine) de fac m(f).
fellow traveller n compagnon (compagne) de voyage m(f).
felon n criminel m -le f.
felony n crime m.
felt n feutre m.
felt-tip pen n feutre m.
female n femelle f; * adj de sexe féminin, femelle.
feminine adj féminin.
feminist n féministe mf.
fen n marais m.
fence n barrière f; clôture f; * vt clôturer; * vi faire de l'escrime.
fencing n escrime f.
fender n pare-chocs m invar.
fennel n (bot) fenouil m.
ferment n agitation f; * vi fermenter.
fern n (bot) fougère f.

ferocious *adj* féroce; ~**ly** *adv* férocement.

ferocity *n* férocité *f*.

ferret *n* furet *m*; * *vt* fureter; ~ **out** découvrir, dénicher.

ferry *n* bac *m*; ferry; * *vt* transporter.

fertile *adj* fertile, fécond.

fertilise *vt* fertiliser.

fertiliser *n* engrais *m*.

fertility *n* fertilité, fécondité *f*.

fervent *adj* fervent; ardent; ~**ly** *adv* avec ferveur.

fervid *adj* ardent, véhément.

fervor *n* ferveur, ardeur *f*.

fester *vi* suppurer; s'envenimer.

festival *n* fête *f*; festival *m*.

festive *adj* de fête.

festivity *n* fête *f*, réjouissances *fpl*.

fetch *vt* aller chercher.

fetching *adj* charmant, séduisant.

fête *n* fête *f*.

fetid *adj* fétide, nauséabond.

fetus *n* fœtus *m*.

feud *n* rivalité *f*, dissension *f*.

feudal *adj* féodal.

feudalism *n* féodalité *f*.

fever *n* fièvre *f*.

feverish *adj* fiévreux.

few *adj* peu; **a ~** quelques; ~ **and far between** rares.

fewer *adj* moins (de); * *adv* moins.

fewest *adj* le moins (de).

fiancé *n* fiancé *m*.

fiancée *n* fiancée *f*.

fib *n* bobard *m*; * *vi* raconter des bobards.

fibre *n* fibre *f*.

fibreglass *n* fibre de verre *f*.

fickle *adj* volage, inconstant.

fiction *n* fiction *f*; invention *f*.

fictional *adj* fictif.

fictitious *adj* fictif, imaginaire; feint; ~**ly** *adv* fictivement.

fiddle *n* violon *m*; combine *f*; * *vi* jouer du violon.

fiddler *n* violoneux *m*.

fidelity *n* fidélité, loyauté *f*.

fidget *vi* s'agiter, s'impatienter.

fidgety *adj* agité, remuant.

field *n* champ *m*; étendue *f*; domaine *m*.

field day *n* (*mil*) jour de grandes manœuvres *m*.

fieldmouse *n* mulot *m*.

fieldwork *n* recherches sur le terrain *fpl*.

fiend *n* démon *m*; mordu *m*.

fiendish *adj* diabolique.

fierce *adj* féroce, violent; acharné, furieux; ~**ly** *adv* férocement

fierceness *n* férocité, fureur *f*.

fiery *adj* ardent; fougueux.

fifteen *adj n* quinze *m*.

fifteenth *adj n* quinzième *mf*.

fifth *adj n* cinquième *mf*; ~**ly** *adv* cinquièmement.

fiftieth *adj n* cinquantième *mf*.

fifty *adj n* cinquante *m*.

fig *n* figue *f*.

fight *vt vi* se battre (contre); combattre; lutter; * *n* bataille *f*; combat *m*; lutte *f*.

fighter *n* combattant *m*; lutteur *m*; chasseur *m*.

fighting *n* combat *m*.

fig-leaf *n* feuille de figuier *f*.

fig tree *n* figuier *m*.

figurative *adj* figuratif; ~**ly** *adv* figurativement.

figure *n* figure *f*; forme, silhouette *f*; image *f*; chiffre *m*; * *vi* figurer; avoir du sens; ~ **out** comprendre.

figurehead *n* figure de proue *f*.

filament *n* filament *m*; fibre *f*.

filch *vt* chiper.

filcher *n* voleur *m* -euse *f*.

file *n* file *f*; liste *f*; (*mil*) colonne, rangée *f*; lime *f*; dossier *m*; fichier *m*; * *vt* enregistrer; limer; classer; déposer; * *vi* ~ **in/out** entrer/sortir en file; ~ **past** défiler devant.

filing cabinet *n* classeur (meuble) *m*.

fill *vt* remplir; ~ **in** remplir; ~ **up** remplir (jusqu'au bord).

fillet n filet m.

fillet steak n filet de bœuf m.

filling station n station-service f.

fillip n (fig) coup de fouet m.

filly n pouliche f.

film n pellicule f; film f; cellophane m; * vt filmer; * vi s'embuer.

film star n vedette de cinéma f.

filmstrip n film m.

filter n filtre m; * vt filtrer.

filter-tipped adj à bout filtre.

filth(iness) n immondice, ordure f; saleté, crasse f.

filthy adj crasseux, dégoûtant.

fin n nageoire f.

final adj dernier; définitif; ~ly adv finalement.

finale n finale m.

finalise vt parachever, rendre définitif.

finalist n finaliste mf.

finance n finance f.

financial adj financier.

financier n financier m.

find vt trouver, découvrir; ~ out découvrir; démasquer; ~ o.s. se retrouver; * n trouvaille f.

findings npl résultats mpl, conclusions fpl; verdict m.

fine adj fin; pur; aigu; raffiné; beau, f belle; délicat; subtil; élégant; * n amende f; * vt infliger une amende à.

fine arts npl beaux arts mpl.

finely adv magnifiquement.

finery n parure f.

finesse n finesse, subtilité f.

finger n doigt m; * vt toucher, manier.

fingernail n ongle m.

fingerprint n empreinte digitale f.

fingertip n bout du doigt m.

finicky adj pointilleux, difficile.

finish vt finir, terminer, achever; ~ off finir; ~ up terminer; * vi: ~ up se retrouver.

finishing line n ligne d'arrivée f.

finishing school n école privée (pour jeunes filles) f.

finite adj fini.

fir n sapin m

fire n feu m; incendie m; * vt mettre le feu à; incendier; tirer; * vi s'enflammer, faire feu.

fire alarm n alarme d'incendie f.

firearm n arme à feu f.

fireball n boule de feu f.

fire department n pompiers mpl.

fire engine n voiture de pompiers f.

fire escape n escalier de secours m.

fire extinguisher n extincteur m.

firefly n luciole f.

fireman n pompier m.

fireplace n cheminée f, foyer m.

fireproof adj ignifugé.

fireside n coin du feu m.

fire station n caserne de pompiers f.

firewater n eau de vie f.

firewood n bois de chauffage m.

fireworks npl feu d'artifice m.

firing n fusillade f.

firing squad n peloton d'exécution m.

firm adj ferme, solide; constant; * n (com) compagnie f; ~ly adv fermement.

firmament n firmament m.

firmness n fermeté f; résolution f.

first adj premier; * adv premièrement; at ~ d'abord; ~ly adv en premier lieu.

first aid n premiers secours mpl.

first-aid kit n trousse de premiers secours f.

first-class adj de première classe, de première catégorie.

first-hand adj de première main.

First Lady n (US) première dame, femme du président d'un pays f.

first name n prénom m.

first-rate adj de première qualité.

fiscal adj fiscal.

fish n poisson m; * vi pêcher.
fishbone n arête f.
fisherman n pêcheur m.
fish farm n entreprise de pisciculture f.
fishing n pêche f.
fishing line n ligne de pêche f.
fishing rod n canne à pêche f.
fishing tackle n attirail de pêche m.
fish market n marché au poisson m.
fishseller n poissonnier m -ière f.
fishstore n poissonnerie f.
fishy adj (fig) suspect.
fissure n fissure, crevasse f.
fist n poing m.
fit n accès m, attaque f; crise f; * adj en forme; capable; adapté à, qui convient; * vt aller à; ajuster, adapter; ~ out équiper; * vi (bien) aller; ~ in s'accorder avec; être en harmonie avec.
fitment n meuble encastré m.
fitness n forme physique f; aptitude f.
fitted carpet n moquette f.
fitted kitchen n cuisine encastrée f.
fitter n monteur m.
fitting adj qui convient, approprié, juste; * n accessoire m; ~s pl installations fpl.
five adj n cinq m.
five spot n (sl) (US) billet m de cinq dollars.
fix vt fixer, établir; ~ up arranger.
fixation n obsession f.
fixed adj fixe.
fixings npl garniture f; accessoires mpl.
fixture n (sport) rencontre f.
fizz vi pétiller.
fizzy adj gazeux.
flabbergasted adj abasourdi.
flabby adj mou, f molle, flasque.
flaccid adj flasque, mou, f molle.
flag n drapeau m; (bot) iris m; * vi s'affaiblir.

flagpole n mât m de drapeau.
flagrant adj flagrant.
flagship n vaisseau amiral m.
flagstop n (US) arrêt m facultatif.
flair n flair m; talent m.
flak n tir antiaérien m; critiques fpl.
flake n flocon m; paillette f; * vi s'effriter, s'écailler.
flaky adj floconneux; friable.
flamboyant adj flamboyant; ostentatoire.
flame n flamme f; ardeur f.
flamingo n flamant m.
flammable adj inflammable.
flank n flanc m; (also mil); * vt flanquer.
flannel n flanelle f.
flap n battement m; rabat m; * vt vi battre.
flare vi luire, briller; ~ up s'embraser; se mettre en colère; éclater; * n flamme f.
flash n éclat m; éclair m; * vt faire briller; allumer.
flashbulb n ampoule de flash f.
flash cube n cube de flash m.
flashlight n lampe f de poche.
flashy adj tape-à-l'œil, voyant.
flask n flasque f; flacon m.
flat adj plat; uniforme; insipide; * n plaine f; plat m; (mus) bémol m; ~ly adv horizontalement; platement; également; catégoriquement.
flatness n égalité f; monotonie f.
flatten vt aplanir; aplatir.
flatter vt flatter.
flattering adj flatteur.
flattery n flatterie f.
flatulence n (med) flatulence f.
flaunt vt étaler, afficher.
flavour n saveur m; * vt parfumer; assaisonner.
flavoured adj savoureux; parfumé.
flavourless adj insipide.
flaw n défaut m; imperfection f.
flawless adj parfait.

flax *n* lin *m*.

flea *n* puce *f*.

flea bite *n* piqûre de puce *f*.

fleck *n* petite tache *f*; particule *f*.

flee *vt* fuir de; * *vi* s'enfuir; fuir.

fleece *n* toison *f*; * *vt* (*sl*) tondre.

fleet *n* flotte *f*; (autos) parc *m*.

fleeting *adj* fugace, fugitif.

flesh *n* chair *f*.

flesh wound *n* blessure superficielle *f*.

fleshy *adj* charnu.

flex *n* cordon *m*; * *vt* fléchir.

flexibility *n* flexibilité *f*.

flexible *adj* flexible, souple.

flick *n* petit coup *m*; * *vt* donner un petit coup à.

flicker *vt* vaciller; trembloter.

flier *n* aviateur *m* -trice *f*.

flight *n* vol *m*; fuite *f*; volée *f*; (*fig*) envolée *f*.

flight attendant *n* steward *m*, hôtesse de l'air *f*.

flight deck *n* cabine de pilotage *f*.

flimsy *adj* léger; fragile.

flinch *vi* sourciller.

fling *vt* lancer, jeter.

flint *n* silex *m*.

flip *vt* lancer.

flippant *adj* désinvolte, cavalier.

flipper *n* nageoire *f*.

flirt *vi* flirter; * *n* charmeur *m* -euse *f*.

flirtation *n* flirt *f*.

flit *vi* voler, voleter.

float *vt* faire flotter; lancer; * *vi* flotter; * *n* flotteur *m*; char (de carnaval) *m*; provision *f*.

flock *n* troupeau *m*; volée *f*; foule *f*; * *vi* affluer.

flog *vt* fustiger.

flogging *n* fustigation, flagellation *f*.

flood *n* inondation *f*; marée haute *f*; déluge *m*; * *vt* inonder.

flooding *n* inondation *f*.

floodlight *n* projecteur *m*.

floor *n* sol *m*; plancher *m*; étage *m*; * *vt* parqueter; déconcerter.

floorboard *n* planche *f*.

floor lamp *n* lampadaire *m*.

floor show *n* spectacle de cabaret *m*.

flop *n* four, fiasco *m*.

floppy *adj* lâche; * *n* disquette *f*.

flora *n* flore *f*.

floral *adj* floral.

florescence *n* floraison *f*.

florid *adj* fleuri.

florist *n* fleuriste *mf*.

florist's (shop) *n* boutique de fleuriste *f*.

flotilla *n* (*mar*) flotille *f*.

flounder *n* flet *m*; * *vi* patauger.

flour *n* farine *f*.

flourish *vi* fleurir; prospérer; * *n* fioriture *f*; (*mus*) fioriture *f*.

flourishing *adj* florissant.

flout *vt* mépriser, se moquer de.

flow *vi* couler; circuler; monter (marée); ondoyer; * *n* flux *m*; écoulement *m*; flot *m*.

flow chart *n* organigramme *m*.

flower *n* fleur *f*; * *vi* fleurir.

flowerbed *n* parterre de fleurs *m*.

flowerpot *n* pot de fleurs *m*.

flowery *adj* fleuri.

flower show *n* exposition de fleurs *f*.

fluctuate *vi* fluctuer.

fluctuation *n* fluctuation *f*.

fluency *n* aisance *f*.

fluent *adj* coulant; facile; ~ly *adv* couramment.

fluff *n* peluche *f*; ~y *adj* duveteux.

fluid *adj* *n* fluide *m*.

fluidity *n* fluidité *f*.

fluke *n* (*sl*) veine *f*.

fluoride *n* fluorure *m*.

flurry *n* rafale *f*; agitation *f*.

flush *vt*: to ~ out nettoyer à grande eau; * *vi* rougir; * *n* rougeur *f*; éclat *m*.

flushed *adj* rouge.

fluster *vt* énerver.

flustered *adj* énervé.

flute *n* flûte *f*.

flutter *vi* voleter; s'agiter; * *n* agitation *f*; émoi *m*.

flux n flux m.

fly vt piloter; transporter par avion; * vi voler; fuir; ~ **away/ off** s'envoler; * n mouche f; braguette f.

flying n aviation f.

flying saucer n soucoupe volante f.

flypast n défilé aérien m.

flysheet n feuille volante f.

foal n poulain m.

foam n écume f; * vi écumer.

foam rubber n caoutchouc mousse m.

foamy adj écumeux.

focus n foyer m; centre m.

fodder n fourrage m.

foe n ennemi m -e f, adversaire mf.

fog n brouillard m.

foggy adj brumeux.

fog light n feu de brouillard m.

foible n point faible m.

foil vt déjouer; * n papier d'aluminium m; fleuret m.

fold n pli m; parc à moutons m; * vt plier; ~ **up** faire faillite; * vi: ~ **up** plier, replier.

folder n chemise f; dépliant m.

folding adj pliant.

folding chair n chaise pliante f.

foliage n feuillage m.

folio n folio m.

folk n gens mpl.

folklore n folklore m.

folk song n chant folklorique m.

follow vt suivre; ~ **up** suivre; exploiter; * vi suivre, s'ensuivre, résulter.

follower n serviteur m; disciple mf, partisan m -e f; adhérent m -e f; admirateur m -trice f.

following adj suivant; * n partisans mpl.

folly n folie, extravagance f.

foment vt fomenter.

fond adj affectueux; **to be ~ of** aimer; ~**ly** adv affectueusement.

fondle vt caresser.

fondness n prédilection f; affection f.

font n fonts baptismaux mpl.

food n nourriture f.

food mixer n mixer m.

food poisoning n intoxication alimentaire f.

food processor n robot m ménager.

foodstuffs npl denrées alimentaires fpl.

fool n imbécile mf, idiot m -e f; * vt duper.

foolhardy adj téméraire.

foolish adj idiot, insensé; ~**ly** adv bêtement.

foolproof adj infaillible.

foolscap n papier ministre m.

foot n pied m; patte f; **on** or **by** ~ à pied.

footage n métrage m.

football n football m; ballon de football m.

footballer n footballeur m -euse f.

footbrake n frein à pied m.

footbridge n passerelle f.

foothills npl contreforts mpl.

foothold n prise (pour le pied) f.

footing n prise (pour le pied) f; statut m; situation f; plan m.

footlights npl feux de la rampe mpl.

footman n valet de pied m; soldat d'infanterie m.

footnote n note (de bas de page) f.

footpath n sentier m.

footprint n empreinte (de pas) f.

footsore adj aux pieds endoloris.

footstep n pas m.

footwear n chaussures fpl.

for prep pour; en raison de; pendant; * conj car; **as ~ me** quant à moi; **what ~?** pourquoi?; pourquoi faire?

forage n fourrage m; * vt fourrager; fouiller.

foray n incursion f.

forbid vt interdire, défendre; empêcher; **God ~!** pourvu que non!

forbidding adj menaçant; sévère.

force *n* force *f*; puissance, vigueur *f*; violence *f*; **~s** *pl* forces armées *fpl*; * *vt* forcer, obliger, contraindre; imposer.

forced *adj* forcé.

forced march *n* (*mil*) marche forcée *f*.

forceful *adj* énergique.

forceps *n* forceps *m*.

forcible *adj* énergique, vigoureux, puissant; **~bly** *adv* énergiquement, avec véhémence.

ford *n* gué *m*; * *vt* passer à gué.

fore *n*: **to the ~** en évidence.

forearm *n* avant-bras *m*.

foreboding *n* pressentiment *m*.

forecast *vt* prévoir; * *n* prévision *f*.

forecourt *n* avant-cour *f*.

forefather *n* aïeul, ancêtre *m*.

forefinger *n* index *m*.

forefront *n*: **in the ~ of** au premier plan de.

forego *vt* renoncer à, s'abstenir de.

foregone *adj* passé; anticipé.

foreground *n* premier plan *m*.

forehead *n* front *m*.

foreign *adj* étranger.

foreigner *n* étranger *m* -ère *f*.

foreign exchange *n* devises *fpl*.

foreleg *n* patte de devant *f*.

foreman *n* contremaître *m*; (*law*) premier juré *m*.

foremost *adj* principal.

forenoon *n* matinée *f*.

forensic *adj* médico-légal.

forerunner *n* précurseur *m*; signe avant-coureur *m*.

foresee *vt* prévoir.

foreshadow *vt* présager.

foresight *n* prévoyance *f*; prescience *f*.

forest *n* forêt *f*.

forestall *vt* anticiper; prévenir.

forester *n* garde forestier *m*.

forestry *n* sylviculture *f*.

foretaste *n* avant-goût *m*.

foretell *vt* prédire.

forethought *n* prévoyance *f*; préméditation *f*.

forever *adv* toujours; un temps infini.

forewarn *vt* avertir, prévenir.

foreword *n* préface *f*.

forfeit *n* amende *f*; confiscation *f*; * *vt* perdre.

forge *n* forge *f*; usine métallurgique *f*; * *vt* forger; contrefaire * *vi*: **~ ahead** aller de l'avant.

forger *n* faussaire *mf*.

forgery *n* contrefaçon *f*.

forget *vt vi* oublier.

forgetful *adj* étourdi; négligent.

forgetfulness *n* étourderie *f*; négligence *f*.

forget-me-not *n* (*bot*) myosotis *m*.

forgive *vt* pardonner.

forgiveness *n* pardon *m*; indulgence *f*.

fork *n* fourchette *f*; fourche *f*; * *vi* bifurquer; **~ out** (*sl*) casquer.

forked *adj* fourchu.

fork-lift truck *n* chariot élévateur *m*.

forlorn *adj* malheureux, abandonné.

form *n* forme *f*; formule *f*; formulaire *m*; formalité *f*; moule *m*; * *vt* former.

formal *adj* formel; méthodique; cérémonieux; **~ly** *adv* formellement.

formality *n* formalité *f*; cérémonie *f*.

format *n* format *m*; * *vt* formater.

formation *n* formation *f*.

formative *adj* formateur *m* -trice *f*.

former *adj* précédent, ancien; **~ly** *adv* autrefois, jadis.

formidable *adj* effrayant, terrible.

formula *n* formule *f*.

formulate *vt* formuler.

forsake *vt* abandonner, renoncer à.

fort *n* fort *m*.

forte *n* fort *m*.

forthcoming *adj* prochain; sociable.

forthright *adj* franc.

forthwith *adv* immédiatement, tout de suite.

fortieth *adj n* quarantième *mf*.

fortification *n* fortification *f*.

fortify *vt* fortifier, renforcer.

fortitude *n* stoïcisme *m*; courage *m*.

fortnight *n* quinze jours *mpl*; deux semaines *fpl*; * *adj* ~ly bimensuel; * *adv* ~ly tous les quinze jours.

fortress *n* (*mil*) forteresse *f*.

fortuitous *adj* fortuit; imprévu; ~ly *adv* fortuitement.

fortunate *adj* chanceux; ~ly *adv* heureusement.

fortune *n* chance *f*, sort *m*; fortune *f*.

fortune-teller *n* diseuse de bonne aventure *f*.

forty *adj n* quarante *m*.

forum *n* forum *m*, tribune *f*.

forward *adj* avancé; précoce; présomptueux; ~(s) *adv* en avant, vers l'avant; * *vt* transmettre; promouvoir; expédier.

forwardness *n* précocité *f*; effronterie *f*.

fossil *adj* fossilisé; * *n* fossile *m*.

foster *vt* encourager.

foster child *n* enfant adoptif *m*.

foster father *n* père adoptif *m*.

foster mother *n* mère adoptive *f*.

foul *adj* infect, ignoble; vil, déloyal; ~ **copy** *n* copie illisible *f*; ~ly *adv* salement; ignoblement; * *vt* polluer.

foul play *n* jeu déloyal *m*; meurtre *m*.

found *vt* fonder, créer; établir; édifier; fondre.

foundation *n* foundation *f*; fondement *m*.

founder *n* fondateur *m* -trice *f*; fondeur *m*; * *vi* (*mar*) couler.

foundling *n* enfant trouvé(e) *mf*.

foundry *n* fonderie *f*.

fount, fountain *n* fontaine *f*.

fountainhead *n* source, origine *f*.

four *adj n* quatre *m*.

fourfold *adj* quadruple.

four-poster (bed) *n* lit à baldaquin *m*.

foursome *n* groupe de quatre personnes *m*.

fourteen *adj n* quatorze *m*.

fourteenth *adj n* quatorzième *mf*.

fourth *adj n* quatrième *mf*; * *n* quart *m*; ~ly *adv* quatrièmement.

fowl *n* volaille *f*.

fox *n* renard *f*; (*fig*) rusé *m*.

foyer *n* vestibule *m*.

fracas *n* rixe *f*.

fraction *n* fraction *f*.

fracture *n* fracture *f*; * *vt* fracturer.

fragile *adj* fragile; frêle.

fragility *n* fragilité *f*; faiblesse, délicatesse *f*.

fragment *n* fragment *m*.

fragmentary *adj* fragmentaire.

fragrance *n* parfum *m*.

fragrant *adj* parfumé, odorant; ~ly *adv* en exhalant un parfum.

frail *adj* frêle, fragile.

frailty *n* fragilité *f*; faiblesse *f*.

frame *n* charpente *f*; châssis *m*, armature *f*; cadre *m*; structure *f*; monture *f*; * *vt* encadrer; concevoir; construire; former.

frame of mind *n* état d'esprit *m*.

framework *n* charpente *f*; structure *f*, cadre *m*.

franchise *n* droit de vote *m*; franchise *f*.

frank *adj* franc, direct.

frankly *adv* franchement.

frankness *n* franchise *f*.

frantic *adj* frénétique, effréné.

fraternal *adj* ~ly *adv* fraternel(lement).

fraternise *vi* fraterniser.

fraternity *n* fraternité *f*.

fratricide *n* fratricide *mf*.

fraud n fraude, tromperie f.
fraudulence n caractère frauduleux m.
fraudulent adj frauduleux; ~ly
adv frauduleusement.
fraught adj accablé, tendu.
fray n rixe, bagarre, querelle f.
freak n caprice m; phénomène m.
freckle n tache de rousseur f.
freckled adj couvert de taches de
rousseur.
free adj libre; autonome; gratuit;
dégagé; * vt affranchir; libérer;
débarrasser.
freedom n liberté f.
freehold n propriété libre f.
free-for-all n mêlée générale f.
free gift n prime f.
free kick n coup franc m.
freelance adj indépendant; * adv
en indépendant.
freely adv librement; franchement; libéralement.
freemason n franc-maçon m.
freemasonry n franc-maçonnerie
f.
freepost n port payé m.
free-range adj de plein air.
freethinker n libre-penseur m
-euse f.
freethinking n libre pensée f.
free trade n libre échange m.
freeway n (US) autoroute f.
freewheel vi rouler en roue libre.
free will n libre arbitre m.
freeze vi geler; * vt congeler; geler.
freeze-dried adj lyophilisé.
freezer n congélateur m.
freezing adj gelé.
freezing point n point de congé-
lation m.
freight n cargaison f; fret m.
freighter n affréteur m.
freight train n train de marchandises m.
French bean n haricot vert m.
French fries npl frites fpl.
French window n porte-fenêtre
f.
frenzied adj fou, frénétique.

frenzy n frénésie f; folie f.
frequency n fréquence f.
frequent adj fréquent; ~ly adv
fréquemment; * vt fréquenter.
fresco n fresque f.
fresh adj frais; nouveau, récent;
~ **water** n eau douce f.
freshen vt rafraîchir; * vi se rafraîchir.
freshly adv nouvellement; récemment.
freshman n nouveau m, nouvelle
f.
freshness n fraîcheur f.
freshwater adj d'eau douce.
fret vi s'agiter, se tracasser.
friar n moine m.
friction n friction f.
Friday n vendredi m; **Good** ~
Vendredi Saint m.
friend n ami m -e f.
friendless adj sans amis.
friendliness n amitié, bienveillance f.
friendly adj amical.
friendship n amitié f.
frieze n frise f.
frigate n (mar) frégate f.
fright n peur, frayeur f.
frighten vt effrayer.
frightened adj effrayé, apeuré.
frightening adj effrayant.
frightful adj épouvantable, effroyable; ~ly adv affreusement,
effroyablement.
frigid adj froid, glacé; frigide; ~ly
adv froidement.
fringe n frange f.
fringe benefits npl avantages
mpl en nature.
frisk vt fouiller.
frisky adj vif, fringant.
fritter vt: **to** ~ **away** gaspiller.
frivolity n frivolité f.
frivolous adj frivole, léger.
frizz vt friser.
frizzle vt vi grésiller.
frizzy adj frisé.
fro adv: **to go to and** ~ aller et
venir.

frock n robe f.

frog n grenouille f.

frolic vi folâtrer, gambader.

frolicsome adj folâtre, gai.

from prep de; depuis; à partir de.

front n avant, devant m; façade f; front m; * adj de devant; premier.

frontal adj de front.

front door n porte d'entrée f.

frontier n frontière f.

front page n première page f.

front-wheel drive n (auto) traction avant f.

frost n gel m; gelée f; * vt geler.

frostbite n engelure f.

frostbitten adj gelé.

frosted adj gelé, givré.

frosty adj glacial; givré.

froth n écume f; * vi écumer.

frothy adj mousseux, écumeux.

frown vt froncer les sourcils; * n froncement de sourcils m.

frozen adj gelé.

frugal adj frugal; économique; simple; ~ly adv frugalement.

fruit n fruit m.

fruiterer n fruitier m -ière f.

fruiterer's (shop) n fruiterie f.

fruitful adj fécond, fertile; fructueux, utile; ~ly adv fructueusement.

fruitfulness n fertilité f; caractère fructueux m.

fruition n réalisation f.

fruit juice n jus de fruit m.

fruitless adj stérile; infécond; ~ly adv vainement, inutilement.

fruit salad n salade de fruits f.

fruit tree n arbre fruitier m.

frustrate vt contrecarrer; frustrer; énerver.

frustrated adj frustré.

frustration n frustration f.

fry vt frire.

frying pan n poêle f.

fuchsia n (bot) fuchsia m.

fudge n caramel m mou.

fuel n combustible, carburant m.

fuel tank n réservoir à carburant m.

fugitive adj n fugitif m -ive f.

fugue n (mus) fugue f.

fulcrum n pivot m.

fulfill vt accomplir; réaliser.

fulfillment n accomplissement m.

full adj plein, rempli; complet; * adv pleinement, entièrement.

full-blown adj complet.

full-length adj en pied; de long métrage.

full moon n pleine lune f.

fullness n plénitude f; abondance f.

full-scale adj grandeur nature; total, complet.

full-time adj à plein temps.

fully adv pleinement, entièrement.

fully-fledged adj diplômé, qualifié.

fulsome adj exagéré.

fumble vi manier gauchement; farfouiller.

fume vi exhaler des vapeurs; rager, fumer; * ~s npl exhalaisons fpl.

fumigate vt fumiger.

fun n amusement m; plaisir m; **to have ~** (bien) s'amuser.

function n fonction f.

functional adj fonctionnel.

fund n fonds m; * vt financer.

fundamental adj fondamental; ~ly adv fondamentalement.

funeral service n service m funèbre.

funeral n enterrement m.

funereal adj funèbre, lugubre.

fungus n champignon m; moisissure f.

funnel n entonnoir m; cheminée f.

funny adj amusant; curieux.

fur n fourrure f.

fur coat n manteau de fourrure m.

furious adj furieux; déchaîné; ~ly adv furieusement.

furlong n mesure de longueur (220 yards = 201 mètres), furlong m.

furnace *n* fourneau *m*; chaudière *f*.

furnish *vt* meubler; fournir; pourvoir.

furnishings *npl* ameublement *m*.

furniture *n* meubles *mpl*.

furrow *n* sillon *m*; * *vt* sillonner; rider.

furry *adj* à poil.

further *adj* supplémentaire; plus lointain; * *adv* plus loin, plus avant; en outre; de plus; * *vt* faire avancer; favoriser; promouvoir.

further education *n* formation *f* postscolaire.

furthermore *adv* de plus.

furthest *adv* le plus loin, le plus éloigné.

furtive *adj* furtif; secret; ~ly *adv* furtivement.

fury *n* fureur *f*; furie *f*; colère *f*.

fuse *vt* fondre; faire sauter; * *vi* fondre, sauter; * *n* fusible *m*; amorce *f*.

fuse box *n* boîte à fusibles *f*.

fusion *n* fusion *f*.

fuss *n* tapage *m*; histoires *fpl*.

fussy *adj* tatillon, chipoteur.

futile *adj* futile, vain.

futility *n* futilité *f*.

future *adj* futur; * *n* futur *m*; avenir *m*.

fuzzy *adj* flou, confus; crépu.

G

gab *n* (*fam*) bavardage *m*.

gabble *vi* baragouiner; * *n* charabia *m*.

gable *n* pignon *m*.

gadget *n* gadget *m*.

gaffe *n* gaffe *f*, bévue *f*.

gag *n* bâillon *m*; blague *f*; * *vt* bâillonner.

gaiety *n* gaieté *f*.

gaily *adv* gaiement.

gain *n* gain *m*; bénéfice *m*; * *vt* gagner; atteindre.

gait *n* démarche *f*; maintien *m*.

gala *n* gala *m*.

galaxy *n* galaxie *f*.

gale *n* grand vent *m*.

gall *n* bile *f*; fiel *m*.

gallant *adj* galant.

gall bladder *n* vésicule biliaire *f*.

gallery *n* galerie *f*.

galley *n* galère *f*; (*mar*) cuisine *f*.

gallon *n* gallon *m* (mesure).

gallop *n* galop *m*; * *vi* galoper.

gallows *n* potence *f*.

gallstone *n* calcul biliaire *m*.

galore *adv* en abondance.

galvanise *vt* galvaniser.

gambit *n* stratagème *m*.

gamble *vi* jouer; spéculer; * *n* risque *m*; pari *m*.

gambler *n* joueur *m* -euse *f*.

gambling *n* jeu *m* (d'argent).

game *n* jeu *m*; divertissement *m*; partie *f*; gibier *m*; * *vi* jouer.

gamekeeper *n* garde-chasse *m*.

gaming *n* jeu *m* (d'argent).

gammon *n* jambon *m*.

gamut *n* (*mus*) gamme *f*.

gander *n* jars *m*.

gang *n* gang *m*, bande *f*.

gangrene *n* gangrène *f*.

gangster *n* gangster *m*.

gangway *n* passerelle *f*.

gap *n* trou *m*; vide *m*; intervalle, écart *m*.

gape *vi* être bouche bée; bâiller.

gaping *adj* béant.

garage *n* garage *m*.

garbage *n* ordures *fpl*.

garbage can *n* poubelle *f*.

garbage man *n* éboueur *m*.

garbled *adj* confus.

garden *n* jardin *m*.

garden hose *n* tuyau d'arrosage *m*.

gardener *n* jardinier *m* -ière *f*.

gardening n jardinage m.

gargle vi se gargariser.

gargoyle n gargouille f.

garish adj tapageur.

garland n guirlande f.

garlic n ail m.

garment n vêtement m.

garnish vt garnir, décorer; * n garniture f.

garret n mansarde f.

garrison n (mil) garnison f; * vt (mil) mettre en garnison; protéger d'une garnison.

garrote vt étrangler, garrotter.

garrulous adj locace, bavard.

garter n jarretelle f.

gas n gaz m; essence f.

gas burner n brûleur à gaz m.

gas cylinder n bouteille de gaz f.

gaseous adj gazeux.

gas fire n radiateur à gaz m.

gash n entaille f; fente f; * vt entailler.

gasket n joint d'étanchéité m.

gasp vi haleter; * n halètements mpl.

gas mask n masque à gaz m.

gas meter n compteur à gaz m.

gasoline n (US) essence f.

gas pedal n (US) accélérateur m.

gas ring n brûleur à gaz m.

gas station n (US) poste d'essence m.

gassy adj gazeux.

gas tap n robinet de gaz m.

gastric adj gastrique.

gastronomic adj gastronomique.

gasworks npl usine à gaz f.

gate n porte f; portail m.

gateway n porte f.

gather vt rassembler; ramasser; comprendre; * vi se rassembler.

gathering n réunion f; récolte f.

gauche adj gauche, maladroit.

gaudy adj criard.

gauge n calibre m; écartement m; * vt mesurer; calibrer.

gaunt adj décharné.

gauze n gaze f.

gay adj gai; vif; homosexuel.

gaze vi contempler, considérer; * n regard m.

gazelle n gazelle f.

gazette n gazette f.

gazetteer n répertoire géographique m.

gear n équipement m, matériel m; appareil m; affaires fpl; vitesse f.

gearbox n boîte de vitesses f.

gear shift n levier de vitesse m.

gear wheel n roue d'engrenage f.

gel n gel m.

gelatin(e) n gélatine f.

gelignite n gélignite f.

gem n pierre précieuse f; perle f.

Gemini n Gémeaux mpl (signe du zodiaque).

gender n genre m.

gene n gène m.

genealogical adj généalogique.

genealogy n généalogie f.

general adj général; commun, usuel; in ~ en général; ~ly adv généralement; * n général m; générale f.

general delivery n (US) poste restante f.

general election n élections générales fpl.

generalisation n généralisation f.

generalise vt généraliser.

generality n généralité; majeure partie f.

generate vt engendrer; produire; causer.

generation n génération f.

generator n générateur m.

generic adj générique.

generosity n générosité, libéralité f.

generous adj généreux.

genetics npl génétique f.

genial adj cordial; doux.

genitals npl organes génitaux mpl.

genitive n (gr) génitif m.

genius n génie m.

genteel adj distingué.

gentle adj doux, f douce, modéré.

gentleman *n* gentleman *m*.
gentleness *n* douceur *f*.
gently *adv* doucement.
gentry *n* aristocratie *f*.
gents *n* toilettes pour hommes *fpl*.
genuflexion *n* génuflexion *f*.
genuine *adj* authentique; sincère; **~ly** *adv* authentiquement; sincèrement.
genus *n* genre *m*.
geographer *n* géographe *mf*.
geographical *adj* géographique.
geography *n* géographie *f*.
geological *adj* géologique.
geologist *n* géologue *mf*.
geology *n* géologie *f*.
geometric(al) *adj* géométrique.
geometry *n* géométrie *f*.
geranium *n* (*bot*) géranium *m*.
geriatric *n* malade gériatrique *mf*; * *adj* gériatrique.
germ *n* (*bot*) germe *m*.
germinate *vi* germer.
gesticulate *vi* gesticuler.
gesture *n* geste *m*.
get *vt* avoir; obtenir; atteindre; gagner; attraper; * *vi* devenir; aller; **~ the better** avoir l'avantage, surpasser.
geyser *n* geyser *m*; chauffe-eau *m invar*.
ghastly *adj* affreux; sinistre.
gherkin *n* cornichon *m*.
ghost *n* fantôme, spectre *m*.
ghostly *adj* spectral.
giant *n* géant *m* -e *f*.
gibberish *n* charabia *m*; sornettes *fpl*.
gibe *vi* se moquer; * *n* moquerie *f*.
giblets *npl* abattis (de volaille) *mpl*.
giddiness *n* vertige *m*.
giddy *adj* vertigineux.
gift *n* cadeau *m*; don *m*; talent *m*.
gifted *adj* talentueux; doué.
gift voucher *n* bon-cadeau *m*.
gigantic *adj* gigantesque.
giggle *vi* rire bêtement.
gild *vt* dorer.
gilding, gilt *n* dorure *f*.

gill *n* quart de pinte *m*; **~s** *pl* branchies *fpl*.
gilt-edged *adj* de premier ordre.
gimmick *n* truc *m*.
gin *n* gin *m*.
ginger *n* gingembre *m*.
gingerbread *n* pain d'épice *m*.
ginger-haired *adj* roux, *f* rousse.
giraffe *n* girafe *f*.
girder *n* poutre *f*.
girdle *n* gaine *f*; ceinture *f*.
girl *n* fille *f*.
girlfriend *n* amie *f*; petite amie *f*.
girlish *adj* de fille.
giro *n* virement *m*.
girth *n* sangle *f*; circonférence *f*.
gist *n* essence *f*.
give *vt* donner; offrir; prononcer, faire; consacrer; **~ away** offrir; trahir; révéler; **~ back** rendre; **~ in** *vi* céder; *vt* remettre; **~ off** dégager; **~ out** distribuer; **~ up** *vi* abandonner; *vt* renoncer à.
gizzard *n* gésier *m*.
glacial *adj* glacial.
glacier *n* glacier *m*.
glad *adj* joyeux, content; **I am ~ to see that** je me réjouis de voir que; **~ly** *adv* avec joie, avec plaisir.
gladden *vt* réjouir.
gladiator *n* gladiateur *m*.
glamour *n* attrait *m*, séduction *f*.
glamorous *adj* attrayant, séduisant.
glance *n* regard *m*; * *vi* regarder; jeter un coup d'œil.
glancing *adj* oblique.
gland *n* glande *f*.
glare *n* éclat *m*; regard féroce *m*; * *vi* éblouir, briller; lancer des regards indignés.
glaring *adj* éclatant; évident; furieux.
glass *n* verre *m*; longue-vue *f*; miroir *m*; **~es** *pl* lunettes *fpl*; * *adj* en verre.
glassware *n* verrerie *f*.
glassy *adj* vitreux, cristallin.

glaze vt vitrer; vernisser.

glazier n vitrier m.

gleam n rayon m; * vi rayonner, briller.

gleaming adj brillant.

glean vt glaner.

glee n joie f; exultation f.

glen n vallée f.

glib adj facile; volubile; ~ly adv facilement; volubilement.

glide vi glisser; planer.

gliding n vol plané m.

glimmer n lueur f; * vi luire.

glimpse n aperçu m; vision f; * vt entrevoir.

glint vi briller, scintiller.

glisten, glitter vi luire, briller.

gloat vi exulter.

global adj global; mondial.

globe n globe m; sphère f.

gloom, gloominess n obscurité f; mélancolie, tristesse f; ~ily adv sombrement; tristement.

gloomy adj sombre, obscur; triste, mélancolique.

glorification n glorification f.

glorify vt glorifier, célébrer.

glorious adj glorieux, illustre; ~ly adv glorieusement.

glory n gloire, célébrité f.

gloss n glose f; lustre m; * vt gloser, interpréter; lustrer; ~ over passer sur.

glossary n glossaire m.

glossy adj lustré, brillant.

glove n gant m.

glove compartment n boîte à gants f.

glow vi rougeoyer; rayonner; * n rougeoiment m; éclat m; feu m.

glower vi lancer des regards noirs.

glue n colle f; * vt coller.

gluey adj gluant, visqueux.

glum adj abattu, triste.

glut n surabondance f.

glutinous adj glutineux.

glutton n glouton m -ne f.

gluttony n gloutonnerie f.

glycerine n glycérine f.

gnarled adj noueux.

gnash vt: to ~ one's teeth grincer des dents.

gnat n moucheron m.

gnaw vt ronger.

gnome n gnome m.

go vi aller; s'en aller, partir; disparaître; se perdre; ~ ahead continuer; ~ away s'en aller; ~ back repartir; ~ by passer; ~ for vt se lancer sur; aimer; ~ in entrer; ~ off s'en aller, partir; se passer; se gâter; ~ on continuer; se passer; ~ out sortir; s'éteindre; ~ up monter.

goad n aiguillon m; * vt aiguillonner; stimuler.

go-ahead adj entreprenant; * n feu vert m.

goal n but, objectif m.

goalkeeper n gardien de but m.

goalpost n poteau de but m.

goatherd n chevrier m -ière f.

gobble vt engloutir, avaler.

go-between n intermédiaire mf.

goblet n coupe f.

goblin n lutin m.

God n Dieu m.

godchild n filleul m -e f.

goddaughter n filleule f.

goddess n déesse f.

godfather n parrain m.

godforsaken adj perdu.

godhead n divinité f.

godless adj impie, athée.

godlike adj divin.

godliness n piété, dévotion, sainteté f.

godly adj pieux, dévot, religieux; droit.

godmother n marraine f.

godsend n don du ciel m.

godson n filleul m.

goggle-eyed adj aux yeux exorbités de surprise.

goggles npl lunettes fpl; lunettes de plongée fpl.

going n départ m; sortie f; progrès m.

gold n or m.

golden *adj* doré; d'or; excellent; **~ rule** *n* règle d'or *f*.
goldfish *n* poisson rouge *m*.
gold-plated *adj* plaqué or.
goldsmith *n* orfèvre *m*.
golf *n* golf *m*.
golf ball *n* balle de golf *f*.
golf club *n* club de golf *m*.
golf course *n* terrain de golf *m*.
golfer *n* golfeur *m* -euse *f*.
gondolier *n* gondolier *m*.
gone *adj* parti; perdu; passé; fini; mort, disparu.
gong *n* gong *m*.
good *adj* bon; bienveillant; favorable; valable; * *adv* bien; * *n* bien *m*; avantage *m*; **~s** *pl* biens *mpl*; marchandises *fpl*.
goodbye ! *excl* au revoir!
Good Friday *n* Vendredi Saint *m*.
goodies *npl* gourmandises *fpl*.
good-looking *adj* beau.
good nature *n* bon caractère *m*.
good-natured *adj* qui a bon caractère.
goodness *n* bonté *f*; qualité *f*.
goodwill *n* bienveillance *f*.
goose *n* oie *f*.
gooseberry *n* groseille à maquereau *f*.
goosebumps *npl* chair de poule *f*.
goose-step *n* pas de l'oie *m*.
gore *n* sang *m*; * *vt* blesser d'un coup de corne.
gorge *n* (*geogr*) gorge *f*; * *vt* engloutir, avaler.
gorgeous *adj* merveilleux.
gorilla *n* gorille *m*.
gorse *n* ajonc *m*.
gory *adj* sanglant.
goshawk *n* autour *m*.
gospel *n* évangile *m*.
gossamer *n* gaze *f*; toile d'araignée *f*.
gossip *n* commérages, cancans *mpl*; * *vi* cancaner, faire des commérages.
gothic *adj* gothique.
gout *n* goutte *f* (maladie).
govern *vt* gouverner, diriger.

governess *n* gouvernante *f*.
government *n* gouvernement *m*; administration publique *f*.
governor *n* gouverneur *m*.
gown *n* toge *f*; robe *f*; robe de chambre *f*.
grab *vt* saisir.
grace *n* grâce *f*; faveur *f*; pardon *m*; grâces *fpl*; **to say ~** dire le bénédicité; * *vt* orner; honorer.
graceful *adj* gracieux; **~ly** *adv* gracieusement.
gracious *adj* gracieux; favorable; **~ly** *adv* gracieusement.
gradation *n* gradation *f*.
grade *n* grade *m*; degré *m*; classe *f*.
grade crossing *n* (US) passage à niveau *m*.
grade school *n* (US) école primaire *f*.
gradient *n* (*rail*) rampe *f*.
gradual *adj* graduel; **~ly** *adv* graduellement.
graduate *vi* obtenir son diplôme.
graduation *n* remise des diplômes *f*.
graffiti *n* graffiti *mpl*.
graft *n* greffe *f*; * *vt* greffer.
grain *n* grain *m*; graine *f*; céréales *fpl*.
gram *n* gramme *m*.
grammar *n* grammaire *f*.
grammatical *adj* **~ly** *adv* grammatical(lement).
granary *n* grenier *m*.
grand *adj* grandiose; magnifique.
grandchild *n* petit-fils *m*; petite-fille *f*; **grandchildren** *pl* petits-enfants *mpl*.
grandad *n* pépé *m*.
granddaughter *n* petite-fille *f*; **great~** arrière-petite-fille *f*.
grandeur *n* grandeur *f*; pompe *f*.
grandfather *n* grand-père *m*; **great~** arrière-grand-père *m*.
grandiose *adj* grandiose.
grandma *n* mémé *f*.
grandmother *n* grand-mère *f*; **great~** arrière-grand-mère *f*.

grandparents *npl* grands-parents *mpl*.

grand piano *n* piano à queue *m*.

grandson *n* petit-fils *m*; **great~** arrière-petit-fils *m*.

grandstand *n* tribune *f*.

granite *n* granit *m*.

granny *n* mamie *f*.

grant *vt* accorder; **to take for ~ed** considérer comme acquis; * *n* bourse *f*; allocation *f*.

granulate *vt* granuler.

granule *n* granule *m*.

grape *n* grain *m* de raisin; **bunch of ~s** grappe *f* de raisin.

grapefruit *n* pamplemousse *m*.

graph *n* graphe, graphique *m*.

graphic(al) *adj* graphique; pittoresque; **~ally** *adv* graphiquement.

graphics *n* art graphique *m*; graphiques *mpl*.

grapnel *n* (*mar*) grappin *m*.

grasp *vt* saisir, empoigner; comprendre; * *n* poigne *f*; compréhension *f*; prise *f*.

grasping *adj* avide.

grass *n* herbe *f*.

grasshopper *n* sauterelle *f*.

grassland *n* prés *mpl*.

grass-roots *adj* populaire; de base.

grass snake *n* couleuvre *f*.

grassy *adj* herbeux.

grate *n* grille *f*; * *vt* râper; grincer (des dents); * *vi* grincer.

grateful *adj* reconnaissant; **~ly** *adv* avec reconnaissance.

gratefulness *n* gratitude, reconnaissance *f*.

gratification *n* satisfaction *f*.

gratify *vt* satisfaire; faire plaisir à.

gratifying *adj* réjouissant.

grating *n* grillage *m*; grincement *m*; * *adj* grinçant; énervant.

gratis *adv* gratis, gratuitement.

gratitude *n* gratitude, reconnaissance *f*.

gratuitous *adj* gratuit; volontaire; **~ly** *adv* gratuitement.

gratuity *n* gratification *f*.

grave *n* tombe *f*; * *adj* grave, sérieux; **~ly** *adv* gravement, sérieusement.

grave digger *n* fossoyeur *m*.

gravel *n* gravier *m*.

gravestone *n* pierre tombale *f*.

graveyard *n* cimetière *m*.

gravitate *vi* graviter.

gravitation *n* gravitation *f*.

gravity *n* gravité *f*.

gravy *n* jus de viande *m*; sauce *f*.

graze *vt* paître; effleurer; * *vi* paître.

grease *n* graisse *f*; * *vt* graisser.

greaseproof *adj* (papier) sulfurisé.

greasy *adj* gras.

great *adj* grand; important; fort; **~ly** *adv* énormément.

greatcoat *n* pardessus *m*.

greatness *n* grandeur *f*; importance *f*; pouvoir *m*; noblesse *f*.

greedily *adv* avidement.

greediness, greed *n* avidité *f*; gloutonnerie *f*.

greedy *adj* avide; glouton.

Greek *n* grec *m*; Grec *m* Grecque *f*.

green *adj* vert; inexpérimenté; * *n* vert *m*; verdure *f*; **~s** *npl* légumes verts *mpl*.

greenback *n* (US) billet *m*.

green belt *n* zone verte *f*.

green card *n* carte verte *f*; (US) permis de travail *m*.

greenery *n* verdure *f*.

greengrocer *n* marchand(e) de fruits et légumes *m(f)*.

greenhouse *n* serre *f*.

greenish *adj* verdâtre.

greenness *n* verdure *f*; manque d'expérience *m*.

green room *n* foyer des artistes *m*.

greet *vt* saluer; accueillir.

greeting *n* salutation *f*; accueil *m*.

greeting(s) card *n* carte de vœux *f*.

grenade *n* (*mil*) grenade *f*.

grenadier *n* grenadier *m*.

grey *adj* gris; * *n* gris *m*.

grey-haired *adj* aux cheveux gris.

greyhound *n* lévrier *m*.

greyish *adj* grisâtre; grisonnant.

greyness *n* couleur grise *f*; grisaille *f*.

grid *n* grille *f*; réseau *m*.

gridiron *n* gril *m*; terrain de football américain *m*.

grief *n* chagrin *m*, douleur, peine *f*.

grievance *n* grief *m*; doléance *f*; différend *m*; injustice *f*; tort *m*.

grieve *vt* peiner, affliger; * *vi* se chagriner, s'affliger.

grievous *adj* douloureux; grave, atroce; ~ly *adv* douloureusement; cruellement.

griffin *n* griffon *m*.

grill *n* gril *m*; grillade *f*; * *vt* faire griller; interroger, cuisiner.

grille *n* grille *f*.

grim *adj* peu engageant; sinistre.

grimace *n* grimace *f*; moue *f*.

grime *n* saleté *f*.

grimy *adj* crasseux.

grin *n* grimace *f*; sourire *m*; * *vi* grimacer; sourire.

grind *vt* moudre; piler, broyer; affûter, aiguiser; * *vi* grincer.

grinder *n* moulin *m*; rémouleur *m*; molaire *f*.

grip *n* prise *f*; poignée *f*; sac *m* de voyage; * *vt* saisir, agripper.

gripping *adj* passionnant.

grisly *adj* horrible; sinistre.

gristle *n* cartilage *m*.

gristly *adj* cartilagineux.

grit *n* gravillon *m*; cran *m*.

groan *vi* gémir; grogner; * *n* gémissement *m*; grognement *m*.

grocer *n* épicier *m* -ière *f*.

groceries *npl* épicerie *f*, provisions *fpl*.

grocer's (shop) *n* épicerie *f*.

groggy *adj* sonné, étourdi.

groin *n* aine *f*.

groom *n* palefrenier *m*; valet *m*; marié *m*; * *vt* panser; préparer.

groove *n* rainure *f*.

grope *vt* chercher à tâtons; * *vi* tâtonner.

gross *adj* gros, corpulent; épais; grossier; brut; ~ly *adv* énormément.

grotesque *adj* grotesque.

grotto *n* grotte *f*.

ground *n* terre *f*, sol *m*; terrain, territoire *m*; fondement *m*; raison fondamentale *f*; fond *m*; * *vt* retenir au sol; fonder; mettre une prise de terre à.

ground floor *n* rez-de-chaussée *m*.

grounding *n* connaissances de base *fpl*.

groundless *adj* sans fondement; ~ly *adv* sans fondement.

ground staff *n* personnel au sol *m*.

groundwork *n* travaux de préparation *mpl*.

group *n* groupe *m*; * *vt* regrouper.

grouse *n* grouse *f*, coq de bruyère *m*; * *vi* grogner.

grove *n* bosquet *m*.

grovel *vi* se traîner; ramper.

grow *vt* cultiver; faire pousser; * *vi* pousser; grandir; augmenter; ~ **up** grandir.

grower *n* cultivateur *m* -trice *f*; producteur *m* -trice *f*.

growing *adj* croissant; grandissant.

growl *vi* grogner; * *n* grognement *m*.

grown-up *n* adulte *mf*.

growth *n* croissance *f*; augmentation *f*; poussée *f*.

grub *n* asticot *m*.

grubby *adj* sale.

grudge *n* rancune *f*; * *vt* accorder à contrecœur; *vi* avoir de la rancune.

grudgingly *adv* à contrecœur.

gruelling *adj* difficile, pénible.

gruesome *adj* horrible.

gruff *adj* brusque; ~ly *adv* brusquement.

gruffness *n* brusquerie *f*.

grumble *vi* grogner; grommeler.

grumpy *adj* ronchon, grincheux.

grunt *vi* grogner; * *n* grognement *m*.

G-string *n* cache-sexe *m*.

guarantee *n* garantie *f*; * *vt* garantir.

guard *n* garde *f*; garde *m*; * *vt* garder; défendre.

guarded *adj* prudent; surveillé.

guardroom *n* (*mil*) corps de garde *m*.

guardian *n* tuteur *m* -trice *f*; gardien *m* -ne *f*.

guardianship *n* tutelle *f*.

guerrilla *n* guérillero *m*.

guerrilla warfare *n* guérilla *f*.

guess *vt* deviner; supposer; * *vi* deviner; * *n* conjecture *f*.

guesswork *n* conjectures *fpl*.

guest *n* invité *m* -ée *f*; client *m* -e *f*.

guest room *n* chambre d'amis *f*.

guffaw *n* éclat de rire *m*.

guidance *n* guidage *m*; direction *f*.

guide *vt* guider, diriger; * *n* guide *m*.

guide dog *n* chien d'aveugle *m*.

guidelines *npl* directives *fpl*.

guidebook *n* guide *m*.

guild *n* association *f*; corporation *f*.

guile *n* astuce *f*.

guillotine *n* guillotine *f*; * *vt* guillotiner.

guilt *n* culpabilité *f*.

guiltless *adj* innocent.

guilty *adj* coupable.

guinea pig *n* cochon d'Inde, cobaye *m*.

guise *n* apparence *f*.

guitar *n* guitare *f*.

gulf *n* golfe *m*; abîme *m*.

gull *n* mouette *f*.

gullet *n* œsophage *m*.

gullibility *n* crédulité *f*.

gullible *adj* crédule.

gully *n* ravine *f*.

gulp *n* gorgée *f*; * *vt vi* avaler.

gum *n* gomme *f*; gencive *f*; chewing-gum *m*; * *vt* coller.

gum tree *n* gommier *m*.

gun *n* pistolet *m*; fusil *m*.

gunboat *n* canonnière *f*.

gun carriage *n* affût de canon *m*.

gunfire *n* coups de feu *mpl*.

gunman *n* homme armé *m*.

gunmetal *n* bronze à canon *m*.

gunner *n* artilleur *m*.

gunnery *n* artillerie *f*.

gunpoint *n*: at ~ sous la menace d'une arme à feu.

gunpowder *n* poudre à canon *f*.

gunshot *n* coup de feu *m*.

gunsmith *n* armurier *m*.

gurgle *vi* gargouiller.

guru *n* gourou *m*.

gush *vi* jaillir; bouillonner; * *n* jaillissement *m*.

gushing *adj* jaillissant; très exubérant.

gusset *n* soufflet *m*.

gust *n* rafale *f*; bouffée *f*.

gusto *n* plaisir *m*, délectation *f*.

gusty *adj* venteux.

gut *n* intestin *m*; ~s *npl* cœur au ventre *m*; * *vt* vider.

gutter *n* gouttière *f*; caniveau *m*.

guttural *adj* guttural.

guy *n* mec, type *m*.

guzzle *vt* bouffer, engloutir; avaler.

gym(nasium) *n* gymnase *m*.

gymnast *n* gymnaste *mf*.

gymnastic *adj* gymnastique; ~s *npl* gymnastique *f*.

gynaecologist *n* gynécologue *mf*.

gypsy *n* gitan *m* -e *f*.

gyrate *vi* tourner.

H

haberdasher *n* mercier *m* -ière *f*.

haberdashery *n* mercerie *f*.

habit *n* habitude *f*.

habitable *adj* habitable.

habitat *n* habitat *m*.

habitual *adj* habituel; **~ly** *adv* d'habitude, habituellement.

hack *n* coupure, entaille *f*; * *vt* entailler, couper.

hackneyed *adj* rebattu.

haddock *n* aiglefin *m*.

haemorrhage *n* hémorragie *f*.

haemorrhoids *npl* hémorroïdes *fpl*.

hag *n* sorcière *f*.

haggard *adj* exténué; défait.

haggle *vi* marchander.

hail *n* grêle *f*; * *vt* saluer; * *vi* grêler.

hailstone *n* grêlon *m*.

hair *n* cheveux *mpl*; poil *m*.

hairbrush *n* brosse à cheveux *f*.

haircut *n* coupe de cheveux *f*.

hairdresser *n* coiffeur *m* -euse *f*.

hairdryer *n* séchoir à cheveux *m*.

hairless *adj* chauve; sans poils.

hairnet *n* filet à cheveux *m*.

hairpin *n* épingle à cheveux *f*.

hairpin bend *n* virage en épingle à cheveux *m*.

hair remover *n* crème dépilatoire *f*.

hairspray *n* laque à cheveux *f*.

hairstyle *n* coiffure *f*.

hairy *adj* chevelu; poilu.

hale *adj* vigoureux.

half *n* moitié *f*; * *adj* demi; * *adv* à moitié.

half-caste *adj* métis.

half-hearted *adj* peu enthousiaste.

half-hour *n* demi-heure *f*.

half-moon *n* demi-lune *f*.

half-price *adj* à moitié prix.

half-time *n* mi-temps *f*.

halfway *adv* à mi-chemin.

hall *n* vestibule *m*.

hallmark *n* marque *f*.

hallow *vt* consacrer, sanctifier.

hallucination *n* hallucination *f*.

halo *n* halo *m*.

halt *vi* s'arrêter; * *n* arrêt *m*; halte *f*.

halve *vt* couper en deux.

ham *n* jambon *m*.

hamlet *n* hameau *m*.

hammer *n* marteau *m*; * *vt* marteler.

hammock *n* hamac *m*.

hamper *n* panier *m*; * *vt* embarrasser, entraver.

hamstring *vt* couper les jarrets à.

hand *n* main *f*; ouvrier *m* -ière *f*; aiguille *f*; **at ~** à portée de main; * *vt* donner, passer.

handbag *n* sac à main *m*.

handbell *n* sonnette *f*.

handbook *n* manuel *m*.

handbrake *n* frein à main *m*.

handcuff *n* menotte *f*.

handful *n* poignée *f*.

handicap *n* handicap *m*.

handicapped *adj* handicapé.

handicraft *n* artisanat *m*.

handiwork *n* travail manuel *m*.

handkerchief *n* mouchoir *m*.

handle *n* manche *m*, queue *f*; anse *f*; poignée *f*; * *vt* manier; traiter, prendre.

handlebars *npl* guidon *m*.

handling *n* maniement *m*; traitement *m*.

handrail *n* garde-fou *m*.

handshake *n* poignée de mains *f*.

handsome *adj* beau; **~ly** *adv* élégamment.

handwriting *n* écriture *f*.

handy *adj* pratique; adroit.

hang *vt* accrocher; pendre; * *vi* pendre, être accroché; être pendu.

hanger n cintre m.
hanger-on n parasite m.
hangings npl tapisserie f.
hangman n bourreau m.
hangover n gueule de bois f.
hang-up n complexe m.
hanker vi avoir envie.
haphazard adj fortuit.
hapless adj malheureux.
happen vi se passer; **I ~ to have one** il se trouve que j'en ai un.
happening n événement m.
happily adv heureusement; gaiement.
happiness n bonheur m.
happy adj heureux.
harangue n harangue f; * vt haranguer.
harass vt harceler; tourmenter.
harbinger n précurseur m.
harbour n port m; * vt héberger; entretenir, nourrir.
hard adj dur; pénible; sévère, rigide; **~ of hearing** dur d'oreille; **~ by** tout près.
harden vt vi durcir.
hard-headed adj réaliste.
hard-hearted adj au cœur dur, insensible.
hardiness n robustesse f.
hardly adv à peine; **~ ever** presque jamais.
hardness n dureté f; difficulté f; sévérité f.
hardship n épreuve(s) f(pl).
hard-up adj fauché, sans le sou.
hardware n matériel m; quincaillerie f.
hardwearing adj résistant.
hardy adj fort, robuste; résistant.
hare n lièvre m.
hare-brained adj écervelé.
hare-lipped adj qui a un bec de lièvre.
haricot n haricot blanc m.
harlequin n arlequin m.
harm n mal m; tort m; * vt faire du mal à; nuire à.
harmful adj nuisible.
harmless adj inoffensif.

harmonic adj harmonique.
harmonious adj harmonieux; **~ly** adv harmonieusement.
harmonise vt harmoniser.
harmony n harmonie f.
harness n harnais m; * vt harnacher.
harp n harpe f.
harpist n harpiste mf.
harpoon n harpon m.
harpsichord n clavecin m.
harrow n herse f.
harry vt harceler; dévaster.
harsh adj dur; austère; rude; **~ly** adv sévèrement; durement.
harshness n aspérité, dureté f; austérité f.
harvest n récolte f; moisson f; * vt récolter; moissonner.
harvester n moissonneur m -euse f; moissonneuse f (machine).
hash n hachis m; gâchis m.
hassock n agenouilloir m.
haste n hâte f; **to be in ~** être pressé.
hasten vt accélérer, hâter; * vi se dépêcher.
hastily adv à la hâte, précipitamment.
hastiness n précipitation f.
hasty adj hâtif; irréfléchi.
hat n chapeau m.
hatbox n carton à chapeau m.
hatch vt couver; faire éclore; tramer; * n écoutille f.
hatchback n (auto) voiture à hayon arrière f.
hatchet n hachette f.
hatchway n (mar) écoutille f.
hate n haine f; * vt haïr, détester.
hateful adj odieux, détestable.
hatred n haine f.
hatter n chapelier m -ière f.
haughtily adv hautainement.
haughtiness n orgueil m; hauteur f.
haughty adj hautain, orgueilleux.
haul vt tirer; * n prise f; butin m.
haulier n camionneur m.

haunch n hanche f.
haunt vt hanter; fréquenter; * n repaire m.
have vt avoir; posséder.
haven n refuge m.
haversack n sac à dos m.
havoc n ravages mpl.
hawk n faucon m; * vi chasser au faucon.
hawthorn n aubépine f.
hay n foin m.
hay fever n rhume des foins m.
hayloft n fenil m.
hayrick, haystack n meule de foin f.
hazard n risque, danger m; * vt risquer.
hazardous adj risqué, dangereux.
haze n brume f.
hazel n noisetier m; * adj noisette.
hazelnut n noisette f.
hazy adj brumeux.
he pn il.
head n tête f; chef m; esprit m; * vt conduire; ~ **for** se diriger vers.
headache n mal de tête m.
headdress n coiffe f.
headland n promontoire m.
headlight n phare m.
headline n titre m.
headlong adv à toute allure.
headmaster n directeur m.
head office n siège social m.
headphones npl écouteurs mpl.
headquarters npl (mil) quartier général m; siège social m.
headroom n hauteur f.
headstrong adj têtu.
headwaiter n maître d'hôtel m.
headway n progrès m(pl).
heady adj capiteux.
heal vt vi guérir.
health n santé f.
healthiness n bonne santé f.
healthy adj en bonne santé; sain.
heap n tas m; * vt entasser.
hear vt entendre; écouter; * vi entendre; avoir des nouvelles.
hearing n ouïe f.

hearing aid n audiophone m.
hearsay n rumeur f.
hearse n corbillard m.
heart n cœur m; by ~ par cœur; **with all my** ~ de tout cœur.
heart attack n crise cardiaque f.
heartbreaking adj à fendre le cœur.
heartburn n acidité f gastrique.
heart failure n arrêt cardiaque m.
heartfelt adj sincère.
hearth n foyer m.
heartily adv sincèrement, cordialement.
heartiness n cordialité, sincérité f.
heartless adj cruel; ~**ly** adv cruellement.
hearty adj cordial.
heat n chaleur f; * vt chauffer.
heater n radiateur m.
heather n (bot) bruyère f.
heathen n païen m, païenne f; ~**ish** adj sauvage, barbare.
heating n chauffage m.
heatwave n onde de chaleur f.
heave vt lever; tirer; * n effort m.
heaven n ciel m.
heavenly adj divin.
heavily adv lourdement.
heaviness n lourdeur f.
heavy adj lourd, pesant; considérable.
Hebrew n hébreu m (langue).
heckle vt interrompre.
hectic adj agité.
hedge n haie f; * vt entourer d'une haie.
hedgehog n hérisson m.
heed vt tenir compte de; * n soin m; attention f.
heedless adj inattentif, étourdi; ~**ly** adv étourdiment.
heel n talon m; **to take to one's** ~**s** prendre ses jambes à son cou.
hefty adj costaud, puissant.
heifer n génisse f.
height n hauteur f; altitude f.

heighten *vt* rehausser; augmenter; intensifier.

heinous *adj* atroce.

heir *n* héritier *m*; ~ **apparent** héritier présomptif *m*.

heiress *n* héritière *f*.

heirloom *n* héritage *m*.

helicopter *n* hélicoptère *m*.

hell *n* enfer *m*.

hellish *adj* infernal.

helm *n* (*mar*) barre *f*.

helmet *n* casque *m*.

help *vt* aider, secourir; **I cannot ~ it** je n'y peux rien; je ne peux pas m'en empêcher; * *n* aide *f*; secours *m*.

helper *n* aide *mf*.

helpful *adj* utile; qui rend service.

helping *n* portion *f*.

helpless *adj* impuissant; ~**ly** *adv* désespérément; sans pouvoir rien faire.

helter-skelter *adv* n'importe comment, en désordre.

hem *n* ourlet *m*; * *vt* ourler.

he-man *n* dur, mâle *m*.

hemisphere *n* hémisphère *m*.

hemp *n* chanvre *m*.

hen *n* poule *f*.

henchman *n* acolyte *m*.

henceforth, henceforward *adv* dorénavant.

hen-house *n* poulailler *m*.

hepatitis *n* hépatite *f*.

her *pn* son, sa, ses; elle; la; lui.

herald *n* héraut *m*.

heraldry *n* héraldique *f*.

herb *n* herbe *f*; ~**s** *pl* fines herbes *fpl*.

herbaceous *adj* herbacé.

herbalist *n* herboriste *mf*.

herbivorous *adj* herbivore.

herd *n* troupeau *m*.

here *adv* ici.

hereabout(s) *adv* dans les environs.

hereafter *adv* plus tard; ci-après.

hereby *adv* par la présente.

hereditary *adj* héréditaire.

heredity *n* hérédité *f*.

heresy *n* hérésie *f*.

heretic *n, adj* hérétique *mf*.

herewith *adv* avec ceci.

heritage *n* patrimoine, héritage *m*.

hermetic *adj* hermétique; ~**ly** *adv* hermétiquement.

hermit *n* ermite *m*.

hermitage *n* ermitage *m*.

hernia *n* hernie *f*.

hero *n* héros *m*.

heroic *adj* héroïque; ~**ally** *adv* héroïquement.

heroine *n* héroïne *f*.

heroism *n* héroïsme *m*.

heron *n* héron *m*.

herring *n* hareng *m*.

hers *pn* le sien, la sienne, le(s) sien(ne)s, à elle.

herself *pn* elle-même.

hesitant *adj* hésitant.

hesitate *vi* hésiter.

hesitation *n* hésitation *f*.

heterogeneous *adj* hétérogène.

heterosexual *adj n* hétérosexuel *m* -le *f*.

hew *vt* tailler; couper.

heyday *n* apogée *m*.

hi *excl* salut!

hiatus *n* (*gr*) hiatus *m*.

hibernate *vi* hiberner.

hiccup *n* hoquet *m*; * *vi* avoir le hoquet.

hickory *n* noyer d'Amérique *m*.

hide *vt* cacher; * *n* cuir *m*; peau *f*.

hideaway *n* cachette *f*.

hideous *adj* hideux; horrible; ~**ly** *adv* horriblement.

hiding-place *n* cachette *f*.

hierarchy *n* hiérarchie *f*.

hieroglyphic *adj* hiéroglyphique; * *n* hiéroglyphe *m*.

hi-fi *n* hi-fi *f invar*.

higgledy-piggledy *adv* pêle-mêle.

high *adj* haut; élevé.

high altar *n* maître-autel *m*.

high chair *n* chaise haute *f*.

high-handed *adj* tyrannique.

highlands *npl* terres montagneuses *fpl*.

highlight n point fort m.

highly adj extrêmement, hautement.

highness n hauteur f; altesse f.

high school n lycée m.

high-strung adj nerveux, tendu.

high water n marée haute f.

highway n grande route f.

hike vi faire une randonnée.

hijack vt détourner.

hijacker n pirate de l'air m.

hilarious adj hilarant; hilare.

hill n colline f.

hillock n petite colline f.

hillside n coteau m.

hilly adj montagneux.

hilt n poignée f.

him pn lui; le.

himself pn lui-même; soi.

hind adj derrière; * n biche f.

hinder vt gêner, entraver.

hindrance n gêne f, obstacle m.

hindmost adj dernier.

hindquarter n arrière-train m.

hindsight n: with ~ rétrospectivement.

hinge n charnière f; gond m.

hint n allusion f; insinuation f; * vt insinuer; suggérer.

hip n hanche f.

hippopotamus n hippopotame m.

hire vt louer; * n location f.

his pn son, sa, ses; le sien, la sienne, les sien(ne)s; à lui.

Hispanic adj hispanique.

hiss vt vi siffler.

historian n historien m -ne f.

historic(al) adj historique; ~ally adv historiquement.

history n histoire f.

histrionic adj théâtral.

hit vt frapper; atteindre; heurter; * n coup m; succès m.

hitch vt accrocher; * n nœud m; anicroche f.

hitchhike vi faire du stop.

hitherto adv jusqu'à présent, jusqu'ici.

hive n ruche f.

hoard n stock m; trésor caché m; * vt accumuler, amasser.

hoarfrost n givre m.

hoarse adj rauque; ~ly adv d'une voix rauque.

hoarseness n voix rauque f.

hoax n canular m; * vt faire un canular à.

hobble vi boitiller.

hobby n passe-temps m invar.

hobbyhorse n cheval de bataille m.

hobo n vagabond m.

hockey n hockey m.

hodge-podge n confusion f.

hoe n binette f; * vt biner.

hog n porc m.

hoist vt hisser; * n grue f.

hold vt tenir; détenir; contenir; ~ on to se tenir à; * vi valoir; * n prise f; pouvoir m.

holder n détenteur m -trice f; titulaire mf.

holding n possession f.

holdup n hold-up m; retard m.

hole n trou m.

holiday n jour de congé m; jour férié m; ~s pl vacances fpl.

holiness n sainteté f.

hollow adj creux; * n creux m; * vt creuser, vider.

holly n (bot) houx m.

hollyhock n rose trémière f.

holocaust n holocauste m.

holster n étui de révolver m.

holy adj saint; bénit; sacré.

holy water n eau bénite f.

holy week n semaine sainte f.

homage n hommage m.

home n maison f; patrie f; domicile m; ~ly adj simple.

home address n domicile m.

homeless adj sans abri.

homeliness n simplicité f.

home-made adj fait maison.

homeopathist n homéopathe mf.

homeopathy n homéopathie f.

homesick adj nostalgique, qui a le mal du pays.

homesickness *n* nostalgie *f*, mal du pays *m*.

hometown *n* ville natale *f*.

homeward *adj* vers chez soi; vers son pays.

homework *n* devoirs *mpl*.

homicidal *adj* homicide.

homicide *n* homicide *m*; homicide *mf*.

homogeneous *adj* homogène.

homosexual *adj n* homosexuel *m* -le *f*.

honest *adj* honnête; ~ly *adv* honnêtement.

honesty *n* honnêteté *f*.

honey *n* miel *m*.

honeycomb *n* rayon de miel *m*.

honeymoon *n* lune de miel *f*.

honeysuckle *n* (*bot*) chèvrefeuille *m*.

honour *n* honneur *m*; * *vt* honorer.

honourable *adj* honorable.

honourably *adv* honorablement.

honorary *adj* honoraire.

hood *n* capot *m*; capuche *f*.

hoodlum *n* truand *m*.

hoof *n* sabot *m*.

hook *n* crochet *m*; hameçon *m*; by ~ or by crook coûte que coûte; * *vt* accrocher.

hooked *adj* crochu.

hooligan *n* vandale *m*.

hoop *n* cerceau *m*.

hooter *n* sirène *f*.

hop *n* (*bot*) houblon *m*; saut *m*; * *vi* sauter.

hope *n* espoir *m*, espérance *f*; * *vi* espérer.

hopeful *adj* plein d'espoir; prometteur; ~ly *adv* avec espoir.

hopefulness *n* bon espoir *m*.

hopeless *adj* désespéré; ~ly *adv* désespérément.

horde *n* horde *f*.

horizon *n* horizon *m*.

horizontal *adj* horizontal; ~ly *adv* horizontalement.

hormone *n* hormone *f*.

horn *n* corne *f*.

horned *adj* à cornes.

hornet *n* frelon *m*.

horny *adj* calleux.

horoscope *n* horoscope *m*.

horrendous *adj* horrible.

horrible *adj* horrible.

horribly *adv* horriblement; énormément.

horrid *adj* horrible.

horrific *adj* horrible, affreux.

horrify *vt* horrifier.

horror *n* horreur *f*.

horror film *n* film d'horreur *m*.

hors d'oeuvre *n* hors-d'œuvre *m* *invar*.

horse *n* cheval *m*.

horseback *adv*: on ~ à cheval.

horse-breaker *n* dresseur(-euse) de chevaux *m(f)*.

horse chestnut *n* marron d'Inde *m*.

horsefly *n* taon *m*.

horseman *n* cavalier *m*.

horsemanship *n* équitation *f*.

horsepower *n* cheval-vapeur *m*; puissance en chevaux *f*.

horse race *n* course de chevaux *f*.

horseradish *n* raifort *m*.

horseshoe *n* fer à cheval *m*.

horsewoman *n* cavalière *f*.

horticulture *n* horticulture *f*.

horticulturist *n* horticulteur *m* -trice *f*.

hose-pipe *n* tuyau *m*.

hosiery *n* bonneterie *f*.

hospitable *adj* hospitalier.

hospitably *adv* avec hospitalité.

hospital *n* hôpital *m*.

hospitality *n* hospitalité *f*.

host *n* hôte *m*; hostie *f*.

hostage *n* otage *m*.

hostess *n* hôtesse *f*.

hostile *adj* hostile.

hostility *n* hostilité *f*.

hot *adj* chaud; épicé.

hotbed *n* foyer *m*.

hotdog *n* hot-dog *m*.

hotel *n* hôtel *m*.

hotelier *n* hôtelier *m* -ière *f*.

hotheaded *adj* exalté.

hothouse *n* serre *f*.

hotline *n* téléphone rouge *m*.

hotplate *n* plaque chauffante *f*.

hotly *adv* violemment.

hound *n* chien de chasse *m*.

hour *n* heure *f*.

hourglass *n* sablier *m*.

hourly *adv* toutes les heures.

house *n* maison *f*; maisonnée *f*; * *vt* loger.

houseboat *n* péniche *f*.

housebreaker *n* cambrioleur *m*.

housebreaking *n* cambriolage *m*.

household *n* famille *f*, ménage *m*.

householder *n* propriétaire *mf*; chef de famille *m*.

housekeeper *n* gouvernante *f*.

housekeeping *n* travaux ménagers *mpl*.

houseless *adv* sans abri.

house-warming party *n* pendaison de crémaillère *f*.

housewife *n* ménagère *f*.

housework *n* travaux ménagers *mpl*.

housing *n* logement *m*.

housing development *n* urbanisation *f*.

hovel *n* taudis *m*.

hover *vi* planer.

how *adv* comme; comment; ~ **do you do!** enchanté.

however *adv* de quelque manière que; cependant, néanmoins.

howl *vi* hurler; * *n* hurlement *m*.

hub *n* centre *m*; moyeu *m*.

hubbub *n* vacarme *m*.

hubcap *n* enjoliveur *m*.

hue *n* teinte *f*; nuance *f*.

huff *n*: **in a ~** fâché.

hug *vt* étreindre; * *n* étreinte *f*.

huge *adj* énorme; ~**ly** *adv* énormément.

hulk *n* (*mar*) carcasse *f*; ponton *m*.

hull *n* (*mar*) coque *f*.

hum *vi* chantonner.

human *adj* humain.

humane *adj* humain; ~**ly** *adv* humainement.

humanise *vt* humaniser.

humanist *n* humaniste *mf*.

humanitarian *adj* humanitaire.

humanity *n* humanité *f*.

humanly *adv* humainement.

humble *adj* humble, modeste; * *vt* humilier.

humbleness *n* humilité *f*.

humbly *adv* humblement.

humbug *n* blagues *fpl*.

humdrum *adj* monotone.

humid *adj* humide.

humidity *n* humidité *f*.

humiliate *vt* humilier.

humiliation *n* humiliation *f*.

humility *n* humilité *f*.

hummingbird *n* colibri *m*.

humorist *n* humoriste *mf*.

humorous *adj* humoristique; ~**ly** *adv* avec humour.

humour *n* sens de l'humour *m*, humour *m*; * *vt* complaire à.

hump *n* bosse *f*.

hunch *n* intuition *f*; ~**backed** *adj* bossu.

hundred *adj* cent; * *n* centaine *f*.

hundredth *adj* centième.

hundredweight *n* quintal *m*.

hunger *n* faim *f*; * *vi* avoir faim.

hunger strike *n* grève de la faim *f*.

hungrily *adv* avidement.

hungry *adj* qui a faim, affamé.

hunt *vt* chasser; poursuivre; chercher; * *vi* chasser; * *n* chasse *f*.

hunter *n* chasseur *m*.

hunting *n* chasse *f*.

huntsman *n* chasseur *m*.

hurdle *n* haie *f*.

hurl *vt* lancer avec violence, jeter.

hurricane *n* ouragan *m*.

hurried *adj* fait à la hâte; précipité; ~**ly** *adv* hâtivement; précipitamment.

hurry *vt* presser; * *vi* se presser, se dépêcher; * *n* hâte *f*.

hurt *vt* faire mal à; blesser; * *n* mal *m*.

hurtful *adj* blessant; ~**ly** *adv* de manière blessante.

husband n mari m.
husbandry n agriculture f.
hush! chut!, silence!; * vt faire taire; * vi se taire.
husk n coque f (graine).
huskiness n voix rauque f.
husky adj rauque.
hustings n plate-forme électorale f.
hustle vt pousser avec force, bousculer.
hut n cabane, hutte f.
hutch n clapier m.
hyacinth n jacinthe f.
hydrant n bouche d'incendie f.
hydraulic adj hydraulique; ~s npl hydraulique f.
hydroelectric adj hydroélectrique.
hydrofoil n hydroptère m.
hydrogen n hydrogène m.

hydrophobia n hydrophobie f.
hyena n hyène f.
hygiene n hygiène f.
hygienic adj hygiénique.
hymn n hymne m.
hyperbole n hyperbole f.
hypermarket n hypermarché m.
hyphen n (gr) trait d'union m.
hypochondria n hypocondrie f.
hypochondriac adj n hypocondriaque mf.
hypocrisy n hypocrisie f.
hypocrite n hypocrite mf.
hypocritical adj hypocrite.
hypothesis n hypothèse f.
hypothetical adj ~ly adv hypothétique(ment).
hysterical adj hystérique.
hysterics npl hystérie f; crise de nerfs f.

I

I pn je, j'; moi
ice n glace f; * vt glacer; geler.
ice-axe n piolet m.
iceberg n iceberg m.
ice-bound adj fermé par les glaces.
icebox n glacière f.
ice cream n glace f.
ice rink n patinoire f.
ice skating n patinage sur glace m.
icicle n stalactite f, glaçon m.
iconoclast n iconoclaste mf.
icy adj glacé.
idea n idée f.
ideal adj idéal; ~ly adv idéalement.
idealist n idéaliste mf.
identical adj identique.
identification n identification f.
identify vt identifier.
identity n identité f.
ideology n idéologie f.

idiom n expression idiomatique f.
idiomatic adj idiomatique.
idiosyncrasy n idiosyncrasie f.
idiot n imbécile mf.
idiotic adj idiot, bête.
idle adj désœuvré; au repos; inutile.
idleness n paresse f; oisiveté f.
idler n paresseux m -euse f.
idly adv oisivement; paresseusement; vainement.
idol n idole f.
idolatry n idôlatrie f.
idolise vt idôlatrer.
idyllic adj idyllique.
i.e. adv c.-à-d., c'est-à-dire.
if conj si; ~ not sinon.
ignite vt allumer, enflammer.
ignition n (chem) ignition f; allumage m.
ignition key n clé de contact f.
ignoble adj infâme; bas.

ignominious *adj* ignominieux; ~**ly** *adv* ignominieusement.
ignominy *n* ignominie, infamie *f.*
ignoramus *n* ignorant *m* -e *f.*
ignorance *n* ignorance *f.*
ignorant *adj* ignorant; ~**ly** *adv* par ignorance.
ignore *vt* ne pas tenir compte de.
ill *adj* malade; * *n* mal *m*; dommage *m*; * *adv* mal.
ill-advised *adj* malavisé.
illegal *adj* ~**ly** *adv* illégal(ement).
illegality *n* illégalité *f.*
illegible *adj* illisible.
illegibly *adv* illisiblement.
illegitimacy *n* illégitimité *f.*
illegitimate *adj* illégitime; ~**ly** *adv* illégitimement.
ill feeling *n* rancœur *f.*
illicit *adj* illicite.
illiterate *adj* analphabète, illettré.
illness *n* maladie *f.*
illogical *adj* illogique.
ill-timed *adj* inopportun.
ill-treat *vt* maltraiter.
illuminate *vt* illuminer.
illumination *n* illumination *f.*
illusion *n* illusion *f.*
illusory *adj* illusoire.
illustrate *vt* illustrer.
illustration *n* illustration *f.*
illustrative *adj* qui illustre.
illustrious *adj* illustre.
ill-will *n* malveillance *f.*
image *n* image *f.*
imagery *n* images *fpl.*
imaginable *adj* imaginable.
imaginary *adj* imaginaire.
imagination *n* imagination *f.*
imaginative *adj* imaginatif.
imagine *vt* imaginer.
imbalance *n* déséquilibre *m.*
imbecile *adj* imbécile, idiot.
imbibe *vt* boire; imbiber; absorber.
imbue *vt* imprégner.
imitate *vt* imiter.
imitation *n* imitation *f.*
imitative *adj* imitatif.

immaculate *adj* immaculé.
immaterial *adj* insignifiant.
immature *adj* pas mûr.
immeasurable *adj* incommensurable.
immeasurably *adv* immensément.
immediate *adj* immédiat; ~**ly** *adv* immédiatement.
immense *adj* immense; énorme; ~**ly** *adv* immensément.
immensity *n* immensité *f.*
immerse *vt* immerger.
immersion *n* immersion *f.*
immigrant *n* immigrant *m* -e *f.*
immigration *n* immigration *f.*
imminent *adj* imminent.
immobile *adj* immobile.
immobility *n* immobilité *f.*
immoderate *adj* immodéré, excessif; ~**ly** *adv* immodérément.
immodest *adj* immodeste.
immoral *adj* immoral.
immorality *n* immoralité *f.*
immortal *adj* immortel.
immortalise *vt* immortaliser.
immortality *n* immortalité *f.*
immune *adj* immunisé.
immunise *vt* immuniser.
immunity *n* immunité *f.*
immutable *adj* immuable.
imp *n* lutin *m.*
impact *n* impact *m.*
impair *vt* diminuer; affaiblir.
impale *vt* empaler.
impalpable *adj* impalpable.
impart *vt* communiquer.
impartial *adj* ~**ly** *adv* impartial(ement).
impartiality *n* impartialité *f.*
impassable *adj* impraticable; infranchissable.
impasse *n* impasse *f.*
impassive *adj* impassible.
impatience *n* impatience *f.*
impatient *adj* impatient; ~**ly** *adv* impatiemment.
impeach *vt* (*law*) mettre en accusation.
impeccable *adj* impeccable.

impecunious *adj* impécunieux.
impede *vt* empêcher; entraver.
impediment *n* obstacle *m*.
impel *vt* pousser.
impending *adj* imminent.
impenetrable *adj* impénétrable.
imperative *adj* impératif.
imperceptible *adj* imperceptible.
imperceptibly *adv* imperceptiblement.
imperfect *adj* ~**ly** imparfait(ement); * *n* (*gr*) imparfait *m*.
imperfection *n* imperfection *f*; défaut *m*.
imperial *adj* impérial.
imperialism *n* impérialisme *m*.
imperious *adj* impérieux; ~**ly** *adv* impérieusement.
impermeable *adj* imperméable.
impersonal *adj* ~**ly** *adv* impersonel(lement).
impersonate *vt* se faire passer pour; imiter.
impertinence *n* impertinence *f*.
impertinent *adj* impertinent; ~**ly** *adv* impertinemment.
imperturbable *adj* imperturbable.
impervious *adj* imperméable; indifférent.
impetuosity *n* impétuosité *f*.
impetuous *adj* impétueux; ~**ly** *adv* impétueusement.
impetus *n* élan *m*.
impiety *n* impiété *f*.
impinge (on) *vi* affecter; empiéter (sur).
impious *adj* impie. .
implacable *adj* implacable.
implacably *adv* implacablement.
implant *vt* implanter.
implement *n* outil *m*; ustensile *m*.
implicate *vt* impliquer.
implication *n* implication *f*.
implicit *adj* implicite; ~**ly** *adv* implicitement.
implore *vt* supplier.
imply *vt* supposer.
impolite *adj* impoli.

impoliteness *n* impolitesse *f*.
impolitic *adj* maladroit; impolitique.
import *vt* importer; * *n* importation *f*.
importance *n* importance *f*.
important *adj* important.
importation *n* importation *f*.
importer *n* importateur *m* -trice *f*.
importunate *adj* importun.
importune *vt* importuner.
importunity *n* importunité *f*.
impose *vt* imposer.
imposing *adj* imposant.
imposition *n* imposition *f*.
impossibility *n* impossibilité *f*.
impossible *adj* impossible.
impostor *n* imposteur *m*.
impotence *n* impotence *f*.
impotent *adj* impotent; ~**ly** *adv* faiblement.
impound *vt* confisquer.
impoverish *vt* appauvrir.
impoverished *adj* appauvri.
impoverishment *n* appauvrissement *m*.
impracticability *n* impraticabilité *f*.
impracticable *adj* impraticable.
impractical *adj* peu pratique.
imprecation *n* imprécation, malédiction *f*.
imprecise *adj* imprécis.
impregnable *adj* inexpugnable.
impregnate *vt* imprégner; féconder.
impregnation *n* fécondation *f*; imprégnation *f*.
impress *vt* impressionner.
impression *n* impression *f*; édition *f*.
impressionable *adj* impressionnable.
impressive *adj* impressionnant.
imprint *n* empreinte *f*; * *vt* imprimer; marquer.
imprison *vt* emprisonner.
imprisonment *n* emprisonnement *m*.
improbability *n* improbabilité *f*.

improbable *adj* improbable.

impromptu *adj* impromptu.

improper *adj* indécent; déplacé; impropre; ~ly *adv* indécemment; de manière déplacée; improprement.

impropriety *n* impropriété *f*; inconvenance *f*.

improve *vt* améliorer; * *vi* s'améliorer.

improvement *n* amélioration *f*.

improvident *adj* imprévoyant.

improvise *vt* improviser.

imprudence *n* imprudence *f*.

imprudent *adj* imprudent.

impudence *n* impudence *f*.

impudent *adj* impudent; ~ly *adv* impudemment.

impugn *vt* attaquer, contester.

impulse *n* impulsion *f*.

impulsive *adj* impulsif.

impunity *n* impunité *f*.

impure *adj* impur; ~ly *adv* impurement.

impurity *n* impureté *f*.

in *prep* dans; en.

inability *n* incapacité *f*.

inaccessible *adj* inaccessible.

inaccuracy *n* inexactitude *f*.

inaccurate *adj* inexact.

inaction *n* inaction *f*.

inactive *adj* inactif.

inactivity *n* inactivité *f*.

inadequate *adj* inadéquat.

inadmissible *adj* inadmissible.

inadvertently *adv* par inadvertance.

inalienable *adj* inaliénable.

inane *adj* inepte.

inanimate *adj* inanimé.

inapplicable *adj* inapplicable.

inappropriate *adj* impropre.

inasmuch *adv* attendu que.

inattentive *adj* inattentif.

inaudible *adj* inaudible.

inaugural *adj* inaugural.

inaugurate *vt* inaugurer.

inauguration *n* inauguration *f*.

inauspicious *adj* peu propice.

in-between *adj* intermédiaire.

inborn, inbred *adj* inné.

incalculable *adj* incalculable.

incandescent *adj* incandescent.

incantation *n* incantation *f*.

incapable *adj* incapable.

incapacitate *vt* mettre dans l'incapacité.

incapacity *n* incapacité *f*.

incarcerate *vt* incarcérer.

incarnate *adj* incarné.

incarnation *n* incarnation *f*.

incautious *adj* imprudent; ~ly *adv* imprudemment.

incendiary *n* bombe incendiaire *f*; incendiaire *mf*.

incense *n* encens *m*; * *vt* exaspérer.

incentive *n* stimulant *m*; prime, aide *f*.

inception *n* commencement *m*.

incessant *adj* incessant, continuel; ~ly *adv* continuellement.

incest *n* inceste *m*.

incestuous *adj* incestueux.

inch *n* pouce *m*; ~ **by** ~ petit à petit.

incidence *n* fréquence *f*.

incident *n* incident *m*.

incidental *adj* fortuit; ~ly *adv* incidemment.

incinerator *n* incinérateur *m*.

incipient *adj* naissant.

incise *vt* inciser.

incision *n* incision *f*.

incisive *adj* incisif.

incisor *n* incisive *f*.

incite *vt* inciter, encourager.

inclement *adj* inclément.

inclination *n* inclination, propension *f*.

incline *vt* incliner; * *vi* s'incliner.

include *vt* inclure, comprendre.

including *prep* inclus, y compris.

inclusion *n* inclusion *f*.

inclusive *adj* inclus; tout compris.

incognito *adv* incognito.

incoherence *n* incohérence *f*.

incoherent *adj* incohérent; ~ly *adv* d'une manière incohérente.

income *n* revenu *m*; recettes *fpl*.

income tax *n* impôt sur le revenu *m*.

incoming *adj* entrant; nouveau.

incomparable *adj* incomparable.

incomparably *adv* incomparablement.

incompatibility *n* incompatibilité *f*.

incompatible *adj* incompatible.

incompetence *n* incompétence *f*.

incompetent *adj* incompétent; ~ly *adv* de manière incompétente.

incomplete *adj* incomplet.

incomprehensibility *n* incompréhensibilité *f*.

incomprehensible *adj* incompréhensible.

inconceivable *adj* inconcevable.

inconclusive *adj* peu concluant; * *adv* d'une manière peu concluante.

incongruity *n* incongruité *f*.

incongruous *adj* incongru; ~ly *adv* incongrûment.

inconsequential *adj* inconséquent.

inconsiderate *adj* sans considération; inconsidéré; ~ly *adv* sans considération.

inconsistency *n* inconsistance *f*.

inconsistent *adj* inconsistant.

inconsolable *adj* inconsolable.

inconspicuous *adj* discret.

incontinence *n* incontinence *f*.

incontinent *adj* incontinent.

incontrovertible *adj* indéniable.

inconvenience *n* inconvénient, désagrément *m*; * *vt* incommoder.

inconvenient *adj* incommode; ~ly *adv* incommodément.

incorporate *vt* incorporer; * *vi* s'incorporer.

incorporated company *n* société constituée *f*.

incorporation *n* incorporation *f*.

incorrect *adj* incorrect, inexact; ~ly *adv* incorrectement.

incorrigible *adj* incorrigible.

incorruptibility *n* incorruptibilité *f*.

incorruptible *adj* incorruptible.

increase *vt vi* augmenter; * *n* augmentation *f*.

increasing *adj* croissant; *adv* ~ly de plus en plus.

incredible *adj* incroyable.

incredulity *n* incrédulité *f*.

incredulous *adj* incrédule.

increment *n* augmentation *f*.

incriminate *vt* incriminer.

incrust *vt* incruster.

incubate *vi* couver.

incubator *n* couveuse *f*.

inculcate *vt* inculquer.

incumbent *adj* en exercice; * *n* titulaire *mf*.

incur *vt* encourir.

incurability *n* incurabilité *f*.

incurable *adj* incurable.

incursion *n* incursion *f*.

indebted *adj* endetté; redevable.

indecency *n* indécence *f*.

indecent *adj* indécent; ~ly *adv* indécemment.

indecision *n* indécision, irrésolution *f*.

indecisive *adj* indécis, irrésolu.

indecorous *adj* inconvenant.

indeed *adv* vraiment.

indefatigable *adj* infatigable.

indefinite *adj* ~ly *adv* indéfini(ment).

indelible *adj* indélébile.

indelicacy *n* indélicatesse *f*.

indelicate *adj* peu délicat.

indemnify *vt* indemniser.

indemnity *n* indemnité *f*.

indent *vt* bosseler; renfoncer.

independence *n* indépendance *f*.

independent *adj* indépendant; ~ly *adv* indépendamment.

indescribable *adj* indescriptible.

indestructible *adj* indestructible.

indeterminate *adj* indéterminé.

index *n* (*math*) indice *m*; index *m*.

index card *n* fiche *f*.

indexed *adj* indexé.

index finger *n* index *m*.

indicate *vt* indiquer.

indication *n* indication *f*; indice *m*.

indicative *adj n* (*gr*) indicatif *m*.

indicator *n* indicateur *m*.

indict *vt* accuser.

indictment *n* accusation *f*.

indifference *n* indifférence *f*.

indifferent *adj* indifférent; **~ly** *adv* indifféremment.

indigenous *adj* indigène.

indigent *adj* indigent.

indigestible *adj* indigeste.

indigestion *n* indigestion *f*.

indignant *adj* indigné.

indignation *n* indignation *f*.

indignity *n* indignité *f*.

indigo *n* indigo *m*.

indirect *adj* indirect; **~ly** *adv* indirectement.

indiscreet *adj* indiscret; **~ly** *adv* indiscrètement.

indiscretion *n* indiscrétion *f*.

indiscriminate *adj* **~ly** *adv* sans discernement.

indispensable *adj* indispensable.

indisposed *adj* indisposé.

indisposition *n* indisposition *f*.

indisputable *adj* indiscutable.

indisputably *adv* indiscutablement.

indistinct *adj* indistinct, confus; **~ly** *adv* indistinctement.

indistinguishable *adj* indiscernable.

individual *adj* **~ly** *adv* individuel(lement); * *n* individu *m*.

individuality *n* individualité *f*.

indivisible *adj* **~bly** *adv* indivisible(ment).

indoctrinate *vt* endoctriner.

indoctrination *n* endoctrinement *m*.

indolence *n* indolence *f*.

indolent *adj* indolent; **~ly** *adv* indolemment.

indomitable *adj* indomptable.

indoors *adv* à l'intérieur.

indubitably *adv* indubitablement.

induce *vt* persuader; causer, provoquer.

inducement *n* encouragement *m*; incitation *f*.

induction *n* induction *f*.

indulge *vt* céder à; *vi* se permettre, se laisser aller.

indulgence *n* indulgence *f*.

indulgent *adj* indulgent; **~ly** *adv* avec indulgence.

industrial *adj* industriel.

industrialise *vt* industrialiser.

industrialist *n* industriel *m*.

industrial park *n* zone industrielle *f*.

industrious *adj* travailleur.

industry *n* industrie *f*.

inebriated *vt* ivre.

inebriation *n* ivresse *f*.

inedible *adj* non comestible.

ineffable *adj* ineffable.

ineffective, ineffectual *adj* inefficace; **~ly** *adv* inefficacement.

inefficiency *n* inefficacité *f*.

inefficient *adj* inefficace.

ineligible *adj* inéligible.

inept *adj* inepte; déplacé.

ineptitude *n* ineptie *f*; manque d'à-propos *m*.

inequality *n* inégalité *f*.

inert *adj* inerte.

inertia *n* inertie *f*.

inescapable *adj* inévitable.

inestimable *adj* inestimable.

inevitable *adj* inévitable.

inevitably *adv* inévitablement.

inexcusable *adj* inexcusable.

inexhaustible *adj* inépuisable.

inexorable *adj* inexorable.

inexpedient *adj* imprudent, inopportun.

inexpensive *adj* bon marché.

inexperience *n* inexpérience *f*.

inexperienced *adj* inexpérimenté.

inexpert *adj* néophyte.

inexplicable *adj* inexplicable.

inexpressible *adj* indicible; inexprimable.

inextricably *adv* inextricablement.
infallibility *n* infaillibilité *f*.
infallible *adj* infaillible.
infamous *adj* vil, infâme; **~ly** *adv* vilement.
infamy *n* infamie *f*.
infancy *n* enfance *f*.
infant *n* bébé *m*; enfant *mf*.
infanticide *n* infanticide *mf*.
infantile *adj* infantile.
infantry *n* infanterie *f*.
infatuated *adj* fou.
infatuation *n* folie *f*; obsession *f*.
infect *vt* infecter.
infection *n* infection *f*.
infectious *adj* contagieux; infectieux.
infer *vt* inférer.
inference *n* inférence *f*.
inferior *adj* inférieur; * *n* subordonné *m* -e *f*.
inferiority *n* infériorité *f*.
infernal *adj* infernal.
inferno *n* enfer *m*.
infest *vt* infester.
infidel *n* infidèle *mf*.
infidelity *n* infidélité *f*.
infiltrate *vi* s'infiltrer.
infinite *adj* **~ly** *adv* infini(ment).
infinitive *n* (*gr*) infinitif *m*.
infinity *n* infini *m*; infinité *f*.
infirm *adj* infirme.
infirmary *n* infirmerie *f*.
infirmity *n* infirmité *f*.
inflame *vt* enflammer; * *vi* s'enflammer.
inflammation *n* inflammation *f*.
inflammatory *adj* inflammatoire.
inflatable *adj* gonflable.
inflate *vt* gonfler.
inflation *n* inflation *f*.
inflection *n* inflexion *f*.
inflexibility *n* inflexibilité *f*.
inflexible *adj* inflexible.
inflexibly *adv* inflexiblement.
inflict *vt* infliger.
influence *n* influence *f*; * *vt* influencer.
influential *adj* influent.

influenza *n* grippe *f*.
influx *n* afflux *m*.
inform *vt* informer.
informal *adj* informel; simple; familier.
informality *n* simplicité *f*.
informant *n* informateur *m* -trice *f*
information *n* information *f*.
infraction *n* infraction *f*.
infrared *adj* infrarouge.
infrastructure *n* infrastructure *f*.
infrequent *adj* **~ly** *adv* rare(ment).
infringe *vt* enfreindre.
infringement *n* infraction *f*.
infuriate *vt* rendre furieux.
infuse *vt* infuser.
infusion *n* infusion *f*.
ingenious *adj* ingénieux; **~ly** *adv* ingénieusement.
ingenuity *n* ingéniosité *f*.
ingenuous *adj* **~ly** *adv* ingénu(ment); sincère(ment).
inglorious *adj* infamant; **~ly** *adv* honteusement.
ingot *n* lingot *m*.
ingrained *adj* invétéré.
ingratiate *vi*: **~ with sb** chercher à entrer dans les bonnes grâces de qn.
ingratitude *n* ingratitude *f*.
ingredient *n* ingrédient *m*.
inhabit *vt vi* habiter.
inhabitable *adj* habitable.
inhabitant *n* habitant *m* -e *f*.
inhale *vt* inhaler.
inherent *adj* inhérent.
inherit *vt* hériter.
inheritance *n* héritage *m*.
inheritor *n* héritier *m* -ière *f*.
inhibit *vt* inhiber.
inhibited *adj* inhibé.
inhibition *n* inhibition *f*.
inhospitable *adj* inhospitalier.
inhospitality *n* inhospitalité *f*.
inhuman *adj* inhumain; **~ly** *adv* inhumainement.
inhumanity *n* inhumanité, cruauté *f*.

inimical *adj* hostile, ennemi.

inimitable *adj* inimitable.

iniquitous *adj* inique, injuste.

iniquity *n* iniquité, injustice *f*.

initial *adj* initial; * *n* initiale *f*.

initially *adv* au début.

initiate *vt* commencer; initier.

initiation *n* début, commencement *m*; initiation *f*.

initiative *n* initiative *f*.

inject *vt* injecter.

injection *n* injection *f*.

injudicious *adj* peu judicieux.

injunction *n* injonction *f*; ordre *m*.

injure *vt* blesser.

injury *n* blessure *f*; tort *m*.

injury time *n* arrêts de jeu *mpl*.

injustice *n* injustice *f*.

ink *n* encre *f*.

inkling *n* soupçon *m*.

inkstand *n* encrier *m*.

inlaid *adj* incrusté.

inland *adj* intérieur; * *adv* vers l'intérieur, dans les terres.

in-laws *npl* belle-famille *f*.

inlay *vt* incruster.

inlet *n* entrée *f*; bras de mer *m*.

inmate *n* détenu *m* -e *f*.

inmost *adj* le plus profond.

inn *n* auberge *f*; hôtel *m*.

innate *adj* inné.

inner *adj* intérieur.

innermost *adj* le plus profond.

inner tube *n* chambre à air *f*.

innkeeper *n* aubergiste *mf*, hôtelier *m* -ière *f*.

innocence *n* innocence *f*.

innocent *adj* innocent; ~ly *adv* innocemment.

innocuous *adj* inoffensif; ~ly *adv* de manière inoffensive.

innovate *vt* innover.

innovation *n* innovation *f*.

innuendo *n* allusion *f*; insinuation *f*.

innumerable *adj* innombrable.

inoculate *vt* inoculer.

inoculation *n* inoculation *f*.

inoffensive *adj* inoffensif.

inopportune *adj* inopportun.

inordinately *adv* démesurément.

inorganic *adj* inorganique.

in-patient *n* patient(e) hospitalisé(e) *m(f)*.

input *n* entrée *f*; consommation *f*.

inquest *n* enquête *f*.

inquire *vt vi* demander; ~ **about** s'informer de; ~ **after** *vt* demander des nouvelles de; ~ **into** *vt* faire des recherches sur; enquêter sur.

inquiry *n* demande de renseignements *f*; enquête *f*.

inquisition *n* investigation *f*.

inquisitive *adj* curieux.

inroad *n* incursion *f*.

insane *adj* fou, *f* folle.

insanity *n* folie *f*.

insatiable *adj* insatiable.

inscribe *vt* inscrire; dédier.

inscription *n* inscription *f*; dédicace *f*.

inscrutable *adj* impénétrable.

insect *n* insecte *m*.

insecticide *n* insecticide *m*.

insecure *adj* peu assuré.

insecurity *n* insécurité *f*.

insemination *n* insémination *f*.

insensible *adj* inconscient; insensible.

insensitive *adj* insensible.

inseparable *adj* inséparable.

insert *vt* introduire, insérer.

insertion *n* insertion *f*.

inshore *adj* côtier.

inside *n* intérieur *m*; * *adv* à l'intérieur.

inside out *adv* à l'envers; à fond.

insidious *adj* insidieux; ~ly insidieusement.

insight *n* perspicacité *f*.

insignia *npl* insignes *mpl*.

insignificant *adj* insignifiant.

insincere *adj* peu sincère.

insincerity *n* manque de sincérité *m*.

insinuate *vt* insinuer.

insinuation *n* insinuation *f*.

insipid *adj* insipide.

insist vi insister.

insistence n insistance f.

insistent adj insistant.

insole n semelle intérieure f.

insolence n insolence f.

insolent adj insolent; **~ly** adv insolemment.

insoluble adj insoluble.

insolvency n insolvabilité f.

insolvent adj insolvable.

insomnia n insomnie f.

insomuch conj à tel point.

inspect vt examiner, inspecter.

inspection n inspection f.

inspector n inspecteur m -trice f.

inspiration n inspiration f.

inspire vt inspirer.

instability n instabilité f.

instal vt installer.

installation n installation f.

instalment n installation f; versement m.

instalment plan n plan de vente à tempérament m.

instance n exemple m; **for ~** par exemple.

instant adj instantané; **~ly** adv immédiatement; * n instant, moment m.

instantaneous adj **~ly** adv instantané(ment).

instead (of) pr au lieu, à la place (de).

instep n cou-de-pied m.

instigate vt inciter; susciter.

instigation n incitation f.

instill vt instiller; inspirer.

instinct n instinct m.

instinctive adj instinctif; **~ly** adv instinctivement, d'instinct.

institute vt instituer; * n institut m.

institution n institution f.

instruct vt instruire.

instruction n instruction f.

instructive adj instructif.

instructor n professeur m; moniteur m -trice f.

instrument n instrument m.

instrumental adj instrumental.

insubordinate adj insubordonné.

insubordination n insubordination f.

insufferable adj insupportable.

insufferably adv insupportablement.

insufficiency n insuffisance f.

insufficient adj insuffisant; **~ly** adv insuffisamment.

insular adj insulaire; borné.

insulate vt isoler; insonoriser.

insulating tape n ruban isolant m.

insulation n isolation f; insonorisation f.

insulin n insuline f.

insult vt insulter; * n insulte f.

insulting adj insultant.

insuperable adj insurmontable.

insurance n (com) assurance f.

insurance policy n police d'assurance f.

insure vt assurer.

insurgent n insurgé, rebelle m.

insurmountable adj insurmontable.

insurrection n insurrection f.

intact adj intact.

intake n admission f; consommation f.

integral adj intégrant; (chem) intégral; * n intégrale f.

integrate vt intégrer.

integration n intégration f.

integrity n intégrité f.

intellect n intellect m.

intellectual adj intellectuel.

intelligence n intelligence f.

intelligent adj intelligent.

intelligentsia n intelligentsia f.

intelligible adj intelligible.

intelligibly adv intelligiblement.

intemperate adj **~ly** adv immodéré(ment).

intend vt avoir l'intention de.

intendant n intendant m -e f.

intended adj voulu.

intense adj intense; **~ly** adv intensément.

intensify vt intensifier.

intensity *n* intensité *f*.

intensive *adj* intensif.

intensive care unit *n* service de soins intensifs *m*.

intent *adj* résolu; attentif; **~ly** *adv* attentivement; * *n* intention *f*, dessein *m*.

intention *n* intention *f*, dessein *m*.

intentional *adj* intentionnel; **~ly** *adv* à dessein, intentionnellement.

inter *vt* enterrer.

interaction *n* interaction *f*.

intercede *vi* intercéder.

intercept *vt* intercepter.

intercession *n* intercession *f*.

interchange *n* échange *m*.

intercom *n* interphone *m*.

intercourse *n* relations sexuelles *fpl*.

interest *vt* intéresser; * *n* intérêt *m*.

interesting *adj* intéressant.

interest rate *n* taux d'intérêt *m*.

interfere *vi* s'ingérer.

interference *n* ingérence *f*; interférence *f*.

interim *adj* intérimaire.

interior *adj* intérieur.

interior designer *n* décorateur (-trice) d'intérieur *m(f)*.

interjection *n* (gr) interjection *f*.

interlock *vi* s'entremêler.

interlocutor *n* interlocuteur *m* -trice *f*.

interloper *n* intrus *m* -e *f*.

interlude *n* intermède *m*.

intermarriage *n* intermariage *m*.

intermediary *n* intermédiaire *mf*.

intermediate *adj* intermédiaire.

interment *n* enterrement *m*.

interminable *adj* interminable.

intermingle *vt* entremêler; * *vi* s'entremêler.

intermission *n* entracte *m*; interruption *f*.

intermittent *adj* intermittent.

intern *n* interne *mf*.

internal *adj* intérieur; interne; **~ly** *adv* intérieurement.

international *adj* international.

interplay *n* interaction *f*.

interpose *vt* interposer.

interpret *vt* interpréter.

interpretation *n* interprétation *f*.

interpreter *n* interprète *mf*.

interregnum *n* interrègne *m*.

interrelated *adj* en corrélation.

interrogate *vt* interroger.

interrogation *n* interrogatoire *m*.

interrogative *adj* interrogatif.

interrupt *vt* interrompre.

interruption *n* interruption *f*.

intersect *vi* se croiser.

intersection *n* croisement *m*.

intersperse *vt* parsemer.

intertwine *vt* entrelacer.

interval *n* intervalle *m*; mi-temps *f*.

intervene *vi* intervenir.

intervention *n* intervention *f*.

interview *n* entrevue *f*; interview *f*; * *vt* faire passer une entrevue à; interviewer.

interviewer *n* interviewer *m*.

interweave *vt* entrelacer.

intestate *adj* intestat.

intestinal *adj* intestinal.

intestine *n* intestin *m*.

intimacy *n* intimité *f*.

intimate *n* intime *mf*; * *adj* **~ly** *adv* intime(ment); * *vt* insinuer, laisser entendre.

intimidate *vt* intimider.

into *prep* dans, en.

intolerable *adj* intolérable.

intolerably *adv* intolérablement.

intolerance *n* intolérance *f*.

intolerant *adj* intolérant.

intonation *n* intonation *f*.

intoxicate *vt* enivrer.

intoxication *n* ivresse *f*.

intractable *adj* intraitable.

intransitive *adj* (gr) intransitif.

intravenous *adj* intraveineux.

in-tray *n* courrier à l'arrivée *m*.

intrepid *adj* intrépide; **~ly** *adv* intrépidement.

intrepidity *n* intrépidité *f*.

intricacy *n* complexité *f*.

intricate *adj* complexe, compliqué; **~ly** *adv* de manière compliquée.

intrigue *n* intrigue *f*; * *vi* intriguer.

intriguing *adj* intrigant.

intrinsic *adj* **~ally** *adv* intrinsèque(ment).

introduce *vt* introduire.

introduction *n* introduction *f*.

introductory *adj* d'introduction.

introspection *n* introspection *f*.

introvert *n* introverti *m* -ie *f*.

intrude *vi* s'ingérer, s'immiscer.

intruder *n* intrus *m* -e *f*.

intrusion *n* intrusion *f*.

intuition *n* intuition *f*.

intuitive *adj* intuitif.

inundate *vt* inonder.

inundation *n* inondation *f*.

inure *vt* endurcir.

invade *vt* envahir.

invader *n* envahisseur *m* -euse *f*.

invalid *adj* invalide; * *n* invalide *mf*.

invalidate *vt* invalider, annuler.

invaluable *adj* inappréciable.

invariable *adj* invariable.

invariably *adv* invariablement.

invasion *n* invasion *f*.

invective *n* invective *f*.

inveigle *vt* persuader, entraîner.

invent *vt* inventer.

invention *n* invention *f*.

inventive *adj* inventif.

inventor *n* inventeur *m* -trice *f*.

inventory *n* inventaire *m*.

inverse *adj* inverse.

inversion *n* inversion *f*.

invert *vt* inverser.

invest *vt* investir.

investigate *vt* faire des recherches sur; examiner.

investigation *n* investigation *f*; recherches *fpl*.

investigator *n* investigateur *m* -trice *f*; chercheur *m* -euse *f*.

investment *n* investissement *m*.

inveterate *adj* invétéré.

invidious *adj* odieux; désobligeant.

invigilate *vt* surveiller.

invigorating *adj* vivifiant.

invincible *adj* invincible.

invincibly *adv* invinciblement.

inviolable *adj* inviolable.

invisible *adj* invisible.

invisibly *adv* invisiblement.

invitation *n* invitation *f*.

invite *vt* inviter.

inviting *adj* attrayant, tentant.

invoice *n* (*com*) facture *f*.

invoke *vt* invoquer.

involuntarily *adv* involontairement.

involuntary *adj* involontaire.

involve *vt* impliquer, entraîner.

involved *adj* compliqué; impliqué.

involvement *n* implication *f*; confusion *f*.

invulnerable *adj* invulnérable.

inward *adj* intérieur; intime; **~**, **~s** *adv* vers l'intérieur.

iodine *n* (*chem*) iode *m*.

IOU (I owe you) *n* reçu *m*.

irascible *adj* irascible.

irate, ireful *adj* irrité.

iris *n* iris *m*.

irksome *adj* fastidieux, ennuyeux.

iron *n* fer *m*; * *adj* de fer; * *vt* repasser.

ironic *adj* **~ly** *adv* ironique(ment).

ironing *n* repassage *m*.

ironing board *n* table *f* à repasser.

iron ore *n* minerai de fer *m*.

ironwork *n* ferronnerie *f*; **~s** *pl* ferronneries *fpl*.

irony *n* ironie *f*.

irradiate *vt* irradier.

irrational *adj* irrationnel.

irreconcilable *adj* irréconciliable; inconciliable.

irregular *adj* irrégulier; **~ly** *adv* irrégulièrement.

irregularity *n* irrégularité *f*.
irrelevant *adj* hors de propos.
irreligious *adj* irréligieux.
irreparable *adj* irréparable.
irreplaceable *adj* irremplaçable.
irrepressible *adj* irrépressible.
irreproachable *adj* irréprochable.
irresistible *adj* irrésistible.
irresolute *adj* ~ly *adv* irré-
solu(ment).
irresponsible *adj* irresponsable.
irretrievably *adv* irrépara-
blement.
irreverence *n* irrévérence *f*.
irreverent *adj* irrévérencieux;
~ly *adv* irrévérencieusement.
irrigate *vt* irriguer.
irrigation *n* irrigation *f*.
irritability *n* irritabilité *f*.
irritable *adj* irritable.
irritant *n* (*med*) irritant *m*.
irritate *vt* irriter.

irritating *adj* irritant.
irritation *n* irritation *f*.
Islam *n* Islam *m*.
island *n* île *f*.
islander *n* insulaire *mf*.
isle *n* île *f*.
isolate *vt* isoler.
isolation *n* isolement *m*.
issue *n* sujet *m*, question *f*; * *vt*
publier; distribuer; fournir.
isthmus *n* isthme *m*.
it *pn* il, elle; le, la; cela, ça, ce, c'.
italic *n* italique *m*.
itch *n* démangeaison *f*; * *vi* avoir
des démangeaisons.
item *n* article *m*.
itemise *vt* détailler.
itinerant *adj* ambulant, itinérant.
itinerary *n* itinéraire *m*.
its *pn* son, sa, ses.
itself *pn* lui-même, elle-même.
ivory *n* ivoire *m*.
ivy *n* lierre *m*.

J

jab *vt* planter, enfoncer.
jabber *vi* baragouiner.
jack *n* cric *m*; valet *m*.
jackal *n* chacal *m*.
jackboots *npl* bottes de militaire
fpl.
jackdaw *n* choucas *m*.
jacket *n* veste *f*; couverture *f*.
jackknife *vi* se mettre en travers.
jack plug *n* prise à fiche *f*.
jackpot *n* gros lot *m*.
jade *n* jade *m*.
jagged *adj* dentelé.
jaguar *n* jaguar *m*.
jail *n* prison *f*.
jailbird *n* prisonnier *m*, -ière *f*.
jailer *n* geôlier *m* -ière *f*.
jam *n* confiture *f*; embouteillage *m*.
jangle *vi* cliqueter.
janitor *n* portier *m*.
January *n* janvier *m*.

jar *vi* se heurter; (*mus*) détonner;
grincer; * *n* pot *m*.
jargon *n* jargon *m*.
jasmine *n* jasmin *m*.
jaundice *n* jaunisse *f*.
jaunt *n* promenade *f*.
jaunty *adj* enjoué.
javelin *n* javelot *m*.
jaw *n* mâchoire *f*.
jay *n* geai *m*.
jealous *adj* jaloux.
jealousy *n* jalousie *f*.
jeans *npl* jean *m*.
jeer *vi* se moquer, railler; * *n*
raillerie, moquerie *f*.
jelly *n* gelée *f*.
jellyfish *n* méduse *f*.
jeopardise *vt* risquer, mettre en
péril.
jerk *n* secousse *f*; * *vt* donner une
secousse à.

jerky *adj* saccadé.
jersey *n* jersey *m*, tricot *m*.
jest *n* blague, plaisanterie *f*.
jester *n* bouffon *m*.
jestingly *adv* en plaisantant.
Jesuit *n* jésuite *m*.
Jesus *n* Jésus *m*.
jet *n* avion à réaction *m*; jet *m*; gicleur *m*.
jet engine *n* moteur à réaction *m*.
jettison *vt* se défaire de.
jetty *n* jetée *f*.
Jew *n* Juif *m*.
jewel *n* bijou *m*.
jeweller *n* bijoutier *m* -ière *f*.
jewellery *n* bijoux *mpl*.
jewellery store *n* bijouterie *f*.
Jewess *n* Juive *f*.
jewish *adj* juif.
jib *n* (*mar*) foc *m*.
jibe *n* raillerie, moquerie *f*.
jig *n* gigue *f*.
jigsaw *n* puzzle *m*.
jilt *vt* laisser tomber.
jinx *n* porte-malheur *m invar*.
job *n* travail *m*.
jockey *n* jockey *m*.
jocular *adj* joyeux; facétieux.
jog *vi* faire du jogging.
join *vt* joindre, unir; ~ **in** participer à; * *vi* se réunir; se joindre.
joiner *n* menuisier *m*.
joinery *n* menuiserie *f*.
joint *n* articulation *f*; * *adj* commun.
jointly *adv* conjointement.
joint-stock company *n* (*com*) société par actions *f*.
joke *n* blague, plaisanterie *f*; * *vi* blaguer, plaisanter.
joker *n* blagueur *m* -euse *f*.
jollity *n* gaieté *f*.
jolly *adj* gai, joyeux.
jolt *vt* secouer; * *n* secousse *f*.
jostle *vt* bousculer.
journal *n* revue *f*.
journalism *n* journalisme *m*.
journalist *n* journaliste *mf*.
journey *n* voyage *m*; * *vi* voyager.

jovial *adj* jovial, gai; ~**ly** *adv* jovialement.
joy *n* joie *f*.
joyful, joyous *adj* joyeux, gai; ~**ly** *adv* joyeusement.
joystick *n* manche à balai *m*.
jubilant *adj* réjoui.
jubilation *n* jubilation *f*.
jubilee *n* jubilé *m*.
Judaism *n* judaïsme *m*.
judge *n* juge *m*; * *vt* juger.
judgment *n* jugement *m*.
judicial *adj* ~**ly** *adv* judiciaire(ment).
judiciary *n* pouvoir judiciaire *m*.
judicious *adj* judicieux.
judo *n* judo *m*.
jug *n* cruche *f*.
juggle *vi* jongler.
juggler *n* jongleur *m* -euse *f*.
juice *n* jus *m*; suc *m*.
juicy *adj* juteux.
jukebox *n* juke-box *m*.
July *n* juillet *m*.
jumble *vt* mélanger; * *n* mélange *m*; fouillis *m*.
jump *vi* sauter; * *n* saut *m*.
jumper *n* pull *m*; sauteur *m* -euse *f*.
jumpy *adj* nerveux.
juncture *n* jonction *f*.
June *n* juin *m*.
jungle *n* jungle *f*.
junior *adj* plus jeune.
juniper *n* (*bot*) genièvre *m*.
junk *n* cochonnerie *f*; bric-à-brac *m invar*.
junta *n* junte *f*.
jurisdiction *n* juridiction *f*.
jurisprudence *n* jurisprudence *f*.
jurist *n* juriste *mf*.
juror, juryman *n* juré *m*.
jury *n* jury *m*.
just *adj* juste; * *adv* justement, exactement; ~ **as** juste quand; ~ **now** tout de suite.
justice *n* justice *f*.
justifiably *adv* légitimement.
justification *n* justification *f*.

justify *vt* justifier.
justly *adv* justement.
justness *n* justesse *f.*
jut *vi*: **to ~ out** faire saillie, dépasser.

jute *n* jute *m.*
juvenile *adj* juvénile; pour enfants.
juxtaposition *n* juxtaposition *f.*

K

kaleidoscope *n* kaléidoscope *m.*
kangaroo *n* kangourou *m.*
karate *n* karaté *m.*
kebab *n* brochette *f.*
keel *n* (*mar*) quille *f.*
keen *adj* aiguisé; vif; enthousiaste.
keenness *n* enthousiasme *m.*
keep *vt* garder, conserver; tenir.
keeper *n* gardien *m* -ne *f.*
keepsake *n* souvenir *m.*
keg *n* baril *m.*
kennel *n* niche *f.*
kernel *n* amande *f*; noyau *m.*
kerosene *n* kérosène *m.*
kettle *n* bouilloire *f.*
kettle-drum *n* timbale *f.*
key *n* clé, clef *f*; (*mus*) ton *m*; touche *f.*
keyboard *n* clavier *m.*
keyhole *n* trou de la serrure *m.*
keynote *n* (*mus*) tonique *f.*
key ring *n* porte-clefs *m invar.*
keystone *n* clef de voûte *f.*
khaki *n* kaki *m.*
kick *vi* (*vt*) donner un coup de pied (à); * *n* coup de pied *m*; plaisir *m.*
kid *n* gamin *m* -e *f.*
kidnap *vt* kidnapper.
kidnapper *n* kidnappeur *m* -euse *f.*
kidnapping *n* kidnapping *m.*
kidney *n* rein *m*; rognon *m.*
killer *n* assassin *m.*
killing *n* assassinat *m.*
kiln *n* four *m.*
kilo *n* kilo *m.*
kilobyte *n* kilo-octet *m.*

kilogram *n* kilogramme *m.*
kilometre *n* kilomètre *m.*
kin *n* parents *mpl*; **next of ~** parent proche *m.*
kind *adj* gentil; * *n* genre *m*, sorte *f.*
kindergarten *n* jardin d'enfants *m.*
kind-hearted *adj* bon.
kindle *vt* allumer; * *vi* s'allumer.
kindliness *n* gentillesse, bonté *f.*
kindly *adj* bon, bienveillant.
kindness *n* bonté *f.*
kindred *adj* apparenté.
kinetic *adj* cinétique.
king *n* roi *m.*
kingdom *n* royaume *m.*
kingfisher *n* martin-pêcheur *m.*
kiosk *n* kiosque *m.*
kiss *n* baiser *m*; * *vt* embrasser.
kissing *n* baisers *mpl.*
kit *n* équipement *m.*
kitchen *n* cuisine *f.*
kitchen garden *n* potager *m.*
kite *n* cerf-volant *m.*
kitten *n* chaton *m.*
knack *n* don, chic *m.*
knapsack *n* sac à dos *m.*
knave *n* fripouille *f*; (*cards*) valet *m.*
knead *vt* pétrir.
knee *n* genou *m.*
knee-deep *adj* jusqu'aux genoux.
kneel *vi* s'agenouiller.
knell *n* glas *m.*
knife *n* couteau *m.*
knight *n* chevalier *m.*
knit *vt vi* tricoter; **~ the brows** froncer les sourcils.

knitter n tricoteur m -euse f.

knitting pin n aiguille à tricoter f.

knitwear n tricots mpl.

knob n bouton m; nœud m (du bois).

knock vt vi cogner, frapper; ~ **down** abattre; * n coup m.

knocker n heurtoir m.

knock-kneed adj aux genoux cagneux.

knock-out n knock-out m.

knoll n butte f.

knot n nœud m; * vt nouer.

knotty adj emmêlé; épineux.

know vt vi savoir; connaître.

know-all n je-sais-tout m.

know-how n savoir-faire m.

knowing adj entendu; ~ly adv en connaissance de cause.

knowledge n connaissances fpl.

knowledgeable adj bien informé.

knuckle n articulation f.

L

label n étiquette f.

laboratory n laboratoire m.

labour n travail m; **to be in ~** être en train d'accoucher; * vi travailler.

labourer n ouvrier m.

labourious adj laborieux; pénible; ~ly adv laborieusement.

labour union n syndicat m.

labyrinth n labyrinthe m.

lace n lacet m; dentelle f; * vt lacer.

lacerate vt lacérer.

lack vt manquer de; * vi manquer; * n manque m.

lackadaisical adj nonchalant.

lackey n laquais m.

laconic adj laconique.

lacquer n laque f.

lad n garçon m.

ladder n échelle f.

ladle n louche f.

ladleful n louchée f.

lady n dame f.

ladybird n coccinelle f.

ladykiller n bourreau des cœurs m.

ladylike adj distingué.

ladyship n madame f.

lag vi se laisser distancer.

lager n bière blonde f.

lagoon n lagune f.

laidback adj décontracté.

lair n repaire m.

laity n laïcat m.

lake n lac m.

lamb n agneau m; * vi agneler.

lambswool n laine d'agneau f.

lame adj boiteux.

lament vt se lamenter sur; * vi se lamenter; * n lamentation f.

lamentable adj lamentable, déplorable.

lamentation n lamentation f.

laminated adj laminé.

lamp n lampe f.

lampoon n satire f.

lampshade n abat-jour m invar.

lance n lance f; bistouri m; * vt inciser.

lancet n bistouri m.

land n pays m; terre f; * vt débarquer; * vi atterrir, débarquer.

land forces npl armée de terre f.

landholder n propriétaire terrien m.

landing n atterrissage m.

landing strip n piste d'atterrissage f.

landlady n propriétaire f.

landlord n propriétaire m.

landlubber *n* marin d'eau douce *m*.

landmark *n* point de repère *m*.

landowner *n* propriétaire terrien *m*.

landscape *n* paysage *m*.

landslide *n* glissement de terrain *m*.

lane *n* allée, ruelle *f*; file *f*.

language *n* langue *f*; langage *m*.

languid *adj* languissant; **~ly** *adv* languissamment.

languish *vi* languir.

lank *adj* raide, plat.

lanky *adj* grand et maigre.

lantern *n* lanterne *f*.

lap *n* genoux *mpl*; * *vt* laper.

lapdog *n* chien *m* de salon.

lapel *n* revers *m*.

lapse *n* laps *m*; défaillance *f*; * *vi* expirer, se périmer; se relâcher.

larceny *n* vol *m*.

larch *n* mélèze *m*.

lard *n* saindoux *m*.

larder *n* garde-manger *m invar*.

large *adj* grand; **at ~** en liberté; **~ly** *adv* en grande partie.

large-scale *adj* à grande échelle.

largesse *n* largesse *f*.

lark *n* alouette *f*.

larva *n* larve *f*.

laryngitis *n* laryngite *f*.

larynx *n* larynx *m*.

lascivious *adj* lascif; **~ly** *adv* lascivement.

laser *n* laser *m*.

lash *n* coup de fouet *m*; * *vt* fouetter; attacher.

lasso *n* lasso *m*.

last *adj* dernier; **at ~** enfin; **~ly** *adv* finalement; * *n* dernier *m*, dernière *f*; forme *f* (de cordonnier); * *vi* durer.

last-ditch *adj* ultime.

lasting *adj* **~ly** *adv* durable(ment).

last-minute *adj* de dernière minute.

latch *n* loquet *m*.

latchkey *n* clef de porte d'entrée *f*.

late *adj* en retard; défunt; (*rail*) **the train is ten minutes ~** le train a dix minutes de retard; * *adv* tard; **~ly** *adv* récemment.

latecomer *n* retardataire *mf*.

latent *adj* latent.

lateral *adj* **~ly** *adv* latérale(ment).

lathe *n* tour *m*.

lather *n* mousse *f*.

latitude *n* latitude *f*.

latrine *n* latrine *f*.

latter *adj* dernier; **~ly** *adv* récemment.

lattice *n* treillis *m*.

laudable *adj* louable.

laudably *adv* louablement.

laugh *vi* rire; **~ at** *vt* rire de, se moquer de; * *n* rire *m*.

laughable *adj* risible; dérisoire.

laughing stock *n* risée *f*.

laughter *n* rires *mpl*.

launch *vt* lancer; * *vi* se lancer; * *n* (*mar*) vedette *f*.

launching *n* lancement *m*.

launching pad *n* rampe de lancement *f*.

launder *vt* laver.

laundrette, laundromat *n* laverie automatique *f*.

laundry *n* lessive *f*.

laurel *n* laurier *m*.

lava *n* lave *f*.

lavatory *n* toilettes *fpl*.

lavender *n* (*bot*) lavande *f*.

lavish *adj* prodigue; **~ly** *adv* avec prodigalité; * *vt* prodiguer.

law *n* loi *f*; droit *m*.

law-abiding *adj* respectueux de la loi.

law and order *n* ordre public *m*.

law court *n* tribunal *m*.

lawful *adj* légal; légitime; **~ly** *adv* légalement.

lawless *adj* anarchique.

lawlessness *n* anarchie *f*.

lawmaker *n* législateur *m* -trice *f*.

lawn *n* pelouse *f*, gazon *m*.

lawnmower *n* tondeuse à gazon *f*.

law school *n* faculté de droit *f*.

law suit *n* procès *m*.

lawyer *n* avocat *m*; juriste *m*.

lax *adj* relâché.

laxative *n* laxatif *m*.

laxity *n* relâchement *m*; flou *m*.

lay *vt* coucher; mettre; pondre; ~ **claim** réclamer; prétendre (à); * *vi* pondre.

layabout *n* paresseux *m* -euse *f*.

layer *n* couche *f*.

layette *n* layette *f*.

layman *n* laïc *m*.

layout *n* disposition *f*; présentation *f*.

laze *vi* paresser.

lazily *adv* paresseusement.

laziness *n* paresse *f*.

lazy *adj* paresseux.

lead *n* plomb *m*; * *vt vi* conduire, mener.

leader *n* chef *m*.

leadership *n* direction *f*.

leading *adj* principal; premier; ~ **article** *n* article de fond *m*.

leaf *n* feuille *f*.

leaflet *n* feuillet *m*; prospectus *m*.

leafy *adj* feuillu.

league *n* ligue *f*; lieue *f*.

leak *n* fuite *f*; * *vi* (*mar*) faire eau.

leaky *adj* qui fuit.

lean *vt* appuyer; * *vi* s'appuyer; * *adj* maigre.

leap *vi* sauter; * *n* saut *m*.

leapfrog *n* saute-mouton *m*.

leap year *n* année bisextile *f*.

learn *vt vi* apprendre.

learned *adj* instruit.

learner *n* élève *mf*; débutant *m* -e *f*.

learning *n* érudition *f*.

lease *n* bail *m*; * *vt* louer.

leasehold *n* bail *m*.

leash *n* laisse *f*.

least *adj* moindre; **at** ~ au moins; **not in the** ~ pas du tout.

leather *n* cuir *m*.

leathery *adj* qui a l'aspect du cuir.

leave *n* permission *f*; congé *m*; **to take** ~ prendre congé; * *vt* laisser.

leaven *n* levain *m*; * *vt* faire lever.

leavings *npl* restes *mpl*.

lecherous *adj* lascif, lubrique.

lecture *n* conférence *f*; * *vi* faire une conférence.

lecturer *n* conférencier *m* -ière *f*.

ledge *n* rebord *m*.

ledger *n* (*com*) registre *m*.

lee *n* (*mar*) côté sous le vent *m*.

leech *n* sangsue *f*.

leek *n* (*bot*) poireau *m*.

leer *vt* regarder d'un œil lascif.

lees *npl* lie *f*.

leeward *adj* (*mar*) sous le vent.

leeway *n* liberté d'action *f*.

left *adj* gauche; **on the** ~ à gauche.

left-handed *adj* gaucher.

left-luggage office *n* consigne *f*.

leftovers *npl* restes *mpl*.

leg *n* jambe *f*; patte *f*.

legacy *n* héritage, legs *m*.

legal *adj* légal, légitime; ~**ly** *adv* légalement.

legal holiday *n* jour férié *m*.

legalise *vt* légaliser.

legality *n* légalité, légitimité *f*.

legal tender *n* monnaie légale *f*.

legate *n* légat *m*.

legatee *n* légataire *mf*.

legation *n* légation *f*.

legend *n* légende *f*.

legendary *adj* légendaire.

legible *adj* lisible.

legibly *adv* lisiblement.

legion *n* légion *f*.

legislate *vt vi* légiférer.

legislation *n* législation *f*.

legislative *adj* législatif.

legislator *n* législateur *m* -trice *f*.

legislature *n* corps législatif *m*.

legitimacy *n* légitimité *f*.

legitimate *adj* légitime; ~**ly** *adv* légitimement; * *vt* légitimer.

leisure *n* loisir *m*; ~**ly** *adj* tranquille; **at ~** au calme.

lemon *n* citron *m*.

lemonade *n* limonade *f*.

lemon tea *n* thé au citron *m*.

lemon tree *n* citronnier *m*.

lend *vt* prêter.

length *n* longueur *f*; durée *f*; **at ~** longuement; enfin.

lengthen *vt* allonger; * *vi* s'allonger.

lengthways, lengthwise *adv* dans le sens de la longueur.

lengthy *adj* long.

lenient *adj* indulgent.

lens *n* lentille *f* (optique).

Lent *n* Carême *m*.

lentil *n* lentille *f*.

Leo *n* Lion *m* (signe du zodiaque).

leopard *n* léopard *m*.

leotard *n* justaucorps *m*.

leper *n* lépreux *m* -euse *f*.

leprosy *n* lèpre *f*.

lesbian *n* lesbienne *f*.

less *adj* moins; * *adv* moins.

lessen *vt vi* diminuer.

lesser *adj* moindre.

lesson *n* leçon *f*.

lest *conj* de crainte que.

let *vt* laisser, permettre; louer.

lethal *adj* mortel.

lethargic *adj* léthargique.

lethargy *n* léthargie *f*.

letter *n* lettre *f*.

letter bomb *n* lettre piégée *f*.

letter box boite aux lettres *f*.

lettering *n* inscription *f*.

letter of credit *n* lettre de crédit *f*.

lettuce *n* salade *f*.

leukaemia *n* leucémie *f*.

level *adj* plat, égal; à niveau; * *n* niveau *m*; * *vt* niveler.

level-headed *adj* sensé.

lever *n* levier *m*.

leverage *n* effet de levier *m*; prise *f*.

levity *n* légèreté *f*.

levy *n* levée *f*; prélèvement *m*; * *vt* prélever.

lewd *adj* obscène.

lexicon *n* lexique *m*.

liability *n* responsabilité *f*.

liable *adj* sujet (à); responsable.

liaise *vi* effectuer une liaison.

liaison *n* liaison *f*.

liar *n* menteur *m* -euse *f*.

libel *n* diffamation *f*; * *vt* diffamer.

libellous *adj* diffamatoire.

liberal *adj* libéral; généreux; ~**ly** *adv* libéralement.

liberality *n* libéralité, générosité *f*.

liberate *vt* libérer.

liberation *n* libération *f*.

libertine *n* libertin *m* -e *f*.

liberty *n* liberté *f*.

Libra *n* Balance *f* (signe du zodiaque).

librarian *n* bibliothécaire *mf*.

library *n* bibliothèque *f*.

libretto *n* livret *m*.

licence *n* licence *f*; permis *m*; permission *f*.

licentious *adj* licencieux.

lichen *n* (*bot*) lichen *m*.

lick *vt* lécher.

lid *n* couvercle *m*.

lie *n* mensonge *m*; * *vi* mentir; être allongé.

lieu *n*: **in ~ of** au lieu de.

lieutenant *n* lieutenant *m*.

life *n* vie *f*; **for ~** pour toute la vie.

life belt *n* gilet de sauvetage *m*.

lifeboat *n* canot de sauvetage *m*.

lifeguard *n* maître nageur *m*; garde du corps *m*.

life jacket *n* gilet de sauvetage *m*.

lifeless *adj* mort; sans vie.

lifelike *adj* naturel.

lifeline *n* bouée de sauvetage *f*.

life sentence *n* condamnation à perpétuité *f*.

life-sized *adj* grandeur nature.

lifespan *n* durée de vie *f*.

lifestyle *n* style de vie *m*.

life-support system n système de respiration artificielle m.

lifetime n vie f.

lift vt lever.

ligament n ligament m.

light n lumière f; * adj léger; clair; * vt allumer; éclairer.

light bulb n ampoule f.

lighten vi s'éclaircir; * vt éclairer; éclaircir; alléger.

lighter n briquet m.

light-headed adj étourdi.

lighthearted adj joyeux.

lighthouse n (mar) phare m.

lighting n éclairage m.

lightly adv légèrement.

lightning n éclair m.

lightning rod n paratonnerre m.

light pen n crayon optique m.

lightweight adj léger.

light year n année-lumière f.

ligneous adj ligneux.

like adj pareil; * adv comme; * vt vi aimer.

likeable adj sympathique.

likelihood n probabilité f.

likely adj probable, vraisemblable.

liken vt comparer.

likeness n ressemblance f.

likewise adv pareillement.

liking n goût m.

lilac n lilas m.

lily n lis m; ~ of the valley muguet m.

limb n membre m.

limber adj flexible, souple.

lime n chaux f; lime f; ~ tree tilleul m.

limestone n pierre à chaux f.

limit n limite f; * vt limiter.

limitation n limitation f; restriction f.

limitless adj illimité.

limo(usine) n limousine f.

limp vi boiter; * n boitement m; * adj mou.

limpet n patelle f.

limpid adj limpide.

line n ligne f; ride f; * vt rayer; rider.

lineage n lignage m.

linear adj linéaire.

lined adj rayé; ridé.

linen n lin m; linge m de maison.

liner n transatlantique m.

linesman n juge de ligne m.

linger vi traîner.

lingerie n lingerie f.

lingering adj long.

linguist n linguiste mf.

linguistic adj linguistique.

linguistics n linguistique f.

liniment n liniment m.

lining n doublure f.

link n chaînon m; * vt relier.

linnet n linotte f.

linoleum n linoléum m.

linseed n graine de lin f.

lint n peluche f.

lintel n linteau m.

lion n lion m.

lioness n lionne f.

lip n lèvre f; bord m.

lip-read vi lire sur les lèvres.

lip salve n pommade pour les lèvres f.

lipstick n rouge à lèvres m.

liqueur n liqueur f.

liquid adj liquide; * n liquide m.

liquidate vt liquider.

liquidation n liquidation f.

liquidise vt liquéfier.

liquor n spiritueux m.

liquorice n réglisse m/f.

liquor store n magasin de vins et spiritueux m.

lisp vi zézayer; * n zézaiement m.

list n liste f; * vt faire une liste de.

listen vi écouter.

listless adj indifférent.

litany n litanie f.

literal adj ~ly adv littéral(ement).

literary adj littéraire.

literate adj cultivé.

literature n littérature f.

lithe adj agile.

lithograph n lithographie f.

lithography n lithographie f.

litigation n litige m.

litigious adj litigieux.

litre n litre m.

litter n litière f; ordures fpl; * vt recouvrir, joncher.

little adj petit; ~ **by** ~ petit à petit; * n peu m.

liturgy n liturgie f.

live vi vivre; habiter; ~ **on** vt se nourrir de; ~ **up to** vt faire honneur à; * adj vivant.

livelihood n moyens de subsistance mpl.

liveliness n vivacité f.

lively adj vif.

liven up vt animer.

liver n foie m.

livery n livrée f.

livestock n bétail m.

livid adj livide; furieux.

living n vie f; * adj vivant.

living room n salle de séjour f.

lizard n lézard m.

load vt charger; * n charge f.

loaded adj chargé.

loaf n pain m.

loafer n paresseux m -euse f.

loam n terreau m.

loan n prêt m.

loathe vt détester.

loathing n aversion f.

loathsome adj répugnant.

lobby n vestibule m.

lobe n lobe m.

lobster n langouste f.

local adj local.

local anaesthetic n anesthésique local m.

local government n administration f municipale, administration f locale.

localise vt localiser.

locality n localité f.

locally adv localement.

locate vt localiser.

location n situation f.

lock n serrure f; * vt fermer à clé.

locker n casier m.

locket n médaillon m.

lockout n grève patronale f.

locksmith n serrurier m.

lock-up n cellule f.

locomotive n locomotive f.

locust n sauterelle f.

lodge n loge du gardien f; * vi se loger.

lodger n locataire mf.

loft n grenier m.

lofty adj haut.

log n bûche f.

logbook n (mar) journal de bord m.

logic n logique f.

logical adj logique.

logo n logo m.

loins npl reins mpl.

loiter vi s'attarder.

loll vi se prélasser.

lollipop n sucette f.

lonely, lonesome adj seul, solitaire.

loneliness n solitude f.

long adj long, f longue; * vi désirer.

long-distance n: ~ **call** appel interurbain m.

longevity n longévité f.

long-haired adj aux cheveux longs.

longing n désir m.

longitude n longitude f.

longitudinal adj longitudinal.

long jump n saut en longueur m.

long-playing record n trente-trois tours m.

long-range adj à longue portée.

long-term adj à long terme.

long wave n grandes ondes fpl.

long-winded adj prolixe.

look vi regarder; sembler; ~ **after** vt s'occuper de; garder; ~ **for** vt chercher; ~ **forward to** vt attendre avec impatience; ~ **out for** vt guetter; * n aspect m; regard m.

looking glass n miroir m.

look-out n (mil) sentinelle f; vigie f.

loom n métier à tisser m; * vi menacer.

loop n boucle f.

loophole n échappatoire f.

loose adj lâché; desserré; ~ly adv approximativement; ~, **loosen** vt lâcher; desserrer.

loot vt piller; * n butin m.

lop vt élaguer.

lopsided adj de travers; déséquilibré.

loquacious adj loquace.

loquacity n loquacité f.

lord n seigneur m.

lore n savoir m (traditionnel).

lose vt vi perdre.

loss n perte f; **to be at a ~** ne pas savoir que faire.

lost and found n objets trouvés mpl.

lot n sort f; lot m; **a ~** beaucoup.

lotion n lotion f.

lottery n loterie f.

loud adj fort, bruyant; ~ly adv bruyamment; haut.

loudspeaker n haut-parleur m.

lounge n salon m.

louse n (pl **lice**) pou m.

lousy adj minable.

lout n vaurien m.

lovable adj sympathique.

love n amour m; **to fall in ~** tomber amoureux; * vt aimer.

love letter n lettre d'amour f.

love life n vie sentimentale f.

loveliness n beauté f.

lovely adj beau.

lover n amant m.

love-sick adj fou amoureux.

loving adj affectueux.

low adj bas; * vi meugler.

low-cut adj décolleté.

lower adj plus bas; * vt baisser.

lowest adj le plus bas.

lowland n plaine f.

lowliness n humilité f.

lowly adj humble.

low-water n basse mer f.

loyal adj loyal, fidèle; ~ly adv loyalement.

loyalty n loyauté f; fidélité f.

lozenge n pastille f.

lubricant n lubrifiant m.

lubricate vt lubrifier.

lucid adj lucide.

luck n chance f.

luckily adv heureusement, par chance.

luckless adj malchanceux.

lucky adj chanceux, qui a de la chance.

lucrative adj lucratif.

ludricrous adj absurde.

lug vt traîner.

luggage n bagages mpl.

lugubrious adj lugubre, triste.

lukewarm adj tiède.

lull vt bercer; * n répit m.

lullaby n berceuse f.

lumbago n lumbago m.

lumberjack n bûcheron m.

lumber room n débarras m.

luminous adj lumineux.

lump n bosse f; grosseur f; morceau m; * vt réunir.

lump sum n somme globale f.

lunacy n folie f.

lunar adj lunaire.

lunatic adj fou, f folle.

lunch, luncheon n déjeuner m.

lungs npl poumons mpl.

lurch n embardée f.

lure n leurre m; attrait m; * vt séduire, attirer.

lurid adj criard (couleur); horrible.

lurk vi être tapi.

luscious adj délicieux.

lush adj luxuriant.

lust n luxure f; sensualité f; désir m; * vi désirer; **~ after** vt convoiter.

luster n lustre m.

lustful adj luxurieux, voluptueux; ~ly adv luxurieusement.

lustily adv vigoureusement.

lusty adj fort, vigoureux.

lute n luth m.

Lutheran *n* luthérien *m* -ne *f.*

luxuriance *n* exubérance, luxuriance *f.*

luxuriant *adj* exubérant, luxuriant.

luxuriate *vi* pousser de manière exubérante.

luxurious *adj* luxueux; **~ly** *adv* luxueusement.

luxury *n* luxe *m.*

lying *n* mensonges *mpl.*

lymph *n* lymphe *f.*

lynch *vt* lyncher.

lynx *n* linx *m.*

lyrical *adj* lyrique.

lyrics *npl* paroles *fpl.*

M

---

macaroni *n* macaronis *mpl.*

macaroon *n* macaron *m.*

mace *n* massue *f;* macis *m.*

macerate *vt* macérer.

machination *n* machination *f.*

machine *n* machine *f.*

machine gun *n* mitrailleuse *f.*

machinery *n* machinerie *f;* mécanisme *m.*

mackerel *n* maquereau *m.*

mad *adj* fou, *f* folle; furieux; insensé.

Madam *n* madame *f.*

madden *vt* rendre fou; rendre furieux.

madder *n* (*bot*) garance *f.*

madhouse *n* asile de fous *m.*

madly *adv* à la folie; comme un fou.

madman *n* fou *m.*

madness *n* folie *f.*

magazine *n* magazine *m,* revue *f;* (*mil*) magasin *m.*

maggot *n* asticot *m.*

magic *n* magie *f;* * *adj* **~ally** *adv* magique(ment).

magician *n* magicien *m* -ne *f.*

magisterial *adj* **~ly** *adv* magistral(ement).

magistracy *n* magistrature *f.*

magistrate *n* magistrat *m.*

magnanimity *n* magnanimité *f.*

magnanimous *adj* **~ly** *adv* magnanime(ment).

magnet *n* aimant *m.*

magnetic *adj* magnétique.

magnetism *n* magnétisme *m.*

magnificence *n* magnificence *f.*

magnificent *adj* **~ly** *adv* magnifique(ment).

magnify *vt* grossir; exagérer.

magnifying glass *n* loupe *f.*

magnitude *n* magnitude *f.*

magpie *n* pie *f.*

mahogany *n* acajou *m.*

maid *n* bonne *f.*

maiden *n* jeune fille *f.*

maiden name *n* nom de jeune fille *m.*

mail *n* courrier *m.*

mailbox *n* boîte aux lettres *f.*

mail coach *n* malle-poste *f.*

mailing list *n* fichier-clientèle *m.*

mail-order *n* vente par correspondance *f.*

mail train *n* (*rail*) train-poste *m.*

maim *vt* mutiler.

main *adj* principal; essentiel; **in the ~** en général.

mainland *n* continent *m.*

main line *n* (*rail*) grande ligne *f.*

mainly *adv* principalement, essentiellement.

main street *n* rue principale *f.*

maintain *vt* maintenir; soutenir.

maintenance *n* entretien *m.*

maize *n* maïs *m.*

majestic *adj* majestueux; **~ally** *adv* majestueusement.

majesty *n* majesté *f.*

major *adj* majeur; * *n* (*mil*) commandant *m.*

majority n majorité f.
make vt faire; ~ **for** se diriger vers; ~ **up** inventer; ~ **up for** compenser; * n marque f.
make-believe n invention f.
makeshift adj improvisé, de fortune.
make-up n maquillage m.
make-up remover n démaquillant m.
malady n maladie f.
malaise n malaise m.
malaria n malaria f.
malcontent adj n mécontent m -e f.
male adj mâle; masculin; * n mâle m.
malevolence n malveillance f.
malevolent adj malveillant; ~ly adv avec malveillance.
malfunction n mauvais fonctionnement m.
malice n méchanceté f.
malicious adj méchant; ~ly adv méchamment.
malign adj nocif; * vt calomnier.
malignant adj malfaisant; ~ly adv méchamment.
mall n centre commercial m.
malleable adj malléable.
mallet n maillet m.
mallow n (bot) mauve f.
malnutrition n malnutrition f.
malpractice n malversations fpl.
malt n malt m.
maltreat vt maltraiter.
mammal n mammifère m.
mammoth adj gigantesque.
man n homme m; * vt (mar) équiper en personnel.
manacle n entrave f; ~s pl menottes fpl.
manage vt diriger; réussir; * vi réussir.
manageable adj maniable.
management n direction f.
manager n directeur m.
manageress n directrice f.
managerial adj directorial.

managing director n directeur m général.
mandarin n mandarine f; mandarin m.
mandate n mandat m.
mandatory n obligatoire.
mane n crinière f.
manfully adv vaillamment.
manger n mangeoire f.
mangle n essoreuse f; * vt mutiler.
mangy adj miteux.
manhandle vt maltraiter; manutentionner.
manhood n âge d'homme m; virilité f.
man-hour n heure f de main d'œuvre.
mania n manie f.
maniac n maniaque mf.
manic adj obsessionnel.
manicure n manucure f.
manifest adj manifeste; * vt manifester.
manifestation n manifestation f.
manifesto n manifeste m.
manipulate vt manipuler.
manipulation n manipulation f.
mankind n humanité f.
manlike adj viril; d'homme.
manliness n virilité f; courage m.
manly adj viril.
man-made adj artificiel.
manner n manière f; attitude f; ~s pl manières fpl.
manoeuvre n manœuvre f.
manpower n main-d'œuvre f.
mansion n château m.
manslaughter n homicide involontaire m.
mantelpiece n manteau de cheminée m.
manual adj n manuel m.
manufacture n fabrication f; * vt fabriquer.
manufacturer n fabricant m.
manure n fumier m; engrais m; purin m; * vt fumer.
manuscript n manuscrit m.
many adj beaucoup de; ~ **a time**

de nombreuses fois; **how ~?** combien?; **as ~ as** autant que.

map n carte f; plan m; * vt dessiner un plan de; **~ out** programmer.

maple n érable m.

mar vt gâter, gâcher.

marathon n marathon m.

marauder n maraudeur m -euse f.

marble n marbre m; * adj marbré.

March n mars m.

march n marche f; * vi marcher.

marchpast n défilé m.

mare n jument f.

margarine n margarine f.

margin n marge f; bord m.

marginal adj marginal.

marigold n (bot) calendula f, souci m.

marijuana n marijuana f.

marinate vt mariner.

marine adj marin; * n fusilier m marin.

mariner n marin m.

marital adj matrimonial.

maritime adj maritime.

marjoram n marjolaine f.

mark n marque f; signe m; * vt marquer.

marker n marque f; marqueur m.

market n marché m.

marketable adj vendable.

marketing n marketing m.

marketplace n marché m.

market research n étude de marché f.

market value n valeur sur le marché f.

marksman n tireur d'élite m.

marmalade n confiture d'oranges f.

maroon adj marron rouge.

marquee n tente f.

marriage n mariage m.

marriageable adj mariable.

marriage certificate n acte de mariage m.

married adj marié; conjugal.

marrow n moelle f.

marry vi se marier.

marsh n marécage m.

marshal n maréchal m.

marshy adj marécageux.

marten n martre f.

martial adj martial; **~ law** n loi martiale f.

martyr n martyr m -e f.

martyrdom n martyre m.

marvel n merveille f; * vi s'émerveiller.

marvellous adj merveilleux; **~ly** adv merveilleusement.

marzipan n massepain m, pâte d'amandes f.

mascara n mascara m.

masculine adj masculin, viril.

mash n bouillie, purée f.

mask n masque m; * vt masquer.

masochist n masochiste mf.

mason n maçon m.

masonry n maçonnerie f.

masquerade n mascarade f.

mass n masse f; messe f; multitude f.

massacre n massacre m; * vt massacrer.

massage n massage m.

masseur n masseur m.

masseuse n masseuse f.

massive adj énorme.

mass media npl média mpl.

mast n mât m.

master n maître m; * vt maîtriser.

masterly adj magistral.

mastermind vt diriger.

masterpiece n chef-d'œuvre m.

mastery n maîtrise f.

masticate vt mastiquer.

mastiff n mastiff m.

mat n tapis m.

match n allumette f; match m; * vt égaler; * vi bien aller ensemble.

matchbox n boîte d'allumettes f.

matchless adj incomparable, sans pareil.

matchmaker *n* marieur *m* -euse *f*.

mate *n* camarade *mf*; * *vt* accoupler.

material *adj* ~**ly** *adv* matériel(lement).

materialism *n* matérialisme *m*.

maternal *adj* maternel.

maternity dress *n* robe de grossesse *f*.

maternity hospital *n* maternité *f*.

mathematical *adj* ~**ly** *adv* mathématique(ment).

mathematician *n* mathématicien *m* -ne *f*.

mathematics *npl* mathématiques *fpl*.

maths *n* maths *fpl*.

matinee *n* matinée *f*.

mating *n* accouplement *m*.

matins *npl* matines *fpl*.

matriculate *vt* immatriculer.

matriculation *n* immatriculation *f*.

matrimonial *adj* matrimonial.

mat(t) *adj* mat.

matted *adj* emmêlé.

matter *n* matière, substance *f*; sujet *m*; affaire *f*; **what is the ~?** que se passe-t-il?; **a ~ of fact** un fait; * *vi* importer.

mattress *n* matelas *m*.

mature *adj* mûr; * *vi* mûrir.

maturity *n* maturité *f*.

maul *vt* meurtrir.

mausoleum *n* mausolée *m*.

mauve *adj* mauve.

maxim *n* maxime *f*.

maximum *n* maximum *m*.

may *v aux* pouvoir; ~**be** peut-être.

May *n* mai *m*.

Mayday *n* le Premier Mai *m*.

mayor *n* maire *m*.

mayoress *n* mairesse *f*.

maze *n* labyrinthe *m*.

me *pn* moi; me.

meadow *n* prairie *f*, pré *m*.

meagre *adj* pauvre.

meagreness *n* pauvreté *f*.

meal *n* repas *m*; farine *f*.

mealtime *n* heure du repas *f*.

mean *adj* avare, mesquin; moyen; **in the ~time, ~while** pendant ce temps-là; ~**s** *npl* moyens *mpl*; * *vt vi* signifier.

meander *vi* serpenter.

meaning *n* sens *m*, signification *f*.

meaningful *adj* significatif.

meaningless *adj* vide de sens.

meanness *n* avarice, mesquinerie *f*.

meantime, meanwhile *adv* pendant ce temps-là.

measles *npl* rougeole *f*.

measure *n* mesure *f*; * *vt* mesurer.

measurement *n* mesure *f*.

meat *n* viande *f*.

meatball *n* boulette de viande *f*.

meaty *adj* riche en viande.

mechanic *n* mécanicien *m*.

mechanical *adj* ~**ly** *adv* mécanique(ment).

mechanics *npl* mécanique *f*.

mechanism *n* mécanisme *m*.

medal *n* médaille *f*.

medallion *n* médaillon *m*.

medallist *n* médaillé *m* -e *f*.

meddle *vi* se mêler des affaires des autres.

meddler *n* fouineur *m* -euse *f*, indiscret *m* -ète *f*.

media *npl* média *mpl*.

median *n* médiane *f*.

mediate *vi* agir en tant que médiateur.

mediation *n* médiation *f*.

mediator *n* médiateur *m* -trice *f*.

medical *adj* médical.

medicate *vt* traiter.

medicated *adj* médical.

medicinal *adj* médicinal.

medicine *n* médecine *f*; médicament *m*.

medièval *adj* médiéval.

mediocre *adj* médiocre.

mediocrity *n* médiocrité *f*.

meditate *vi* méditer.

meditation n méditation f.

meditative adj méditatif.

Mediterranean adj méditerranéen.

medium n milieu m; médium m; * adj moyen.

medium wave n ondes moyennes fpl.

medley n mélange m.

meek adj docile; ~ly adv docilement.

meekness n docilité f.

meet vt rencontrer; ~ with retrouver; * vi se rencontrer; se retrouver.

meeting n réunion f; congrès m.

megaphone n mégaphone m.

melancholy n mélancolie f; * adj mélancolique.

mellow adj moelleux; doux; * vi mûrir.

mellowness n moelleux m.

melodious adj mélodieux; ~ly adv mélodieusement.

melody n mélodie f.

melon n melon m.

melt vt faire fondre; * vi fondre.

melting point n point de fusion m.

member n membre m.

membership n adhésion f.

membrane n membrane f.

memento n mémento m.

memo n note de service f.

memoir n mémoire m.

memorable adj mémorable.

memorandum n mémorandum m; note de service f.

memorial n monument commémoratif, mémorial m.

memorise vt mémoriser.

memory n mémoire f; souvenir m.

menace n menace f; * vt menacer.

menacing adj menaçant.

menagerie n ménagerie f.

mend vt réparer; raccommoder.

mending n réparation f; raccommodage m.

menial adj vil.

meningitis n méningite f.

menopause n ménopause f.

menstruation n menstruation f.

mental adj mental.

mentality n mentalité f.

mentally adv mentalement.

mention n mention f; * vt mentionner.

menu n menu m.

mercantile adj commercial.

mercenary adj n mercenaire m.

merchandise n marchandise f.

merchant n négociant m -e f.

merchantman n navire marchand m.

merchant marine n marine marchande f.

merciful adj miséricordieux.

merciless adj ~ly adv impitoyable(ment).

mercury n mercure m.

mercy n pitié f.

mere adj ~ly adv simple(ment).

merge vt vi fusionner.

merger n fusion f.

meridian n méridien m.

merit n mérite m; * vt mériter.

meritorious adj méritoire.

mermaid n sirène f.

merrily adv joyeusement.

merriment n divertissement m; réjouissance f.

merry adj joyeux.

merry-go-round n manège m.

mesh n maille f.

mesmerise vt hypnotiser.

mess n désordre m; confusion f; (mil) mess m; ~ up vt mettre en désordre.

message n message m.

messenger n messager m -ère f.

metabolism n métabolisme m.

metal n métal m.

metallic adj métallique.

metallurgy n métallurgie f.

metamorphosis n métamorphose f.

metaphor n métaphore f.

metaphoric(al) adj métaphorique.

metaphysical *adj* métaphysique.
metaphysics *npl* métaphysique *f*.
mete (out) *vt* distribuer.
meteor *n* météore *m*.
meteorological *adj* météorologi-
que.
meteorology *n* météorologie *f*.
meter *n* compteur *m*.
method *n* méthode *f*.
methodical *adj* ~**ly** *adv* mé-
thodique(ment).
Methodist *n* méthodiste *mf*.
metre *n* mètre *m*.
metric *adj* métrique.
metropolis *n* métropole *f*.
metropolitan *adj* métropolitain.
mettle *n* courage *m*.
mettlesome *adj* courageux.
mew *vi* miauler.
mezzanine *n* mezzanine *f*.
microbe *n* microbe *m*.
microphone *n* microphone *m*.
microchip *n* microprocesseur *m*,
puce *f*.
microscope *n* microscope *m*.
microscopic *adj* microscopique.
microwave *n* four à micro-ondes
m.
mid *adj* demi; mi-.
midday *n* midi *m*.
middle *adj* moyen; du milieu; * *n*
milieu *m*.
middle name *n* deuxième prénom *m*.
middleweight *n* poids moyen *m*.
middling *adj* moyen, passable.
midge *n* moucheron *m*.
midget *n* nain *m* -e *f*.
midnight *n* minuit *m*.
midriff *n* diaphragme *m*; estomac
m.
midst *n* milieu *m*.
midsummer *n* milieu de l'été *m*.
midway *adv* à mi-chemin.
midwife *n* sage-femme *f*.
midwifery *n* obstétrique *f*.
might *n* force *f*.
mighty *adj* fort, puissant.
migraine *n* migraine *f*.
migrate *vi* émigrer.

migration *n* émigration *f*.
migratory *adj* migratoire.
mike *n* micro *m*.
mild *adj* doux; modéré; ~**ly** *adv*
doucement.
mildew *n* moisissure *f*; mildiou *m*.
mildness *n* douceur *f*.
mile *n* mile *m*.
mileage *n* kilométrage *m*.
milieu *n* milieu *m*.
militant *adj* militant.
military *adj* militaire.
militate *vi* militer.
militia *n* milice *f*.
milk *n* lait *m*; * *vt* traire; exploiter.
milkshake *n* milk-shake *m*.
milky *adj* laiteux; **M~ Way** *n* Voie
lactée *f*.
mill *n* moulin *m*; * *vt* moudre.
millennium *n* millénaire *m*.
miller *n* meunier *m*.
millet *n* (*bot*) millet *m*.
milligram *n* milligramme *m*.
millilitre *n* millilitre *m*.
millimetre *n* millimètre *m*.
milliner *n* chapelier *m* -ière *f*.
millinery *n* chapellerie *f*.
million *n* million *m*.
millionaire *n* millionnaire *mf*.
millionth *adj n* millionième *mf*.
millstone *n* meule *f*.
mime *n* mime *m*.
mimic *vt* mimer.
mimicry *n* mimique *f*.
mince *vt* hacher.
mind *n* esprit *m*; * *vt* prendre soin
de; * *vi*: **do you** ~? est-ce que
cela vous dérange?
minded *adj* disposé.
mindful *adj* soucieux; attentif.
mindless *adj* insouciant.
mine *pn* le mien, la mienne, les
miens, les miennes; à moi; * *n*
mine *f*; * *vi* exploiter la mine.
minefield *n* champ de mines *m*.
miner *n* mineur *m*.
mineral *adj n* minéral *m*.
mineralogy *n* minéralogie *f*.
mineral water *n* eau minérale *f*.

minesweeper *n* dragueur de mines *m*.

mingle *vt* mêler.

miniature *n* miniature *f*.

minimal *adj* minime.

minimise *vt* minimiser.

minimum *n* minimum *m*.

mining *n* exploitation minière *f*.

minion *n* larbin *m*; favorit(te) *m(f)*.

minister *n* ministre *m*; * *vt* servir.

ministerial *adj* ministériel.

ministry *n* ministère *m*.

mink *n* vison *m*.

minnow *n* vairon *m*.

minor *adj* mineur; * *n* mineur *m* -e *f*.

minority *n* minorité *f*.

minstrel *n* ménestrel *m*.

mint *n* (*bot*) menthe *f*; hôtel de la Monnaie *m*; * *vt* frapper la monnaie.

minus *adv* moins.

minute *adj* minuscule; ~ly *adv* minutieusement.

minute *n* minute *f*.

miracle *n* miracle *m*.

miraculous *adj* miraculeux.

mirage *n* mirage *m*.

mire *n* bourbe *f*.

mirky *adj* trouble; ténébreux.

mirror *n* miroir *m*.

mirth *n* allégresse *f*.

mirthful *adj* joyeux.

misadventure *n* mésaventure *f*.

misanthropist *n* misanthrope *mf*.

misapply *vt* mal appliquer.

misapprehension *n* méprise *f*.

misbehave *vi* se conduire mal.

misbehaviour *n* mauvaise conduite *f*.

miscalculate *vt* mal calculer.

miscarriage *n* fausse couche *f*.

miscarry *vi* faire une fausse couche; échouer.

miscellaneous *adj* divers, varié.

miscellany *n* mélange, assortiment *m*.

mischief *n* mal, tort *m*.

mischievous *adj* mauvais; espiègle.

misconception *n* méprise *f*.

misconduct *n* mauvaise conduite *f*.

misconstrue *vt* mal interpréter.

miscount *vt* mal compter.

miscreant *n* scélérat *m*.

misdeed *n* méfait *m*.

misdemeanour *n* délit *m*.

misdirect *vt* mal diriger.

miser *n* avare *mf*.

miserable *adj* malheureux.

miserly *adj* mesquin, avare.

misery *n* malheur *m*; misère *f*.

misfit *n* inadapté *m* -e *f*.

misfortune *n* infortune *f*.

misgiving *n* doute *m*.

misgovern *vt* mal gouverner.

misguided *adj* malencontreux; malavisé.

mishandle *vt* maltraiter; mal s'y prendre avec.

mishap *n* mésaventure *f*.

misinform *vt* mal renseigner.

misinterpret *vt* mal interpréter.

misjudge *vt* méjuger.

mislay *vt* égarer.

mislead *vt* induire en erreur.

mismanage *vt* mal administrer.

mismanagement *n* mauvaise administration *f*.

misnomer *n* (*law*) nom inapproprié *m*.

misogynist *n* misogyne *mf*.

misplace *vt* égarer.

misprint *vt* mal imprimer; * *n* coquille *f*.

misrepresent *vt* mal représenter.

Miss *n* Mlle, Mademoiselle *f*.

miss *vt* rater; s'ennuyer de.

missal *n* missel *m*.

misshapen *adj* déformé.

missile *n* missile *m*.

missing *adj* perdu; absent.

mission *n* mission *f*.

missionary *n* missionnaire *mf*.

misspent *adj* gaspillé.

mist *n* brouillard *m*.

mistake *vt* confondre; * *vi* se tromper; **to be mistaken** se tromper; * *n* méprise *f*; erreur *f*.

Mister *n* monsieur *m*.

mistletoe *n* (*bot*) gui *m*.

mistress *n* maîtresse *f*.

mistrust *vt* se méfier de; * *n* méfiance *f*.

mistrustful *adj* méfiant.

misty *adj* brumeux.

misunderstand *vt* mal comprendre.

misunderstanding *n* malentendu *m*.

misuse *vt* faire un mauvais usage de; abuser de.

mitre *n* mitre *f*.

mitigate *vt* atténuer.

mitigation *n* atténuation *f*.

mittens *npl* moufles *fpl*.

mix *vt* mélanger.

mixed *adj* mélangé; mixte.

mixed-up *adj* confus.

mixer *n* mixeur *m*.

mixture *n* mélange *m*.

mix-up *n* confusion *f*.

moan *n* gémissement *m*; * *vi* gémir; se plaindre.

moat *n* fossé *m*.

mob *n* foule *f*; masse *f*.

mobile *adj* mobile.

mobile home *n* caravane *f*.

mobilise *vt* (*mil*) mobiliser.

mobility *n* mobilité *f*.

moccasin *n* mocassin *m*.

mock *vt* se moquer de.

mockery *n* moquerie *f*.

mode *n* mode *m*.

model *n* modèle *m*; * *vt* modeler.

moderate *adj* ~**ly** *adv* modéré(ment); * *vt* modérer.

moderation *n* modération *f*.

modern *adj* moderne.

modernise *vt* moderniser.

modest *adj* ~**ly** *adv* modeste(ment).

modesty *n* modestie *f*.

modicum *n* minimum *m*.

modification *n* modification *f*.

modify *vt* modifier.

modulate *vt* moduler.

modulation *n* (*mus*) modulation *f*.

module *n* module *m*.

mogul *n* magnat *m*.

mohair *n* mohair *m*.

moist *adj* humide.

moisten *vt* humidifier.

moisture *n* humidité *f*.

molar *n* molaire *f*.

molasses *npl* mélasse *f*.

mole *n* taupe *f*.

molecule *n* molécule *f*.

molehill *n* taupinière *f*.

molest *vt* importuner.

mollify *vt* apaiser.

mollusc *n* mollusque *m*.

mollycoddle *vt* dorloter.

molten *adj* fondu.

mom, mommy *n* maman *f*.

moment *n* moment *m*.

momentarily *adv* momentanément.

momentary *adj* momentané.

momentous *adj* capital.

momentum *n* vitesse *f*; élan *m*.

monarch *n* monarque *m*.

monarchy *n* monarchie *f*.

monastery *n* monastère *m*.

monastic *adj* monastique.

Monday *n* lundi *m*.

monetary *adj* monétaire.

money *n* argent *m*; pièce de monnaie *f*.

money order *n* mandat *m*.

mongol *n* (*med*) mongolien *m* -ne *f*.

mongrel *adj n* bâtard *m* -e *f*.

monitor *n* moniteur *m* -trice *f*.

monk *n* moine *m*.

monkey *n* singe *m*.

monochrome *adj* monochrome.

monocle *n* monocle *m*.

monologue *n* monologue *m*.

monopolise *vt* monopoliser.

monopoly *n* monopole *m*.

monosyllable *n* monosyllabe *m*.

monotonous *adj* monotone.

monotony *n* monotonie *f*.

monsoon *n* mousson *f*.

monster n monstre m.
monstrosity n monstruosité f.
monstrous adj monstrueux; **~ly** adv monstrueusement.
montage n montage m.
month n mois m.
monthly adj mensuel; adv mensuellement.
monument n monument m.
monumental adj monumental.
moo vi meugler.
mood n humeur f.
moodiness n mauvaise humeur f.
moody adj de mauvaise humeur; lunatique.
moon n lune f.
moonbeams npl rayons de lune mpl.
moonlight n clair de lune m.
moor n lande f; * vt (mar) amarrer.
moorland n lande f.
moose n élan m, orignal m.
mop n lavette f; * vt éponger.
mope vi se morfondre.
moped n vélomoteur m.
moral adj **~ly** adv moral(ement); **~s** npl moralité f.
morale n moral m.
moralise vt vi moraliser.
moralist n moraliste mf.
morality n moralité f.
morass n marais m.
morbid adj morbide.
more adj adv plus; **never ~** plus jamais; **once ~** encore une fois; **~ and ~** de plus en plus; **so much the ~** d'autant plus.
moreover adv de plus, en outre.
morgue n morgue f.
morning n matin m; **good ~** bonjour.
moron n imbécile mf.
morose adj morose.
morphine n morphine f.
morse n morse m.
morsel n bouchée f; morceau m.
mortal adj **~ly** adv mortel(lement); * n mortel m -le f.

mortality n mortalité f.
mortar n mortier m.
mortgage n hypothèque f; * vt hypothéquer.
mortgage company n banque de prêts hypothécaires f.
mortgager n débiteur(-trice) hypothécaire m(f).
mortification n mortification f.
mortify vt mortifier.
mortuary n morgue f.
mosaic n mosaïque f.
mosque n mosquée f.
mosquito n moustique m.
moss n (bot) mousse f.
mossy adj moussu.
most adj pn la plupart de; * adv extrêmement; **at ~** au maximum; **~ly** adv surtout, essentiellement.
moth n papillon de nuit m; mite f.
mothball n boule de naphtaline f.
mother n mère f.
motherhood n maternité f.
mother-in-law n belle-mère f.
motherless adj sans mère.
motherly adj maternel.
mother-of-pearl n nacre f.
mother-to-be n future maman f.
mother tongue n langue maternelle f.
motif n (art, mus) motif m.
motion n mouvement m.
motionless adj immobile.
motion picture n film m.
motivated adj motivé.
motive n motif m.
motley adj bigarré.
motor n moteur m.
motorbike n moto f.
motorboat n canot à moteur m.
motorcycle n motocyclette f.
motor vehicle n automobile f.
mottled adj marbré, tacheté.
motto n devise f.
mould n moule m; * vt mouler.
moulder vi s'effriter.
mouldy adj moisi.

moult vi muer.

mound n monticule m.

mount n mont m; * vt gravir.

mountain n montagne f.

mountaineer n alpiniste mf.

mountaineering n alpinisme m.

mountainous adj montagneux.

mourn vt pleurer.

mourner n personne en deuil f.

mournful adj ~**ly** adv triste(ment).

mourning n deuil m.

mouse n (pl **mice**) souris f.

mouth n bouche f; embouchure f.

mouthful n bouchée f.

mouth organ n harmonica m.

mouthpiece n bec m; microphone m.

mouthwash n eau dentifrice f.

mouthwatering adj appétissant.

movable adj mobile.

move vt déplacer; toucher, émouvoir; * vi bouger; * n mouvement m.

movement n mouvement m.

movie n film m.

movie camera n caméra f.

moving adj touchant, émouvant.

mow vt tondre.

mower n tondeuse f.

Mrs n Mme, Madame f.

much adj pn beaucoup; adv beaucoup, très.

muck n saleté f.

mucous adj muqueux.

mucus n mucus m.

mud n boue f.

muddle vt confondre; embrouiller; * n confusion f; désordre m.

muddy adj boueux.

mudguard n garde-boue m invar.

muffle vt assourdir.

mug n tasse f.

muggy adj lourd, étouffant.

mulberry n mûre f; ~ **tree** mûrier m.

mule n mulet m; mule f.

mull vt méditer.

multifarious adj divers.

multiple adj multiple.

multiplication n multiplication f; ~ **table** table de multiplication f.

multiply vt multiplier.

multitude n multitude f.

mumble vt vi grommeler.

mummy n momie f.

mumps npl oreillons mpl.

munch vt mâcher.

mundane adj banal.

municipal adj municipal.

municipality n municipalité f.

munificence n munificence f.

munitions npl munitions fpl.

mural n mural m.

murder n assassinat, meurtre m; homicide volontaire m; * vt assassiner.

murderer n assassin, meurtrier m.

murderess n meurtrière f.

murderous adj meurtrier.

murky adj obscur, glauque.

murmur n murmure m; * vt vi murmurer.

muscle n muscle m.

muscular adj musculaire.

muse vi méditer, rêver.

museum n musée m.

mushroom n (bot) champignon m.

music n musique f.

musical adj musical; mélodieux.

musician n musicien m -ne f.

musk n musc m.

muslin n mousseline f.

mussel n moule f.

must v aux devoir.

mustard n moutarde f.

muster vt rassembler.

musty adj moisi.

mute adj muet, silencieux.

muted adj assourdi.

mutilate vt mutiler.

mutilation n mutilation f.

mutiny n mutinerie f; vi se mutiner, se révolter.

mutter vt vi grommeler, marmonner; * n grommellement m.

mutton n mouton m (viande).

mutual *adj* **~ly** *adv* mutuel(le-ment), réciproque(ment).
muzzle *n* muselière *f*; museau *m*; * *vt* museler.
my *pn* mon, ma, mes.
myriad *n* myriade *f*.
myrrh *n* myrrhe *f*.
myrtle *n* myrte *m*.
myself *pn* moi-même.

mysterious *adj* mystérieux; **~ly** *adv* mystérieusement.
mystery *n* mystère *m*.
mystic(al) *adj* mystique.
mystify *vt* mystifier; laisser perplexe.
mystique *n* mystique *f*.
myth *n* mythe *m*.
mythology *n* mythologie *f*.

N

nab *vt* coincer, pincer.
nag *n* bourrin *m*; * *vt* harceler.
nagging *adj* persistant; * *npl* harcèlement *m*.
nail *n* ongle *m*; clou *m*; * *vt* clouer.
nailbrush *n* brosse à ongles *f*.
nailfile *n* lime à ongles *f*.
nail polish *n* vernis à ongles *m*.
nail scissors *npl* ciseaux à ongles *mpl*.
naive *adj* naïf.
naked *adj* nu; dénudé; pur, simple.
name *n* nom *m*; réputation *f*; * *vt* nommer; mentionner.
nameless *adj* anonyme.
namely *adv* à savoir.
namesake *n* homonyme *m*.
nanny *n* nourrice *f*.
nap *n* sieste *f*, somme *m*.
napalm *n* napalm *m*.
nape *n* nuque *f*.
napkin *n* serviette *f*.
narcissus *n* (*bot*) narcisse *m*.
narcotic *adj n* narcotique *m*.
narrate *vt* narrer, raconter.
narrative *adj* narratif; * *n* narration *f*.
narrow *adj* **~ly** *adv* étroit(e-ment); * *vt* resserrer; limiter.
narrow-minded *adj* à l'esprit étroit.
nasal *adj* nasal.
nasty *adj* méchant; mauvais; sale.
natal *adj* natal.

nation *n* nation *f*.
national *adj* **~ly** *adv* national(e-ment).
nationalise *vt* nationaliser.
nationalism *n* nationalisme *m*.
nationalist *adj n* nationaliste *mf*.
nationality *n* nationalité *f*.
nationwide *adj* au niveau national.
native *adj* natal; * *n* autochtone *mf*.
native language *n* langue maternelle *f*.
Nativity *n* Nativité *f*.
natural *adj* **~ly** *adv* naturel(le-ment).
natural gas *n* gaz naturel *m*.
naturalise *vt* naturaliser.
naturalist *n* naturaliste *mf*.
nature *n* nature *f*; sorte *f*.
naught *n* zéro *m*.
naughty *adj* méchant.
nausea *n* nausée, envie de vomir *f*.
nauseate *vt* donner des nausées à.
nauseous *adj* écœurant.
nautic(al), **naval** *adj* nautique.
nave *n* nef (d'église) *f*.
navel *n* nombril *m*.
navigate *vi* naviguer.
navigation *n* navigation *f*.
navy *n* marine *f*.
Nazi *n* nazi *m* -e *f*.

near *prep* près de; * *adv* près; à côté; * *adj* proche.
nearby *adj* proche.
nearly *adv* presque.
near-sighted *adj* myope.
neat *adj* soigné; net, propre; ~**ly** *adv* proprement; élégamment.
nebulous *adj* nébuleux.
necessarily *adv* nécessairement.
necessary *adj* nécessaire.
necessitate *vt* nécessiter.
necessity *n* nécessité *f*.
neck *n* cou *m*; * *vi* se bécoter.
necklace *n* collier *m*.
necktie *n* cravate *f*.
nectar *n* nectar *m*.
née *adj*: ~ **Brown** née Brown.
need *n* besoin *m*; pauvreté *f*; * *vt* avoir besoin de, nécessiter.
needle *n* aiguille *f*.
needless *adj* superflu, inutile.
needlework *n* couture *f*.
needy *adj* nécessiteux, pauvre.
negation *n* négation *f*.
negative *adj* négatif; ~**ly** *adv* négativement; * *n* négative *f*; négation *f*; négatif *m*.
neglect *vt* négliger; * *n* négligence *f*.
negligee *n* négligé, déshabillé *m*.
negligence *n* négligence *f*; manque de soin *m*.
negligent *adj* négligent; ~**ly** *adv* négligemment.
negligible *adj* négligeable.
negotiate *vt vi* négocier.
negotiation *n* négociation *f*.
Negress *n* Noire *f*.
Negro *adj* noir; * *n* Noir *m*.
neigh *vi* hennir; * *n* hennissement *m*.
neighbour *n* voisin *m* -e *f*; * *vt* être voisin de.
neighbourhood *n* voisinage *m*.
neighbouring *adj* voisin.
neighbourly *adj* sociable.
neither *conj* ni; * *pn* aucun(e), ni l'un(e) ni l'autre.
neon *n* néon *m*.
neon light *n* lumière au néon *f*.

nephew *n* neveu *m*.
nepotism *n* népotisme *m*.
nerve *n* nerf *m*; courage *m*; toupet *m*.
nerve-racking *adj* exaspérant.
nervous *adj* nerveux.
nervous breakdown *n* dépression nerveuse *f*.
nest *n* nid *m*; nichée *f*.
nest egg *n* (*fig*) économies *fpl*.
nestle *vt vi* se blottir.
net *n* filet *m*.
net curtain *n* voile *m*.
netting *n* filet *m*.
nettle *n* ortie *f*.
network *n* réseau *f*.
neurosis *n* névrose *f*.
neurotic *adj n* névrosé *m* -e *f*.
neuter *adj* (*gr*) neutre.
neutral *adj* neutre.
neutralise *vt* neutraliser.
neutrality *n* neutralité *f*.
neutron *n* neutron *m*.
neutron bomb *n* bombe à neutrons *f*.
never *adv* jamais; ~ **mind** ça ne fait rien.
never-ending *adj* interminable.
nevertheless *adv* cependant, néanmoins.
new *adj* neuf; nouveau; dernier; ~**ly** *adv* nouvellement.
newborn *adj* nouveau-né, *f* nouvelle-née.
newcomer *n* nouveau venu *m*, nouvelle venue *f*.
new-fangled *adj* moderne.
news *npl* nouvelles, informations *fpl*.
news agency *n* agence de presse *f*.
newscaster *n* présentateur *m* -trice *f*.
newsdealer *n* (US) marchand(e) de journaux *m(f)*.
news flash *n* flash d'information *m*.
newsletter *n* bulletin *m*.
newspaper *n* journal *m*.
newsreel *n* actualités *fpl*.

New Year n Nouvel An m; **~'s Day** n Jour du Nouvel An m; **~'s Eve** Saint-Sylvestre f.

next adj prochain; **the ~ day** le jour suivant; * adv ensuite, après.

nib n pointe f; plume f.

nibble vt mordiller.

nice adj gentil(le) m(f); agréable; joli; **~ly** adv gentiment; bien.

nice-looking adj beau, f belle.

niche n niche f.

nick n entaille f; * vt (sl) faucher.

nickel n nickel m; (US) pièce f de cinq cents.

nickname n surnom m; * vt surnommer.

niece n nièce f.

niggling adj insignifiant.

night n nuit f; **by ~** de nuit; **good ~** bonne nuit.

nightclub n boîte de nuit f.

nightfall n tombée de la nuit f.

nightingale n rossignol m.

nightly adv tous les soirs; toutes les nuits; * adj nocturne.

nightmare n cauchemar m.

night school n cours du soir mpl.

night shift n équipe de nuit f.

night-time n nuit f.

nihilist n nihiliste mf.

nimble adj léger; agile, souple.

nine adj n neuf m.

nineteen adj n dix-neuf m.

nineteenth adj n dix-neuvième mf.

ninetieth adj n quatre-vingt-dixième mf.

ninety adj n quatre-vingt-dix m.

ninth adj n neuvième mf.

nip vt pincer; mordre.

nipple n mamelon m; tétine f.

nit n lente f.

nitrogen n nitrogène m.

no adv non; * adj aucun; pas de.

nobility n noblesse f.

noble adj noble; * n noble mf.

nobleman n noble m.

nobody pn personne.

nocturnal adj nocturne.

nod n signe de tête m; * vi faire un signe de la tête; somnoler.

noise n bruit m.

noisily adv bruyamment.

noisiness n bruit, tapage m.

noisy adj bruyant.

nominal adj **~ly** adv nominal(ement).

nominate vt nommer.

nomination n nomination f.

nominative n (gr) nominatif m.

nominee n candidat m -e f.

nonalcoholic adj non alcoolisé.

non-aligned adj non-aligné.

nonchalant adj nonchalant.

noncommittal adj réservé.

nonconformist n nonconformiste mf.

nondescript adj quelconque.

none pn aucun; personne.

nonentity n nullité f.

nonetheless adv cependant.

nonexistent adj inexistant.

nonfiction n ouvrages non romanesques mpl.

nonplussed adj perplexe.

nonsense n absurdité f.

nonsensical adj absurde.

nonsmoker n non-fumeur m.

nonstick adj anti-adhérent.

nonstop adj direct; * adv sans s'arrêter.

noodles npl nouilles fpl.

noon n midi m.

noose n nœud coulant m.

nor conj ni.

normal adj normal.

north n nord m; * adj du nord.

North America n Amérique du Nord f.

northeast n nord-est m.

northerly, northern adj du nord.

North Pole n pôle Nord m.

northward(s) adv vers le nord.

northwest n nord-ouest m.

nose n nez m.

nosebleed n saignement de nez m.

nosedive n piqué m.

nostalgia n nostalgie f.

nostril *n* narine *f.*
not *adv* pas; non.
notable *adj* notable.
notably *adv* notamment.
notary *n* notaire *m.*
notch *n* cran *m*, dent *f*; * *vt* denteler.
note *n* note *f*; billet *m*; mot *m*; marque *f*; * *vt* noter, marquer; remarquer.
notebook *n* carnet *m.*
noted *adj* célèbre, connu.
notepad *n* bloc-notes *m.*
notepaper *n* papier à lettres *m.*
nothing *n* rien *m*; **good for ~** bon à rien.
notice *n* notice *f*; avis *m*; * *vt* remarquer.
noticeable *adj* visible.
notification *n* notification *f.*
notify *vt* notifier.
notion *n* notion *f*; opinion *f*; idée *f.*
notoriety *n* notoriété *f.*
notorious *adj* notoire; **~ly** *adv* notoirement.
notwithstanding *conj* quoique.
nougat *n* nougat *m.*
nought *n* zéro *m.*
noun *n* (*gr*) nom, substantif *m.*
nourish *vt* nourrir, alimenter.
nourishing *adj* nourrissant.
nourishment *n* nourriture *f*, aliments *mpl.*
novel *n* roman *m.*
novelist *n* romancier *m* -ière *f.*
novelty *n* nouveauté *f.*
November *n* novembre *m.*
novice *n* novice *mf*, débutant(e) *m(f).*
now *adv* maintenant; **~ and then** de temps en temps.
nowadays *adv* de nos jours, à l'heure actuelle.
nowhere *adv* nulle part.
noxious *adj* nocif.

nozzle *n* douille *f.*
nuance *n* nuance *f.*
nuclear *adj* nucléaire.
nucleus *n* noyau *m.*
nude *adj* nu.
nudge *vt* donner un coup de coude à.
nudist *n* nudiste *mf.*
nudity *n* nudité *f.*
nuisance *n* ennui *m*; gêne *f.*
nuke *n* (*col*) bombe atomique *f*; * *vt* atomiser.
null *adj* nul.
nullify *vt* annuler; invalider.
numb *adj* engourdi; * *vt* engourdir.
number *n* numéro, nombre *m*; quantité *f*; * *vt* numéroter; compter.
numberplate *n* plaque d'immatriculation *f.*
numbness *n* engourdissement *m.*
numeral *n* chiffre *m.*
numerical *adj* numérique.
numerous *adj* nombreux.
nun *n* religieuse *f.*
nunnery *n* couvent *m.*
nuptial *adj* nuptial; **~s** *npl* noces *fpl.*
nurse *n* infirmière *f*; * *vt* soigner; ménager.
nursery *n* crèche *f*; chambre d'enfant *f.*
nursery rhyme *n* comptine *f.*
nursery school *n* (école) maternelle *f.*
nursing home *n* maison de repos *f.*
nurture *vt* élever, soigner.
nut *n* noix *f.*
nutcrackers *npl* casse-noix *m invar*, casse-noisettes.
nutmeg *n* noix de muscade *f.*
nutritious *adj* nutritif.
nut shell *n* coquille de noix *f.*
nylon *n* nylon *m*; * *adj* en nylon.

O

---

oak *n* chêne *m*.

oar *n* rame *f*.

oasis *n* oasis *f*.

oat *n* avoine *f*.

oath *n* serment *m*.

oatmeal *n* flocons d'avoine *mpl*.

oats *npl* avoine *f*.

obedience *n* obéissance *f*.

obedient *adj* obéissant; ~ly *adv* avec obéissance.

obese *adj* obèse.

obesity *n* obésité *f*.

obey *vt* obéir à.

obituary *n* nécrologie *f*.

object *n* objet *m*; * *vt* objecter.

objection *n* objection *f*.

objectionable *adj* désagréable.

objective *adj n* objectif *m*.

obligation *n* obligation *f*.

obligatory *adj* obligatoire.

oblige *vt* obliger; rendre service à.

obliging *adj* obligeant.

oblique *adj* oblique; indirect; ~ly *adv* obliquement.

obliterate *vt* effacer.

oblivion *n* oubli *m*.

oblivious *adj* oublieux.

obnoxious *adj* odieux.

oboe *n* hautbois *m*.

obscene *adj* obscène.

obscenity *n* obscénité *f*.

obscure *adj* obscur; ~ly *adv* obscurément; * *vt* obscurcir.

obscurity *n* obscurité *f*.

observance *n* observation *f*; observance *f*.

observant *adj* observateur; respectueux.

observation *n* observation *f*.

observatory *n* observatoire *m*.

observe *vt* observer.

observer *n* observateur *m* -trice *f*.

observingly *adv* attentivement.

obsess *vt* obséder.

obsessive *adj* obsédant.

obsolete *adj* désuet.

obstacle *n* obstacle *m*.

obstinate *adj* obstiné; ~ly *adv* obstinément.

obstruct *vt* obstruer; entraver.

obstruction *n* obstruction *f*; encombrement *m*.

obtain *vt* obtenir.

obtainable *adj* disponible.

obtrusive *adj* importun.

obtuse *adj* obtus.

obvious *adj* évident; ~ly *adv* évidemment.

occasion *n* occasion *f*; * *vt* occasionner, causer.

occasional *adj* occasionnel; ~ly *adv* occasionnellement.

occupant, occupier *n* occupant *m* -e *f*; locataire *mf*.

occupation *n* occupation *f*; emploi *m*.

occupy *vt* occuper.

occur *vi* se produire, arriver.

occurrence *n* incident *m*.

ocean *n* océan *m*.

ocean-going *adj* de haute mer.

oceanic *adj* océanique.

ochre *n* ocre *m*.

octave *n* octave *f*.

October *n* octobre *m*.

octopus *n* poulpe *m*.

odd *adj* impair; étrange; quelconque; ~ly *adv* étrangement.

oddity *n* singularité, particularité *f*.

odd jobs *npl* petits travaux *mpl*.

oddness *n* étrangeté *f*; singularité *f*.

odds *npl* chances *fpl*.

odious *adj* odieux.

odometer *n* (US) odomètre *m*.

odour *n* odeur *f*; parfum *m*.

odorous *adj* odorant.

of *prep* de; à.

off *adj* éteint; fermé; annulé; en congé; ~! *excl* du vent!

offend *vt* offenser, blesser; choquer; * *vi* pécher.

offender *n* délinquant *m* -e *f*.

offense *n* offense *f*; injure *f*.

offensive *adj* offensant; inju-rieux; ~**ly** *adv* d'une manière offensante.

offer *vt* offrir; * *n* offre *f*.

offering *n* offrande *f*; offre *f*.

offhand *adj* désinvolte; * *adv* sou-dainement.

office *n* bureau *m*; poste *m*, fonc-tions *fpl*; service *m*.

office automation *n* bureautique *f*.

office building *n* immeuble de bureaux *m*.

office hours *npl* heures de bu-reau *fpl*.

officer *n* officier *m*; fonctionnaire *mf*.

office worker *n* employé(e) de bureau *m(f)*.

official *adj* ~**ly** *adv* officiel(lement); * *n* employé *m* -e *f*.

officiate *vi* officier.

officious *adj* officieux; ~**ly** *adv* officieusement.

off-line *adj adv* hors ligne.

off-peak *adj* aux heures creuses.

off-season *adj adv* hors-saison.

offset *vt* compenser; décaler.

offshoot *n* ramification *f*.

offshore *adj* côtier.

offside *adj* hors jeu.

offspring *n* progéniture *f*; descen-dance *f*.

offstage *adv* en coulisses.

off-the-rack *adj* prêt-à-porter.

ogle *vt* lorgner.

oil *n* huile *f*; * *vt* huiler.

oilcan *n* burette d'huile *f*; bidon d'huile *m*.

oilfield *n* gisement pétrolifère *m*.

oil filter *n* filtre à huile *m*.

oil painting *n* peinture à l'huile *f*.

oil rig *n* derrick *m*.

oil tanker *n* pétrolier *m*.

oil well *n* puits pétrolifère *m*.

oily *adj* huileux; gras.

ointment *n* onguent *m*.

OK, okay *excl* O.K., d'accord; * *adj* bien; * *vt* approuver.

old *adj* vieux, *f* vieille.

old age *n* vieillesse *f*.

old-fashioned *adj* démodé.

olive *n* olivier *m*; olive *f*.

olive oil *n* huile d'olive *f*.

omelet(te) *n* omelette *f*.

omen *n* augure, présage *m*.

ominous *adj* menaçant.

omission *n* omission *f*; négligence *f*.

omit *vt* omettre.

omnipotence *n* omnipotence *f*.

omnipotent *adj* omnipotent, tout-puissant.

on *prep* sur, dessus; en; pour; * *adj* allumé, branché; ouvert; de ser-vice.

once *adv* une fois; **at** ~ tout de suite; **all at** ~ tout d'un coup; ~ **more** encore une fois.

oncoming *adj* qui arrive.

one *adj* un, une; ~ **by** ~ un par un.

one-day excursion *n* billet d'al-ler-retour valable une journée *m*.

one-man *adj* individuel.

onerous *adj* lourd; (*law*) dur.

oneself *pn* soi-même.

one-sided *adj* partial.

one-to-one *adj* face à face.

ongoing *adj* continu; en cours.

onion *n* oignon *m*.

on-line *adj adv* en ligne.

onlooker *n* spectateur *m* -trice *f*.

only *adj* seul, unique; * *adv* seul-ement.

onset, onslaught *n* début *m*; at-taque *f*.

onus *n* obligation *f*.

onward(s) *adv* en avant.

ooze *vi* suinter.

opaque *adj* opaque.

open *adj* ouvert; public; déclaré; sincère, franc; ~**ly** *adv* ouverte-ment; * *vt* ouvrir; * *vi* s'ouvrir; commencer; ~ **on to** donner sur; ~ **up** *vt* ouvrir; *vi* s'ouvrir.

opening n ouverture f; (com) débouché m; inauguration f; commencement m.

open-minded adj aux idées larges.

openness n clareté f; franchise, sincérité f.

opera n opéra m.

opera house n théâtre de l'opéra m.

operate vi fonctionner; opérer.

operation n fonctionnement m; opération f.

operational adj opérationnel.

operative adj actif; en vigueur.

operator n opérateur m -trice f; téléphoniste mf.

ophthalmic adj ophtalmique.

opine vt être d'avis (que).

opinion n opinion f; jugement m.

opinionated adj entêté.

opinion poll n sondage m.

opponent n opposant m -e f; adversaire mf.

opportune adj opportun.

opportunist n opportuniste mf.

opportunity n occasion f.

oppose vt s'opposer à.

opposing adj opposé.

opposite adj opposé; contraire; * adv en face; prep en face de; * n contraire m.

opposition n opposition f; résistance f.

oppress vt opprimer.

oppression n oppression f.

oppressive adj oppressif.

oppressor n oppresseur m.

optic(al) adj optique; ~s npl optique f.

optician n opticien m -ne f.

optimist n optimiste mf.

optimistic adj optimiste.

option n option f.

optional adj optionnel; facultatif.

opulent adj opulent.

or conj ou.

oracle n oracle m.

oral adj oral, verbal; ~ly adv oralement.

orange n orange f.

orator n orateur m -trice f.

orbit n orbite f.

orchard n verger m.

orchestra n orchestre m.

orchestral adj orchestral.

orchid n orchidée f.

ordain vt ordonner.

ordeal n épreuve f.

order n ordre m; commande f; mandat m; classe f; * vt ordonner; commander; mettre en ordre.

order form n bon de commande m.

orderly adj ordonné; réglé.

ordinarily adv ordinairement.

ordinary adj ordinaire.

ordination n ordination f.

ordnance n artillerie f.

ore n minerai m.

organ n organe m; orgue m.

organic adj organique.

organisation n organisation f.

organise vt organiser.

organism n organisme m.

organist n organiste mf.

orgasm n orgasme m.

orgy n orgie f.

oriental adj oriental.

orifice n orifice m.

origin n origine f.

original adj original; originel; ~ly adv à l'origine; originalement.

originality n originalité f.

originate vi provenir (de); être originaire (de).

ornament n ornement m; * vt ornementer, décorer.

ornamental adj ornemental.

ornate adj ornementé.

orphan adj n orphelin m -e f.

orphanage n orphelinat m.

orthodox adj orthodoxe.

orthodoxy n orthodoxie f.

orthography n orthographe f.

orthopaedic adj orthopédique.

oscillate vi osciller.

osprey n balbuzard pêcheur m.

ostensibly adv selon les apparences.

ostentatious *adj* ostentatoire.

osteopath *n* ostéopathe *mf*.

ostracise *vt* frapper d'ostracisme.

ostrich *n* autruche *f*.

other *pn* autre.

otherwise *adv* autrement.

otter *n* loutre *f*.

ouch *excl* aïe!

ought *v aux* devoir; falloir.

ounce *n* once *f*.

our *pn* notre, *pl* nos.

ours *pn* le nôtre, la nôtre, les nôtres; à nous.

ourselves *pn pl* nous-mêmes.

oust *vt* évincer; déposséder.

out *adv* dehors; éteint.

outback *n* intérieur *m*.

outboard *adj*: ~ **motor** (moteur) hors-bord *m*.

outbreak *n* éruption *f*; explosion *f*.

outburst *n* explosion *f*.

outcast *n* paria *m*.

outcome *n* résultat *m*.

outcry *n* protestations *fpl*.

outdated *adj* démodé; périmé.

outdo *vt* surpasser.

outdoor *adj* de plein air, ~s *adv* à l'extérieur.

outer *adj* extérieur.

outermost *adj* extrême; le plus à l'extérieur.

outer space *n* espace *m*.

outfit *n* tenue *f*; équipement *m*.

outfitter *n* confectionneur *m* -euse *f*.

outgoing *adj* extroverti; sortant.

outgrow *vt* devenir plus grand que.

outhouse *n* dépendances *fpl*.

outing *n* excursion *f*.

outlandish *adj* bizarre.

outlaw *n* hors-la-loi *m*; * *vt* proscrire.

outlay *n* dépenses *fpl*, frais *mpl*.

outlet *n* sortie *f*; débouché *m*.

outline *n* contour *m*; grandes lignes *fpl*.

outlive *vt* survivre à.

outlook *n* perspective *f*.

outlying *adj* distant, éloigné.

outmoded *adj* démodé.

outnumber *vt* être plus nombreux que.

out-of-date *adj* périmé; démodé.

out-patient *n* patient(e) en consultation externe *m(f)*.

outpost *n* avant-poste *m*.

output *n* rendement *m*; sortie *f*.

outrage *n* outrage *m*; * *vt* outrager.

outrageous *adj* outrageant; atroce; ~ly *adv* outrageusement; atrocement.

outright *adv* absolument, complètement; * *adj* absolu, complet.

outrun *vt* gagner de vitesse, distancer.

outset *n* commencement *m*.

outshine *vt* éclipser.

outside *n* surface *f*; extérieur *m*; apparence *f*; * *adv* dehors; * *prep* en dehors de.

outsider *n* étranger *m* -ère *f*.

outsize *adj* grande taille.

outskirts *npl* périphérie *f*, alentours *mpl*.

outspoken *adj* franc.

outstanding *adj* exceptionnel; en suspens.

outstretch *vi* s'étendre.

outstrip *vt* devancer; surpasser.

out-tray *n* courrier au départ *m*.

outward *adj* extérieur; vers l'extérieur; d'aller; ~ly *adv* à l'extérieur, extérieurement.

outweigh *vt* peser plus lourd que; l'emporter sur.

outwit *vt* être plus spirituel que.

oval *n, adj* ovale *m*.

ovary *n* ovaire *m*.

oven *n* four *m*.

ovenproof *adj* allant au four.

over *prep* sur, dessus; plus de; pendant; **all** ~ de tous côtés; * *adj* fini; en trop, en plus; ~ **again** à nouveau; ~ **and** ~ de nombreuses fois.

overall adj total; * adv dans l'ensemble; ~s npl salopette f.

overawe vt impressionner.

overbalance vi perdre l'équilibre.

overbearing adj despotique.

overboard adv (mar) par-dessus bord.

overbook vt surréserver.

overcast adj couvert.

overcharge vt surcharger; faire payer un prix excessif à.

overcoat n pardessus m.

overcome vt vaincre; surmonter.

overconfident adj trop confiant.

overcrowded adj bondé; surpeuplé.

overdo vi exagérer.

overdraft n découvert m.

overdrawn adj à découvert.

overdress vi s'habiller trop élégamment.

overdue adj en retard; arriéré.

overeat vi trop manger.

overestimate vt surestimer.

overflow vt déborder de; * vi déborder; * n inondation f; surplus m.

overgrown adj envahi.

overgrowth n végétation envahissante f.

overhang vt surplomber.

overhaul vt réviser; * n révision f.

overhead adv en l'air, au-dessus.

overhear vt entendre par hasard.

overjoyed adj fou de joie.

overkill n (fig) matraquage m.

overland adj adv par voie de terre.

overlap vi se chevaucher.

overleaf adv au dos.

overload vt surcharger.

overlook vt dominer; donner sur; oublier; laisser passer, tolérer; négliger.

overnight adv pendant la nuit; * adj de nuit.

overpass n pont surélevé m.

overpower vt dominer, écraser.

overpowering adj écrasant.

overrate vt surévaluer.

override vt outrepasser.

overriding adj prédominant.

overrule vt rejeter; annuler.

overrun vt envahir; infester; dépasser.

overseas adv à l'étranger; outremer; * adj étranger.

oversee vt inspecter, surveiller.

overseer n contremaître m.

overshadow vt éclipser.

overshoot vt dépasser.

oversight n oubli m; erreur f.

oversleep vi se réveiller en retard.

overspill n excédent de population m.

overstate vi exagérer.

overstep vt dépasser.

overt adj ouvert; public; ~ly adv ouvertement.

overtake vt doubler.

overthrow vt renverser; détruire; * n renversement m; ruine, déroute f.

overtime n heures supplémentaires fpl.

overtone n harmonique mf; connotation f.

overture n ouverture f.

overturn vt renverser.

overweight adj trop lourd.

overwhelm vt écraser; submerger.

overwhelming adj écrasant; irrésistible.

overwork vi se surmener, trop travailler.

owe vt devoir; être redevable de.

owing adj dû; ~ to en raison de.

owl n chouette f.

own adj propre; my ~ mon, ma, mes propre(s); * vt posséder; ~ up vi confesser.

owner n propriétaire mf.

ownership n possession f.

ox n bœuf m; ~en pl bœufs mpl.

oxidise vt oxyder.

oxygen n oxygène m.
oxygen mask n masque à oxygène m.

oxygen tent n tente à oxygène f.
oyster n huître f.
ozone n ozone m.

P

pa n papa m.
pace n pas m; allure f; * vt arpen-
ter; * vi marcher.
pacemaker n meneur m -euse f
de train; (med) pacemaker m.
pacific(al) adj pacifique.
pacification n pacification f.
pacify vt pacifier.
pack n paquet m; jeu de cartes m;
bande f; * vt empaqueter;
remplier; * vi faire ses valises.
package n paquet m; accord m.
package tour n voyage organisé
m.
packet n paquet m.
packing n emballage m.
pact n pacte m.
pad n bloc m; coussinet, tampon
m; plateforme f; (sl) piaule f; *
vt rembourrer.
padding n rembourrage m.
paddle vi ramer; * n pagaie f.
paddle steamer n vapeur à roues
m.
paddock n paddock m.
paddy n rizière f.
pagan adj n païen m, païenne f.
page n page f; page m.
pageant n grand spectacle m.
pageantry n pompe f.
pail n seau m.
pain n douleur f; mal m; peine f;
* vt peiner.
pained adj peiné.
painful adj douloureux; pénible;
~ly adv douloureusement; péniblement; à grand-peine.
painkiller n analgésique m.
painless adj indolore; sans peine.
painstaking adj soigneux.
paint vt peindre.

paintbrush n pinceau m.
painter n peintre m.
painting n peinture f; tableau
m.
paintwork n peinture f.
pair n pair m.
pajamas npl = **pyjamas**.
pal n copain m, copine f, pote m.
palatable adj savoureux.
palate n palais m.
palatial adj grandiose.
palaver n discussions fpl; situation embrouillée f.
pale adj pâle; clair.
palette n palette f.
paling n palissade f.
pall n nuage m (de fumée); * vi
perdre sa saveur.
pallet n palette f.
palliative adj n palliatif m.
pallid adj pâle.
pallor n pâleur f.
palm n (bot) palme f, palmier m.
palmistry n chiromancie f.
Palm Sunday n Dimanche des
Rameaux m.
palpable adj palpable; évident.
palpitation n palpitation f.
paltry adj dérisoire; mesquin.
pamper vt gâter, dorloter.
pamphlet n pamphlet m; brochure f.
pan n casserole f; poêle f.
panacea n panacée f.
panache n panache m.
pancake n crêpe f.
pandemonium n pandémonium
m.
pane n vitre f.
panel n panneau m; comité m.
panelling n lambrissage m.

pang *n* angoisse *f*; tourment *m*.

panic *adj n* (de) panique *f*.

panicky *adj* paniqué, affolé.

panic-stricken *adj* pris de panique.

pansy *n* (*bot*) pensée *f*.

pant *vi* haleter.

panther *n* panthère *f*.

panties *npl* (petite) culotte *f*.

pantihose *n* collant *m*.

pantry *n* placard *m*.

pants *npl* slip *m*; pantalon *m*.

papacy *n* papauté *f*.

papal *adj* papal.

paper *n* papier *m*; journal *m*; épreuve *f* d'examen; exposé *m*, étude *f*; ~s *pl* documents *mpl*; (*com*) fonds *mpl*; * *adj* en papier; * *vt* garnir de papier; tapisser.

paperback *n* livre de poche *m*.

paper bag *n* sac en papier *m*.

paper clip *n* trombone *m*.

paperweight *n* presse-papiers *m*.

paperwork *n* paperasserie *f*.

paprika *n* paprika *m*.

par *n* équivalence *f*; égalité *f*; pair *m*; at ~ (*com*) au pair.

parable *n* parabole *f*.

parachute *n* parachute *m*; * *vi* sauter en parachute.

parade *n* parade *f*; (*mil*) défilé *m*; * *vt* faire défiler, faire parader; * *vi* défiler, parader; se pavaner.

paradise *n* paradis *m*.

paradox *n* paradoxe *m*.

paradoxical *adj* paradoxal.

paragon *n* modèle absolu *m*.

paragraph *n* paragraphe *m*.

parallel *adj* parallèle; * *n* parallèle *f*; * *vt* mettre en parallèle; comparer.

paralyse *vt* paralyser.

paralysis *n* paralysie *f*.

paralytic(al) *adj* paralytique.

paramedic *n* auxiliaire médical(e) *m(f)*.

paramount *adj* suprême, supérieur.

paranoid *adj* paranoïaque.

paraphernalia *n* affaires *fpl*; attirail *m*.

parasite *n* parasite *m*.

parasol *n* parasol *m*.

paratrooper *n* parachutiste *m*.

parcel *n* paquet *m*; parcelle *f*; * *vt* empaqueter, emballer.

parch *vt* dessécher.

parched *adj* desséché.

parchment *n* parchemin *m*.

pardon *n* pardon *m*; * *vt* pardonner.

parent *n* parent *m* -e *f*; ~s parents *mpl*.

parentage *n* parenté *f*; origine *f*.

parental *adj* parental.

parenthesis *n* parenthèse *f*.

parish *n* paroisse *f*; * *adj* paroissial.

parishioner *n* paroissien *m* -ne *f*.

parity *n* parité *f*.

park *n* parc *m*; * *vt* garer; *vi* se garer.

parking *n* stationnement *m*.

parking lot *n* parking *m*.

parking meter *n* parcomètre *m*.

parking ticket *n* amende pour stationnement interdit *f*.

parlance *n* langage *m*.

parliament *n* parlement *m*.

parliamentary *adj* parlementaire.

parlour *n* parloir *m*; salon *m*.

parody *n* parodie *f*; * *vt* parodier.

parole *n*: on ~ sur parole.

parricide *n* parricide *m*; parricide *mf*.

parrot *n* perroquet *m*.

parry *vt* parer.

parsley *n* (*bot*) persil *m*.

parsnip *n* (*bot*) navet *m*.

part *n* partie *f*; part *f*; rôle (d'acteur) *m*; raie *f*; ~s *pl* parties *fpl*; parages *mpl*; * *vt* séparer; diviser; * *vi* se séparer; se diviser; ~ with céder; se défaire de; donner; ~ly *adv* en partie.

partial *adj* partial; ~ly *adv* avec partialité; partiellement.

participant n participant m -e f.
participate vi participer (à).
participation n participation f.
participle n (gr) participe m.
particle n particule f.
particular adj particulier, singulier; **~ly** adv particulièrement; * n particulier m; particularité f.
parting n séparation f; raie (dans les cheveux) f.
partisan n partisan m -e f.
partition n partition, séparation f; * vt diviser en plusieurs parties, partager,
partner n associé m -e f.
partnership n association f; société f.
partridge n perdrix f.
party n parti m; fête f.
pass vt passer; dépasser; adopter; être admis à; * vi passer; * n permis m; passage m; **~ away** vi mourir; **~ by** vi passer; vt négliger, oublier; **~ on** vt transmettre; passer.
passable adj passable; praticable.
passage n passage m; traversée f; couloir m.
passbook n livret m (bancaire).
passenger n passager m -ère f.
passer-by n passant m -e f.
passing adj passager.
passion n passion f; amour m; emportement m.
passionate adj passionné; **~ly** adv passionnément; ardemment.
passive adj passif; **~ly** adv passivement.
passkey n passe-partout m invar.
Passover n Pâque f juive.
passport n passeport m.
passport control n contrôle des passeports m.
password n mot de passe m.
past adj passé; * n (gr) prétérit m; passé m; * prep au-delà de; après.
pasta n pâtes fpl.

paste n pâte f; colle f; * vt coller.
pasteurised adj pasteurisé.
pastime n passe-temps m invar; divertissement m.
pastor n pasteur m.
pastoral adj pastoral.
pastry n pâtisserie f.
pasture n pâture f.
pasty adj pâteux; pâle.
pat vt tapoter.
patch n pièce f; tache f; terrain m; * vt rapiécer; **~ up** réparer; se réconcilier.
pâté n pâté m.
patent adj breveté; évident; * n brevet m; * vt faire breveter.
patentee n détenteur d'un brevet m.
patent leather n cuir verni m.
paternal adj paternel.
paternity n paternité f.
path n chemin, sentier m.
pathetic adj **~ally** adv pathétique(ment); lamentable(ment).
pathological adj pathologique.
pathology n pathologie f.
pathos n pathétique m.
pathway n sentier m.
patience n patience f.
patient adj patient; **~ly** adv patiemment; * n patient m -e f.
patio n patio m.
patriarch m patriarche m.
patriot n patriote mf.
patriotic adj patriotique.
patriotism n patriotisme m.
patrol n patrouille f; * vi patrouiller.
patrol car n voiture de patrouille f.
patrolman n agent de police m.
patron n protecteur m; client m -e f.
patronage n patronage m; clientèle f.
patronise vt patronner, protéger.
patter n trottinement m; bavardage m; * vi trottiner.
pattern n motif m; modèle m.
paunch n panse f; ventre m.

pauper *n* pauvre *mf*.

pause *n* pause *f*; * *vi* faire une pause; hésiter.

pave *vt* paver; carreler.

pavement *n* trottoir *m*.

pavilion *n* pavillon *m*.

paving stone *n* pavé *m*.

paw *n* patte *f*; * *vt* tripoter.

pawn *n* pion *m*; gage *m*; * *vt* engager.

pawn broker *n* prêteur(-euse) sur gages *m(f)*.

pawnshop *n* mont-de-piété *m*.

pay *vt* payer; ~ **back** *vt* rembourser; ~ **for** payer; ~ **off** *vt* liquider; *vi* payer; rapporter; * *n* paie *f*; salaire *m*.

payable *adj* payable.

pay day *n* jour de paie *m*.

payee *n* bénéficiaire *mf*.

pay envelope *n* enveloppe de paie *f*.

paymaster *n* caissier *m*.

payment *n* paiement *m*.

pay-phone *n* téléphone public *m*.

payroll *n* liste des employés *f*.

pea *n* pois *m*.

peace *n* paix *f*.

peaceful *adj* paisible; pacifique.

peach *n* pêche *f*.

peacock *n* paon *m*.

peak *n* pic *m*; maximum *m*.

peak hours, peak period *n* heures de pointe *fpl*.

peal *n* carillon *m*; grondement *m*.

peanut *n* cacahuète *f*.

pear *n* poire *f*.

pearl *n* perle *f*.

peasant *n* paysan *m* -ne *f*.

peat *n* tourbe *f*.

pebble *n* caillou *m*; galet *m*.

peck *n* coup de bec *m*; * *vt* picoter.

pecking order *n* hiérarchie *f*.

peculiar *adj* étrange, singulier; ~**ly** *adv* étrangement.

peculiarity *n* particularité, singularité *f*.

pedal *n* pédale *f*; * *vi* pédaler.

pedant *n* pédant *m* -e *f*.

pedantic *adj* pédant.

peddler *n* colporteur *m*.

pedestal *n* piédestal *m*.

pedestrian *n* piéton *m* -ne *f*; * *adj* pédestre.

pediatrics *n* pédiatrie *f*.

pedigree *n* généalogie *f*; pedigree *m*; * *adj* de race.

peek *vi* regarder à la dérobée.

peel *vt* peler; éplucher; * *vi* peler; * *n* peau *f*; pelure *f*.

peer *n* pair *m*.

peerless *adj* incomparable.

peeved *adj* fâché.

peevish *adj* maussade, ronchon *(fam)*.

peg *n* cheville *f*; piquet *m*; * *vt* cheviller.

pelican *n* pélican *m*.

pellet *n* boulette *f*.

pelt *n* fourrure *f*; * *vt* arroser; * *vi* pleuvoir à verse.

pen *n* stylo *m*; plume *f*; enclos *m*.

penal *adj* pénal.

penalty *n* peine *f*; sanction *f*; amende *f*.

penance *n* pénitence *f*.

pence *n* = *pl* of **penny**.

pencil *n* crayon *m*.

pencil case *n* trousse *f*.

pendant *n* pendentif *m*.

pending *adj* pendant.

pendulum *n* pendule *m*.

penetrate *vt* pénétrer (dans).

penguin *n* pingouin *m*.

penicillin *n* pénicilline *f*.

peninsula *n* péninsule *f*.

penis *n* pénis *m*.

penitence *n* pénitence *f*.

penitent *adj n* pénitent *m* -e *f*.

penitentiary *n* pénitencier *m*.

penknife *n* canif *m*.

pennant *n* fanion *m*.

penniless *adj* sans le sou.

penny *n* penny *m*.

penpal *n* correspondant *m* -e *f*.

pension *n* pension *f*; * *vt* pensionner.

pensive *adj* pensif; ~**ly** *adv* pensivement.

pentagon *n*: the P~ le Pentagone.
Pentecost *n* la Pentecôte *f*.
penthouse *n* appartement situé
sur le toit d'un immeuble *m*.
pent-up *adj* reprimé, refoulé.
penultimate *adj* pénultième,
avant-dernier.
penury *n* pénurie *f*.
people *n* peuple *m*; nation *f*; gens
mpl; * *vt* peupler.
pep *n* énergie *f*; ~ **up** *vt* animer.
pepper *n* poivre *m*; * *vt* poivrer.
peppermint *n* menthe poivrée *f*.
per *prep* par.
per annum *adv* par an.
per capita *adj adv* par habitant.
perceive *vt* percevoir.
percentage *n* pourcentage *m*.
perception *n* perception *f*; notion
f.
perch *n* perche *f*.
perchance *adv* par hasard.
percolate *vt* filtrer.
percolator *n* percolateur *m*.
percussion *n* percussion *f*.
perdition *n* perte, ruine *f*.
peremptory *adj* péremptoire;
décisif.
perennial *adj* perpétuel.
perfect *adj* parfait; idéal; ~**ly** *adv*
parfaitement; * *vt* parfaire, perfectionner.
perfection *n* perfection *f*.
perforate *vt* perforer.
perforation *n* perforation *f*.
perform *vt* exécuter; effectuer; *
vi donner une représentation,
tenir un rôle.
performance *n* exécution *f*; accomplissement *m*; rendement
m; représentation *f*.
performer *n* exécutant *m* -e *f*;
acteur *m* -trice *f*.
perfume *n* parfum *m*; * *vt* parfumer.
perhaps *adv* peut-être.
peril *n* péril, danger *m*.
perilous *adj* dangereux; ~**ly** *adv*
dangereusement.

perimeter *n* périmètre *m*.
period *n* période *f*; époque *f*; rè-
gles *fpl*.
periodic(al) *adj* périodique;
~**ally** *adv* périodiquement.
periodical *n* journal *m*.
peripheral *adj* périphérique; * *n*
unité périphérique *f*.
perish *vi* périr.
perishable *adj* périssable.
perjure *vt* parjurer.
perjury *n* parjure *m*.
perk *n* extra, à-côté *m*.
perky *adj* animé, plein d'entrain.
perm *n* permanente *f*.
permanent *adj* permanent; ~**ly**
adv en permanence.
permeate *vt* pénétrer, traverser.
permissible *adj* permis.
permission *n* permission *f*.
permissive *adj* permissif.
permit *vt* permettre; * *n* permis
m.
permutation *n* permutation *f*.
perpendicular *adj* ~**ly** *adv*
perpendiculaire(ment); * *n* perpendiculaire *f*.
perpetrate *vt* perpétrer, commettre.
perpetual *adj* perpétuel; ~**ly** *adv*
perpétuellement.
perpetuate *vt* perpétuer, éterniser.
perplex *vt* confondre, laisser perplexe.
persecute *vt* persécuter; importuner.
persecution *n* persécution *f*.
perseverance *n* persévérance *f*.
persevere *vi* persévérer.
persist *vi* persister.
persistence *adj* persistance *f*.
persistent *adj* persistant.
person *n* personne *f*.
personable *adj* attrayant.
personage *n* personnage *m*.
personal *adj* ~**ly** *adv* personnel-
(lement).
personal assistant *n* secrétaire
mf de direction.

personal column *n* annonces personnelles *fpl*.

personal computer *n* ordinateur individuel *m*.

personality *n* personnalité *f*.

personification *n* personnification *f*.

personify *vt* personnifier.

personnel *n* personnel *m*.

perspective *n* perspective *f*.

perspiration *n* transpiration *f*.

perspire *vi* transpirer.

persuade *vt* persuader.

persuasion *n* persuasion *f*.

persuasive *adj* persuasif; ~**ly** *adv* de manière persuasive.

pert *adj* plein d'entrain.

pertaining: ~ **to** *prep* relatif à.

pertinent *adj* pertinent; ~**ly** *adv* de manière pertinente.

pertness *n* impertinence *f*; entrain *m*.

perturb *vt* perturber.

perusal *n* lecture *f*.

peruse *vt* lire; examiner attentivement.

pervade *vt* pénétrer, traverser.

perverse *adj* pervers, dépravé; ~**ly** *adv* perversement.

pervert *vt* pervertir, corrompre.

pessimist *n* pessimiste *mf*.

pest *n* insecte nuisible *m*; cassepieds (*fam*) *mf invar*.

pester *vt* importuner, fatiguer.

pestilence *n* peste *f*.

pet *n* animal domestique *m*; préféré *m* -e *f*; * *vt* gâter; * *vi* se peloter (*fam*).

petal *n* (*bot*) pétale *m*.

petite *adj* menue.

petition *n* pétition *f*; * *vt* présenter une pétition à; supplier.

petrified *adj* pétrifié.

petroleum *n* pétrole *m*.

petticoat *n* jupon *m*.

pettiness *n* insignifiance *f*.

petty *adj* mesquin; insignifiant.

petty cash *n* argent destiné aux dépenses courantes *m*.

petty officer *n* second maître *m*.

petulant *adj* pétulant.

pew *n* banc *m*.

pewter *n* étain *m*.

phantom *n* fantôme *m*.

Pharisee *n* Pharisien *m*.

pharmaceutic(al) *adj* pharmaceutique.

pharmacist *n* pharmacien *m* -ienne *f*.

pharmacy *n* pharmacie *f*.

phase *n* phase *f*.

pheasant *n* faisan *m*.

phenomenal *adj* phénoménal.

phenomenon *n* phénomène *m*.

phial *n* fiole *f*.

philanthropic *adj* philanthropique.

philanthropist *n* philanthrope *mf*.

philanthropy *n* philanthropie *f*.

philologist *n* philologue *mf*.

philology *n* philologie *f*.

philosopher *n* philosophe *mf*.

philosophical(ly) *adj* (*adv*) philosophique(ment).

philosophise *vi* philosopher.

philosophy *n* philosophie *f*; **natural** ~ physique *f*.

phlegm *n* flegme *m*.

phlegmatic(al) *adj* flegmatique.

phobia *n* phobie *f*.

phone *n* téléphone *m*; * *vt* téléphoner à; ~ **back** *vt vi* rappeler; ~ **up** *vt* appeler au téléphone.

phone book *n* annuaire *m*.

phone box, phone booth *n* cabine téléphonique *f*.

phone call *n* coup de téléphone *m*.

phosphorus *n* phosphore *m*.

photocopier *n* photocopieuse *f*.

photocopy *n* photocopie *f*.

photograph *n* photo(graphie) *f*; * *vt* photographier.

photographer *n* photographe *mf*.

photographic *adj* photographique.

photography *n* photo(graphie) *f*.

phrase *n* phrase *f*; locution *f*; * *vt* exprimer.

phrase book *n* guide de conversation *m*.
physical *adj* **~ly** *adv* physique(ment).
physical education *n* éducation physique *f*.
physician *n* médecin *m*.
physicist *n* physicien *m* -ne *f*.
physiological *adj* physiologique.
physiologist *n* physiologiste, physiologue *mf*.
physiology *n* physiologie *f*.
physiotherapy *n* physiothérapie *f*.
physique *n* physique *m*.
pianist *n* pianiste *mf*.
pick *vt* choisir; cueillir; gratter; ~ **on** *vt* s'en prendre à; ~ **out** *vt* choisir; ~ **up** *vi* s'améliorer; se remettre; * *vt* ramasser; décrocher; arrêter; acheter; * *n* pic *m*; choix *m*.
pickaxe *n* pic *m*.
picket *n* piquet *m*.
pickle *n* saumure *f*; * *vt* saumurer.
pickpocket *n* pickpocket *m*.
pickup *n* (*auto*) fourgonnette *f*.
picnic *n* pique-nique *m*.
pictorial *adj* pictural; illustré.
picture *n* image *f*; peinture *f*; photo *f*; * *vt* dépeindre; se figurer.
picture book *n* livre d'images *m*.
picturesque *adj* pittoresque.
pie *n* gâteau *m*; tarte *f*; pâté en croûte *m*.
piece *n* morceau *m*; pièce *f*; tranche *f*; * *vt* raccommoder.
piecemeal *adv* petit à petit; * *adj* partiel.
piecework *n* travail à la pièce *m*.
pier *n* jetée *f*.
pierce *vt* percer, transpercer.
piercing *adj* perçant.
piety *n* piété, dévotion *f*.
pig *n* cochon *m*.
pigeon *n* pigeon *m*.
pigeonhole *n* casier *m*.
piggy bank *n* tirelire *f*.
pigheaded *adj* têtu.
pigsty *n* porcherie *f*.

pigtail *n* natte *f*.
pike *n* brochet *m*; pique *f*.
pile *n* tas *m*; pile *f*; amas *m*; poil *m*; **~s** *pl* hémorroïdes *fpl*; * *vt* entasser, empiler.
pile-up *n* carambolage *m*.
pilfer *vt* chaparder.
pilgrim *n* pèlerin *m*.
pilgrimage *n* pèlerinage *m*.
pill *n* pilule *f*.
pillage *vt* piller, mettre à sac.
pillar *n* pilier *m*.
pillion *n* siège arrière *m*.
pillow *n* oreiller *m*.
pillow case *n* taie d'oreiller *f*.
pilot *n* pilote *m*; * *vt* piloter; (*fig*) mener.
pilot light *n* témoin *m*.
pimp *n* proxénète, maquereau (*fam*) *m*.
pimple *n* bouton *m*.
pin *n* épingle *f*; goupille *f*; **~s and needles** *npl* fourmis *fpl*; * *vt* épingler; goupiller.
pinafore *n* tablier *m*.
pinball *n* flipper *m*.
pincers *n* tenailles *fpl*.
pinch *vt* pincer; (*sl*) piquer, faucher; * *vi* serrer; * *n* pincement *m*; pincée *f*.
pincushion *n* pelote à épingles *f*.
pine *n* (*bot*) pin *m*; * *vi* languir.
pineapple *n* ananas *m*.
ping *n* tintement *m*.
pink *adj* *n* rose *m*.
pinnacle *n* sommet *m*.
pinpoint *vt* préciser; souligner.
pint *n* pinte *f*.
pioneer *n* pionnier *m*.
pious *adj* pieux, dévot; **~ly** *adv* pieusement.
pip *n* pépin *m*.
pipe *n* tube, tuyau *m*; pipe *f*; **~s** tuyauterie *f*.
pipe cleaner *n* cure-pipe *m*.
pipe dream *n* rêve impossible *m*.
pipeline *n* canalisation *f*; oléoduc *m*; gazoduc *m*.
piper *n* joueur de cornemuse *m*.

piping *adj* bouillant; aigu, *f* aiguë.

pique *n* pique *f*; dépit *m*.

piracy *n* piraterie *f*.

pirate *n* pirate *m*.

pirouette *n* pirouette *f*; *vi* pirouetter.

Pisces *n* Poissons *mpl* (signe du zodiaque).

piss *n* (*sl*) pisse *f*; * *vi* pisser.

pistol *n* pistolet *m*.

piston *n* piston *m*.

pit *n* noyau *m*; mine *f*; fosse *f*.

pitch *n* lancement *m*; ton *m*; * *vt* lancer, jeter; * *vi* tomber; piquer du nez.

pitchblack *adj* noir comme dans un four.

pitcher *n* cruche *f*.

pitchfork *n* fourche *f*.

pitfall *n* piège *m*.

pithy *adj* moelleux; vigoureux.

pitiable *adj* pitoyable; déplorable.

pitiful *adj* pitoyable; lamentable; ~ly *adv* pitoyablement.

pittance *n* salaire de misère *m*; pitance *f*.

pity *n* pitié *f*; * *vt* avoir pitié de.

pivot *n* pivot, axe *m*.

pizza *n* pizza *f*.

placard *n* affiche *f*.

placate *vt* apaiser.

place *n* endroit, lieu *m*; place *f*; * *vt* placer; mettre.

placid *adj* placide, calme; ~ly *adv* placidement.

plagiarism *n* plagiat *m*.

plague *n* peste *f*; * *vt* tourmenter; infester.

plaice *n* carrelet *m*.

plaid *n* tartan *m*; plaid *m*.

plain *adj* uni; simple; clair, sincère; commun; évident; ~ly *adv* simplement; clairement; * *n* plaine *f*.

plaintiff *n* (*law*) plaignant *m* -e *f*.

plait *n* tresse *f*; * *vt* tresser.

plan *n* plan *m*; projet *m*; * *vt* projeter.

plane *n* avion *m*; plan *m*; rabot *m*; * *vt* aplanir; raboter.

planet *n* planète *f*.

planetary *adj* planétaire.

plank *n* planche *f*.

planner *n* planificateur *m* -trice *f*.

planning *n* planification *f*.

plant *n* plante *f*; usine *f*; machinerie *f*; * *vt* planter.

plantation *n* plantation *f*.

plaque *n* plaque *f*.

plaster *n* plâtre *m*; emplâtre *m*; * *vt* plâtrer; emplâtrer.

plastered *adj* (*sl*) bourré, soûl.

plasterer *n* plâtrier *m*.

plastic *adj* plastique.

plastic surgery *n* chirurgie esthétique *f*.

plate *n* assiette *f*; plaque *f*; lame *f*.

plateau *n* (*geol*) plateau *m*.

plate glass *n* vitre *f*.

platform *n* plateforme *f*.

platinum *n* platine *m*.

platitude *n* platitude *f*.

platoon *n* (*mil*) peloton *m*.

platter *n* écuelle *f*; plat *m*.

plaudit *n* applaudissement *m*.

plausible *adj* plausible.

play *n* jeu *m*; pièce de théâtre *f*; * *vt vi* jouer; (*also mus*) ~ **down** *vt* rabaisser; minimiser.

playboy *n* playboy *m*.

player *n* joueur *m* -euse *f*; acteur *m* -trice *f*.

playful *adj* enjoué, amusé; ~ly *adv* d'une manière enjouée; pour s'amuser.

playmate *n* camarade de jeu *mf*.

playground *n* cour de récréation *f*; jardin d'enfants *m*.

playgroup *n* halte-garderie *f*.

play-off *n* prolongation *f* (match).

playpen *n* parc pour enfant *m*.

plaything *n* jouet *m*.

playwright *n* dramaturge *mf*.

plea *n* appel *m*; excuse *f*, prétexte *m*.

plead *vt* plaider; prétexter.

pleasant *adj* agréable; plaisant; aimable; ~ly *adv* agréablement.

please vt faire plaisir à.

pleased adj content.

pleasing adj agréable, plaisant.

pleasure n plaisir m; gré m, volonté f.

pleat n pli m.

pledge n promesse f; gage m; * vt engager; promettre.

plentiful adj copieux; abondant.

plenty n abondance f; ~ of beaucoup de.

plethora n pléthore f.

pleurisy n pleurésie f.

pliable, pliant adj pliable, pliant; souple.

pliers npl pinces fpl.

plight n épreuve f; situation difficile f.

plinth n plinthe f.

plod vi se traîner, avancer péniblement.

plot n petit morceau de terrain m; complot m; intrigue f; * vt tracer; comploter; conspirer.

plough n charrue f; * vt labourer; ~ **back** vt réinvestir; ~ **through** vi se faire un chemin; avancer péniblement.

ploy n truc m.

pluck vt tirer; arracher; déplumer; * n courage m.

plucky adj courageux.

plug n tampon m; bouchon m; bougie f; prise f; * vt boucher.

plum n prune f.

plumage n plumage m.

plumb n aplomb m; * adv d'aplomb; * vt plomber; sonder.

plumber n plombier m.

plume n plume f, panache m.

plump adj rondouillet, dodu.

plum tree n prunier m.

plunder vt mettre à sac, piller; * n pillage m; butin m.

plunge vi plonger; s'élancer.

plunger n piston m.

pluperfect n (gr) plus-que-parfait m.

plural adj n pluriel m.

plurality n pluralité f.

plus n signe plus m; * prep plus.

plush adj en peluche.

plutonium n plutonium m.

ply vt manier avec vigueur; * vi s'appliquer; (mar) faire la navette.

plywood n contreplaqué m.

pneumatic adj pneumatique.

pneumatic drill n marteau pneu-matique m.

pneumonia n pneumonie f.

poach vt pocher; braconner; vi braconner.

poached adj poché.

poacher n braconnier m.

poaching n braconnage m.

pocket n poche f; * vt empocher.

pocketbook n portefeuille m.

pocket money n argent de poche m.

pod n cosse f.

podgy adj boudiné.

poem n poème m.

poet n poète m.

poetess n poétesse f.

poetic adj poétique.

poetry n poésie f.

poignant adj poignant.

point n pointe f; point m; promontoire m; ~ **of view** n point de vue m; * vt pointer; tailler en pointe; indiquer.

point-blank adv à bout portant; directement.

pointed adj pointu; acéré; ~ly adv subtilement.

pointer n auguille f; pointer m.

pointless adj inutile.

poise n attitude f; équilibre m.

poison n poison m; * vt empoisonner.

poisoning n empoisonnement m.

poisonous adj vénéneux.

poke vt attiser; donner un coup de coude à; pousser du doigt.

poker n tison m; poker m.

poker-faced adj au visage impassible.

poky adj exigu, f exiguë.

polar adj polaire.

pole n pôle m; mât m; perche f.

pole bean n haricot en rames m.

pole vault n saut à la perche m.

police n police f.

police car n voiture de police f.

policeman n agent de police m.

police state n état policier m.

police station n commissariat m.

policewoman n femme agent de police f.

policy n politique f; police d'assurance f.

polio n polio f.

polish vt polir; cirer; ~ **off** vt parachever; expédier; * n poli m.

polished adj poli; ciré; élégant.

polite adj ~ly adv poli(ment), courtois(ement).

politeness n politesse, courtoisie f.

politic adj politique; rusé.

political adj politique.

politician n homme (femme) politique m(f).

politics npl politique f.

polka n polka f; ~ **dot** n pois m.

poll n liste électorale f; vote m; sondage m.

pollen n (bot) pollen m.

pollute vt polluer; corrompre.

pollution n pollution f, contamination f.

polyester n polyester m.

polyethylene n polyéthylène m.

polygamy n polygamie f.

polystyrene n polystyrène m.

polytechnic n école d'enseignement technique f.

pomegranate n grenade f.

pomp n pompe f; splendeur f.

pompom n pompon m.

pompous adj pompeux.

pond n mare f; étang m.

ponder vt considérer; réfléchir à.

ponderous adj lourd, pesant.

pontiff n pontife m.

pontoon n ponton m.

pony n poney m.

ponytail n queue de cheval f.

pool n flaque d'eau f; piscine f; * vt grouper.

poor adj pauvre; mauvais; ~ly adv pauvrement; **the ~** n les pauvres mpl.

pop n pop m; papa m; boisson gazeuse f; éclatement m; * ~ **in/out** vi entrer/sortir un instant.

pop concert n concert de musique pop m.

popcorn n popcorn m.

Pope n pape m.

poplar n peuplier m.

poppy n (bot) pavot m.

popsicle n (US) sucette f glacée.

populace n populace f.

popular adj ~ly adv populaire(ment).

popularise vt populariser.

popularity n popularité f.

populate vi peupler.

population n population f.

populous adj populeux.

porcelain n porcelaine f.

porch n porche m.

porcupine n porc-épic m.

pore n pore m.

pork n porc m (viande).

pornography n pornographie f.

porous adj poreux.

porpoise n marsouin m.

porridge n porridge m, flocons d'avoine mpl.

port n port m; (mar) sabord m; bâbord m; porto (vin) m.

portable adj portable, portatif.

portal n portail m.

porter n portier m; garçon m.

portfolio n serviette f; carton m; portefeuille m.

porthole n hublot m.

portico n portique m.

portion n portion, part f.

portly adj corpulent.

portrait n portrait m.

portray vt faire le portrait de; dépeindre.

pose n posture f; pose f; * vt vi poser.

posh adj chic; bourgeois.

position *n* position *f*; situation *f*; * *vt* mettre en position.

positive *adj* positif; réel; favorable; **~ly** *adv* positivement; assurément.

posse *n* peloton *m*, détachement *m*.

possess *vt* posséder.

possession *n* possession *f*.

possessive *adj* possessif.

possibility *n* possibilité *f*.

possible *adj* possible; **~ly** *adv* peut-être.

post *n* courrier *m*; poste *f*; emploi *m*; poste *m*; pieu *m*; * *vt* poster; fixer.

postage *n* affranchissement *m*.

postage stamp *n* timbre *m*.

postcard *n* carte postale *f*.

postdate *vt* postdater.

posterior *n* postérieur *m*.

posterity *n* postérité *f*.

postgraduate *n* licencié *m* -e *f*.

posthumous *adj* posthume.

postman *n* facteur *m*.

postmark *n* cachet de la poste *m*.

postmaster *n* receveur des postes *m*.

post office *n* poste *f*, bureau de poste *m*.

postpone *vt* remettre; différer.

postscript *n* post-scriptum *m*.

posture *n* posture *f*.

postwar *adj* d'après-guerre.

posy *n* petit bouquet de fleurs *m*.

pot *n* pot *m*; marmite *f*; (*sl*) marijuana *f*; * *vt* empoter; mettre en pot.

potato *n* pomme de terre, patate (*fam*) *f*.

potato peeler *n* couteau éplucheur *m*.

potbellied *adj* ventru.

potent *adj* puissant.

potential *adj* potentiel.

pothole *n* trou *m*.

potion *n* potion *f*.

potted *adj* en pot.

potter *n* potier *m*.

pottery *n* poterie *f*.

potty *adj* insignifiant; (*sl*) fou, maboul.

pouch *n* sac *m*.

poultice *n* cataplasme *m*.

poultry *n* volaille *f*.

pound *n* livre *f*; livre sterling *f*; fourrière *f*; * *vt* concasser; * *vi* taper fort.

pour *vt* verser; servir; * *vi* couler; pleuvoir à verse.

pout *vi* faire la moue.

poverty *n* pauvreté *f*.

powder *n* poudre *f*; * *vt* saupoudrer.

powder compact *n* poudrier *m*.

powdered milk *n* lait en poudre *m*.

powder puff *n* houppette *f*.

powder room *n* toilettes *fpl*.

powdery *adj* poudreux.

power *n* pouvoir *m*; puissance *f*; empire *m*; autorité *f*; force *f*; * *vt* propulser.

powerful *adj* puissant; **~ly** *adv* puissamment; avec force.

powerless *adj* impuissant.

power station *n* centrale électrique *f*.

practicable *adj* praticable; faisable.

practical *adj* **~ly** *adv* pratique(ment).

practicality *n* faisabilité *f*.

practical joke *n* farce *f*.

practice *n* pratique *f*; usage *m*; entraînement *m*; **~s** *pl* agissements *mpl*.

practise *vt* pratiquer, exercer; * *vi* s'exercer, s'entraîner.

practitioner *n* médecin *m*.

pragmatic *adj* pragmatique.

prairie *n* prairie *f*.

praise *n* éloge *m*; louange *f*; * *vt* louer.

praiseworthy *adj* digne d'éloges.

prance *vi* cabrioler.

prank *n* folie, extravagance *f*.

prattle *vi* jacasser; * *n* jacasserie *f*.

rawn n crevette f.

ray vi prier.

rayer n prière f.

rayer book n livre de messe m.

preach vt prêcher.

preacher n prédicateur m.

preamble n préambule m.

precarious adj précaire, incertain; ~ly adv précairement.

precaution n précaution f.

precautionary adj préventif.

precede vt précéder.

precedence n précédence f.

precedent adj n précédent m.

precinct n limite f; enceinte f; circonscription f.

precious adj précieux.

precipice n (fig) précipice m.

precipitate vt précipiter; * adj précipité.

precise n précis, exact; ~ly adv précisément, exactement.

precision n précision, exactitude f.

preclude vt exclure, empêcher.

precocious adj précoce, prématuré.

preconceive vt préconcevoir.

preconception n préjugé m; idée préconçue f.

precondition n condition préalable f.

precursor n précurseur m.

predator n prédateur m.

predecessor n prédécesseur m.

predestination n prédestination f.

predicament n situation difficile f.

predict vt prédire.

predictable adj prévisible.

prediction n prédiction f.

predilection n prédilection f.

predominant adj prédominant.

predominate vt prédominer.

preen vt nettoyer (ses plumes).

prefab n maison préfabriquée f.

preface n préface f.

prefer vt préférer.

preferable adj préférable.

preferably adv de préférence.

preference n préférence f.

preferential adj préférentiel.

preferment n promotion f; préférence f.

prefix vt préfixer; * n (gr) préfixe m.

pregnancy n grossesse f.

pregnant adj enceinte.

prehistoric adj préhistorique.

prejudice n (law) préjudice, tort m; préjugé m; * vt préjudicier à, faire du tort à.

prejudiced adj qui a des préjugés; partial.

prejudicial adj préjudiciable.

preliminary adj préliminaire.

prelude n prélude m.

premarital adj préconjugal.

premature adj ~ly adv prématuré(ment).

premeditation n préméditation f.

premier n premier ministre m.

première n (thea) première f.

premise n prémisse f.

premises npl locaux mpl.

premium n prix m; indemnité f; prime f.

premonition n pressentiment m, prémonition f.

preoccupied adj préoccupé; absorbé.

prepaid adj port payé.

preparation n préparation f.

preparatory adj préparatoire.

prepare vt préparer; * vi se préparer.

preponderance n prépondérance f.

preposition n préposition f.

preposterous adj ridicule, absurde.

prerequisite n condition requise f.

prerogative n prérogative f.

prescribe vt prescrire.

prescription n prescription f; ordonnance f.

presence n présence f.

present n cadeau m; * adj présent; actuel; ~**ly** adv actuellement; * vt offrir, donner; présenter.

presentable adj présentable.

presentation n présentation f.

present-day adj actuel.

presenter n présentateur m -trice f.

presentiment n pressentiment m, prémonition f.

preservation n préservation f.

preservative n préservatif m.

preserve vt préserver; conserver; faire des conserves de; * n conserve f; confiture f.

preside vi présider; diriger.

presidency n présidence f.

president n président m.

presidential adj présidentiel.

press vt appuyer sur; serrer; pressurer; * vi se presser; * n presse f; pressoir m; pression f.

press agency n agence de presse f.

press conference n conférence de presse f.

pressing adj pressant; urgent; ~**ly** adv de manière pressante; d'urgence.

pressure n pression f.

pressure cooker n autocuiseur m.

pressure group n groupe de pression m.

pressurised adj pressurisé.

prestige n prestige m.

presumable adj vraisemblable.

presumably adv vraisemblablement.

presume vt présumer, supposer.

presumption n présomption f.

presumptuous adj présomptueux.

presuppose vt présupposer.

pretence n prétexte m; simulation f; prétention f.

pretend vi prétendre; faire semblant.

pretender n prétendant m.

pretension n prétention f.

pretentious adj prétentieux.

preterite n prétérit m.

pretext n prétexte m.

pretty adj joli, mignon; * adv assez; plutôt.

prevail vi prévaloir; prédominer.

prevailing adj dominant.

prevalent adj prédominant.

prevent vt prévenir; empêcher; éviter.

prevention n prévention f.

preventive adj préventif.

preview n avant-première f.

previous adj précédent; antérieur; ~**ly** adv auparavant.

prewar adj d'avant-guerre.

prey n proie f.

price n prix m.

priceless adj inappréciable.

price list n tarif m.

prick vt piquer; exciter; * n piqûre f; pointe f.

prickle n picotement m; épine f.

prickly adj épineux.

pride n orgueil m; vanité f; fierté f.

priest n prêtre m.

priestess n prêtresse f.

priesthood n sacerdoce m, prêtrise f.

priestly adj sacerdotal.

priggish adj affecté, bégueule.

prim adj prude, affecté.

primacy n primauté f.

primarily adv principalement, surtout.

primary adj primaire; principal, premier.

primate n primate m.

prime n (fig) fleur f; commencement m; * adj premier; principal; excellent; * vt amorcer.

prime minister n premier ministre m.

primeval adj primitif.

priming n amorçage m.

primitive adj primitif; ~**ly** adv primitivement.

primrose n (bot) primevère f.

prince *n* prince *m*.

princess *n* princesse *f*.

principal *adj* ~**ly** *adv* principal(ement); * *n* principal *m*.

principality *n* principauté *f*.

principle *n* principe *m*.

print *vt* imprimer; * *n* impression *f*; estampe *f*; caractères imprimés *mpl*; **out of ~** épuisé (livres).

printed matter *n* imprimés *mpl*.

printer *n* imprimeur *m*; imprimante *f*.

printing *n* impression *f*.

prior *adj* antérieur, précédent; * *n* prieur *m*.

priority *n* priorité *f*.

priory *n* prieuré *m*.

prism *n* prisme *m*.

prison *n* prison *f*.

prisoner *n* prisonnier *m* -ière *f*.

pristine *adj* d'origine; intact.

privacy *n* intimité *f*.

private *adj* privé; secret; particulier; **~ soldier** *n* simple soldat *m*; ~**ly** *adv* en privé.

private eye *n* détective privé *m*.

privet *n* troène *m*.

privilege *n* privilège *m*.

prize *n* prix *m*; * *vt* apprécier, évaluer; **~ open** ouvrir par la force, forcer.

prize-giving *n* distribution des prix *f*.

prizewinner *n* gagnant *m* -e *f*.

pro *prep* pour.

probability *n* probabilité *f*; vraisemblance *f*.

probable *adj* probable, vraisemblable; ~**bly** *adv* probablement.

probation *n* essai *m*; probation *f*.

probationary *adj* d'essai.

probe *n* sonde *f*; enquête *f*; * *vt* sonder; * *vi* faire des recherches.

problem *n* problème *m*.

problematical *adj* ~**ly** *adv* problématique(ment).

procedure *n* procédure *f*.

proceed *vi* procéder; provenir; poursuivre; ~**s** *npl* produit *m*;

montant *m*; **gross ~s** bénéfices bruts *mpl*; **net ~s** bénéfices nets *mpl*.

proceedings *n* procédure *f*; procédé *m*; procès *m*.

process *n* processus *m*; procédé *m*.

procession *n* procession *f*.

proclaim *vt* proclamer; promulguer.

proclamation *n* proclamation *f*; décret *m*.

procrastinate *vt* différer, retarder.

proctor *n* censeur *m*.

procure *vt* procurer.

procurement *n* obtention *f*.

prod *vt* pousser.

prodigal *adj* prodigue.

prodigious *adj* prodigieux; ~**ly** *adv* prodigieusement.

prodigy *n* prodige *m*.

produce *vt* produire; créer; fabriquer; * *n* produit *m*.

produce dealer *n* revendeur *m* -euse *f*.

producer *n* producteur *m* -trice *f*.

product *n* produit *m*; œuvre *f*; fruit *m*.

production *n* production *f*; produit *m*.

production line *n* chaîne *f* de fabrication.

productive *adj* productif.

productivity *n* productivité *f*.

profane *adj* profane.

profess *vt* professer; exercer; déclarer.

profession *n* profession *f*.

professional *adj* professionnel.

professor *n* professeur *m*.

proficiency *n* capacité *f*.

proficient *adj* compétent.

profile *n* profil *m*.

profit *n* bénéfice, profit *m*; avantage *m*; * *vi* profiter (de).

profitability *n* rentabilité *f*.

profitable *adj* profitable, avantageux.

profiteering n exploitation f, mercantilisme m.

profound adj ~ly adv profond(ément).

profuse adj profus; prodigue; ~ly adv à profusion.

program(me) n programme m.

programming n programmation f.

programmer n programmeur m -euse f.

progress n progrès m; cours m; * vi progresser.

progression n progression f; avance f.

progressive adj progressif; ~ly adv progressivement.

prohibit vt prohiber; défendre.

prohibition n prohibition f.

project vt projeter; * n projet m.

projectile n projectile m.

projection n projection f.

projector n projecteur m.

proletarian adj prolétaire.

proletariat n prolétariat m.

prolific adj prolifique, fécond.

prolix adj prolixe.

prologue n prologue m.

prolong vt prolonger.

prom n bal m; concert-promenade m.

promenade n promenade f.

prominence n proéminence f; éminence f.

prominent adj proéminent.

promiscuous adj immoral, débauché.

promise n promesse f; * vt promettre.

promising adj prometteur.

promontory n promontoire m.

promote vt promouvoir.

promoter n promoteur m.

promotion n promotion f.

prompt adj ~ly adv prompt(ement); * vt suggérer; inciter; souffler (au théâtre).

prompter n souffleur m -euse f.

prone adj enclin (à).

prong n dent f (fourchette).

pronoun n pronom m.

pronounce vt prononcer; déclarer.

pronounced adj marqué, prononcé.

pronouncement n déclaration f.

pronunciation n prononciation f.

proof n preuve f; * adj imperméable; résistant.

prop vt soutenir; * n appui, soutien m; tuteur m.

propaganda n propagande f.

propel vt propulser.

propeller n hélice f.

propensity n propension, tendance f.

proper adj propre; convenable; exact; approprié; ~ly adv convenablement; correctement.

property n propriété f.

prophecy n prophétie f.

prophesy vt prophétiser, prédire.

prophet n prophète m.

prophetic adj prophétique.

proportion n proportion f; symétrie f.

proportional adj proportionnel.

proportionate adj proportionné.

proposal n proposition f; offre f.

propose vt proposer.

proposition n proposition f.

proprietor n propriétaire mf.

propriety n propriété f.

pro rata adv au prorata.

prosaic adj prosaïque.

prose n prose f.

prosecute vt poursuivre en justice.

prosecution n poursuites fpl; accusation f.

prosecutor n (law) procureur m.

prospect n perspective f; espoir m; * vt vi prospecter.

prospecting n prospection f.

prospective adj probable; futur.

prospector n prospecteur m -trice f.

prospectus n prospectus m.

prosper vi prospérer.

prosperity n prospérité f.

prosperous *adj* prospère.

prostitute *n* prostituée *f*.

prostitution *n* prostitution *f*.

prostrate *adj* prostré.

protagonist *n* protagoniste *mf*.

protect *vt* protéger; abriter.

protection *n* protection *f*.

protective *adj* protecteur.

protector *n* protecteur *m* -trice *f*.

protégé *n* protégé *m* -e *f*.

protein *n* protéine *f*.

protest *vi* protester; * *n* protes- tation *f*.

Protestant *n* protestant *m* -e *f*.

protester *n* manifestant *m* -e *f*; protestataire *mf*.

protocol *n* protocole *m*.

prototype *n* prototype *m*.

protracted *adj* prolongé.

protrude *vi* déborder, ressortir.

proud *adj* fier, orgueilleux; ~ly *adv* fièrement.

prove *vt* prouver; justifier; * *vi* s'avérer; se révéler.

proverb *n* proverbe *m*.

proverbial *adj* ~ly *adv* proverbial(ement).

provide *vt* fournir; ~ for pourvoir aux besoins de; prévoir.

provided *conj*: ~ that pourvu que.

providence *n* providence *f*.

province *n* province *f*; compé- tence *f*.

provincial *adj n* provincial *m* -e *f*.

provision *n* provision *f*; disposi- tion *f*.

provisional *adj* ~ly *adv* provi- soire(ment).

proviso *n* stipulation *f*.

provocation *n* provocation *f*.

provocative *adj* provocateur.

provoke *vt* provoquer.

prow *n* (*mar*) proue *f*.

prowess *n* prouesse *f*.

prowl *vi* rôder.

prowler *n* rôdeur *m* -euse *f*.

proximity *n* proximité *f*.

proxy *n* procuration *f*; délégué *m* -e *f*.

prudence *n* prudence *f*.

prudent *adj* prudent, circonspect; ~ly *adv* prudemment.

prudish *adj* prude.

prune *vt* tailler; * *n* pruneau *m*.

prussic acid *n* acide prussique *m*.

pry *vi* espionner; ~ open *vt* (US) forcer.

psalm *n* psaume *m*.

pseudonym *n* pseudonyme *m*.

psyche *n* psyché *f*.

psychiatric *adj* psychiatrique.

psychiatrist *n* psychiatre *mf*.

psychiatry *n* psychiatrie *f*.

psychic *adj* psychique.

psychoanalysis *n* psychanalyse *f*.

psychoanalyst *n* psychanaliste *mf*.

psychological *adj* psychologique.

psychologist *n* psychologue *mf*.

psychology *n* psychologie *f*.

puberty *n* puberté *f*.

public *adj* public; commun; ~ly *adv* publiquement; * *n* public *m*.

public address system *n* sono- risation *f*.

publican *n* patron(ne) de pub *m*(*f*).

publication *n* publication *f*; édi- tion *f*.

publicise *vt* faire de la publicité pour.

publicity *n* publicité *f*.

public opinion *n* opinion publi- que *f*.

public school *n* école privée *f*.

publish *vt* publier.

publisher *n* éditeur *m* -trice *f*.

publishing *n* édition *f*.

pucker *vt* plisser.

pudding *n* pudding *m*; dessert *m*.

puddle *n* flaque d'eau *f*.

puerile *adj* puéril.

puff *n* souffle *m*; bouffée *f*; * *vt* souffler; dégager; * *vi* souffler; bouffer.

puff pastry *n* pâte feuilletée *f*.

puffy *adj* bouffi, gonflé.

pull *vt* tirer; arracher; ~ **down** faire descendre; abattre; ~ **in** *vi* s'arrêter; entrer en gare; ~ **off** enlever; ~ **out** *vi* partir; * *vt* arracher; ~ **through** *vi* s'en sortir; se remettre; ~ **up** *vi* s'arrêter; * *vt* arracher; arrêter; * *n* tirage *m*; secousse *f*.

pulley *n* poulie *f*.

pulp *n* pulpe *f*.

pulpit *n* chaire *f*.

pulsate *vi* palpiter.

pulse *n* pouls *m*; légumes *mpl* secs.

pulverise *vt* pulvériser.

pumice *n* pierre ponce *f*.

pummel *vt* marteler.

pump *n* pompe *f*; * *vt* pomper; puiser.

pumpkin *n* citrouille *f*.

pun *n* jeu de mots *m*; * *vi* faire des jeux de mots.

punch *n* coup de poing *m*; poinçon *m*; punch *m*; * *vt* cogner; perforer; poinçonner.

punctual *adj* ponctuel, exact; ~**ly** *adv* ponctuellement.

punctuate *vt* ponctuer.

punctuation *n* ponctuation *f*.

pundit *n* expert *m*.

pungent *adj* piquant, âcre; mordant.

punish *vt* punir.

punishment *n* châtiment *m*, punition *f*; peine *f*.

punk *n* punk *mf*; minable *mf*; ~ (**music**) punk *m*.

punt *n* bateau plat *m*.

puny *adj* chétif, maigrelet.

pup, puppy *n* chiot *m*; * *vi* avoir des chiots, mettre bas.

pupil *n* élève *mf*; pupille *mf*.

puppet *n* marionnette *f*.

purchase *vt* acheter; * *n* achat *m*; acquisition *f*.

purchaser *n* acheteur *m* -euse *f*.

pure *adj* pur; ~**ly** *adv* purement.

purée *n* purée *f*.

purge *vt* purger.

purification *n* purification *f*.

purify *vt* purifier.

purist *n* puriste *mf*.

puritan *n* puritain *m* -e *f*.

purity *n* pureté *f*.

purl *n* maille à l'envers *f*.

purple *adj* n pourpre, violet *m*.

purport *vt*: **to ~ to** prétendre.

purpose *n* intention *f*; but, dessein *m*; **to the ~** à propos; **to no ~** en vain; **on ~** exprès, à dessein.

purposeful *adj* résolu.

purr *vi* ronronner.

purse *n* sac à main *m*; portemonnaie *m invar*.

purser *n* commissaire *m* de bord.

pursue *vi* poursuivre; suivre.

pursuit *n* poursuite *f*; occupation *f*.

purveyor *n* fournisseur *m* -euse *f*.

push *vt* pousser; presser; ~ **aside** écarter; ~ **off** *vi* (*sl*) se casser; ~ **on** *vi* continuer; * *n* poussée *f*; impulsion *f*; effort *m*; énergie *f*.

pusher *n* trafiquant de drogues *m*.

push-up *n* (*gymn*) pompe *f*.

put *vt* mettre, poser; proposer; obliger; ~ **away** ranger; ~ **down** poser par terre; rabaisser; attribuer; ~ **forward** avancer; ~ **off** remettre; décourager; ~ **on** mettre; allumer; prendre; affecter; ~ **out** éteindre; faire sortir; déranger; ~ **up** lever; augmenter; loger.

putrid *adj* putride.

putt *n* putt *m*;* *vt vi* putter.

putty *n* mastic *m*.

puzzle *n* énigme *f*; casse-tête *m invar*.

puzzling *adj* étrange, mystérieux.

pyjamas *npl* pyjama *m*.

pylon *n* pylône *m*.

pyramid *n* pyramide *f*.

python *n* python *m*.

Q

quack *vi* cancaner; * *n* canard *m*; (*sl*) charlatan *m*.

quadrangle *n* quadrilatère *m*.

quadrant *n* quadrant *m*.

quadrilateral *adj* quadrilatéral.

quadruped *n* quadrupède *m*.

quadruple *adj* quadruple.

quadruplet *n* quadruplé *m* -e *f*.

quagmire *n* marécage *m*.

quail *n* caille *f*.

quaint *adj* désuet; bizarre.

quake *vi* trembler.

Quaker *n* quaker *m*.

qualification *n* qualification *f*; diplôme *m*.

qualified *adj* qualifié; diplômé.

qualify *vt* qualifier; modérer; * *vi* se qualifier.

quality *n* qualité *f*.

qualm *n* scrupule *m*.

quandary *n* incertitude *f*, doute *m*.

quantitative *adj* quantitatif.

quantity *n* quantité *f*.

quarantine *n* quarantaine *f*.

quarrel *n* dispute, querelle *f*; * *vi* se disputer, se quereller.

quarrelsome *adj* querelleur.

quarry *n* carrière *f*.

quarter *n* quart *m*; **a ~ of an hour** un quart d'heure; * *vt* diviser en quatre.

quarterly *adj* trimestriel; * *adv* tous les trimestres.

quartermaster *n* (*mil*) intendant *m*.

quartet *n* (*mus*) quartette *m*; quatuor *m*.

quartz *n* (*min*) quartz *m*.

quash *vt* écraser; annuler.

quay *n* quai *m*.

queasy *adj* qui a des nausées; écœurant.

queen *n* reine *f*; dame *f* (cartes).

queer *adj* extrange; (*sl*) pédale *f*.

quell *vt* étouffer; apaiser.

quench *vt* assouvir; éteindre.

query *n* question *f*; * *vt* demander.

quest *n* recherche *f*.

question *n* question *f*; sujet *m*; doute *m*; * *vt* douter de; mettre en question; questionner.

questionable *adj* discutable; douteux.

questioner *n* interrogateur *m*.

question mark *n* point d'interrogation *m*.

questionnaire *n* questionnaire *m*.

quibble *vi* chicaner.

quick *adj* rapide; vif; prompt; ~ly *adv* rapidement, vite.

quicken *vt* presser; accélérer; * *vi* s'accélérer.

quicksand *n* sables mouvants *mpl*.

quicksilver *n* mercure *m*.

quick-witted *adj* à l'esprit vif.

quiet *adj* calme; silencieux; ~ly *adv* calmement.

quietness *n* calme *m*, tranquillité *f*; silence *m*.

quinine *n* quinine *f*.

quintet *n* (*mus*) quintette *m*.

quintuple *adj* quintuple.

quintuplet *n* quintuplé *m* -e *f*.

quip *n* sarcasme *m*; * *vt* railler.

quirk *n* particularité *f*.

quit *vt* arrêter de; quitter; * *vi* abandonner; démissionner; * *adj* quitte.

quite *adv* assez; complètement, absolument.

quits *adj* quitte.

quiver *vi* trembler.

quixotic *adj* donquichottesque.

quiz *n* concours *m*; examen *m*; * *vt* interroger.

quizzical *adj* railleur.

quota *n* quota *m*.

quotation *n* citation *f*.

quotation marks *npl* guillemets *mpl*.

quote *vt* citer.

quotient *n* quotient *m*.

R

rabbi *n* rabbi, rabbin *m*.

rabbit *n* lapin *m*.

rabbit hutch *n* clapier *m*.

rabble *n* cohue *f*.

rabid *adj* forcené, enragé.

rabies *n* rage *f*.

race *n* course *f*; race *f*; * *vt* faire une course avec; * *vi* courir; faire une course; aller très vite; foncer.

racer *n* cheval de course *m*.

racial *adj* racial; ~ist *adj n* raciste *mf*.

raciness *n* vivacité *f*.

racing *n* courses *fpl*.

rack *n* casier *m*; étagère *f*; * *vt* soumettre au supplice du chevalet; tourmenter.

racket *n* vacarme *m*; raquette *f*.

rack-rent *n* loyer démesuré *m*.

racy *adj* piquant, plein de verve.

radiance *n* rayonnement *m*, éclat *m*.

radiant *adj* rayonnant, radieux.

radiate *vt vi* rayonner, irradier.

radiation *n* irradiation *f*.

radiator *n* radiateur *m*.

radical(ly)   *adj   (adv)* radical(ement).

radicalism *n* radicalisme *m*.

radio *n* radio *f*.

radioactive *adj* radioactif.

radish *n* radis *m*.

radius *n* radius *m*.

raffle *n* tombola *f*; * *vt* mettre en tombola.

raft *n* radeau, train de flottage *m*.

rafter *n* chevron *m*.

rag *n* lambeau *m*, loque *f*.

ragamuffin *n* va-nu-pieds *m invar*; galopin *m*.

rage *n* rage *f*; fureur *f*; * *vi* être furieux; faire rage.

ragged *adj* déguenillé.

raging *adj* furieux, déchaîné, enragé.

ragman, ~ picker *n* chiffonnier *m*.

raid *n* raid *m*; * *vt* faire un raid sur.

raider *n* raider *m*, pillard *m*.

rail *n* rambarde *f*, garde-fou *m*; (*rail*) rail, chemin de fer *m*; * *vt* entourer d'une barrière.

raillery *n* taquinerie *f*.

railroad, railway *n* chemin de fer *m*.

raiment *n* vêtements *mpl*.

rain *n* pluie *f*; * *vi* pleuvoir.

rainbow *n* arc-en-ciel *m*.

rainwater *n* eau de pluie *f*.

rainy *adj* pluvieux.

raise *vt* lever, soulever; ériger, édifier; élever.

raisin *n* raisin sec *m*.

rake *n* râteau *m*; libertin *m*; * *vt* ratisser.

rakish *adj* libertin, débauché.

rally *vt* (*mil*) rallier; * *vi* se rallier.

ram *n* bélier *m*; navire bélier *m*; * *vt* enfoncer.

ramble *vi* errer; faire une randonnée; * *n* excursion à pied, randonnée *f*.

rambler *n* excursionniste *mf*.

ramification *n* ramification *f*.

ramify *vi* se ramifier.

ramp *n* rampe *f*.

rampant *adj* exubérant.

rampart *n* terre-plein *m*; (*mil*) rempart *m*.

ramrod *n* baguette *f*; refouloir *m*.

ramshackle *adj* délabré.

ranch *n* ranch *m*.

rancid *adj* rance.

rancour *n* rancœur *f*.

random *adj* fortuit, fait au hasard; at ~ au hasard.

range *vt* ranger, classer; * *vi* s'étendre; * *n* rangée *f*; ordre *m*; portée *f*; chaîne *f*; champ de tir *m*; fourneau de cuisine *m*.

ranger n garde forestier m.

rank adj exubérant; fétide; flagrant; * n rang m, classe f, grade m.

rankle vi rester sur le cœur.

rankness n exubérance f; odeur rance f.

ransack vt saccager, piller.

ransom n rançon f.

rant vi déclamer.

rap vi donner un coup sec; * n petit coup sec m.

rapacious adj rapace; ~ly adv avec rapacité.

rapacity n rapacité f.

rape n viol m; rapt m; (bot) colza m; * vt violer.

rapid adj ~ly adv rapide(ment).

rapidity n rapidité f.

rapier n rapière f.

rapist n violeur m.

rapt adj extasié; absorbé.

rapture n ravissement m; extase f.

rapturous adj de ravissement.

rare adj ~ly adv rare(ment).

rarity n rareté f.

rascal n vaurien m.

rash adj imprudent, téméraire; ~ly adv sans réfléchir; * n vague f; éruption (cutanée) f.

rashness n imprudence f.

rasp n râpe f; * vt râper.

raspberry n framboise f; ~ bush framboisier m.

rat n rat m.

rate n taux, prix, cours m; classe f; vitesse f; * vt estimer, évaluer.

rather adv plutôt; quelque peu.

ratification n ratification f.

ratify vt ratifier.

rating n estimation f; classement m; indice m.

ratio n rapport m.

ration n ration f; (mil) vivres mpl.

rational adj rationnel; raisonnable; ~ly adv rationnellement.

rationality n rationalité f.

rattan n (bot) rotin m.

rattle vi s'entrechoquer; cliqueter

* vt faire s'entrechoquer; * n fracas m; cliquetis m.

rattlesnake n serpent à sonnettes m.

ravage vt ravager, piller; dévaster; * n ravage m.

rave vi délirer.

raven n corbeau m.

ravenous adj ~ly adv vorace(ment).

ravine n ravin m.

ravish vt enchanter; ravir.

ravishing adj enchanteur.

raw adj cru; brut; novice.

rawboned adj décharné; maigre.

rawness n crudité f; inexpérience f.

ray n rayon m; (fish) raie f.

raze vt raser.

razor n rasoir m.

reach vt atteindre; arriver à; * vi s'étendre, porter; * n portée f.

react vi réagir.

reaction n réaction f.

read vt vi lire.

readable adj lisible.

reader n lecteur m -trice f.

readily adv volontiers; facilement.

readiness n bonne volonté f; empressement m.

reading n lecture f.

reading room n salle de lecture f.

readjust vt réajuster, réadapter.

ready adj prêt; enclin; disposé.

real adj réel, vrai; ~ly adv vraiment.

realisation n réalisation f.

realise vt se rendre compte de; réaliser.

reality n réalité f.

realm n royaume m.

ream n rame f de papier.

reap vt moissonner.

reaper n moissonneuse f (machine).

reappear vi réapparaître.

rear n arrière m; derrière m; * vt élever, dresser.

rearmament *n* réarmement *m*.

reason *n* raison *f*; cause *f*; * *vt vi* raisonner.

reasonable *adj* raisonnable.

reasonableness *n* bon sens *m*, sagesse *f*.

reasonably *adv* raisonnablement.

reasoning *n* raisonnement *m*.

reassure *vt* rassurer; (*com*) réassurer.

rebel *n* rebelle *mf*; * *vi* se rebeller.

rebellion *n* rébellion *f*.

rebellious *adj* rebelle.

rebound *vi* rebondir.

rebuff *n* rebuffade *f*; * *vt* repousser.

rebuild *vt* reconstruire.

rebuke *vt* réprimander; * *n* réprimande *f*.

rebut *vt* réfuter.

recalcitrant *adj* récalcitrant.

recall *vt* (se) rappeler; retirer; * *n* retrait *m*.

recant *vt* rétracter, désavouer.

recantation *n* rétractation *f*.

recapitulate *vt vi* récapituler.

recapitulation *n* récapitulation *f*.

recapture *n* reprise *f*.

recede *vi* reculer.

receipt *n* reçu *m*; réception *f*; ~**s** *npl* recettes *fpl*.

receivable *adj* recevable.

receive *vt* recevoir; accueillir.

recent *adj* récent, neuf; ~**ly** *adv* récemment.

receptacle *n* récipient *m*.

reception *n* réception *f*.

recess *n* (*law*) vacance *f*; renfoncement *m*; recoin *m*.

recession *n* recul *m*; (*com*) récession *f*.

recipe *n* recette *f*.

recipient *n* destinataire *mf*.

reciprocal *adj* ~**ly** *adv* réciproque(ment).

reciprocate *vi* rendre la pareille.

reciprocity *n* réciprocité *f*.

recital *n* récit *m*; récital *m*.

recite *vt* réciter; exposer, énumérer.

reckless *adj* téméraire; ~**ly** *adv* imprudemment.

reckon *vt* compter, calculer; * *vi* calculer.

reckoning *n* compte *m*; calcul *m*.

reclaim *vt* assainir; récupérer.

reclaimable *adj* remboursable; récupérable.

recline *vt* reposer; * *vi* être allongé.

recluse *n* reclus *m* -e *f*.

recognise *vt* reconnaître.

recognition *n* reconnaissance *f*.

recoil *vi* reculer.

recollect *vt* se rappeler, se souvenir de.

recollection *n* souvenir *m*.

recommence *vt* recommencer.

recommend *vt* recommander.

recommendation *n* recommandation *f*.

recompense *n* récompense *f*; * *vt* récompenser.

reconcilable *adj* conciliable.

reconcile *vt* réconcilier.

reconciliation *n* réconciliation *f*.

recondite *adj* abstrus, obscur.

reconnoitre *vt* (*mil*) reconnaître.

reconsider *vt* reconsidérer.

reconstruct *vt* reconstruire.

record *vt* enregistrer; consigner par écrit; * *n* rapport *m*, registre *m*; disque *m*; record *m*; ~**s** *pl* archives *fpl*.

recorder *n* magnétophone *m*, archiviste *mf*; (*mus*) flûte à bec *f*.

recount *vt* raconter.

recourse *n* recours *m*.

recover *vt* retrouver; reprendre; récupérer; * *vi* se remettre, se rétablir.

recoverable *adj* récupérable.

recovery *n* guérison *f*; reprise *f*.

recreation *n* détente *f*; récréation *f*.

recriminate *vi* récriminer.

recrimination *n* récrimination *f*.

recruit *vt* recruter; * *n* (*mil*) recrue *f*.

recruiting *n* recrutement *m*.

rectangle *n* rectangle *m*.

rectangular *adj* rectangulaire.

rectification *n* rectification *f*.

rectify *vt* rectifier.

rectilinear *adj* rectiligne.

rectitude *n* rectitude *f*.

rector *n* pasteur *m*.

recumbent *adj* couché, étendu.

recur *vi* se reproduire.

recurrence *n* répétition *f*.

recurrent *adj* répétitif.

red *adj* rouge; * *n* rouge *m*.

redden *vt vi* rougir.

reddish *adj* rougeâtre.

redeem *vt* racheter, rembourser.

redeemable *adj* rachetable.

Redeemer *n* Rédempteur *m*.

redemption *n* rachat *m*.

redeploy *vt* réaffecter.

redhanded *adj*: **to catch sb ~** prendre quelqu'un la main dans le sac.

redhot *adj* brûlant, ardent.

red-letter day *n* jour à marquer d'une pierre blanche *m*.

redness *n* rougeur, rousseur *f*.

redolent *adj* parfumé, odorant.

redouble *vt vi* redoubler.

redress *vt* réparer; corriger; redresser; * *n* réparation *f*, redressement *m*.

redskin *n* Peau-Rouge *mf*.

red tape *n* (*fig*) paperasserie *f*.

reduce *vt* réduire; diminuer; abaisser.

reducible *adj* réductible.

reduction *n* réduction *f*; baisse *f*.

redundancy *n* licenciement *m*.

redundant *adj* superflu; licencié.

reed *n* roseau *m*.

reedy *adj* couvert de roseaux.

reef *n* (*mar*) ris *m*; récif *m*.

reek *n* puanteur *f*; * *vi* empester; puer.

reel *n* bobine *f*; bande *f*; dévidoir *m*; * *vi* chanceler.

re-election *n* réélection *f*.

re-engage *vt* rengager.

re-enter *vt* rentrer.

re-establish *vt* rétablir; réhabiliter.

re-establishment *n* rétablissement *m*; restauration *f*.

refectory *n* réfectoire *m*.

refer *vt* soumettre, renvoyer; se référer à; * *vi* se référer.

referee *n* arbitre *m*.

reference *n* référence, allusion *f*.

refine *vt* raffiner, affiner.

refinement *n* raffinement *m*; raffinerie *f*; culture *f*.

refinery *n* raffinerie *f*.

refit *vt* réparer (*also mar*).

reflect *vt* réfléchir, refléter; * *vi* réfléchir.

reflection *n* réflexion, pensée *f*.

reflector *n* réflecteur *m*; cataphote *m*.

reflex *adj* réflexe.

reform *vt* réformer; * *vi* se réformer.

reform, reformation *n* réforme *f*.

reformer *n* réformateur *m* -trice *f*.

reformist *n* réformiste *mf*.

refract *vt* réfracter.

refraction *n* réfraction *f*.

refrain *vi*: **to ~ from sth** s'abstenir de qch.

refresh *vt* rafraîchir.

refreshment *n* rafraîchissement *m*.

refrigerator *n* glacière *f*; réfrigérateur *m*.

refuel *vi* se ravitailler (en carburant).

refuge *n* refuge, asile *m*.

refugee *n* réfugié *m* -e *f*.

refund *vt* rembourser; * *n* remboursement *m*.

refurbish *vt* rénover.

refusal *n* refus *m*.

refuse *vt* refuser; * *n* déchets *mpl*.

refute *vt* réfuter.

regain *vt* recouvrer, reprendre.

regal *adj* royal.

regale *vt* régaler.

regalia *n* insignes *mpl*.

regard *vt* considérer; * *n* considération *f*; respect *m*.

regarding *pr* en ce qui concerne.

regardless *adv* quand même, malgré tout.

regatta *n* régate *f*.

regency *n* régence *f*.

regenerate *vt* régénérer; * *adj* régénéré.

regeneration *n* régénération *f*.

regent *n* régent *m*.

regime *n* régime *m*.

regiment *n* régiment *m*.

region *n* région *f*.

register *n* registre *m*; * *vt* enregistrer; ~ed letter *n* lettre recommandée *f*.

registrar *n* officier d'état civil *m*.

registration *n* enregistrement *m*.

registry *n* enregistrement *m*.

regressive *adj* régressif.

regret *n* regret *m* * *vt* regretter.

regretful *adj* plein de regrets.

regular *adj* régulier; ordinaire; ~ly *adv* régulièrement; * *n* habitué *m* -e *f*.

regularity *n* régularité *f*.

regulate *vt* régler, réglementer.

regulation *n* règlement *m*; réglementation *f*.

regulator *n* régulateur *m*.

rehabilitate *vt* réhabiliter.

rehabilitation *n* réhabilitation *f*.

rehearsal *n* répétition *f*.

rehearse *vt* répéter; raconter.

reign *n* règne *m*; * *vi* régner.

reimburse *vt* rembourser.

reimbursement *n* remboursement *m*.

rein *n* rêne *f*; * *vt* ~ **in** (*fig*) contenir.

reindeer *n* renne *m*.

reinforce *vt* renforcer.

reinstate *vt* réintégrer.

reinsure *vt* (*com*) réassurer.

reissue *n* réédition *f*.

reiterate *vt* réitérer.

reiteration *n* réitération, répétition *f*.

reject *vt* rejeter.

rejection *n* refus, rejet *m*.

rejoice *vt* réjouir; * *vi* se réjouir.

rejoicing *n* réjouissance *f*.

relapse *vi* retomber; * *n* rechute *f*.

relate *vt* relater; rapprocher; * *vi* se rapporter.

related *adj* apparenté.

relation *n* rapport *m*; parent *m*.

relationship *n* lien de parenté *m*; relation *f*; rapport *m*.

relative *adj* relatif; ~ly *adv* relativement; * *n* parent *m* -e *f*.

relax *vt* relâcher; détendre; * *vi* se relâcher; se détendre.

relaxation *n* relâchement *m*; détente *f*.

relay *n* relais *m*; * *vt* retransmettre.

release *vt* libérer, relâcher; * *n* libération *f*; décharge *f*.

relegate *vt* reléguer.

relegation *n* relégation *f*.

relent *vi* s'adoucir.

relentless *adj* implacable.

relevant *adj* pertinent.

reliable *adj* fiable, digne de confiance.

reliance *n* confiance *f*.

relic *n* relique *f*.

relief *n* soulagement *m*; secours *m*.

relieve *vt* soulager, alléger; secourir.

religion *n* religion *f*.

religious *adj* religieux; ~ly *adv* religieusement.

relinquish *vt* abandonner, renoncer à.

relish *n* saveur *f*; goût *m*; attrait *m*; * *vt* savourer, se délecter de.

reluctance *n* répugnance *f*.

reluctant *adj* peu disposé.

rely *vi* compter sur, avoir confiance en.

remain *vi* rester, demeurer.

remainder *n* reste, restant *m*.

remains *npl* restes, vestiges *mpl*; dépouille *f*.

remand *vt*: **to ~ in custody** mettre en détention préventive.

remark *n* remarque, observation *f*; * *vt* (faire) remarquer, (faire) observer.

remarkable *adj* remarquable, notable.

remarkably *adv* remarquablement.

remarry *vi* se remarier.

remedial *adj* de rattrapage.

remedy *n* remède, recours *m*; * *vt* remédier à.

remember *vt* se souvenir de; se rappeler.

remembrance *n* mémoire *f*; souvenir *m*.

remind *vt* rappeler.

reminiscence *n* réminiscence *f*.

remiss *adj* négligent.

remission *n* rémission *f*.

remit *vt* remettre, pardonner; * *vi* diminuer.

remittance *n* remise *f*.

remnant *n* reste, restant *m*.

remodel *vt* remodeler.

remonstrate *vi* protester.

remorse *n* remords *m*.

remorseless *adj* implacable.

remote *adj* lointain, éloigné; ~ly *adv* au loin, de loin.

remoteness *n* éloignement *m*; isolement *m*.

removable *adj* amovible.

removal *n* suppression *f*; déménagement *m*.

remove *vt* enlever; * *vi* déménager.

remunerate *vt* rémunérer.

remuneration *n* rémunération *f*.

render *vt* rendre, remettre; traduire; (*law*) rendre.

rendezvous *n* rendez-vous *m*; point de ralliement *m*.

renegade *n* renégat *m* -e *f*.

renew *vt* renouveler.

renewal *n* renouvellement *m*.

rennet *n* présure *f*.

renounce *vt* renoncer à.

renovate *vt* rénover.

renovation *n* rénovation *f*.

renown *n* renommée *f*; célébrité *f*.

renowned *adj* célèbre, renommé.

rent *n* loyer *m*; location *f*; * *vt* louer.

rental *n* loyer *m*.

renunciation *n* renonciation *f*.

reopen *vt* rouvrir.

reorganisation *n* réorganisation *f*.

reorganise *vt* réorganiser.

repair *vt* réparer; * *n* réparation *f*.

repairable *adj* réparable.

reparation *n* réparation *f*.

repartee *n* répartie, réplique *f*.

repatriate *vt* rapatrier.

repay *vt* rembourser; rendre, récompenser.

repayment *n* remboursement *m*.

repeal *vt* abroger, annuler; * *n* abrogation, annulation *f*.

repeat *vt* répéter.

repeatedly *adv* à plusieurs reprises.

repeater *n* montre à répétition *f*.

repel *vt* repousser, rebuter.

repent *vi* se repentir.

repentance *n* repentir *m*.

repentant *adj* repentant.

repertory *n* répertoire *m*.

repetition *n* répétition, réitération *f*.

replace *vt* replacer; remplacer.

replant *vt* replanter.

replenish *vt* remplir de nouveau.

replete *adj* rempli, rassasié.

reply *n* réponse *f*; * *vi* répondre.

report *vt* rapporter, relater; rendre compte de; * *n* rapport *m*; compte rendu *m*; rumeur *f*.

reporter *n* journaliste *mf*.

repose *vi* (se) reposer; * *n* repos *m*.

repository *n* dépôt *m*.

repossess *vt* reprendre possession de.

reprehend *vt* condamner.

reprehensible *adj* répréhensible.

represent *vt* représenter.

representation *n* représentation *f*.

representative *adj* représentatif; * *n* représentant(e) *m(f)*.

repress *vt* réprimer, contenir.

repression *n* répression *f*.

repressive *adj* répressif.

reprieve *vt* accorder un sursis *ou* un répit à; * *n* sursis *m*.

reprimand *vt* réprimander, blâmer; * *n* blâme *m*; réprimande *f*.

reprint *vt* réimprimer.

reprisal *n* représailles *fpl*.

reproach *n* reproche, opprobre *m*; * *vt* reprocher.

reproachful *adj* réprobateur; ~ly *adv* d'un air de reproche.

reproduce *vt* reproduire.

reproduction *n* reproduction *f*.

reptile *n* reptile *m*.

republic *n* république *f*.

republican *adj n* républicain *m* -e *f*.

republicanism *n* républicanisme *m*.

repudiate *vt* renier.

repugnance *n* répugnance f, dégoût *m*.

repugnant *adj* répugnant; ~ly *adv* avec répugnance.

repulse *vt* repousser, rejeter; * *n* rebuffade *f*; refus *m*.

repulsion *n* répulsion *f*.

repulsive *adj* répulsif.

reputable *adj* honorable.

reputation *n* réputation *f*.

repute *n* renom *m*.

request *n* demande, requête *f*; * *vt* demander.

require *vt* demander, nécessiter.

requirement *n* besoin *m*; exigence *f*.

requisite *adj* nécessaire, indispensable; * *n* objet(s) nécessaire(s) *m(pl)*.

requisition *n* demande; (*mil*) réquisition *f*.

requite *vt* rembourser.

rescind *vt* annuler, abroger.

rescue *vt* sauver, secourir; * *n* secours *m*, délivrance *f*.

research *vt* faire des/de la recherche(s); * *n* recherche(s) *f(pl)*.

resemblance *n* ressemblance *f*.

resemble *vt* ressembler à.

resent *vt* être contrarié/irrité par.

resentful *adj* plein de ressentiment; amer; ~ly *adv* avec ressentiment.

resentment *n* ressentiment *m*.

reservation *n* réserve *f*; réservation *f*.

reserve *vt* réserver; * *n* réserve *f*.

reservedly *adv* avec réserve.

reservoir *n* réservoir *m*.

reside *vi* résider.

residence *n* résidence *f*; séjour *m*.

resident *adj* résidant; * *n* résident *m* -e *f*.

residuary *adj* restant; ~ **legatee** *n* (*law*) légataire universel *m*.

residue *n* reste, résidu *m*.

residuum *n* (*chem*) résidu *m*.

resign *vt* démissionner de, renoncer à, céder; se résigner à; * *vi* démissionner.

resignation *n* démission *f*.

resin *n* résine *f*.

resinous *adj* résineux.

resist *vt* résister, s'opposer.

resistance *n* résistance *f*.

resolute *adj* ~ly *adv* résolu(ment).

resolution *n* résolution *f*.

resolve *vt* résoudre; * *vi* (se) résoudre, (se) décider.

resonance *n* résonance *f*.

resonant *adj* résonant.

resort *vi* recourir; * *n* lieu de vacances *m*; recours *m*.

resound *vi* résonner.

resource *n* ressource(s) *f(pl)*; expédient *m*.

respect *n* respect *m*; égard *m*; rapport *m*; ~s *pl* respects *mpl*; * *vt* respecter.

respectability *n* respectabilité *f*.

respectable *adj* respectable; considérable; ~bly *adv* convenablement.

respectful *adj* respectueux; **~ly** *adv* respectueusement.

respecting *prep* en ce qui concerne.

respective *adj* respectif; **~ly** *adv* respectivement.

respirator *n* respirateur *m*.

respiratory *adj* respiratoire.

respite *n* répit *m*; (*law*) sursis *m*; * *vt* repousser, différer.

resplendence *n* resplendissement *m*, splendeur *f*.

resplendent *adj* resplendissant.

respond *vi* répondre; réagir.

respondent *n* (*law*) défendeur *m* -deresse *f*.

response *n* réponse, réaction *f*.

responsibility *n* responsabilité *f*.

responsible *adj* responsable.

responsive *adj* sensible à, réceptif.

rest *n* repos *m*; (*mus*) pause *f*; reste, restant *m*; * *vt* faire/or laisser reposer; appuyer; * *vi* se reposer, reposer.

resting place *n* lieu de repos *m*.

restitution *n* restitution *f*.

restive *adj* rétif, récalcitrant; agité.

restless *adj* agité; instable.

restoration *n* restauration *f*.

restorative *adj* fortifiant.

restore *vt* restituer, restaurer.

restrain *vt* retenir, contenir.

restraint *n* contrainte, entrave *f*.

restrict *vt* restreindre, limiter.

restriction *n* restriction *f*.

restrictive *adj* restrictif.

rest room *n* (US) toilettes *fpl*.

result *vi* résulter; * *n* résultat *m*.

resume *vt* reprendre.

resurrection *n* résurrection *f*.

resuscitate *vt* réanimer.

retail *vt* vendre au détail, détailler; * *n* vente au détail *f*.

retain *vt* retenir, conserver.

retainer *n* serviteur *m*; **~s** *pl* arrhes *fpl*; suite *f*.

retake *vt* reprendre.

retaliate *vi* se venger.

retaliation *n* représailles *fpl*.

retardation *n* retard *m*.

retarded *adj* retardé.

retch *vi* avoir des haut-le-cœur.

retention *n* rétention *f*.

retentive *adj* qui retient bien.

reticence *n* réticence *f*.

reticule *n* réticule *m*.

retina *n* rétine *f*.

retire *vt* mettre à la retraite; * *vi* se retirer; prendre sa retraite.

retired *adj* retraité, à la retraite.

retirement *n* isolement *m*; retraite *f*.

retort *vt* rétorquer; * *n* réplique *f*.

retouch *vt* retoucher.

retrace *vt* retracer.

retract *vt* rétracter; retirer.

retrain *vt* recycler.

retraining *n* recyclage *m*.

retreat *n* repli *m*; * *vi* se retirer.

retribution *n* châtiment *m*; récompense *f*.

retrievable *adj* récupérable; réparable.

retrieve *vt* récupérer, recouvrer.

retriever *n* chien d'arrêt *m*.

retrograde *adj* rétrograde.

retrospect, retrospection *n* regard rétrospectif *m*.

retrospective *adj* rétrospectif.

return *vt* rendre; restituer; renvoyer; * *n* retour *m*; renvoi *m*; récompense *f*; revenu *m*; remboursement *m*.

reunion *n* réunion *f*.

reunite *vt* réunir; * *vi* se réunir.

reveal *vt* révéler.

revel *vi* faire la fête.

revelation *n* révélation *f*.

reveller *n* fêtard *m*.

revelry *n* fête *f*.

revenge *vt* venger; * *n* vengeance *f*.

revengeful *adj* vindicatif.

revenue *n* revenu *m*; rente *f*.

reverberate *vt* réverbérer; * *vi* résonner, retentir; se réverbérer.

reverberation *n* répercussion *f*; réverbération *f*.

revere *vt* révérer, vénérer.

reverence *n* vénération *f*; * *vt* révérer.

reverend *adj* révérend; vénérable; * *n* curé *m*.

reverent, reverential *adj* révérenciel, respectueux.

reversal *n* renversement *m*; annulation *f*.

reverse *vt* renverser; annuler; * *vi* faire marche arrière; * *n* inverse *m*; contraire *m*; revers *m*.

reversible *adj* révocable; réversible.

reversion *n* retour *m*; réversion *f*.

revert *vi* revenir; retourner.

review *vt* revoir; (*mil*) passer en revue; * *n* revue *f*; examen *m*.

reviewer *n* critique *m*.

revile *vt* vilipender.

revise *vt* réviser; mettre à jour.

reviser *n* réviseur *m*.

revision *n* révision *f*.

revisit *vt* retourner voir.

revival *n* reprise *f*; renouveau *m*.

revive *vt* ranimer; raviver; * *vi* reprendre connaissance; reprendre.

revocation *n* révocation *f*.

revoke *vt* révoquer, annuler.

revolt *vi* se révolter; * *n* révolte *f*.

revolting *adj* exécrable.

revolution *n* révolution *f*.

revolutionary *adj n* révolutionnaire *mf*.

revolve *vt* (re)tourner; * *vi* tourner.

revolving *adj* tournant.

revue *n* revue *f*.

revulsion *n* écœurement *m*.

reward *n* récompense *f*; * *vt* récompenser.

rhapsody *n* r(h)apsodie *f*.

rhetoric *n* rhétorique *f*.

rhetorical *adj* rhétorique.

rheumatic *adj* rhumatisant.

rheumatism *n* rhumatisme *m*.

rhinoceros *n* rhinocéros *m*.

rhombus *n* rhombe *m*.

rhomboid *n* rhomboïd *m*.

rhubarb *n* rhubarbe *f*.

rhyme *n* rime *f*; vers *mpl*; * *vi* rimer.

rhythm *n* rythme *m*.

rhythmical *adj* rythmique.

rib *n* côte *f*.

ribald *adj* paillard.

ribbon *n* ruban *m*; lambeaux *mpl*.

rice *n* riz *m*.

rich *adj* riche; somptueux; abondant; ~ly *adv* richement.

riches *npl* richesse *f*.

richness *n* richesse *f*; abondance *f*.

rickets *n* rachitisme *m*.

rickety *adj* rachitique.

rid *vt* débarrasser; se débarrasser de.

riddance *n*: good ~! bon débarras!

riddle *n* énigme *f*; crible *m*; * *vt* cribler.

ride *vi* monter à cheval; aller en voiture; * *n* promenade à cheval ou en voiture *f*.

rider *n* cavalier *m* -ière *f*.

ridge *n* arête, crête *f*; chaîne *f*; * *vt* rider, strier.

ridicule *n* ridicule *m*; raillerie *f*; * *vt* ridiculiser.

ridiculous *adj* ~ly *adv* ridicule(ment).

riding *n* équitation *f*; monte *f*.

riding habit *n* tenue d'amazone *f*.

riding school *n* manège *m*.

rife *adj* répandu, abondant.

riffraff *n* racaille *f*.

rifle *vt* dévaliser, piller; strier, rayer; * *n* fusil *m*.

rifleman *n* fusilier *m*.

rig *vt* équiper; truquer; (*mar*) gréer; * *n* gréement *m*; plateforme de forage *f*.

rigging *n* (*mar*) gréement *m*.

right *adj* droit, bien; juste; équitable; ~! bien!, bon!; ~ly *adv* bien; correctement; à juste titre; * *n* justice *f*; raison *f*; droit *m*; droite *f*; * *vt* redresser.

righteous *adj* droit, vertueux; ~ly *adv* vertueusement.

righteousness *n* droiture *f*; vertu *f*.

rigid *adj* rigide; sévère, strict; ~ly *adv* rigidement.

rigidity *n* rigidité *f*; sévérité *f*.

rigmarole *n* galimatias *m*.

rigorous *adj* rigoureux; ~ly *adv* rigoureusement.

rigour *n* rigueur *f*; sévérité *f*.

rim *n* bord *m*, monture *f*.

rind *n* peau, écorce *f*.

ring *n* anneau, cercle, rond *m*; bague *f*; tintement *m* de cloche; * *vt* sonner; * *vi* sonner, retentir; ~ the bell sonner.

ringer *n* carillonneur *m*.

ringleader *n* meneur *m*.

ringlet *n* anglaise *f*.

ringworm *n* (*med*) teigne *f*.

rink *n* (*also* ice ~) patinoire *f*.

rinse *vt* rincer.

riot *n* émeute *f*; * *vi* se livrer à une émeute.

rioter *n* émeutier *m*, -ière *f*.

riotous *adj* séditieux; dissolu; ~ly *adv* de façon tapageuse.

rip *vt* déchirer, fendre.

ripe *adj* mûr.

ripen *vt vi* mûrir.

ripeness *n* maturité *f*.

rip-off *n* (*sl*): it's a ~! c'est du vol!

ripple *vt* rider; * *vi* se rider; * *n* ondulation *f*, ride *f*.

rise *vi* se lever; naître; se soulever; monter; provenir de; s'élever; croître; ressusciter; * *n* hausse *f*; augmentation *f*; montée *f*; lever *m*; source *f*.

rising *n* insurrection *f*; levée, clôture *f*.

risk *n* risque, danger *m*; * *vt* risquer.

risky *adj* risqué.

rissole *n* rissole *f*.

rite *n* rite *m*.

ritual *adj n* rituel *m*.

rival *adj* rival; * *n* rival *m* -e *f*; * *vt* rivaliser avec, concurrencer.

rivalry *n* rivalité *f*.

river *n* rivière *f*.

rivet *n* rivet *m*; * *vt* riveter, river.

rivulet *n* petit ruisseau *m*.

roach *n* blatte *f*.

road *n* route *f*.

roadsign *n* panneau de signalisation *m*.

roadstead *n* (*mar*) rade *f*.

roadworks *npl* travaux routiers *mpl*.

roam *vt* parcourir; errer dans; * *vi* errer.

roan *adj* rouan.

roar *vi* hurler, rugir; mugir; * *n* hurlement *m*; rugissement, mugissement *m*; grondement *m*.

roast *vt* rôtir; griller.

roast beef *n* rôti de bœuf *m*.

rob *vt* voler.

robber *n* voleur *m* -euse *f*.

robbery *n* vol *m*.

robe *n* robe (de cérémonie) *f*; peignoir de bain *m*; * *vt* revêtir d'une robe de cérémonie.

robin (redbreast) *n* rouge-gorge *m*.

robust *adj* robuste.

robustness *n* robustesse *f*.

rock *n* roche *f*; rocher *m*; roc *m*; * *vt* bercer; balancer; ébranler; * *vi* (se) balancer.

rock and roll *n* rock (and roll) *m*.

rock crystal *n* cristal de roche *m*.

rocket *n* fusée *f*.

rocking chair *n* fauteuil à bascule *m*.

rock salt *n* sel gemme *m*.

rocky *adj* rocheux.

rod *n* baguette, tringle, canne *f*.

rodent *n* rongeur *m*.

roe *n* chevreuil *m*; œufs *mpl* de poisson.

roebuck *n* chevreuil (mâle) *m*.

rogation *n* rogations *fpl*.

rogue *n* coquin, polisson *m*; gredin *m*.

roguish *adj* coquin.

roll vt rouler; étendre; enrouler; * vi (se) rouler; * n roulement m; rouleau m; liste f; catalogue m; liasse f; petit pain m.
roller n rouleau, cylindre m.
roller skates npl patins à roulettes mpl.
rolling pin n rouleau à pâtisserie m.
Roman Catholic adj n catholique mf.
romance n romance f; roman m; conte m; fable f.
romantic adj romantique.
romp vi jouer bruyamment.
roof n toit m; voûte f; * vt couvrir.
roofing n toiture f.
rook n freux m; tour f (aux échecs).
room n pièce, salle f; place f, espace m; chambre f.
roominess n grande envergure f.
rooming house n pension f.
roomy adj spacieux.
roost n perchoir m; * vi se percher.
root n racine f; origine f; * vt vi ~ out extirper; dénicher.
rooted adj enraciné; ancré.
rope n corde f; cordage m; * vi attacher.
ropemaker n cordier m.
rosary n rosaire m.
rose n rose f.
rosebed n massif de roses m.
rosebud n bouton de rose m.
rosebush n rosier m.
rosemary n (bot) romarin m.
rosette n rosette f.
rosé wine n (vin) rosé m.
rosewood n bois de rose m.
rosiness n couleur rosée f.
rosy adj rosé.
rot vi pourrir; * n pourriture f.
rotate vt faire tourner; * vi tourner.
rotation n rotation f.
rote n: by ~ par cœur.
rotten adj pourri; corrompu.
rottenness n pourriture f.

rotund adj rond, replet, arrondi.
rouble n rouble m.
rouge n rouge (à joues) m.
rough adj accidenté, inégal, rugueux; rude, brutal, brusque; houleux; ~ly adv rudement.
roughcast n crépi m.
roughen vt rendre rugueux.
roughness n rugosité f; rudesse, brusquerie f; agitation f.
round adj rond, circulaire; rondelet; franc; * n cercle m; rond m; tour m; tournée f; partie f; ronde f; canon m; série f; * adv autour de; environ; ~ly adv rondement; franchement; * vt contourner; arrondir.
roundabout adj détourné, indirect; * n rond-point m.
roundness n rondeur f.
rouse vt réveiller; exciter.
rout n déroute, débâcle f; * vt mettre en déroute.
route n itinéraire m; route f.
routine adj habituel; * n routine f; numéro m.
rove vi vagabonder, errer.
rover n vagabond m -e f; pirate m.
row n querelle f; vacarme m.
row n rangée, file f; * vt (mar) ramer.
rowdy n hooligan, voyou m.
rower n rameur m -euse f.
royal adj royal; princier; ~ly adv royalement.
royalist n royaliste mf.
royalty n royauté f; droits d'auteur mpl; royalties fpl; redevance f; membres de la famille royale mpl.
rub vt frotter; irriter; * n frottement m; (fig) ennui m; difficulté f.
rubber n caoutchouc m, gomme f; préservatif m.
rubber band n élastique m.
rubbish n détritus mpl; ordures fpl; bêtises fpl; décombres mpl.
rubric n rubrique f.
ruby n rubis m.

rucksack *n* sac à dos *m*.

rudder *n* gouvernail *m*.

ruddiness *n* teint vif *m*, rougeur *f*.

ruddy *adj* coloré, rouge.

rude *adj* impoli, rude, brusque; grossier, primitif; **~ly** *adv* impoliment, grossièrement.

rudeness *n* impolitesse *f*; rudesse, insolence *f*.

rudiment *n* rudiments *mpl*.

rue *vt* regretter amèrement; * *n* (*bot*) rue *f*.

rueful *adj* triste.

ruffian *n* voyou *m*, brute *f*; * *adj* brutal.

ruffle *vt* ébouriffer, déranger; rider.

rug *n* tapis *m*, carpette *f*.

rugged *adj* accidenté, déchiqueté; rude; robuste.

ruin *n* ruine *f*; perte *f*; ruines *fpl*; * *vt* ruiner; détruire.

ruinous *adj* ruineux.

rule *n* règle *f*; règlement *m*; pouvoir *m*; domination *f*; * *vt* gouverner, dominer; décider, régler; diriger.

ruler *n* dirigeant *m* -e *f*; règle *f*.

rum *n* rhum *m*.

rumble *vi* gronder, tonner.

ruminate *vt* ruminer.

rummage *vi* fouiller.

rumour *n* rumeur *f*; * *vt* faire courir le bruit.

rump *n* croupe *f*.

run *vt* diriger; organiser; faire couler; passer; **~ the risk** courir le risque; * *vi* courir; fuir, se sauver; filer; fonctionner; aller; couler; concourir; * *n* course, compétition *f*; parcours *m*; cours *m*; série *f*; mode *f*; ruée *f*.

runaway *n* fugitif *m* -ive *f*, fuyard *m*.

rung *n* barreau, échelon *m*.

runner *n* coureur *m*; concurrent *m* -e *f*; messager *m*.

running *n* course *f*; direction *f*.

runway *n* piste de décollage *f*.

rupture *n* rupture *f*; hernie *f*; * *vt* rompre; * *vi* se rompre.

rural *adj* rural, champêtre.

ruse *n* ruse *f*, stratagème *m*.

rush *n* jonc *m*; ruée *f*; hâte *f*; * *vt* pousser vivement; * *vi* se précipiter, s'élancer.

rusk *n* biscotte *f*.

russet *adj* roux.

rust *n* rouille *f*; * *vi* se rouiller.

rustic *adj* rustique; * *n* paysan, rustaud *m*.

rustiness *n* rouille *f*.

rustle *vi* bruire; * *vt* faire bruire; froisser.

rustling *n* vol de bétail *m*; bruissement *m*.

rusty *adj* rouillé; roux.

rut *n* (*zool*) rut *m*; ornière *f*.

ruthless *adj* cruel, impitoyable; **~ly** *adv* sans pitié.

rye *n* (*bot*) seigle *m*.

S

Sabbath *n* sabbat *m*; dimanche *m*.

sabre *n* sabre *m*.

sable *n* zibeline *f*.

sabotage *n* sabotage *m*.

saccharin *n* saccharine *f*.

sack *n* sac *m*; * *vt* mettre à sac; renvoyer.

sacrament *n* sacrement *m*; Eucharistie *f*.

sacramental *adj* sacramentel.

sacred *adj* saint, sacré; inviolable.

sacredness *n* (caractère) sacré *m*.

sacrifice *n* sacrifice *m*; * *vt* sacrifier.

sacrificial *adj* sacrificiel.

sacrilege *n* sacrilège *m*.

sacrilegious *adj* sacrilège.

sad *adj* triste, déprimé; attristant; regrettable; **~ly** *adv* tristement.

sadden *vt* attrister.

saddle *n* selle *f*; col *m*; * *vt* seller.

saddlebag *n* sacoche de selle *f*.

saddler *n* sellier *m*.

sadness *n* tristesse *f*.

safe *adj* sûr; en sécurité; hors de danger; sans danger; **~ly** *adv* sans accident; **~ and sound** sain et sauf; * *n* coffre-fort *m*.

safe-conduct *n* sauf-conduit *m*.

safeguard *n* sauvegarde *f*; * *vt* sauvegarder, protéger.

safety *n* sécurité *f*; sûreté *f*.

safety belt *n* ceinture de sécurité *f*.

safety pin *n* épingle de nourrice *f*.

saffron *n* safran *m*.

sage *n* (*bot*) sauge *f*; sage *m*; * *adj* sage; **~ly** *adv* avec sagesse.

Sagittarius *n* Sagittaire *m* (signe du zodiaque).

sago *n* (*bot*) sagou *m*.

sail *n* voile *f*; * *vt* piloter; * *vi* aller à la voile, naviguer.

sailing *n* navigation *f*.

sailor *n* marin *m*.

saint *n* saint *m* -e *f*.

sainted, saintly *adj* saint.

sake *n* bien *m*, égard *m*; **for God's ~** pour l'amour de Dieu.

salad *n* salade *f*.

salad bowl *n* saladier *m*.

salad dressing *n* vinaigrette *f*.

salad oil *n* huile de table *f*.

salamander *n* salamandre *f*.

salary *n* salaire *m*.

sale *n* vente *f*; solde *m*.

saleable *adj* vendable.

salesman *n* vendeur *m*.

saleswoman *n* vendeuse *f*.

salient *adj* saillant.

saline *adj* salin.

saliva *n* salive *f*.

sallow *adj* jaunâtre, cireux.

sally *n* (*mil*) sortie, saillie *f*; * *vi* saillir.

salmon *n* saumon *m*.

salmon trout *n* truite saumonée *f*.

saloon *n* bar *m*.

salt *n* sel *m*; * *vt* saler.

salt cellar *n* salière *f*.

saltness *n* salinité *f*.

saltpetre *n* salpêtre *m*.

saltworks *npl* salines *fpl*.

salubrious *adj* salubre, sain.

salubrity *n* salubrité *f*.

salutary *adj* salutaire.

salutation *n* salutation(s) *f(pl)*.

salute *vt* saluer; * *n* salut *m*.

salvage *n* (*mar*) droit de sauvetage *m*.

salvation *n* salut *m*.

salve *n* baume, onguent *m*.

salver *n* plateau *m*.

salvo *n* salve *f*.

same *adj* même, identique.

sameness *n* monotonie *f*.

sample *n* échantillon *m*; prélèvement *m*; * *vt* goûter.

sampler *n* échantillonneur *m* -euse *f*; modèle *m*.

sanatorium *n* sanatorium *m*.

sanctify *vt* sanctifier.

sanctimonious *adj* cagot.

sanction *n* sanction *f*; * *vt* sanctionner.

sanctity *n* sainteté *f*.

sanctuary *n* sanctuaire *m*; asile *m*.

sand *n* sable *m*; * *vt* sabler.

sandal *n* sandale *f*.

sandbag *n* (*mil*) sac *m* de sable.

sandpit *n* carrière de sable *f*.

sandstone *n* grès *m*.

sandy *adj* sablonneux, sableux.

sane *adj* sain.

sanguinary *adj* sanguinaire, sanglant.

sanguine *adj* sanguin.

sanitary towel *n* serviette *f* hygiénique.

sanity *n* santé mentale, raison *f*.

sap n sève f; * vt miner.
sapient adj sage, prudent.
sapling n jeune arbre m.
sapphire n saphir m.
sarcasm n sarcasme m.
sarcastic adj sarcastique, caustique; ~ally adv d'une manière sarcastique.
sarcophagus n sarcophage m.
sardine n sardine f.
sash n écharpe f; ceinture f.
sash window n fenêtre à guillotine f.
sassy adj (US) insolent.
Satan n Satan m.
satanic(al) adj satanique.
satchel n cartable m.
satellite n satellite m.
satiate, sate vt rassasier, assouvir.
satin n satin m; * adj en ou de satin.
satire n satire f.
satirical adj satirique; ~ly adv d'une manière satirique.
satirize vt faire la satire de.
satirist n écrivain satirique m.
satisfaction n satisfaction f.
satisfactorily adv d'une manière satisfaisante.
satisfactory adj satisfaisant.
satisfy vt satisfaire; convaincre.
saturate vt saturer.
Saturday n samedi m.
saturnine adj saturnien, sombre.
satyr n satyre m.
sauce n sauce f; assaisonnement m; * vt assaisonner.
saucepan n casserole f.
saucer n soucoupe f.
saucily adv avec impertinence.
sauciness n impertinence, insolence f.
saucy adj impertinent.
saunter vi flâner, se balader.
sausage n saucisse f.
savage adj sauvage, barbare; ~ly adv sauvagement; * n sauvage mf.

savageness n sauvagerie f; barbarie f.
savagery n sauvagerie, barbarie f.
savannah n savane f.
save vt sauver; économiser; épargner; éviter; conserver; * adv sauf, à l'exception de; * n (sport) arrêt m.
saveloy n cervelas m.
saver n libérateur m -trice f; épargnant m -e f.
saving adj économique, économe; * prep sauf, à l'exception de; * n sauvetage m; ~s pl économies fpl, épargne f.
savings account n compte d'épargne m.
savings and loan association n (US) organisme m de crédit immobilier.
savings bank n caisse d'épargne f.
Saviour n Sauveur m.
savour n saveur f; goût m; * vt déguster, savourer.
savouriness n goût m; saveur f.
savoury adj savoureux.
saw n scie f; * vt scier.
sawdust n sciure f.
sawfish n poisson scie m.
sawmill n scierie f.
sawyer n scieur m.
saxophone n saxophone m.
say vt dire.
saying n dicton, proverbe m.
scab n gale f; croûte f.
scabbard n gaine f; fourreau m.
scabby adj galeux.
scaffold n échafaud m; échafaudage m.
scaffolding n échafaudage m.
scald vt échauder; * n brûlure f.
scale n balance f; échelle f; gamme f; écaille f; * vt escalader; écailler.
scallion n échalote f.
scallop n feston m; coquille f St Jacques; * vt festonner.
scalp n cuir chevelu m; * vt scalper.

scamp n coquin m.

scamper vi galoper.

scampi npl langoustines fpl.

scan vt scruter; explorer; scander.

scandal n scandale m; infamie f.

scandalise vt scandaliser.

scandalous adj scandaleux; ~ly adv scandaleusement.

scant, scanty adj rare, insuffisant.

scantily adv pauvrement, insuffisamment.

scantiness n insuffisance, pauvreté f.

scapegoat n bouc émissaire m.

scar n cicatrice f; * vt marquer d'une cicatrice.

scarce adj rare; ~ly adv à peine.

scarcity n rareté f; pénurie f.

scare vt effrayer; * n peur; panique f.

scarecrow n épouvantail m.

scarf n écharpe f.

scarlatina n scarlatine f.

scarlet n écarlate f; * adj écarlate.

scarp n escarpement m.

scat interj (sl) ouste!

scatter vt éparpiller; disperser.

scavenger n charognard m; éboueur m.

scenario n scénario m; (also fig).

scene n scène f; lieu m; spectacle m, vue f.

scenery n vue f; décor (de théâtre) m.

scenic adj scénique.

scent n parfum m, odeur f; odorat m; piste f; * vt parfumer.

scent bottle n flacon à parfum m.

scentless adj sans odeur, inodore.

sceptic n sceptique mf.

sceptic(al) adj sceptique.

scepticism n scepticisme m.

sceptre n sceptre m.

schedule n horaire m; programme m; liste f.

scheme n projet, plan m; schéma m; système m; machination f; * vt machiner; * vi intriguer.

schemer n conspirateur m -trice f, intrigant m -e f.

schism n schisme m.

schismatic n schismatique mf.

scholar n élève mf; érudit m -e f.

scholarship n savoir m, science f; bourse (d'études) f.

scholastic adj scolaire.

school n école f; * vt instruire.

schoolboy n écolier, élève m.

schoolgirl n écolière, élève f.

schooling n instruction, éducation f.

schoolmaster n instituteur, maître (d'école) m.

schoolmistress n institutrice, maîtresse (d'école) f.

schoolteacher n instituteur/trice mf; professeur mf.

schooner n (mar) goélette f.

sciatic n sciatique f.

science n science f.

scientific adj ~ally adv scientifique(ment).

scientist n scientifique mf.

scimitar n cimeterre m.

scintillate vi scintiller, étinceler.

scintillating adj brillant, scintillant.

scission n scission, division f.

scissors npl ciseaux mpl.

scoff vi se moquer.

scold vt réprimander; * vi grogner.

scoop n louche f; pelle f; exclusivité f; * vt évider; écoper.

scooter n scooter m; trottinette f.

scope n portée, envergure, étendue f; zone de compétence f; liberté d'action f.

scorch vt brûler; roussir, griller; * vi se brûler, roussir.

score n score m; marque f; entaille, rayure f; titre, égard m; compte m; (mus) partition f; vingtaine f; * vt marquer; souligner; * vi marquer un/des point(s).

scoreboard *n* tableau (d'affichage) *m*.

scorn *vt* mépriser; dédaigner; * *n* dédain, mépris *m*.

scornful *adj* dédaigneux; ~ly *adv* avec mépris.

Scorpio *n* Scorpion *m* (signe du zodiaque).

scorpion *n* scorpion *m*.

scotch *vt* contrecarrer.

Scotch *n* whisky *m*.

Scotch tape *n* scotch *m*.

scoundrel *n* vaurien *m*.

scour *vt* récurer, frotter; nettoyer; * *vi* battre la campagne.

scourge *n* fouet *m*; châtiment *m*; * *vt* fouetter; châtier.

scout *n* (mil) éclaireur *m* -euse *f*; guetteur *m*; reconnaissance *f*; * *vi* aller en reconnaissance.

scowl *vi* se renfrogner; * *n* mine renfrognée *f*.

scragginess *n* décharnement *m*, maigreur extrême *f*; rugosité *f*.

scraggy *adj* rugueux; famélique.

scramble *vi* avancer à quatre pattes; grimper; se battre, se disputer; * *n* bousculade, ruée *f*; ascension *f*.

scrap *n* bout *m*; restes *mpl*; petit morceau *m*; bagarre *f*; ferraille *f*.

scrape *vt* *vi* racler, gratter; * *vt* érafler; * *n* embarras *m*, ennui *m*.

scraper *n* racloir *m*.

scratch *vt* griffer, égratigner; gratter, griffonner; * *n* égratignure *f*.

scrawl *vt* *vi* gribouiller; * *n* griffonnage *m*.

scream, screech *vi* hurler, pousser des cris; * *n* cri perçant, hurlement *m*.

screen *n* écran *m*; paravent *m*; rideau *m*; écran de cheminée *m*; * *vt* abriter, cacher; projeter; passer au crible, sélectionner.

screenplay *n* scénario *m*.

screw *n* vis *f*; * *vt* visser; extorquer, soutirer.

screwdriver *n* tournevis *m*.

scribble *vt* gribouiller; * *n* gribouillage *m*.

scribe *n* scribe *m*.

scrimmage *n* mêlée *f*.

script *n* scénario *m*; script *m*.

scriptural *adj* biblique.

Scripture *n* Écriture *f* sainte.

scroll *n* rouleau (de papier *ou* parchemin) *m*.

scrub *vt* nettoyer à la brosse, récurer; annuler; * *n* broussailles *fpl*.

scruffy *adj* mal soigné.

scruple *n* scrupule *m*.

scrupulous *adj* scrupuleux; ~ly *adv* scrupuleusement.

scrutinise *vt* étudier minutieusement, examiner.

scrutiny *n* examen minutieux *m*.

scuffle *n* échauffourée, rixe *f*; * *vi* se bagarrer.

scull *n* aviron *m*.

scullery *n* arrière-cuisine *f*.

sculptor *n* sculpteur *m* -trice *f*.

sculpture *n* sculpture *f*; * *vt* sculpter.

scum *n* écume *f*; crasse *f*; rebut *m*.

scurrilous *adj* injurieux; vil, ignoble; ~ly *adv* injurieusement.

scurvy *n* scorbut *m*; * *adj* vil, mesquin.

scuttle *n* corbeille *f*; * *vi* courir précipitamment.

scythe *n* faux *f*.

sea *n* mer *f*; * *adj* marin; **heavy** ~ mer houleuse *f*.

sea breeze *n* brise de mer *f*.

seacoast *n* côte *f*.

sea fight *n* combat naval *m*.

seafood *n* fruits de mer *mpl*.

sea front *n* bord de mer *m*.

seagreen *adj* vert glauque.

seagull *n* mouette *f*.

sea horse *n* hippocampe *m*.

seal *n* sceau *m*; phoque *m*; * *vt* sceller.

sealing wax *n* cire à cacheter *f*.

seam n couture f; * vt faire une couture.

seaman n marin m.

seamanship n habileté à naviguer f.

seamstress n couturière f.

seamy adj sordide.

sea plane n hydravion m.

seaport n port de mer m.

sear vt cautériser.

search vt fouiller; inspecter; examiner; scruter; sonder; * n fouille f; recherche f; perquisition f.

searchlight n projecteur m.

seashore n rivage m, bord de mer m.

seasick adj sujet au mal de mer.

seasickness n mal de mer m.

seaside n bord de mer m.

season n saison f; moment opportun m; assaisonnement m; * vt assaisonner; dessécher.

seasonable adj opportun, à propos.

seasonably adv de façon opportune, à propos.

seasoning n assaisonnement m.

season ticket n carte d'abonnement f.

seat n siège m; place f; derrière m; fond m; * vt (faire) asseoir; placer.

seat belt n ceinture de sécurité f.

seaward adj du large; ~s adv vers le large.

seaweed n algue f.

seaworthy adj en état de naviguer.

secede vi faire sécession, se séparer.

secession n sécession f; séparation f.

seclude vt éloigner, isoler.

seclusion n solitude f; isolement m.

second adj ~(ly) adv deuxième(ment); * n second m; seconde f; (mus) seconde f; * vt aider; seconder.

secondary adj secondaire.

secondary school n collège d'enseignement secondaire m.

secondhand n article d'occasion m.

secrecy n secret m; discrétion f.

secret adj n secret m; ~ly adv secrètement.

secretary n secrétaire mf.

secrete vt cacher; (med) sécréter.

secretion n sécrétion f.

secretive adj secret, dissimulé.

sect n secte f.

sectarian n sectaire mf.

section n section f.

sector n secteur m.

secular adj séculaire.

secularise vt séculariser.

secure adj sûr; en sûreté; ~ly adv en sécurité; * vt mettre en sûreté; assurer.

security n sécurité f; sûreté f; protection f; caution f.

sedan n (US) berline f.

sedan chair n chaise à porteurs f.

sedate adj ~ly adv calme(ment), posé(ment).

sedateness n calme m.

sedative n sédatif m.

sedentary adj sédentaire.

sedge n (bot) carex m.

sediment n sédiment m; lie f; dépôt m.

sedition n sédition f.

seditious adj séditieux.

seduce vt séduire; corrompre.

seducer n séducteur m -trice f.

seduction n séduction f.

seductive adj séduisant.

sedulous adj assidu; ~ly adv assidûment.

see vt voir, remarquer, découvrir; connaître; juger; comprendre; * vi voir; comprendre; ~! regarde!; tu vois!

seed n graine, semence f; * vi monter en graine.

seedling n semis m.

seedsman n grainetier m.

seed time *n* (époque des) semailles *f(pl)*.

seedy *adj* minable.

seeing *conj*: ~ that vu que.

seek *vt* chercher; demander.

seem *vi* paraître, sembler.

seeming *n* apparence *f*; ~**ly** *adv* apparemment.

seemliness *n* bienséance *f*.

seemly *adj* convenable, bienséant.

seer *n* prophète *m*.

seesaw *n* bascule *f*; * *vi* osciller.

seethe *vi* bouillir, bouillonner.

segment *n* segment *m*.

seize *vt* saisir, attraper; opérer la saisie de.

seizure *n* capture *f*; saisie *f*.

seldom *adv* rarement, peu souvent.

select *vt* sélectionner, choisir; * *adj* choisi, sélectionné.

selection *n* sélection *f*.

self *n* soi-même *m*; the ~ le moi; * *pref* auto-.

self-command *n* maîtrise de soi *f*.

self-conceit *n* vanité *f*.

self-confident *adj* sûr de soi.

self-defence *n* autodéfense *f*.

self-denial *n* abnégation de soi *f*.

self-employed *adj* indépendant.

self-evident *adj* évident, qui va de soi.

self-governing *adj* autonome.

self-interest *n* intérêt personnel *m*.

selfish *adj* ~**ly** *adv* égoïste(ment).

selfishness *n* égoïsme *m*.

self-pity *n* apitoiement sur soi-même *m*.

self-portrait *n* autoportrait *m*.

self-possession *n* sang-froid *m*, assurance *f*.

self-reliant *adj* indépendant.

self-respect *n* respect de soi *m*.

selfsame *adj* exactement le même, identique.

self-satisfied *adj* suffisant.

self-seeking *adj* égoïste.

self-service *adj* libre-service.

self-styled *adj* autoproclamé.

self-sufficient *adj* autosuffisant.

self-taught *adj* autodidacte.

self-willed *adj* obstiné, volontaire.

sell *vt* vendre; attraper; * *vi* se vendre.

seller *n* vendeur *m* -euse *f*.

selling-off *n* liquidation *f*.

semblance *n* semblant *m*, apparence *f*.

semen *n* sperme *m*.

semester *n* semestre *m*.

semicircle *n* demi-cercle *m*.

semicircular *adj* semi-circulaire.

semicolon *n* point-virgule *m*.

semiconductor *n* semi-conducteur *m*.

seminary *n* séminaire *m*.

semitone *n* (*mus*) demi-ton *m*.

senate *n* sénat *m*.

senator *n* sénateur *m* -trice *f*.

senatorial *adj* sénatorial.

send *vt* envoyer, expédier, adresser; émettre; pousser.

sender *n* expéditeur *m* -trice *f*.

senile *adj* sénile.

senility *n* sénilité *f*.

senior *n* aîné *m* -e *f*; * *adj* aîné; supérieur.

seniority *n* ancienneté *f*.

senna *n* (*bot*) séné *m*.

sensation *n* sensation *f*.

sense *n* sens *m*; sensation *f*; raison *f*; bon sens *m*; sentiment *m*.

senseless *adj* insensé; sans connaissance; ~**ly** *adv* stupidement.

senselessness *n* manque de bon sens *m*; absurdité *f*.

sensibility *n* sensibilité *f*.

sensible *adj* sensé, raisonnable; sensible.

sensibly *adj* raisonnablement.

sensitive *adj* sensible.

sensual, sensuous *adj* ~**ly** *adv* sensuel(lement).

sensuality *n* sensualité *f*.

sentence *n* phrase *f*; condamnation *f*; * *vt* condamner, prononcer une sentence contre.

sententious *adj* sentencieux; ~**ly** *adv* sentencieusement.

sentient *adj* sensible.

sentiment *n* sentiment *m*; opinion *f*.

sentimental *adj* sentimental.

sentinel, sentry *n* sentinelle *f*.

sentry box *n* guérite *f*.

separable *adj* séparable.

separate *vt* séparer; * *vi* se séparer; * *adj* séparé; distinct; ~**ly** *adv* séparément.

separation *n* séparation *f*.

September *n* septembre *m*.

septennial *adj* septennal.

septuagenarian *n* septuagénaire *m*.

sepulchre *n* sépulcre *m*.

sequel *n* conséquence *f*; suite *f*.

sequence *n* ordre *m*, série *f*.

sequester, sequestrate *vt* séquestrer.

sequestration *n* séquestration *f*.

seraglio *n* sérail *m*.

seraph *n* séraphin *m*.

serenade *n* sérénade *f*; * *vt* jouer une sérénade pour.

serene *adj* serein; ~**ly** *adv* sereinement.

serenity *n* sérénité *f*.

serf *n* serf *m*, serve *f*.

serge *n* serge *f*.

sergeant *n* sergent *m*; (US) caporal-chef *m*; brigadier *m*.

serial *adj* de/en série; * *n* feuilleton *m*; téléroman *m*.

series *n* série *f*.

serious *adj* sérieux, grave; ~**ly** *adv* sérieusement.

sermon *n* sermon *m*.

serous *adj* séreux.

serpent *n* serpent *m*.

serpentine *adj* sinueux; * *n* (*chem*) serpentine *f*.

serrated *adj* en dents de scie.

serum *n* sérum *m*.

servant *n* domestique *mf*.

servant-girl *n* servante, bonne *f*.

serve *vt* servir; desservir; faire; accomplir; * *vi* servir; être utile; ~ **a warrant** remettre un mandat.

service *n* service *m*; office *m*; entretien *m*; * *vt* entretenir; réviser.

service station *n* station-service *f*.

serviceable *adj* utilisable; pratique.

servile *adj* servile.

servitude *n* servitude *f*, esclavage *m*.

session *n* séance, session *f*; réunion *f*.

set *vt* mettre, poser, placer; fixer; déterminer; * *vi* se coucher (soleil); se figer; se mettre; * *n* jeu *m*; service *m*; ensemble *m*; (*cine*) plateau *m*; set *m*; groupe *m*, bande *f*; * *adj* fixe, figé; prêt; déterminé.

settee *n* canapé *m*.

setting *n* disposition *f*; cadre *m*; monture *f*; ~ **of the sun** coucher du soleil *m*.

settle *vt* poser, installer, arranger; régler; calmer; * *vi* se poser; s'installer; se calmer.

settlement *n* règlement *m*; établissement *m*; accord *m*; résolution *f*; colonie *f*; colonisation *f*.

settler *n* colon *m*, colonisateur *m* -trice *f*.

set-to *n* lutte *f*; combat *m*.

seven *adj n* sept *m*.

seventeen *adj n* dix-sept *m*.

seventeenth *adj n* dix-septième *mf*.

seventh *adj n* septième *mf*.

seventieth *adj n* soixante-dixième *mf*.

seventy *adj n* soixante-dix *m*.

sever *vt* séparer.

several *adj pn* plusieurs.

severance *n* séparation *f*.

severe *adj* sévère, rigoureux, austère, dur; ~**ly** *adv* sévèrement.

severity n sévérité f.

sew vt vi coudre.

sewer n égout m.

sewerage n (système d') égouts mpl; eaux d'égout fpl.

sewing machine n machine à coudre f.

sex n sexe m.

sexist adj n sexiste mf.

sextant n sextant m.

sexton n sacristain m.

sexual adj sexuel.

sexy adj sexy.

shabbily adv petitement, mesquinement.

shabbiness n aspect décrépit ou miteux m.

shabby adj miteux.

shackle vt enchaîner; ~s npl chaînes fpl.

shade n ombre, obscurité f; nuance f; abat-jour m; * vt ombrager; abriter; atténuer.

shadiness n ombre f; ombrage m.

shadow n ombre f.

shadowy adj ombragé; sombre; indistinct.

shady adj ombreux, ombragé; sombre.

shaft n flèche f; fût m; puits m; (tech) arbre m; rayon m.

shag n tabac m; cormoran huppé m.

shaggy adj hirsute.

shake vt secouer; agiter; * vi trembler; chanceler; ~ hands se serrer la main; * n secousse f; tremblement m.

shaking adj tremblant.

shaky adj tremblant.

shallow adj peu profond, superficiel; futile.

shallowness n manque de profondeur m; futilité f.

sham vt feindre; * n imitation f; imposture f; * adj feint, simulé.

shambles npl désordre m.

shame n honte f; * vt faire honte à, déshonorer.

shamefaced adj honteux, confus.

shameful adj honteux; scandaleux; ~ly adv honteusement.

shameless adj ~ly adv effronté(ment).

shamelessness n effronterie, impudeur f.

shammy n (peau de) chamois m.

shampoo vt faire un shampooing à; * n shampooing m.

shamrock n trèfle m.

shank n jambe f; hampe f; tuyau (de pipe) m; canon m.

shanty n baraque f.

shanty town n bidonville m.

shape vt former; façonner; modeler; * vi prendre forme; * n forme, figure f; modèle m.

shapeless adj informe.

shapely adj bien proportionné.

share n part, portion f; (com) action f; soc (de charrue) m; * vt partager; répartir; * vi partager.

sharer n participant m.

shark n requin m.

sharp adj aigu, acéré; malin; fin; pénétrant; âpre, mordant, cinglant; perçant; vif, violent; * n (mus) dièse m; * adv pile.

sharpen vt aiguiser, affûter.

sharply adv brusquement; sévèrement; vivement; nettement.

sharpness n tranchant m; finesse, acuité f; aigreur f.

shatter vt fracasser, détruire; * vi se fracasser.

shave vt raser, raboter; * vi se raser; n rasage m.

shaver n rasoir électrique m.

shaving n rasage m.

shaving brush n blaireau m.

shaving cream n crème à raser f.

shawl n châle m.

she pn elle.

sheaf n gerbe f; liasse f.

shear vt tondre; ~s npl cisailles fpl.

sheath n fourreau m.

shed vt verser, répandre; perdre; * n hangar m; cabane f.

sheen n lustre m.

sheep n mouton m.

sheepfold n parc à moutons m.

sheepish adj penaud; timide.

sheepishness n timidité f, air penaud m.

sheep-run n patûrage pour moutons m.

sheepskin n peau de mouton f.

sheer adj pur, absolu, véritable; abrupt; * adv abruptement.

sheet n drap m; plaque f; feuille (de papier) f; (mar) écoute f.

sheet anchor n ancre de veille f.

sheeting n toile pour draps f.

sheet iron n tôle f.

sheet lightning n éclairs en nappes mpl.

shelf n étagère f; (mar) écueil m; saillie f; on the ~ au rancart.

shell n coquille f; carcasse f; écorce f; obus m; * vt écosser, décortiquer; bombarder; * vi se décortiquer.

shellfish npl invar crustacé m; fruits de mer mpl.

shelter n abri m; asile, refuge m; * vt abriter; protéger; * vi s'abriter.

shelve vt mettre au rancart.

shelving n rayonnage m.

shepherd n berger m.

shepherdess n bergère f.

sherbet n sorbet m.

sheriff n shérif m.

sherry n xérès m.

shield n bouclier m; écran protecteur m; * vt protéger.

shift vi changer; se déplacer; * vt changer, bouger; transférer; * n changement m; roulement m.

shinbone n tibia m.

shine vi briller, reluire, illuminer; * vt cirer; * n éclat m.

shingle n galets mpl; ~s pl (med) zona m.

shining adj resplendissant; * n éclat m.

shiny adj brillant, reluisant.

ship n bateau m; navire m; bâtiment m; * vt embarquer; transporter.

shipbuilding n construction navale f.

shipmate n (mar) camarade de bord m.

shipment n cargaison f.

shipowner n armateur m.

shipwreck n naufrage m.

shirt n chemise f.

shit excl (sl) merde!

shiver vi frissonner.

shoal n banc m (de poissons).

shock n choc m; décharge f; coup m; * vt bouleverser; choquer.

shock absorber n amortisseur m.

shoddy adj de mauvaise qualité.

shoe n chaussure f; fer (à cheval) m; * vt chausser; ferrer (un cheval).

shoeblack n cireur de chaussures m.

shoehorn n chausse-pied m.

shoelace n lacet de chaussure m.

shoemaker n cordonnier m.

shoestring n lacet de chaussure m.

shoot vt tirer, lancer, décocher; * vi pousser, bourgeonner; passer en flèche; s'élancer; * n pousse f.

shooter n tireur m -euse f.

shooting n fusillade f; tir m.

shop n magasin m; atelier m.

shopfront n devanture f.

shoplifter n voleur(-euse) à l'étalage m(f).

shopper n acheteur m -euse f.

shopping n courses fpl.

shopping centre n centre commercial m.

shore n rivage, bord m, côte f.

short adj court, bref, succinct, concis; ~ly adv brièvement; rapidement.

shortcoming n insuffisance f; défaut m.

shorten vt raccourcir; abréger.

shortness n petitesse f; brièveté f.

short-sighted adj myope.

short-sightedness n myopie f.

shortwave n ondes courtes fpl.

shot n coup m; décharge f; plomb m; tentative f; prise f.

shotgun n fusil de chasse m.

shoulder n épaule f; accotement m; * vt charger sur son épaule.

shout vi crier; * vt crier; * n cri m, acclamation f.

shouting n cris mpl.

shove vt vi pousser; * n poussée f.

shovel n pelle f; * vt pelleter.

show vt montrer; faire voir, présenter; prouver; expliquer; * vi se voir; * n exposition f; spectacle m; manifestation f; salon m.

show business n monde du spectacle m.

shower n averse f; douche f; (fig) torrent m; * vi pleuvoir.

showery adj pluvieux.

showroom n salle d'exposition f.

showy adj voyant, ostentatoire.

shred n lambeau m, parcelle f; * vt mettre en lambeaux.

shrew n mégère f; musaraigne f.

shrewd adj astucieux; perspicace; ~ly adv astucieusement.

shrewdness n astuce f.

shriek vt vi hurler; * n hurlement m.

shrill adj aigu, strident.

shrillness n ton aigu m.

shrimp n crevette f; nabot m -e f, avorton m.

shrine n lieu saint m.

shrink vi rétrécir; se réduire, rapetisser.

shrivel vi se ratatiner, se flétrir; * vt ratatiner.

shroud n voile m; linceul m; * vt envelopper, voiler; ensevelir.

Shrove Tuesday n Mardi gras m.

shrub n arbuste m.

shrubbery n massif d'arbustes m.

shrug vt hausser les épaules; * n haussement d'épaules m.

shudder vi frissonner; * n frisson m.

shuffle vt mélanger; battre.

shun vt fuir, éviter.

shunt vt (rail) aiguiller.

shut vt fermer; vi (se) fermer.

shutter n volet m.

shuttle n navette f.

shuttlecock n volant m.

shy adj timide; réservé; embarrassé, gauche; ~ly adv timidement.

shyness n timidité f.

sibling n: ~s enfants de mêmes parents mpl.

sibyl n sibylle f.

sick adj malade; écœuré.

sicken vt rendre malade; * vi tomber malade.

sickle n faucille f.

sick leave n congé de maladie m.

sickliness n état maladif m.

sickly adj maladif.

sickness n maladie f.

sick pay n indemnité de maladie f.

side n côté m; flanc m; camp m; parti m; * adj latéral; secondaire; * vi se ranger du côté de.

sideboard n buffet m.

sidelight n veilleuse f.

sidelong adj oblique.

sideways adv de côté, obliquement.

siding n (rail) voie de garage f.

sidle vi avancer de côté; avancer furtivement.

siege n (mil) siège m.

sieve n tamis m; crible m; passoire f; * vt tamiser.

sift vt tamiser; passer au crible; dégager.

sigh vi soupirer, gémir; * n soupir m.

sight n vue f; mire f; spectacle m.

sightless adj aveugle.

sightly adj agréable à regarder; séduisant.

sightseeing *n* tourisme *m*.

sign *n* signe *m*, indication *f*; panneau *m*; geste *m*; trace *f*; * *vt* signer.

signal *n* signal *m*; * *adj* insigne, remarquable.

signalise *vt* signaler.

signal lamp *n* (*rail*) lampe de signalisation *f*.

signalman *n* (*rail*) aiguilleur *m*.

signature *n* signature *f*.

signet *n* sceau *m*.

significance *n* importance *f*.

significant *adj* considérable.

signify *vt* signifier.

signpost *n* poteau indicateur *m*.

silence *n* silence *m*; * *vt* imposer le silence à.

silent *adj* silencieux; ~**ly** *adv* silencieusement.

silex *n* silex *m*.

silicon chip *n* puce *f* électronique.

silk *n* soie *f*.

silken *adj* soyeux; satiné.

silkiness *n* soyeux *m*.

silkworm *n* ver à soie *m*.

silky *adj* soyeux; satiné.

sill *n* rebord *m*; seuil *m*.

silliness *n* stupidité, bêtise, niaiserie *f*.

silly *adj* bête, stupide.

silver *n* argent *m*; * *adj* en argent.

silversmith *n* orfèvre *m*.

silvery *adj* argenté.

similar *adj* semblable; similaire; ~**ly** *adv* de la même façon.

similarity *n* ressemblance *f*.

simile *n* comparaison *f*.

simmer *vi* cuire à feu doux, mijoter.

simony *n* simonie *f*.

simper *vi* minauder; * *n* sourire affecté *m*.

simple *adj* simple; naïf.

simpleton *n* nigaud *m* -e *f*.

simplicity *n* simplicité *f*; naïveté *f*.

simplification *n* simplification *f*.

simplify *vt* simplifier.

simply *adv* simplement; seulement.

simulate *vt* simuler, feindre.

simulation *n* simulation *f*.

simultaneous *adj* simultané.

sin *n* péché *m*; * *vi* pécher.

since *adv* depuis; * *prep* depuis; * *conj* depuis que; puisque.

sincere *adj* ~**ly** *adv* sincère(ment); **yours** ~**ly** veuillez agréer, Monsieur/Madame, l'expression de mes salutations distinguées.

sincerity *n* sincérité *f*.

sinecure *n* sinécure *f*.

sinew *n* tendon *m*.

sinewy *adj* musclé; tendineux.

sinful *adj* coupable, honteux; ~**ly** *adv* honteusement.

sinfulness *n* corruption *f*, péché *m*.

sing *vt vi* chanter; (*poet*) *vt* célébrer.

singe *vt* roussir.

singer *n* chanteur *m* -euse *f*.

singing *n* chant *m*.

single *adj* seul, unique, simple; célibataire; * *n* aller simple *m*; 45 tours *m*; * *vt* distinguer; séparer.

singly *adv* séparément.

singular *adj* singulier, rare; * *n* singulier *m*; ~**ly** *adv* singulièrement.

singularity *n* singularité *f*.

sinister *adj* sinistre; de mauvais augure, funeste.

sink *vi* couler; sombrer; s'affaisser; tomber très bas, baisser; * *vt* couler, faire sombrer; ruiner; * *n* évier *m*.

sinking fund *n* fonds d'amortissement *m*.

sinner *n* pécheur *m*; pécheresse *f*.

sinuosity *n* sinuosité *f*.

sinuous *adj* sinueux.

sinus *n* sinus *m*.

sip *vt* boire à petites gorgées; * *n* petite gorgée *f*.

siphon *n* siphon *m*.

sir *n* monsieur *m*.

sire *n* étalon *m*.

siren *n* sirène *f*.

sirloin *n* aloyau (de bœuf) *m*.

sister *n* sœur *f*.

sister-in-law *n* belle-sœur *f*.

sisterhood *n* solidarité féminine *f*.

sisterly *adj* de sœur.

sit *vi* s'asseoir; se trouver; * *vt* se présenter à.

site *n* emplacement *m*; site *m*.

sit-in *n* sit-in *m*, manifestation avec occupation de lieux publics *f*.

sitting *n* séance, réunion *f*; position assise *f*.

sitting room *n* salle de séjour *f*.

situated *adj* situé.

situation *n* situation *f*.

six *adj n* six *m*.

sixteen *adj n* seize *m*.

sixteenth *adj n* seizième *mf*.

sixth *adj n* sixième *mf*.

sixtieth *adj n* soixantième *mf*.

sixty *adj n* soixante *m*.

size *n* taille, grandeur *f*; volume *m*; dimension *f*; ampleur *f*; étendue *f*.

sizeable *adj* assez grand.

skate *n* patin *m*; * *vi* patiner.

skateboard *n* planche à roulettes *f*, skateboard *m*.

skating *n* patinage *m*.

skating rink *n* patinoire *f*.

skein *n* écheveau *m*.

skeleton *n* squelette *m*.

skeleton key *n* passe(-partout) *m*.

sketch *n* croquis *m*; esquisse *f*; * *vt* equisser, faire un croquis de.

skewer *n* broche *f*; brochette *f*; * *vt* embrocher.

ski *n* ski *m*; * *vi* skier.

ski boot *n* chaussure de ski *f*.

skid *n* dérapage *m*; * *vi* déraper.

skier *n* skieur *m* -euse *f*.

skiing *n* ski *m*.

skill *n* habileté, adresse, dextérité *f*.

skilled *adj* adroit; qualifié.

skilful *adj* ~**ly** *adv* adroit(ement), habile(ment).

skilfulness *n* habileté *f*.

skim *vt* écrémer; effleurer.

skimmed milk *n* lait écrémé *m*.

skimmer *n* écumoire *f*.

skin *n* peau *f*; * *vt* écorcher.

skin diving *n* plongée sous-marine *f*.

skinned *adj* dépouillé.

skinny *adj* maigre, efflanqué.

skip *vi* sautiller, gambader; * *vt* sauter, passer; * *n* saut, bond *m*; benne *f*.

ski pants *npl* fuseau (de ski) *m*.

skipper *n* capitaine *m*.

skirmish *n* escarmouche *f*; * *vi* s'engager dans une escarmouche.

skirt *n* jupe *f*; bordure *f*; * *vt* contourner.

skit *n* parodie, satire *f*.

skittish *adj* espiègle, fantasque; coquet; inconstant; ~**ly** *adv* d'une manière espiègle.

skittle *n* quille *f*.

skulk *vi* se cacher, rôder furtivement.

skull *n* crâne *m*.

skullcap *n* calotte *f*.

sky *n* ciel *m*.

skylight *n* lucarne *f*.

skyrocket *n* fusée *f*.

skyscraper *n* gratte-ciel *m invar*.

slab *n* dalle *f*.

slack *adj* lâche, mou, indolent, négligent.

slack(en) *vt* relâcher; ralentir; diminuer; * *vi* se relâcher; ralentir.

slackness *n* manque d'énergie, ralentissement *m*; laisser-aller *m*.

slag *n* scories *fpl*.

slam *vt* claquer violemment; * *vi* se refermer en claquant.

slander *vt* calomnier, dire du mal de; * *n* calomnie *f*.

slanderer n calomniateur m -trice f.

slanderous adj calomnieux; ~ly adv calomnieusement.

slang n argot m.

slant vi pencher; être incliné; * n inclinaison f; point de vue m.

slanting adj en pente, incliné.

slap n claque f; (on the face) gifle f; * adv en plein; * vt donner une claque à, gifler.

slash vt entailler; * n entaille f.

slate n ardoise f.

slater n ardoisier m.

slating n recouvrement en ardoises m.

slaughter n carnage, massacre m; * vt abattre; massacrer.

slaughterer n tueur, meurtrier m.

slaughterhouse n abattoir m.

slave n esclave mf; * vi travailler comme un nègre.

slaver n bave f; * vi baver.

slavery n esclavage m.

slavish adj servile, d'esclave; ~ly adv servilement.

slavishness n servilité f.

slay vt tuer.

slayer n tueur m -euse f.

sleazy adj louche, sordide.

sledge, sleigh n traîneau m.

sledgehammer n marteau de forgeron m.

sleek adj lisse et brillant, luisant.

sleep vi dormir; * n sommeil m.

sleeper n dormeur m -euse f.

sleepily adv d'un air endormi.

sleepiness n envie de dormir f.

sleeping bag n sac de couchage m.

sleeping pill n somnifère m.

sleepless adj sans sommeil.

sleepwalking n somnambulisme m.

sleepy adj qui a envie de dormir; endormi.

sleet n neige fondue f.

sleeve n manche f.

sleight n: ~ of hand tour de passe-passe m.

slender adj svelte, mince, élancé; faible; ~ly adv faiblement.

slenderness n sveltesse f, minceur f; faiblesse f.

slice n tranche f; spatule f; * vt couper (en tranches).

slide vi glisser; faire des glissades; * n glissade f; coulisse f; diapositive f; toboggan m.

sliding adj glissant; coulissant.

slight adj léger, mince, petit; * n affront m; * vt manquer d'égards pour.

slightly adv légèrement.

slightness n fragilité f; insignifiance f.

slim adj mince; * vi maigrir.

slime n vase f; dépôt visqueux m.

sliminess n viscosité f.

slimming n amaigrissement m.

slimy adj visqueux, gluant.

sling n fronde f; écharpe f; * vt lancer.

slink vi s'en aller furtivement; s'éclipser.

slip vi (se) glisser, se faufiler; * vt glisser; * n glissade f; faux pas m; oubli m; fiche f.

slipper n pantoufle f.

slippery adj glissant.

slipshod adj négligé.

slipway n (mar) cale f.

slit vt fendre, inciser; * n fente, incision f.

slobber n bave f.

sloe n (bot) prunelle f.

slogan n slogan m.

sloop n (mar) sloop m.

slop n fange f; bouillon m; ~s pl eaux sales fpl.

slope n inclinaison f; pente f; déclivité f; versant m; * vt incliner.

sloping adj en pente; incliné.

sloppy adj négligé; peu soigné.

sloth n paresse f.

slouch vi manquer de tenue; se tenir d'une façon négligée.

slovenliness n négligence f; manque de soin m.

388

slovenly *adj* négligé, sale, débraillé.

slow *adj* lent; lourd; ennuyeux; **~ly** *adv* lentement.

slowness *n* lenteur, lourdeur *f*, manque d'intérêt *m*.

slow worm *n* orvet *m*.

slug *n* lingot *m*; limace *f*; jeton *m*; coup *m*.

sluggish *adj* paresseux; léthargique; **~ly** *adv* paresseusement.

sluggishness *n* paresse, mollesse *f*.

sluice *n* écluse *f*; * *vt* lâcher les vannes.

slum *n* taudis *m*; quartier pauvre *m*.

slumber *vi* dormir paisiblement; * *n* sommeil paisible *m*.

slump *n* effrondrement *m*.

slur *vt* dénigrer; calomnier; mal articuler; * *n* calomnie *f*.

slush *n* neige fondante *f*.

slut *n* traînée *f*.

sly *adj* rusé; **~ly** *adv* de façon rusée.

slyness *n* ruse, finesse *f*.

smack *n* léger goût *m*; claque *f*; gros baiser retentissant *m*; * *vi* sentir; embrasser bruyamment; * *vt* donner une claque à.

small *adj* petit, menu.

smallish *adj* assez petit.

smallness *n* petitesse *f*.

smallpox *n* variole *f*.

smalltalk *n* conversation *f* banale.

smart *adj* élégant; rapide; astucieux; vif; * *vi* brûler.

smartly *adv* astucieusement, vivement; avec élégance; habilement.

smartness *n* astuce, vivacité, finesse *f*.

smash *vt* casser, briser; détruire; * *vi* se briser (en mille morceaux), se fracasser; * *n* fracas *m*; coup violent *m*.

smattering *n* connaissances superficielles *fpl*.

smear *n* (*med*) frottis *m*; * *vt* enduire; salir.

smell *vt vi* sentir; * *n* odorat *m*; odeur *f*; mauvaise odeur *f*.

smelly *adj* malodorant.

smelt *n* éperlan *m*; * *vt* fondre.

smelter *n* fondeur *m*.

smile *vi* sourire; * *n* sourire *m*.

smirk *vi* sourire d'un air affecté.

smite *vt* frapper.

smith *n* forgeron *m*.

smithy *n* forge *f*.

smock *n* blouse *f*.

smoke *n* fumée *f*; vapeur *f*; * *vt vi* fumer.

smokeless *adj* sans fumée.

smoker *n* fumeur *m* -euse *f*.

smoke shop *n* (US) bureau de tabac *m*.

smoking: 'no ~' 'interdiction de fumer'.

smoky *adj* enfumé; qui fume.

smooth *adj* lisse, uni, égal; doucereux, mielleux; * *vt* lisser; aplanir; adoucir.

smoothly *adv* facilement; doucement.

smoothness *n* douceur *f*; aspect lisse *m*; air doucereux *m*.

smother *vt* étouffer; réprimer.

smoulder *vi* couver, se consumer.

smudge *vt* étaler; * *n* tache *f*.

smug *adj* suffisant.

smuggle *vt* passer en contrebande.

smuggler *n* contrebandier *m* -ière *f*.

smuggling *n* contrebande *f*.

smut *n* saleté *f*; trace de suie *f*.

smuttiness *n* suie *f*; obscénité *f*.

smutty *adj* noirci; obscène.

snack *n* collation *f*.

snack bar *n* snack-bar *m*.

snag *n* obstacle *m*.

snail *n* escargot *m*.

snake *n* serpent *m*.

snaky *adj* sinueux.

snap *vt* casser net; * *vi* se casser net; claquer; mordre; parler sèchement; **~ one's fingers** faire

claquer ses doigts; * n claquement m; photographie f.
snapdragon n (bot) gueule-de-
loup f.
snap fastener n bouton-pression
m.
snare n piège m; collet m.
snarl vi gronder férocement.
snatch vt saisir; s'emparer de; *
n geste vif m; vol m; fragment
m.
sneak vi se glisser furtivement; *
n faux-jeton m.
sneakers npl chaussures de basket fpl.
sneer vi parler d'un ton méprisant; ricaner.
sneeringly adv d'un ton méprisant.
sneeze vi éternuer.
sniff vt renifler; * vi renifler.
snigger vi ricaner.
snip vt donner de petits coups de
ciseaux dans; * n petit coup de
ciseaux m; petit bout m.
snipe n bécassine f.
sniper n franc-tireur m.
snivel n pleurnicherie f; * vi
pleurnicher.
sniveller n pleurnicheur m -euse
f.
snobbish adj snob.
snooze n petit somme m; * vi faire
un somme.
snore vi ronfler.
snorkel n tube respiratoire m.
snort vi renifler fortement.
snout n museau m; groin m.
snow n neige f; * vi neiger.
snowball n boule de neige f.
snowdrop n (bot) perce-neige m
invar.
snowman n bonhomme de neige
m.
snowplough n chasse-neige m
invar.
snowy adj neigeux; enneigé.
snub vt repousser, rejeter.
snub-nosed adj au nez retroussé.
snuff n tabac à priser m.

snuffbox n tabatière f.
snuffle vi parler d'une voix na-
sillarde, nasiller; renifler.
snug adj confortable, douillet;
bien abrité.
so adv si, tellement, aussi; ainsi.
soak vi tremper; * vt faire tremper.
soap n savon m; * vt savonner.
soap bubble n bulle de savon f.
soap opera n feuilleton à l'eau de
rose m.
soap powder n lessive f.
soapsuds n mousse de savon f.
soapy adj savonneux.
soar vi monter en flèche.
sob n sanglot m; * vi sangloter.
sober adj sobre; sérieux; ~ly adv
sobrement; sérieusement.
sobriety n sobriété f; sérieux,
calme m.
soccer n football m.
sociability n sociabilité f.
sociable adj sociable, liant.
sociably adv sociablement.
social adj social, sociable; ~ly adv
socialement.
socialism n socialisme m.
socialist n socialiste mf.
social work n assistance sociale
f.
social worker n assistant(e)
social(e) m(f).
society n société f; compagnie f.
sociologist n sociologue mf.
sociology n sociologie f.
sock n chaussette f.
socket n prise de courant f.
sod n gazon m.
soda n soude f; eau f de Seltz, soda
m.
soft adj doux, moelleux; aimable,
gentil; ~ly adv doucement; tendrement.
soften vt (r)amollir, adoucir; atténuer.
soft-hearted adj compatissant.
softness n douceur, mollesse f.
soft-spoken adj à la voix douce.
software n logiciel m.

soil *vt* salir, souiller; * *n* salissure, souillure *f*; sol *m*; terre *f*.

sojourn *vi* séjourner; * *n* séjour *m*.

solace *vt* consoler, soulager; * *n* consolation *f*.

solar *adj* solaire.

solder *vt* souder; * *n* soudure *f*.

soldier *n* soldat *m*.

soldierly *adj* militaire.

sole *n* plante du pied *f*; semelle (de chaussure) *f*; sole *f*; * *adj* seul, unique.

solecism *n* (*gr*) solécisme *m*.

solemn *adj* ~**ly** *adv* solennel(lement).

solemnise *vt* solenniser.

solemnity *n* solennité *f*.

solicit *vt* solliciter; quémander.

solicitation *n* sollicitation *f*.

solicitor *n* notaire *m*.

solicitous *adj* plein de sollicitude; ~**ly** *adv* avec sollicitude.

solicitude *n* sollicitude *f*.

solid *adj* solide, compact; * *n* solide *m*; ~**ly** *adv* solidement.

solidify *vt* solidifier.

solidity *n* solidité *f*.

soliloquy *n* soliloque *m*.

solitaire *n* solitaire *m* (jeu).

solitary *adj* solitaire, retiré; * *n* anachorète *m*.

solitude *n* solitude *f*.

solo *n* (*mus*) solo *m*.

solstice *n* solstice *m*.

soluble *adj* soluble.

solution *n* solution *f*.

solve *vt* résoudre.

solvency *n* solvabilité *f*.

solvent *adj* solvable; *n* (*chem*) solvant *m*.

some *adj* du, de la, de l', des; quelques; quelconque; certain(e)s; quelque.

somebody *pn* quelqu'un.

somehow *adv* d'une façon ou d'une autre.

someplace *adv* quelque part.

something *pn* quelque chose.

sometime *adv* au cours de, un jour ou l'autre.

sometimes *adv* quelquefois, parfois.

somewhat *adv* quelque peu.

somewhere *adv* quelque part.

somnambulism *n* somnambulisme *m*.

somnambulist *n* somnambule *mf*.

somnolence *n* somnolence *f*.

somnolent *adj* somnolent.

son *n* fils *m*.

sonata *n* (*mus*) sonate *f*.

song *n* chanson *f*.

son-in-law *n* gendre *m*.

sonnet *n* sonnet *m*.

sonorous *adj* sonore.

soon *adv* bientôt; **as ~ as** dès que.

sooner *adv* plus tôt; plutôt.

soot *n* suie *f*.

soothe *vt* calmer, apaiser; flatter.

soothsayer *n* devin *m*.

sop *n* pain trempé *m*.

sophism *n* sophisme *m*.

sophist *n* sophiste *mf*.

sophistical *adj* sophistiqué.

sophisticate *vt* falsifier; sophistiquer.

sophisticated *adj* sophistiqué.

sophistry *n* sophistique *f*.

sophomore *n* (US) étudiant(e) *m(f)* de seconde année.

soporific *adj* soporifique.

sorcerer *n* sorcier *m*.

sorceress *n* sorcière *f*.

sorcery *n* sorcellerie *f*.

sordid *adj* sordide, sale.

sordidness *n* bassesse *f*, saleté *f*.

sore *n* plaie, blessure *f*; * *adj* douloureux, sensible; contrarié; ~**ly** *adv* fortement.

sorrel *n* (*bot*) oseille *f*; * *adj* alezan, roux.

sorrow *n* peine *f*; chagrin *m*; * *vi* se lamenter.

sorrowful *adj* triste, affligé; ~**ly** *adv* tristement.

sorry *adj* désolé, navré; déplorable; **I am ~** je suis désolé.

sort *n* sorte *f*; genre *m*; espèce *f*; race *f*; manière *f*; * *vt* classer; trier.

soul *n* âme *f*; essence *f*; personne *f*.

sound *adj* sain; solide; valide; ~**ly** *adv* sainement, solidement; * *n* son *m*; bruit *m*; * *vt* sonner (de); * *vi* sonner, retentir; ressembler; sembler.

sound effects *npl* bruitage *m*.

sounding board *n* table d'harmonie *f*; abat-voix *m*.

soundings *npl* (*mar*) sondages *mpl*; (*mar*) fonds *mpl*.

soundness *n* santé *f*; solidité *f*.

soundtrack *n* bande sonore *f*.

soup *n* soupe *f*.

sour *adj* aigre, acide; acerbe; revêche; ~**ly** *adv* aigrement; * *vt* aigrir, faire tourner; * *vi* s'aigrir; tourner.

source *n* source *f*; origine *f*.

sourness *n* acidité, aigreur *f*; acrimonie *f*.

souse *n* (*sl*) soûlard *m* -e *f*; * *vt* mariner; faire tremper.

south *n* sud *m*; * *adj* sud, du sud, au sud; * *adv* au sud; vers le sud.

southerly, southern *adj* du sud, sud, méridional.

southward(s) *adv* vers le sud.

southwester *n* (*mar*) vent du sud-ouest *m*; suroît *m*.

sovereign *adj n* souverain *m* -e *f*.

sovereignty *n* souveraineté *f*.

sow *n* truie *f*.

sow *vt* semer; disperser.

sowing time *n* époque des semailles *f*.

soy *n* soja *m*.

space *n* espace *m*; intervalle *m*; * *vt* espacer.

spacecraft *n* vaisseau spatial *m*.

spaceman/woman *n* astronaute *mf*.

spacious *adj* spacieux, ample; ~**ly** *adv* spacieusement.

spaciousness *n* dimensions spacieuses *fpl*, espace *m*.

spade *n* bêche *f*; pique *m* (carte).

span *n* envergure *f*; * *vt* enjamber; embrasser.

spangle *n* paillette *f*; * *vt* orner de paillettes.

spaniel *n* épagneul *m*.

Spanish *adj* espagnol; * *n* espagnol *m*; Espagnol *m* -e *f*.

spar *n* (*mar*) espar *m*; * *vi* s'entraîner.

spare *vt vi* épargner; ménager; éviter; se passer de; * *adj* de trop; de réserve.

sparing *adj* limité, modéré, économe; ~**ly** *adv* frugalement, avec modération.

spark *n* étincelle *f*.

sparkle *n* scintillement *m*, étincelle *f*; * *vi* étinceler; briller.

spark plug *n* bougie *f*.

sparrow *n* moineau *m*.

sparrowhawk *n* épervier *m*.

sparse *adj* clairsemé; épars; ~**ly** *adv* faiblement.

spasm *n* spasme *m*.

spasmodic *adj* spasmodique.

spatter *vt* éclabousser; * *vi* gicler.

spatula *n* spatule *f*.

spawn *n* frai *m*; * *vt* pondre; engendrer.

spawning *n* frai *m*.

speak *vt* parler; dire; * *vi* parler, s'entretenir; prendre la parole.

speaker *n* haut-parleur *m*; interlocuteur *m* -trice *f*; orateur *m*.

spear *n* lance *f*; harpon *m*; * *vt* transpercer d'un coup de lance.

special *adj* spécial, particulier; ~**ly** *adv* spécialement.

speciality *n* spécialité *f*.

species *n* espèce *f*.

specific *adj* spécifique; * *n* remède spécifique *m*.

specifically *adv* spécifiquement; explicitement.

specification *n* spécification *f*.

specify *vt* spécifier.

specimen *n* spécimen *m*; exemple *m*.

specious *adj* spécieux.

speck(le) *n* grain, tache *f*; * *vt* tacheter, moucheter.

spectacle *n* spectacle *m*.

spectator *n* spectateur *m* -trice *f*.

spectral *adj* spectral; ~ **analysis** *n* analyse spectrale *f*.

spectre *n* spectre *m*.

speculate *vi* spéculer; méditer.

speculation *n* spéculation *f*; conjecture *f*; méditation *f*.

speculative *adj* spéculatif, méditatif.

speculum *n* spéculum *m*.

speech *n* parole *f*; discours *m*; langage *m*; élocution *f*.

speechify *vi* discourir, pérorer.

speechless *adj* muet.

speed *n* vitesse *f*; rapidité *f*; * *vt* presser; accélérer; * *vi* se presser.

speedboat *n* vedette *f*.

speedily *adv* rapidement, vite.

speediness *n* rapidité, promptitude, célérité *f*.

speed limit *n* limitation de vitesse *f*.

speedometer *n* compteur de vitesse *m*.

speedway *n* piste de course *f*.

speedy *adj* rapide, prompt.

spell *n* charme, sortilège *m*; période *f*; * *vt* écrire; épeler; ensorceler, envoûter; * s'écrire; s'épeler.

spelling *n* ortographe *f*.

spend *vt* dépenser; passer; épuiser; gaspiller.

spendthrift *n* dépensier *m* -ière *f*.

spent *adj* épuisé.

sperm *n* sperme *m*.

spermaceti *n* spermaceti *m*.

spew *vi* (*sl*) vomir.

sphere *n* sphère *f*.

spherical *adj* sphérique; ~ly *adv* de forme sphérique.

spice *n* épice *f*; * *vt* épicer.

spick-and-span *adj* impeccable; tiré à quatre épingles.

spicy *adj* épicé.

spider *n* araignée *f*.

spigot *n* clef de robinet *f*.

spike *n* pointe *f*; clou *m*; * *vt* clouter.

spill *vt* renverser, répandre; * *vi* se répandre.

spin *vt* filer; inventer, fabriquer; faire tourner; * *vi* tourner; * *n* tournoiement *m*; tour (en voiture) *m*.

spinach *n* épinard *m*.

spinal *adj* spinal.

spindle *n* fuseau *m*; broche *f*.

spine *n* colonne vertébrale, épine dorsale *f*.

spinet *n* (*mus*) épinette *f*.

spinner *n* fileur *m*; fileuse *f*.

spinning wheel *n* rouet *m*.

spin-off *n* sous-produit *m*.

spinster *n* célibataire *f*.

spiral *adj* ~ly *adv* en spirale.

spire *n* flèche *f*; aiguille *f*; tige *f*.

spirit *n* esprit *m*; âme *f*; caractère *m*, disposition *f*; courage *m*; humeur *f*; * *vt* encourager; animer; ~ **away** faire disparaître comme par enchantement.

spirited *adj* vif, fougueux; ~ly *adv* fougueusement.

spirit lamp *n* lampe à alcool *f*.

spiritless *adj* sans entrain, abattu.

spiritual *adj* ~ly *adv* spirituel(lement).

spiritualist *n* spiritualiste *mf*.

spirituality *n* spiritualité *f*.

spit *n* crachat *m*; salive *f*; * *vt vi* cracher; crépiter.

spite *n* dépit *m*, rancune *f*; **in ~ of** en dépit de, malgré; * *vt* vexer.

spiteful *adj* rancunier, malveillant; ~ly *adv* par méchanceté, par rancune.

spitefulness *n* méchanceté *f*; rancune *f*.

spittle *n* salive *f*; crachat *m*.

splash *vt* éclabousser, faire gicler; * *vi* barboter; * *n* éclaboussure *f*; tache *f*.

spleen *n* rate *f*; spleen *m*.

splendid *adj* splendide, magnifique; ~ly *adv* splendidement.

splendour n splendeur f; magnificence f.

splice vt (mar) épisser, abouter.

splint n éclisse f.

splinter n éclat m; esquille f; écharde f; * vt (vi) (se) fendre en éclats.

split n fente f; rupture f; * vt fendre, diviser; * vi se fendre.

spoil vt abîmer; gâter; gâcher.

spoiled adj abîmé; gâté.

spoke n rayon (de roue) m.

spokesman/woman n porte-parole mf.

sponge n éponge f, * vt éponger; * vi être un parasite.

sponger n parasite m.

sponginess n spongiosité f.

spongy adj spongieux.

sponsor n caution m; parrain m; marraine f.

sponsorship n parrainage m.

spontaneity n spontanéité f.

spontaneous adj ~ly adv spontané(ment).

spool n bobine f; rouleau m.

spoon n cuiller f.

spoonful n cuillerée f.

sporadic(al) adj sporadique.

sport n sport m; jeu m; divertissement, amusement m.

sports car n voiture de sport f.

sports jacket n veste sport f.

sportsman/woman n sportif m -ive f.

sportswear n vêtements de sport mpl.

spot n tache f; point m; endroit m; pois m; * vt apercevoir; tacher.

spotless adj impeccable, immaculé.

spotlight n feu de projecteur m.

spotted, spotty adj tacheté; à pois.

spouse n époux m, épouse f.

spout vi jaillir; gicler; déblatérer; * vt faire jaillir; * n bec m; gargouille f, jet m.

sprain vt fouler; * n entorse f.

sprawl vi s'étaler.

spray n spray m; pulvérisation f; embruns mpl.

spread vt étendre, étaler; répandre, propager; * vi s'étendre, se répandre; * n propagation, diffusion f.

spree n fête f.

sprig n brin m.

sprightliness n vivacité f, entrain m.

sprightly adj alerte, vif, fringant.

spring vi bondir, sauter; provenir, découler; émaner, naître; * n printemps m; élasticité f; ressort m; saut m; source f.

springiness n élasticité f.

springtime n printemps m.

springwater n eau de source f.

springy adj élastique.

sprinkle vt arroser.

sprinkling n arrosage m.

sprout n pousse f, germe m; ~s npl choux de Bruxelles mpl; * vi germer.

spruce adj net, impeccable; ~ly adv tiré à quatre épingles; * vi se mettre sur son trente-et-un.

spruceness n élégance f.

spur n éperon m; ergot (coq) m; stimulant m; * vt éperonner; stimuler.

spurious adj faux, feint; falsifié, de contrefaçon.

spurn vt repousser avec mépris.

sputter vi postillonner; bredouiller; bafouiller.

spy n espion m -ne f; * vt apercevoir; espionner; vi espionner.

squabble vi se disputer, se quereller; * n querelle, dispute f.

squad n escouade f; brigade f; équipe f.

squadron n (mil) escadron m.

squalid adj misérable, sordide.

squall n rafale f; bourrasque f; * vi brailler.

squally adj qui souffle en rafales.

squalor n saleté f; misère f.

squander vt gaspiller, dilapider.

square *adj* carré; catégorique; honnête; * *n* carré *m*; place *f*; équerre *f*; * *vt* cadrer; mettre en ordre, régler; * *vi* cadrer.

squareness *n* forme carrée *f*.

squash *vt* écraser; * *n* squash *m*.

squat *vi* s'accroupir; * *adj* accroupi; trapu, courtaud.

squaw *n* squaw, femme peau-rouge *f*.

squeak *vi* grincer, crier; * *n* cri, couinement *m*.

squeal *vi* pousser un cri aigu, couiner.

squeamish *adj* impressionable; délicat.

squeeze *vt* presser, tordre; comprimer; * *n* pression *f*; serrement de main *m*; cohue *f*.

squid *n* calmar *m*.

squint *adj* atteint de strabisme; * *vi* loucher; * *n* strabisme.

squirrel *n* écureuil *m*.

squirt *vt* faire gicler; * *n* giclée *f*; jet *m*.

stab *vt* poignarder; * *n* coup de couteau *m*.

stability *n* stabilité, solidité *f*.

stable *n* écurie *f*; * *vt* mettre à l'écurie; * *adj* stable.

stack *n* pile *f*; * *vt* empiler.

staff *n* personnel *m*; bâton *m*; soutien *m*.

stag *n* cerf *m*.

stage *n* étape *f*; scène *f*; échafaudage *m*; théâtre *m*; stade *m*; estrade *f*.

stagger *vi* vaciller, tituber; hésiter; * *vt* stupéfier; échelonner.

stagnation *n* stagnation *f*.

stagnant *adj* stagnant.

stagnate *vi* stagner.

staid *adj* posé, sérieux, guindé.

stain *vt* tacher; ternir; * *n* tache *f*.

stainless *adj* sans tache; immaculé.

stair *n* marche *f*; ~s *pl* escalier *m*.

staircase *n* escalier *m*.

stake *n* pieu *m*; enjeu *m*; * *vt* marquer; délimiter.

stale *adj* rassis, rance.

staleness *n* manque de fraîcheur *m*; rance *m*.

stalk *vi* avancer d'un air majestueux; * *n* tige, queue *f*, trognon *m*.

stall *n* stalle *f*; stand, étalage *m*; (fauteuil d') orchestre *m*; emplacement *m*; * *vt* caler; * *vi* caler; atermoyer.

stallion *n* étalon *m*.

stalwart *n* partisan fidèle *m*.

stamen *n* étamine *f*.

stamina *n* résistance *f*.

stammer *vi* bégayer; * *n* bégaiement *m*.

stamp *vt* trépigner; timbrer, affranchir; tamponner; * *vi* trépigner; * *n* timbre *m*; cachet *m*; tampon *m*; empreinte *f*; estampille *f*.

stampede *n* débandade *f*.

stand *vi* être debout, se tenir; se maintenir; résister; être situé, se trouver; rester, durer; s'arrêter, faire halte; * *vt* poser; résister; soutenir, supporter; * *n* position, prise de position *f*; pied, support *m*; étalage *m*; état *m*; tribune *f*; stand *m*.

standard *n* étendard *m*; modèle *m*; étalon *m*; norme *f*; * *adj* normal.

standing *adj* permanent, fixe, établi; en pied; * *n* durée *f*; importance *f*; rang *m*.

standstill *n* arrêt *m*; immobilisation *f*.

staple *n* agrafe *f*; * *adj* principal, de base; * *vt* agrafer.

star *n* étoile *f*; astérisque *m*.

starboard *n* tribord *m*.

starch *n* amidon *m*; * *vt* amidonner.

stare *vi*: **to ~ at** regarder fixement; * *n* regard fixe *m*.

stark *adj* raide, rigide; cru; * *adv* complètement.

starling *n* étourneau *m*.

starry *adj* étoilé.

start *vi* commencer, débuter; sursauter, tressaillir; démarrer, se mettre en route; * *vt* commencer; amorcer; lancer; mettre en marche; * *n* début *m*; ouverture *f*; sursaut *m*; départ *m*; avance *f*.

starter *n* starter, démarreur *m*.

starting point *n* point de départ *m*.

startle *vt* faire sursauter.

startling *adj* surprenant, alarmant.

starvation *n* inanition, faim *f*.

starve *vi* mourir de faim.

state *n* état *m*; condition *f*; pompe *f*, apparat *m*; **the S~s** les Etats-Unis *mpl*; * *vt* déclarer; exposer.

stateliness *n* majesté, grandeur *f*.

stately *adj* majestueux, imposant.

statement *n* déclaration, affirmation *f*.

statesman *n* homme d'État *m*.

statesmanship *n* qualité d'homme politique *f*.

static *adj* statique; * *n* parasites *mpl*.

station *n* station *f*; place, position *f*; condition *f*, rang *m*; situation *f*; condition *f*; (*rail*) gare *f*; * *vt* placer.

stationary *adj* stationnaire, immobile.

stationer *n* papetier *m* -ière *f*.

stationery *n* papeterie *f*.

station wagon *n* (US) break *m*.

statistical *adj* statistique.

statistics *npl* statistiques *fpl*.

statuary *n* statuaire *f*.

statue *n* statue *f*.

stature *n* stature, taille *f*.

statute *n* statut *m*; loi *f*.

stay *n* séjour *m*; ~**s** *npl* corset *m*; * *vi* rester, demeurer; tenir; loger; ~ **in** rester à la maison; ~ **on** rester encore quelque temps; ~ **up** ne pas se coucher.

stead *n* place *f*, lieu *m*.

steadfast *adj* ferme, résolu, inébranlable; ~**ly** *adv* fermement, résolument.

steadily *adv* fermement; régulièrement.

steadiness *n* fermeté, stabilité *f*.

steady *adj* stable, solide; * *vt* affermir.

steak *n* bifteck *m*; steak *m*.

steal *vt vi* voler.

stealth *n* discrétion *f*; **by** ~ à la dérobée.

stealthily *adv* furtivement.

stealthy *adj* furtif.

steam *n* vapeur *f*; buée *f*; * *vt* cuire à la vapeur; * *vi* fumer.

steam engine *n* locomotive à vapeur *f*.

steamer, steamboat *n* (bateau à) vapeur, paquebot *m*.

steel *n* acier *m*; * *adj* d'acier.

steelyard *n* balance romaine *f*.

steep *adj* abrupt; excessif; * *vt* tremper.

steeple *n* clocher *m*; flèche *f*.

steeplechase *n* steeple (course) *m*.

steepness *n* raideur *f*; escarpement *m*.

steer *n* bouvillon *m*; * *vt* conduire; diriger; gouverner; * *vi* tenir le gouvernail.

steering *n* direction *f*.

steering wheel *n* volant *m*.

stellar *adj* stellaire.

stem *n* tige *f*, tronc *m*; souche *f*; pied *m*; tuyau *m*; * *vt* endiguer.

stench *n* odeur fétide *f*.

stencil *n* stencil *m*, pochoir *m*.

stenographer *n* sténographe *mf*.

stenography *n* sténographie *f*.

step *n* pas *m*, marche *f*; trace *f*; * *vi* faire un pas; marcher.

stepbrother *n* demi-frère *m*.

stepdaughter *n* belle-fille *f*.

stepfather *n* beau-père *m*.

stepmother *n* belle-mère *f*.

stepping stone *n* pierre de gué *f*.

stepsister *n* demi-sœur *f*.

stepson *n* beau-fils *m*.

stereo n stéréo f.

stereotype n stéréotype m; * vt stéréotyper.

sterile adj stérile.

sterility n stérilité f.

sterling adj de bon aloi, vrai, véritable; * n livres sterling fpl.

stern adj sévère, rigide, strict; * n (mar) poupe f; ~ly adv sévèrement.

stethoscope n (med) stéthoscope m.

stevedore n (mar) docker m.

stew vt faire cuire à l'étouffée; * n ragoût m.

steward n intendant m; (mar) steward m.

stewardess n hôtesse de l'air f.

stewardship n intendance f.

stick n bâton m; canne f; baguette f; * vt coller; piquer, planter; supporter; * vi tenir; se planter; rester fidèle.

stickiness n viscosité f.

stick-up n braquage m, hold-up m.

sticky adj collant, poisseux.

stiff adj raide, rigide; inflexible; dur; entêté; ~ly adv raidement; obstinément.

stiffen vt raidir, renforcer; * vi se raidir.

stiff neck n torticolis m.

stiffness n raideur, rigidité f; opiniâtreté f.

stifle vt étouffer.

stifling adj suffocant.

stigma n stigmate m.

stigmatise vt stigmatiser.

stile n tourniquet m.

stiletto n stylet m; talon aiguille m.

still vt calmer, apaiser; faire taire; * adj silencieux, calme; * n alambic m; * adv encore; toujours; quand même, tout de même.

stillborn adj mort-né.

stillness n calme m, tranquillité f.

stilts npl échasses fpl.

stimulant n stimulant m.

stimulate vt stimuler.

stimulation n stimulant m; stimulation f.

stimulus n stimulant m.

sting vt piquer; * vi brûler; * n dard m; piqûre f; aiguillon m.

stingily adv avec avarice.

stinginess n mesquinerie, avarice f.

stingy adj mesquin, avare, pingre.

stink vi puer; * n puanteur f.

stint n tâche assignée f.

stipulate vt stipuler.

stipulation n stipulation f.

stir vt remuer; agiter; exciter; * vi remuer, bouger; * n agitation f; émoi m.

stirrup n étrier m.

stitch vt coudre; * n point m; point de suture m.

stoat n hermine f.

stock n réserve f; provision f; bouillon m; souche f; lignée f; capital m; fonds mpl; ~s pl valeurs mobilières fpl; * vt approvisionner, stocker.

stockade n prison militaire f.

stockbroker n agent de change m.

stock exchange n Bourse f.

stockholder n actionnaire mf.

stocking n bas m.

stock market n Bourse f.

stoic n stoïque mf.

stoical adj ~ly adv stoïque(ment).

stoicism n stoïcisme m.

stole n étole f.

stomach n estomac m; ventre m; * vt digérer; endurer.

stone n pierre f; caillou m; noyau m; * adj de pierre; * vt lancer des pierres sur; dénoyauter; empierrer.

stone deaf adj sourd comme un pot.

stoning n empierrement m.

stony adj pierreux, rocailleux; dur.

stool *n* tabouret *m*; rebord, appui *m*.

stoop *vi* se baisser, se pencher; * *n* inclination en avant *f*.

stop *vt* arrêter, interrompre; boucher; * *vi* s'arrêter, cesser; * *n* arrêt *m*; halte *f*; pause *f*; point *m*.

stopover *n* escale; étape *f*.

stoppage, stopping *n* obstruction *f*; engorgement *m*; (*rail*) suppression *f*.

stopwatch *n* chronomètre *m*.

storage *n* emmagasinage *m*; entreposage *m*.

store *n* provision *f*; réserve *f*; entrepôt *m*, magasin *m*; * *vt* mettre en réserve, accumuler, emmagasiner.

storekeeper *n* marchand *m* -e *f*.

storey *n* (UK) étage *m*.

stork *n* cigogne *f*.

storm *n* tempête *f*, orage *m*; assaut *m*; * *vt* prendre d'assaut; * *vi* faire rage.

stormily *adv* violemment.

stormy *adj* orageux; houleux.

story *n* histoire *f*; récit *m*; (US) étage *m*.

stout *adj* corpulent, robuste, vigoureux; solide; ~ly *adv* solidement; vaillamment; résolument.

stoutness *n* vigueur *f*; puissance *f*; corpulence *f*.

stove *n* poêle *m*; cuisinière *f*.

stow *vt* ranger, mettre en place; (*mar*) arrimer.

straggle *vi* être disséminé.

straggler *n* traînard *m* -e *f*.

straight *adj* droit; direct; franc; * *adv* droit; directement.

straightaway *adv* immédiatement, tout de suite.

straighten *vt* redresser.

straightforward *adj* honnête; franc; direct.

straightforwardness *n* honnêteté *f*.

strain *vt* tendre; fouler; forcer; mettre à l'épreuve; * *vi* peiner;

* *n* tension *f*; effort *m*; entorse *f*; contrainte *f*; lignée *f*; accent *m*; ton *m*.

strainer *n* passoire *f*.

strait *n* détroit *m*; embarras *m*; situation critique *f*.

strait-jacket *n* camisole de force *f*.

strand *n* brin *m*; rivage *m*, rive *f*.

strange *adj* inconnu; étrange; ~ly *adv* étrangement, curieusement.

strangeness *n* étrangeté *f*; nouveauté *f*.

stranger *n* inconnu(e) *m(f)*, étranger *m* -ère *f*.

strangle *vt* étrangler.

strangulation *n* strangulation *f*.

strap *n* lanière, sangle *f*; courroie *f*; * *vt* attacher avec une courroie.

strapping *adj* robuste, charpenté.

stratagem *n* stratagème *m*.

strategic *adj* stratégique *m*.

strategy *n* stratégie *f*.

stratum *n* strate *f*.

straw *n* paille *f*.

strawberry *n* fraise *f*.

stray *vi* s'égarer; vagabonder; * *adj* perdu; errant.

streak *n* raie, bande *f*; filet *m*; *vt* strier.

stream *n* ruisseau *m*, rivière *f*; torrent *m*; * *vi* ruisseler.

streamer *n* serpentin *m*.

street *n* rue *f*.

streetcar *n* tramway *m*.

strength *n* force, puissance *f*; vigueur *f*; robustesse *f*.

strengthen *vt* fortifier; confirmer, renforcer.

strenuous *adj* ardu; vigoureux.

stress *n* pression *f*; stress *m*; tension *f*; contrainte *f*; importance *f*; accent *m*; * *vt* souligner; accentuer.

stretch *vt* étendre, étirer; élargir;

forcer; * vi s'étendre, s'étirer; * n extension f; étendue f; période f.

stretcher n brancard m.

strew vt éparpiller; semer.

strict adj strict, sévère; exact, rigoureux, précis; ~ly adv strictement, sévèrement.

strictness n sévérité f; rigueur f.

stride n grand pas m; * vi marcher à grandes enjambées.

strife n conflit m, lutte f.

strike vt frapper; heurter; attaquer; rayer; * vi frapper; se mettre en grève; sonner; * n coup m; grève f; découverte f.

striker n gréviste mf.

striking adj frappant; saisissant; ~ly adv remarquablement.

string n ficelle f; corde f; cordon m; rang m; fibre f; * vt munir d'une corde; enfiler; suspendre.

stringent adj rigoureux.

stringy adj filandreux.

strip vt déshabiller, dévêtir; * vi se déshabiller; * n bande f; langue f; bandelette f.

stripe n raie, rayure f; coup de fouet m; * vt rayer.

strive vi s'efforcer; s'évertuer; lutter, se battre.

stroke n coup m; trait m; course f; caresse f; apoplexie f; * vt caresser.

stroll n petit tour m; * vi flâner.

strong adj fort, vigoureux, robuste; puissant; intense; ~ly adv fortement, énergiquement.

strongbox n coffre-fort m.

stronghold n forteresse f.

strophe n strophe f.

structure n structure f; construction f.

struggle vi lutter; se battre; se démener; * n lutte f.

strum vt (mus) tapoter de.

strut vi se pavaner; * n démarche affectée f.

stub n souche f; bout m; talon m.

stubble n chaume m; barbe de plusieurs jours f.

stubborn adj entêté, obstiné; ~ly adv obstinément.

stubbornness n entêtement m, obstination f.

stucco n stuc m.

stud n clou m; crampon m; écurie f.

student n, adj étudiant m -e f.

stud horse n étalon m.

studio n studio, atelier m.

studio apartment n studio m.

studious adj studieux; sérieux; ~ly adv studieusement, sérieusement.

study n étude f; études fpl; méditation f; * vt étudier; observer; * vi étudier; faire des études.

stuff n matière f; matériaux mpl; étoffe f; * vt (rem)bourrer, remplir; empailler.

stuffing n rembourrage m.

stuffy adj mal aéré; collet monté.

stumble vi trébucher; * n faux pas, trébuchement m.

stumbling block n hésitation f; pierre d'achoppement f.

stump n souche f; moignon m; bout m.

stun vt étourdir; stupéfier.

stunner n personne ou chose extraordinaire f.

stunt n cascade f; coup de publicité m; * vt empêcher de croître.

stuntman n cascadeur m.

stupefy vt hébéter; stupéfier.

stupendous adj prodigieux, remarquable.

stupid adj ~ly adv stupide(ment).

stupidity n stupidité f.

stupor n stupeur f.

sturdily adv fortement.

sturdiness n force, robustesse f; résolution f.

sturdy adj vigoureux, robuste, fort; hardi, résolu.

sturgeon n esturgeon m.

stutter vi bégayer.

sty n porcherie f; taudis m.

stye n orgelet m.

style n style m; mode f; * vt appeler, dénommer; créer, dessiner.

stylish adj élégant, qui a du chic.

suave adj suave.

subdivide vt subdiviser.

subdivision n subdivision f.

subdue vt subjuguer, assujettir; contenir, réfréner; adoucir.

subject adj soumis; sujet à; * n sujet m; thème m; * vt soumettre; exposer.

subjection n sujétion f.

subjugate vt subjuguer, assujettir.

subjugation n subjugation f.

subjunctive n subjonctif m.

sublet vt sous-louer.

sublimate vt sublimer.

sublime adj sublime, suprême; ~ly adv sublimement; * n sublime m.

sublimity n sublimité f.

submachine gun n mitraillette f.

submarine adj n sous-marin m.

submerge vt submerger.

submersion n submersion f.

submission n soumission f.

submissive adj soumis, docile; ~ly adv avec soumission.

submissiveness n docilité f; soumission f.

submit vt soumettre; * vi se soumettre.

subordinate adj subalterne, inférieur; * vt subordonner.

subordination n subordination f.

subpoena n assignation f à comparaître; * vt assigner.

subscribe vi souscrire; * vt apposer; signer.

subscriber n souscripteur m -trice f.

subscription n souscription f.

subsequent adj ~ly adv ultérieur(ement).

subservient adj subordonné; utile.

subside vi s'affaisser, baisser.

subsidence n affaissement m.

subsidiary adj subsidiaire.

subsidise vt subventionner, fournir des subsides à.

subsidy n subvention f; subside m.

subsist vi subsister; exister.

subsistence n existence f; subsistance f.

substance n substance f; fond m; essentiel m.

substantial adj considérable; réel, substantiel; solide; ~ly adv considérablement.

substantiate vt justifier.

substantive n substantif m.

substitute vt substituer; * n remplaçant m -e f.

substitution n substitution f.

substratum n substrat m.

subterfuge n subterfuge m; faux-fuyant m.

subterranean adj souterrain.

subtitle n sous-titre m.

subtle adj subtile.

subtlety n subtilité f.

subtly adv subtilement.

subtract vt (math) soustraire.

suburb n banlieue f.

suburban adj de banlieue.

subversion n subversion f.

subversive adj subversif.

subvert vt subvertir, renverser.

subway n (US) métro m.

succeed vi réussir; succéder; avoir du succès; * vt succéder à, suivre.

success n succès m.

successful adj couronné de succès, qui réussit; ~ly adv avec succès.

succession n succession f.

successive adj successif; ~ly adv successivement.

successor n successeur m.

succinct adj succinct, concis; ~ly adv succinctement.

succulent adj succulent.

succumb vi succomber.

such adj tel, pareil; ~ as tel que.

suck *vt vi* sucer; *vi* téter.
suckle *vt* allaiter.
suckling *n* nourrisson *m*.
suction *n* succion *f*.
sudden *adj* ~**ly** *adv* soudain(ement), subit(ement).
suddenness *n* soudaineté *f*.
suds *npl* mousse de savon *f*.
sue *vt* poursuivre en justice; supplier.
suede *n* daim *m*.
suet *n* graisse de rognon *f* de bœuf.
suffer *vt* souffrir, subir; tolérer, endurer; * *vi* souffrir.
suffering *n* souffrance *f*; douleur *f*.
suffice *vi* suffire, être suffisant.
sufficiency *n* quantité suffisante *f*; aisance *f*.
sufficient *adj* suffisant; ~**ly** *adv* suffisamment.
suffocate *vt vi* étouffer.
suffocation *n* suffocation *f*.
suffrage *n* suffrage, vote *m*.
suffuse *vt* baigner, se répandre sur.
sugar *n* sucre *m*; * *vt* sucrer.
sugar beet *n* betterave à sucre *f*.
sugar cane *n* canne à sucre *f*.
sugar loaf *n* pain de sucre *m*.
sugar plum *n* bonbon *m*.
sugary *adj* sucré.
suggest *vt* suggérer.
suggestion *n* suggestion *f*.
suicidal *adj* suicidaire.
suicide *n* suicide *m*; suicidé *m* -e *f*.
suit *n* procès *m*; pétition *f*; costume *m*; tailleur *m*; requête *f*; * *vt* convenir à; aller à; arranger, adapter.
suitable *adj* qui convient, approprié.
suitably *adv* convenablement.
suitcase *n* valise *f*.
suite *n* suite *f*; escorte *f*; mobilier *m*; cortège *m*.
suitor *n* plaideur *m*; prétendant *m*.

sulkiness *n* bouderie *f*.
sulky *adj* boudeur, maussade.
sullen *adj* maussade; sombre; ~**ly** *adv* d'un air maussade; de mauvaise grâce.
sullenness *n* maussaderie *f*; silence *m*.
sulphur *n* soufre *m*.
sulphurous *adj* sulfureux.
sultan *n* sultan *m*.
sultana *n* sultane *f*; raisin sec *m*.
sultry *adj* étouffant; chaud.
sum *n* somme *f*; total *m*; ~ **up** *vt* résumer; récapituler; * *vi* résumer.
summarily *adv* sommairement.
summary *adj n* résumé *m*.
summer *n* été *m*.
summerhouse *n* gloriette *f*, pavillon de jardin *m*.
summit *n* sommet *m*; cime *f*.
summon *vt* convoquer, citer à comparaître; sommer; (*mil*) sommer de se rendre.
summons *n* convocation *f*; sommation *f*.
sumptuous *adj* somptueux; ~**ly** *adv* somptueusement.
sun *n* soleil *m*.
sunbathe *vi* prendre un bain de soleil, se faire bronzer.
sunburnt *adj* bronzé, hâlé.
Sunday *n* dimanche *m*.
sundial *n* cadran solaire *m*.
sundry *adj* divers, différent.
sunflower *n* tournesol *m*.
sunglasses *npl* lunettes de soleil *fpl*.
sunless *adj* sans soleil.
sunlight *n* lumière du soleil *f*.
sunny *adj* ensoleillé; radieux.
sunrise *n* lever de soleil *m*.
sun roof *n* toit ouvrant *m*.
sunset *n* coucher de soleil *m*.
sunshade *n* parasol *m*.
sunshine *n* (lumière du) soleil *m*; ensoleillement *m*.
sunstroke *n* insolation *f*.
suntan *n* bronzage *m*.
suntan oil *n* huile solaire *f*.

super *adj* (*fam*) sensationnel.
superannuated *adj* en retraite.
superannuation *n* retraite, pension de retraite *f*.
superb *adj* ~**ly** *adv* superbe(ment).
supercargo *n* (*mar*) subrécargue *m*.
supercilious *adj* hautain, dédaigneux; ~**ly** *adv* avec dédain.
superficial *adj* ~**ly** *adv* superficiel(lement).
superfluity *n* surabondance, superfluité *f*.
superfluous *adj* superflu.
superhuman *adj* surhumain.
superintendent *n* directeur *m* -trice *f*.
superior *adj n* supérieur *m* -e *f*.
superiority *n* supériorité *f*.
superlative *adj n* superlatif *m*; ~**ly** *adv* extrêmement, au suprême degré.
supermarket *n* supermarché *m*.
supernatural *n* surnaturel.
supernumerary *adj* surnuméraire.
superpower *n* superpuissance *f*.
supersede *vt* remplacer; supplanter.
supersonic *adj* supersonique.
superstition *n* superstition *f*.
superstitious *adj* superstitieux; ~**ly** *adv* superstitieusement.
superstructure *n* superstructure *f*.
supertanker *n* gros pétrolier, supertanker *m*.
supervene *vi* survenir.
supervise *vt* surveiller, superviser.
supervision *n* surveillance *f*.
supervisor *n* surveillant *m* -e *f*.
supine *adj* couché, étendu sur le dos; indolent.
supper *n* dîner *m*.
supplant *vt* supplanter.
supple *adj* souple, flexible; obséquieux.
supplement *n* supplément *m*.

supplementary *adj* supplémentaire.
suppleness *n* souplesse *f*.
suppli(c)ant *n* suppliant *m* -e *f*.
supplicate *vt* supplier.
supplication *n* supplique, supplication *f*.
supplier *n* fournisseur *m*.
supply *vt* fournir, approvisionner; suppléer à, remédier à; * *n* approvisionnement *m*; provision *f*.
support *vt* soutenir; supporter, appuyer; * *n* appui *m*.
supportable *adj* supportable.
supporter *n* partisan *m*; supporter *m*, adepte *mf*.
suppose *vt vi* supposer.
supposition *n* supposition *f*.
suppress *vt* supprimer.
suppression *n* suppression *f*.
supremacy *n* suprématie *f*.
supreme *adj* ~**ly** *adv* suprême(ment).
surcharge *vt* surcharger; * *n* surtaxe *f*.
sure *adj* sûr, certain; infaillible; **to be** ~ certainement; ~**ly** *adv* sûrement, certainement, sans doute.
sureness *n* certitude, sûreté *f*.
surety *n* certitude *f*; caution *f*.
surf *n* (*mar*) ressac *m*.
surface *n* surface *f*; * *vt* revêtir; * *vi* remonter à la surface.
surfboard *n* planche (de surf) *f*.
surfeit *n* excès *m*.
surge *n* vague, montée *f*; * *vi* déferler.
surgeon *n* chirurgien *m*.
surgery *n* chirurgie *m*.
surgical *adj* chirurgical.
surliness *n* air revêche, bourru *m*.
surly *adj* revêche, bourru.
surmise *vt* conjecturer; * *n* conjecture *f*.
surmount *vt* surmonter.
surmountable *adj* surmontable.
surname *n* nom de famille *m*.
surpass *vt* surpasser, dépasser.

surpassing *adj* sans pareil, incomparable.

surplice *n* surplis *m*.

surplus *n* excédent *m*; surplus *m*; * *adj* en surplus.

surprise *vt* surprendre; * *n* surprise *f*.

surprising *adj* surprenant.

surrender *vt* rendre; céder; * *vi* se rendre; * *n* reddition *f*.

surreptitious *adj* ~ly *adv* subreptice(ment).

surrogate *vt* remplacer; * *n* substitut *m*.

surrogate mother *n* mère porteuse *f*.

surround *vt* entourer, cerner, encercler.

survey *vt* examiner, inspecter; faire le relevé de; * *n* enquête *f*; relevé (des plans) *m*.

survive *vi* survivre; * *vt* survivre à.

survivor *n* survivant *m* -e *f*.

susceptibility *n* sensibilité *f*.

susceptible *adj* sensible.

suspect *vt* soupçonner; * *n* suspect *m* -e *f*.

suspend *vt* suspendre.

suspense *n* incertitude *f*; suspense *m*.

suspension *n* suspension *f*.

suspension bridge *n* pont suspendu *m*.

suspicion *n* soupçon *m*.

suspicious *adj* soupçonneux; ~ly *adv* soupçonneusement.

suspiciousness *n* caractère soupçonneux *m*.

sustain *vt* soutenir, supporter, maintenir; subir.

sustenance *n* (moyens de) subsistance *f*.

suture *n* suture *f*.

swab *n* tampon *m*; prélèvement *m*.

swaddle *vt* emmailloter.

swaddling clothes *npl* langes *mpl*.

swagger *vi* plastronner.

swallow *n* hirondelle *f*; * *vt* avaler.

swamp *n* marais *m*.

swampy *adj* marécageux.

swan *n* cygne *m*.

swap *vt* échanger; * *n* échange *m*.

swarm *n* essaim *m*; grouillement *m*; nuée *f*; * *vi* fourmiller; grouiller de monde; pulluler.

swarthy *adj* basané.

swarthiness *n* teint basané *m*.

swashbuckling *adj* fanfaron.

swath *n* andain *m*.

swathe *vt* emmailloter; * *n* bande *f*.

sway *vt* balancer; * *vi* se balancer, osciller; * *n* balancement *m*; emprise, domination, puissance *f*.

swear *vt* jurer; faire prêter serment; * *vi* jurer.

sweat *n* sueur *f*; * *vi* suer, transpirer.

sweater, sweatshirt *n* pullover *m*.

sweep *vt* balayer; ramoner; * *vi* s'étendre; avancer rapidement, majestueusement; * *n* coup de balai *m*; grand geste *m*; champ *m*.

sweeping *adj* rapide; ~s *pl* balayures *fpl*.

sweepstake *n* sweepstake *m*.

sweet *adj* sucré, doux, agréable; suave; gentil; mélodieux; adorable; * *adv* doux; sucré; * *n* bonbon *m*.

sweetbread *n* ris de veau *m*.

sweeten *vt* sucrer; adoucir; assainir; purifier.

sweetener *n* édulcorant *m*.

sweetheart *n* petit(e) ami(e) *m(f)*; chéri *m* -e *f*.

sweetmeats *npl* sucreries *fpl*.

sweetness *n* goût sucré *m*, douceur *f*.

swell *vi* gonfler; enfler; augmenter; * *vt* gonfler, enfler, grossir; * *n* houle *f*; * *adj* (*fam*) génial, épatant.

swelling n gonflement m; boursouflure, tuméfaction f.
swelter vi étouffer de chaleur.
swerve vi faire un écart; * vt dévier.
swift adj rapide, prompt, vif; * n martinet m.
swiftly adv rapidement.
swiftness n rapidité, promptitude f.
swill vt boire avidemment; * n pâtée f.
swim vi nager; * vt traverser à la nage; * n baignade f.
swimming n natation f, nage f; vertige m.
swimming pool n piscine f.
swimsuit n maillot de bain m.
swindle vt escroquer.
swindler n escroc m.
swine n pourceau, porc m.
swing vi se balancer, osciller; virer; * vt balancer; faire tourner; influencer; * n balancement m; rythme m.
swinging adj (fam) rythmé.
swinging door n porte battante f.
swirl n tourbillon.
switch n baguette f; interrupteur m; (rail) aiguille f; * vt changer de; ~ off éteindre; ~ on allumer.
switchboard n standard (téléphonique) m.
swivel vt faire pivoter.
swoon vi s'évanouir; * n évanouissement m, défaillance f.
swoop vi fondre sur; * n descente en piqué f; descente, rafle f; **in one** ~ d'un seul coup.
sword n épée f.
swordfish n espadon m.

swordsman n tireur d'épée m.
sycamore n sycomore m.
sycophant n sycophante mf.
syllabic adj syllabique.
syllable n syllabe f.
syllabus n programme m (d'un cours).
syllogism n syllogisme m.
sylph n sylphe m; sylphide f.
symbol n symbole m.
symbolic(al) adj symbolique.
symbolise vt symboliser.
symmetrical adj ~ly adv symétrique(ment).
symmetry n symétrie f.
sympathetic adj compatissant; ~ally adv avec compassion.
sympathise vi compatir.
sympathy n compassion f.
symphony n symphonie f.
symptom n symptôme m.
synagogue n synagogue f.
synchronism n synchronisme m.
syndicate n syndicat m.
syndrome n syndrome m.
synod n synode m.
synonym n synonyme m.
synonymous adj synonyme; ~ly adv de façon synonyme.
synopsis n synopsis f; résumé m.
synoptical adj synoptique.
syntax n syntaxe f.
synthesis n synthèse f.
syringe n seringue f; * vt seringuer.
system n système m.
systematic adj ~ally adv systématique(ment).
systems analyst n analyste de systèmes mf.

T

tab n patte f; étiquette f.
tabernacle n tabernacle m.
table n table f; * vt mettre en forme de tableau; ajourner; ~ **d'hôte** repas à prix fixe m.
tablecloth n nappe f.
tablespoon n grande cuiller f.
tablet n tablette f; comprimé m.
table tennis n ping-pong m.
taboo adj n tabou m; * vt proscrire.
tabular adj tabulaire.
tacit adj ~ly adv tacite(ment).
taciturn adj taciturne.
tack n broquette f; bordée f; * vt clouer; * vi tirer des bordées.
tackle n attirail, équipement, matériel m; plaquage m; (mar) appareil de levage m, apparaux mpl.
tactician n tacticien m.
tactics npl tactique f.
tadpole n têtard m.
taffeta n taffetas m.
tag n ferret m; étiquette f; * vt ferrer.
tail n queue f; basque f; * vt suivre, filer.
tailgate n hayon arrière m.
tailor n tailleur m.
tailoring n métier de tailleur m.
tailor-made adj fait sur mesure.
tailwind n vent arrière m.
taint vt infecter, polluer; vicier; * n tache, souillure f.
tainted adj infecté; souillé.
take vt prendre, saisir; apporter, emporter; conduire; enlever, retirer; passer; * vi prendre; ~ **away** vt enlever; emporter; ~ **back** vt reprendre; raccompagner; ~ **down** vt descendre; prendre (notes); ~ **in** vt saisir, comprendre; recevoir; ~ **off** vi décoller; vt enlever; imiter; ~ **on** vt accepter; engager; s'attaquer

à; ~ **out** vt sortir; enlever; ~ **to** vt se prendre d'amitié pour; ~ **up** vt monter; occuper; se mettre à; * n prise f.
takeoff n décollage m.
takeover n prise f de contrôle.
takings npl recette f.
talent n talent m; don m.
talented adj talentueux.
talisman n talisman m.
talk vi parler, bavarder; causer; * n conversation f; discussion f; entretien m.
talkative adj loquace.
talk show n débat télévisé m.
tall adj grand, élevé; incroyable.
tally vi correspondre.
talon n serre f.
tambourine n tambourin m.
tame adj apprivoisé, domestiqué; ~ly adv docilement; fadement; * vt apprivoiser, domestiquer.
tameness n nature apprivoisée f; soumission f.
tamper vi tripoter.
tampon n tampon m.
tan vt vi bronzer; * n bronzage m.
tang n saveur forte f.
tangent n tangente f.
tangerine n mandarine f.
tangible adj tangible.
tangle vt enchevêtrer, embrouiller.
tank n réservoir m; citerne f.
tanker n pétrolier m; camion-citerne m.
tanned adj bronzé.
tantalising adj tentant.
tantamount adj équivalent (à).
tantrum n accès de colère m.
tap vt taper doucement; exploiter; inciser; * n petite tape f; robinet m.
tape n ruban m; * vt enregistrer.
tape measure n mètre à ruban m.

taper n cierge m.

tape recorder n magnétophone m.

tapestry n tapisserie f.

tar n goudron m.

target n cible f.

tariff n tarif m.

tarmac n piste f (d'aéroport).

tarnish vt ternir.

tarpaulin n bâche (goudronnée) f.

tarragon n (bot) estragon m.

tart adj acidulé; * n tarte, tartelette f.

tartar n tartre m.

task n tâche f.

tassel n gland m (décoration).

taste n goût m; saveur f; pincée f; penchant m; * vt sentir le goût de; goûter à; déguster; savourer; * vi avoir du goût.

tasteful adj de bon goût; ~ly adv avec goût.

tasteless adj insipide, sans goût.

tasty adj savoureux.

tattoo n tatouage m; * vt tatouer.

taunt vt railler; accabler de sarcasmes; * n raillerie f, sarcasme m.

Taurus n Taureau m (signe du zodiaque).

taut adj tendu.

tautological adj tautologique.

tautology n tautologie f.

tawdry adj tapageur, voyant, clinquant.

tax n impôt m; contribution f; * vt imposer; mettre à l'épreuve.

taxable adj imposable.

taxation n imposition f.

tax collector n percepteur m.

tax-free adj exonéré d'impôts.

taxi n taxi m; * vi rouler sur la piste.

taxi driver n chauffeur de taxi m.

taxi stand n station de taxis f.

tax payer n contribuable mf.

tax relief n dégrèvement fiscal m.

tax return n déclaration d'impôts f.

tea n thé m.

teach vt enseigner, apprendre; * vi enseigner.

teacher n professeur m; instituteur m -trice f.

teaching n enseignement m.

teacup n tasse à thé f.

teak n teck m.

team n équipe f.

teamster n (US) routier m.

teamwork n travail d'équipe m.

teapot n théière f.

tear vt déchirer; ~ **up** mettre en morceaux.

tear n larme f.

tearful adj larmoyant; ~ly adv en pleurant.

tear gas n gaz lacrymogène m.

tease vt taquiner.

tea-service, tea-set n service à thé m.

teaspoon n petite cuiller f.

teat n tétine f, mamelon m.

technical adj technique.

technicality n technicité f.

technician n technicien m -ne f.

technique n technique f.

technological adj technologique.

technology n technologie f.

teddy (bear) n ours en peluche m.

tedious adj ennuyeux, fastidieux; ~ly adv fastidieusement.

tedium n ennui, manque d'intérêt m.

teem vi grouiller (de).

teenage adj adolescent; ~r n adolescent(e) m(f).

teens npl adolescence (de 13 à 20 ans) f.

tee-shirt n T-shirt m.

teeth npl de **tooth**.

teethe vi faire ses premières dents.

teetotal adj antialcoolique, qui ne boit jamais d'alcool.

teetotaller n personne qui ne boit jamais d'alcool f.

telegram n télégramme m.

telegraph n télégraphe m.

telegraphic adj télégraphique.

telegraphy n télégraphie f.

telepathy n télépathie f.

telephone n téléphone m.

telephone booth n cabine téléphonique f.

telephone call n appel téléphonique m.

telephone directory n annuaire m.

telephone number n numéro de téléphone m.

telescope n télescope m.

telescopic adj télescopique.

televise vt téléviser.

television n télévision f.

television set n téléviseur, poste de télévision m.

telex n télex m; vt envoyer par télex.

tell vt dire; raconter.

teller n (banque) caissier m -ière f.

telling adj révélateur.

telltale adj dénonciateur.

temper vt tempérer, modérer; * n colère f.

temperament n tempérament m.

temperance n tempérance, modération f.

temperate adj tempéré, modéré, mesuré.

temperature n température f.

tempest n tempête f.

tempestuous adj de tempête.

template n gabarit m.

temple n temple m; tempe f.

temporarily adv temporairement.

temporary adj temporaire.

tempt vt tenter.

temptation n tentation f.

tempting adj tentant.

ten adj n dix m.

tenable adj défendable.

tenacious adj tenace, ~ly adv avec ténacité.

tenacity n ténacité f.

tenancy n location f.

tenant n locataire mf.

tend vt garder, surveiller; * vi avoir tendance (à).

tendency n tendance f.

tender adj tendre, délicat; sensible; ~ly adv tendrement; * n offre f; * vt offrir.

tenderness n tendresse f.

tendon n tendon m.

tenement n appartement m.

tenet n doctrine f; principe m.

tennis court n court ou terrain de tennis m.

tennis player n joueur(-euse) de tennis m(f).

tennis racket n raquette de tennis f.

tennis shoes npl chaussures de tennis fpl.

tenor n (mus) ténor m; sens m; substance f.

tense adj tendu; * n (gr) temps m.

tension n tension f.

tent n tente f.

tentacle n tentacule m.

tentative adj timide, hésitant; ~ly adv à titre d'essai.

tenth adj n dixième mf.

tenuous adj ténu.

tenure n titularisation f.

tepid adj tiède.

term n terme m; trimestre m; mot m; condition, clause f; * vt appeler, nommer.

terminal adj terminal; * n aérogare f; terminal m.

terminate vt terminer.

termination n fin, conclusion f.

terrace n terrace f.

terrain n (mil) terrain m.

terrestrial adj terrestre.

terrible adj terrible.

terribly adv terriblement.

terrier n terrier m (chien).

terrific adj terrifiant; fantastique.

terrify vt terrifier, épouvanter.

territorial adj territorial.

territory n territoire m.

terror n terreur f.

terrorise *vt* terroriser.

terrorism *n* terrorisme *m*.

terrorist *n* terroriste *mf*.

terse *adj* concis, net.

test *n* essai *m*; épreuve *f*; * *vt* essayer; examiner.

testament *n* testament *m*.

tester *n* contrôleur *m* -euse *f*.

testicles *npl* testicules *mpl*.

testify *vt* témoigner, déclarer sous serment.

testimonial *n* certificat *m*.

testimony *n* témoignage *m*.

test pilot *n* pilote d'essai *m*.

test tube *n* éprouvette *f*.

testy *adj* irritable.

tetanus *n* tétanos *m*.

tether *vt* attacher.

text *n* texte *m*.

textbook *n* manuel *m*.

textiles *npl* textile *m*.

textual *adj* textuel.

texture *n* texture *f*; (*med*) tissu *m*.

than *adv* que; de.

thank *vt* remercier, dire merci à.

thankful *adj* reconnaissant; ~ly *adv* avec reconnaissance.

thankfulness *n* reconnaissance *f*.

thankless *adj* ingrat.

thanks *npl* remerciement(s) *m(pl)*.

thanksgiving *n* action de grâce *f*.

that *pn* cela, ça, ce; qui, que; celui-là; * *conj* que; afin que; **so ~** pour que.

thatch *n* chaume *m*; * *vt* couvrir de chaume.

thaw *n* dégel *m*; * *vi* fondre, dégeler.

the *art* le, la, l', les.

theatre *n* théâtre *m*.

theatre-goer *n* habitué(e) du théâtre *m(f)*.

theatrical *adj* théâtral.

theft *n* vol *m*.

their *pn* leur(s); ~s le leur; la leur; les leurs; à elles; à eux.

them *pn* les; leur.

theme *n* thème *m*.

themselves *pn pl* eux-mêmes *mpl*, elles-mêmes *fpl*; se.

then *adv* alors, à cette époque-là; ensuite; en ce cas; * *conj* donc; en ce cas; * *adj* d'alors; **now and ~** de temps en temps.

theological *adj* théologique.

theologian *n* théologien *m* -ne *f*.

theology *n* théologie *f*.

theorem *n* théorème *m*.

theoretical *adj* ~ly *adv* théorique(ment).

theorise *vt* théoriser.

theorist *n* théoricien *m* -ne *f*.

theory *n* théorie *f*.

therapeutics *n* thérapeutique *f*.

therapist *n* thérapeute *mf*.

therapy *n* thérapie *f*.

there *adv* y, là.

thereabout(s) *adv* par là, près de là.

thereafter *adv* par la suite; après.

thereby *adv* de cette façon.

therefore *adv* donc, par conséquent.

thermal *adj* thermal.

thermal printer *n* imprimante thermique *f*.

thermometer *n* thermomètre *m*.

thermostat *n* thermostat *m*.

thesaurus *n* trésor *m*; dictionnaire de synonymes *m*.

these *pn pl* ceux-ci, celles-ci.

thesis *n* thèse *f*.

they *pn pl* ils, elles.

thick *adj* épais, gros; dense; obtus.

thicken *vi* (s')épaissir, grossir.

thicket *n* fourré *m*.

thickness *n* épaisseur *f*.

thickset *adj* trapu; râblé.

thick-skinned *adj* endurci, blindé.

thief *n* voleur *m* -euse *f*.

thigh *n* cuisse *f*.

thimble *n* dé (à coudre) *m*.

thin *adj* mince, fin, maigre; clair; * *vt* amincir; délayer; éclaircir.

thing *n* chose *f*; objet *m*; truc *m*.

think *vi* penser, réfléchir, imaginer; * *vt* penser, croire, juger; ~ **over** *vt* réfléchir à; ~ **up** *vt* imaginer.

thinker *n* penseur *m* -euse *f*.

thinking *n* pensée *f*; réflexion *f*; opinion *f*.

third *adj* troisième; * *n* troisième *mf*; tiers *m*; ~**ly** *adv* troisièmement.

third rate *adj* médiocre, de mauvaise qualité.

thirst *n* soif *f*.

thirsty *adj* assoiffé.

thirteen *adj n* treize *m*.

thirteenth *adj n* treizième *mf*.

thirtieth *adj n* trentième *mf*.

thirty *adj n* trente *m*.

this *adj* ce, cet, cette, ces; * *pn* ceci, ce.

thistle *n* chardon *m*.

thorn *n* épine *f*; aubépine *f*.

thorny *adj* épineux.

thorough *adj* consciencieux, approfondi; ~**ly** *adv* minutieusement, à fond.

thoroughbred *adj* pur-sang, de race.

thoroughfare *n* rue, artère *f*.

those *pn pl* ceux-là, celles-la; * *adj* ces, ces... là.

though *conj* bien que, malgré le fait que; * *adv* pourtant.

thought *n* pensée, réflexion *f*; opinion *f*; intention *f*.

thoughtful *adj* pensif.

thoughtless *adj* étourdi; irréfléchi; ~**ly** *adv* étourdiment, à la légère.

thousand *adj n* mille *m*.

thousandth *adj n* millième *mf*.

thrash *vt* battre; rouer de coups.

thread *n* fil *m*; filetage *m*; * *vt* enfiler.

threadbare *adj* râpé, élimé.

threat *n* menace *f*.

threaten *vt* menacer.

three *adj n* trois *m*.

three-dimensional *adj* à trois dimensions, tridimensionnel.

three-ply *adj* à trois fils *ou* épaisseurs.

threshold *n* seuil *m*.

thrifty *adj* économe.

thrill *vt* faire frissonner; * *n* frisson *m*.

thriller *n* film *ou* roman à suspense *m*.

thrive *vi* prospérer; bien se développer.

throat *n* gorge *f*.

throb *vi* palpiter; vibrer; lanciner.

throne *n* trône *m*.

throng *n* foule *f*; * *vi* affluer.

throttle *n* accélérateur *m*; * *vt* étrangler.

through *prep* à travers; pendant; par, grâce à; * *adj* direct; * *adv* complètement.

throughout *prep* partout dans; * *adv* partout.

throw *vt* jeter, lancer, projeter; * *n* jet *m*; lancement *m*; ~ **away** *vt* jeter; ~ **off** *vt* rejeter; ~ **out** *vt* jeter dehors; ~ **up** *vt vi* vomir.

throwaway *adj* jetable.

thru (US) = **through**.

thrush *n* grive *f*.

thrust *vt* pousser violemment; enfoncer; * *n* poussée *f*.

thud *n* bruit sourd *m*.

thug *n* voyou *m*.

thumb *n* pouce *m*.

thumbtack *n* punaise *f*.

thump *n* coup de poing *m*; * *vi* frapper, cogner; * *vt* cogner à.

thunder *n* tonnerre *m*; * *vi* tonner.

thunderbolt *n* foudre *f*.

thunderclap *n* coup de tonnerre *m*.

thunderstorm *n* orage *m*.

thundery *adj* orageux.

Thursday *n* jeudi *m*.

thus *adv* ainsi, de cette manière.

thwart *vt* contrecarrer.

thyme *n* (*bot*) thym *m*.

thyroid *n* thyroïde *f*.

tiara *n* tiare *f*.

tic *n* tic *m*.

tick n tic-tac m; instant m; * vt cocher; ~ **over** vi tourner au ralenti; aller doucement.

ticket n billet, ticket m; étiquette f; carte f.

ticket collector n (rail) contrôleur m -euse f.

ticket office n guichet m.

tickle vt chatouiller.

ticklish adj chatouilleux.

tidal adj (mar) de la marée.

tidal wave n raz-de-marée m.

tide n marée f; (fig) afflux m, cours m.

tidy adj rangé, en ordre; ordonné; soigné.

tie vt attacher, nouer; * vi se nouer; ~ **up** vt ficeler; attacher; amarrer; conclure; * n attache f; lacet m; égalité f.

tier n gradin m; étage m.

tiger n tigre m.

tight adj raide, tendu; serré; hermétique; * adv très fort.

tighten vt (re)serrer, tendre.

tightfisted adj avare.

tightly adv très fort.

tightrope n corde raide f.

tigress n tigresse f.

tile n tuile f; carreau m; * vt couvrir de tuiles.

tiled adj en tuiles, carrelé.

till n caisse f; * vt labourer, cultiver.

tiller n barre du gouvernail f.

tilt vt pencher; * vi s'incliner.

timber n bois de construction m; arbres mpl.

time n temps m; période f; heure f; moment m; (mus) mesure f; **in ~** à temps; **from ~ to ~** de temps en temps; * vt fixer; chronométrer.

time bomb n bombe à retardement f.

time lag n décalage m.

timeless adj éternel.

timely adj opportun.

time off n temps libre m.

timer n sablier m; minuteur m.

time scale n durée f.

time zone n fuseau horaire m.

timid adj timide, timoré; **~ly** adv timidement.

timidity n timidité f.

timing n chronométrage m.

tin n étain m; boîte (de conserve) f.

tinfoil n papier d'aluminium m.

tinge n teinte f.

tingle vi picoter; vibrer, frissonner.

tingling n picotement m; frisson m.

tinker n rétameur m.

tinkle vi tinter.

tinplate n fer-blanc m.

tinsel n guirlande f.

tint n teinte f; * vt teinter.

tinted adj teinté; fumé.

tiny adj minuscule, tout petit.

tip n pointe f, bout m; pourboire m; conseil, tuyau m; * vt donner un pourboire à; pencher; effleurer.

tip-off n avertissement m.

tipsy adj gai, éméché.

tiptop adj excellent, de premier ordre.

tirade n diatribe f.

tire n (US) pneu m; * vt fatiguer; * vi se fatiguer; se lasser.

tireless adj infatigable.

tire pressure n (US) pression f des pneux.

tiresome adj ennuyeux, fatigant.

tiring adj fatigant.

tissue n (US) tissu m (bot); mouchoir m en papier.

tissue paper n papier m de soie.

titbit n friandise f; bon morceau m.

titillate vt titiller.

title n titre m.

title deed n titre de propriété m.

title page n page de titre f.

titter vi rire sottement; * n petit rire sot m.

titular adj titulaire.

to prep à; vers; en; chez; moins; de.

toad n crapaud m.

toadstool n (bot) champignon vénéneux m.

toast vt (faire) griller; porter un toast à la santé de; * n toast m.

toaster n grille-pain m invar.

tobacco n tabac m.

tobacconist n marchand(e) de tabac m(f).

tobacco pouch n blague à tabac f.

tobacco shop n bureau de tabac m.

toboggan n toboggan m, luge f.

today adv aujourd'hui.

toddler n enfant qui commence à marcher m.

toddy n grog m.

toe n orteil m; pointe f.

together adv ensemble; en même temps.

toil vi travailler dur, peiner; se donner du mal; * n dur travail m; labeur m; peine f.

toilet n toilette f; toilettes fpl; * adj de toilette.

toilet bag n trousse de toilette f.

toilet bowl n cuvette des toilettes f.

toilet paper n papier hygiénique m.

toiletries npl articles de toilette mpl.

token n signe m; marque f; souvenir m; bon m; jeton m.

tolerable adj tolérable; passable.

tolerance n tolérance f.

tolerant adj tolérant.

tolerate vt tolérer.

toll n péage m; nombre de victimes m; * vi sonner le glas.

tomato n tomate f.

tomb n tombeau m; tombe f.

tomboy n garçon manqué m.

tombstone n pierre tombale f.

tomcat n matou m.

tomorrow adv, n demain m.

ton n tonne f.

tone n ton m; tonalité f; * vi s'harmoniser; ~ **down** vt adoucir.

tone-deaf adj qui n'a pas l'oreille musicale.

tongs npl pinces fpl.

tongue n langue f.

tongue-tied adj muet.

tongue-twister n phrase difficile à prononcer f.

tonic n (med) tonique m.

tonight adv, n ce soir (m).

tonnage n tonnage m.

tonsil n amygdale f.

tonsure n tonsure f.

too adv aussi; trop.

tool n outil m; ustensile m.

tool box n caisse à outils f.

toot vi klaxonner.

tooth n dent f.

toothache n rage de dents f.

toothbrush n brosse à dents f.

toothless adj édenté.

toothpaste n dentifrice m.

toothpick n cure-dent m.

top n sommet m, cime f; haut m; tête f; dessus m; couvercle m; étage supérieur m; * adj du haut; premier; * vt dépasser; être au sommet de; ~ **off** couronner.

topaz n topaze f.

top floor n dernier étage m.

top-heavy adj instable, déséquilibré.

topic n sujet m; ~**al** adj d'actualité.

topless adj torse nu, aux seins nus.

top-level adj au plus haut niveau.

topmost adj le plus haut.

topographic(al) adj topographique.

topography n topographie f.

topple vt renverser; * vi basculer.

top-secret adj ultra-secret.

topsy-turvy adv sens dessus dessous.

torch n torche f.

torment vt tourmenter; * n tourment m.

tornado n tornade f.

torrent n torrent m.

torrid *adj* torride.

tortoise *n* tortue *f*.

tortoiseshell *adj* en écaille de tortue.

tortuous *adj* tortueux, sinueux.

torture *n* torture *f*; * *vt* torturer.

toss *vt* lancer, jeter; agiter, secouer.

total *adj* total, global; ~**ly** *adv* totalement.

totalitarian *adj* totalitaire.

totality *n* totalité *f*.

totter *vi* chanceler.

touch *vt* toucher; ~ **on** effleurer; ~ **up** retoucher; * *n* toucher *m*; contact *m*; touche *f*.

touch-and-go *adj* incertain, précaire.

touchdown *n* atterrissage *m*; but *m*.

touched *adj* touché; timbré.

touching *adj* touchant, attendrissant.

touchstone *n* pierre de touche *f*.

touchwood *n* amadou *m*.

touchy *adj* susceptible.

tough *adj* dur; pénible; résistant; fort; * *n* dur *m*.

toughen *vt* durcir.

toupee *n* postiche *m*.

tour *n* voyage *m*; visite *f*; * *vt* visiter.

touring *n* tourisme *m*.

tourism *n* tourisme *m*.

tourist *n* touriste *mf*.

tourist office *n* office de tourisme *m*.

tournament *n* tournoi *m*.

tow *n* remorquage *m*; * *vt* remorquer.

toward(s) *prep* vers, dans la direction de; envers, à l'égard de.

towel *n* serviette *f*.

towelling *n* tissu éponge *m*.

towel rack *n* porte-serviette *m* *invar*.

tower *n* tour *f*.

towering *adj* imposant.

town *n* ville *f*.

town clerk *n* secrétaire de mairie *mf*.

town hall *n* mairie *f*.

towrope *n* câble de remorquage *m*.

toy *n* jouet *m*.

toyshop *n* magasin de jouets *m*.

trace *n* trace, piste *f*; * *vt* tracer, esquisser; retrouver.

track *n* trace *f*; empreinte *f*; chemin *m*; voie *f*; piste *f*; * *vt* suivre à la trace.

tracksuit *n* survêtement *m*.

tract *n* étendue *f*, région *f*; brochure *f*.

traction *n* traction *f*.

trade *n* commerce *m*, affaires *fpl*; échange *m*; métier *m*; * *vi* faire le commerce (de), commercer.

trade fair *n* foire commerciale *f*.

trademark *n* marque de fabrique *f*.

trade name *n* raison commerciale *f*.

trader *n* négociant *m* -e *f*.

tradesman *n* fournisseur, commerçant *m*.

trade(s) union *n* syndicat *m*.

trade unionist *n* syndicaliste *mf*.

trading *n* commerce *m*; * *adj* commercial.

tradition *n* tradition *f*.

traditional *adj* traditionnel.

traffic *n* circulation *f*; négoce *m*; * *vi* faire le commerce (de).

traffic circle *n* (US) rond-point *m*.

traffic jam *n* embouteillage *m*.

trafficker *n* trafiquant *m* -e *f*.

traffic lights *npl* feux de signalisation *mpl*.

tragedy *n* tragédie *f*.

tragic *adj* ~**ally** *adv* tragique(ment).

tragicomedy *n* tragi-comédie *f*.

trail *vt* suivre la piste de; traîner; *vi* traîner; * *n* traînée *f*; trace *f*; queue *f*.

trailer *n* remorque *f*; caravane *f*; bande-annonce *f*.

train *vt* entraîner; former; * *n* train *m*; traîne *f*; file *f*.

trained *adj* qualifié; diplômé.

trainee *n* stagiaire *mf*.

trainer *n* entraîneur *m*.

training *n* formation *f*; entraînement *m*.

trait *n* trait *m*.

traitor *n* traître *m*.

tramp *n* clochard *m* -e *f*, (*sl*) putain *f*; * *vi* marcher d'un pas lourd; * *vt* piétiner.

trample *vt* piétiner.

trampoline *n* trampoline *m*.

trance *n* transe *f*; extase *f*.

tranquil *adj* tranquille.

tranquillise *vt* tranquilliser.

tranquilliser *n* tranquillisant *m*.

transact *vt* traiter.

transaction *n* transaction *f*; opération *f*.

transatlantic *adj* transatlantique.

transcend *vt* transcender, dépasser; surpasser.

transcription *n* transcription *f*, copie *f*.

transfer *vt* transférer, déplacer; * *n* transfert *m*; mutation *f*; décalcomanie *f*.

transform *vt* transformer.

transformation *n* transformation *f*.

transfusion *n* transfusion *f*.

transient *adj* transitoire, passager.

transit *n* transit *m*.

transition *n* transition *f*; passage *m*.

transitional *adj* de transition.

transitive *adj* transitif.

translate *vt* traduire.

translation *n* traduction *f*.

translator *n* traducteur *m* -trice *f*.

transmission *n* transmision *f*.

transmit *vt* transmettre.

transmitter *n* transmetteur *m*; émetteur *m*.

transparency *n* transparence *f*; diapositive *f*.

transparent *adj* transparent.

transpire *vi* transpirer; arriver.

transplant *vt* transplanter; * *n* transplantation *f*.

transport *vt* transporter; * *n* transport *m*.

transportation *n* moyen de transport *m*.

trap *n* piège *m*; * *vt* prendre au piège; bloquer.

trap door *n* trappe *f*.

trapeze *n* trapèze *m*.

trappings *npl* ornements *mpl*.

trash *n* camelote *f*; inepties *fpl*.

trash can *n* poubelle *f*.

trashy *adj* sans valeur, de mauvaise qualité.

travel *vi* voyager; * *vt* parcourir; * *n* voyage *m*.

travel agency *n* agence de voyages *f*.

travel agent *n* agent de voyages *m*.

traveller *n* voyageur *m* -euse *f*.

traveller's cheque *n* chèque de voyage *m*.

travelling *n* voyages *mpl*.

travel sickness *n* mal de mer/de l'air *m*.

travesty *n* parodie *f*.

trawler *n* chalutier *m*.

tray *n* plateau *m*; tiroir *m*.

treacherous *adj* traître, perfide.

treachery *n* traîtrise *f*.

tread *vi* marcher; écraser; * *n* pas *m*; bruit de pas *m*; bande de roulement *f*.

treason *n* trahison *f*; **high ~** haute trahison *f*.

treasure *n* trésor *m*; * *vt* conserver précieusement.

treasurer *n* trésorier *m* -ière *f*.

treat *vt* traiter; offrir; * *n* cadeau *m*; plaisir *m*.

treatise *n* traité *m*.

treatment *n* traitement *m*.

treaty *n* traité *m*.

treble *adj* triple; * *vt vi* tripler; * *n* (*mus*) soprano *m*.

treble clef *n* clef de sol *f*.

tree *n* arbre *m*.

trek *n* randonnée *f*.

trellis *n* treillis *m*.

tremble *vi* trembler.

trembling *n* tremblement *m*; frisson *m*.

tremendous *adj* terrible; énorme; formidable.

tremor *n* tremblement *m*.

trench *n* fossé *m*; (*mil*) tranchée *f*.

trend *n* tendance *f*; direction *f*; mode *f*.

trendy *adj* dernier cri.

trepidation *n* vive inquiétude *f*.

trespass *vt* transgresser, violer.

tress *n* boucle de cheveu *f*; **~es** chevelure *f*.

trestle *n* tréteau, chevalet *m*.

trial *n* procès *m*; épreuve *f*; essai *m*; peine *f*.

triangle *n* triangle *m*.

triangular *adj* triangulaire.

tribal *adj* tribal.

tribe *n* tribu *f*.

tribulation *n* tribulation *f*.

tribunal *n* tribunal *m*.

tributary *adj* tributaire *m*.

tribute *n* tribut *m*.

trice *n* instant *m*.

trick *n* ruse, astuce *f*; tour *m*; blague *f*; pli *m*; * *vt* attraper.

trickery *n* supercherie *f*.

trickle *vi* couler goutte à goutte; * *n* filet *m*.

tricky *adj* délicat; difficile.

tricycle *n* tricycle *m*.

trifle *n* bagatelle, vétille *f*; * *vi* jouer; badiner.

trifling *adj* futile, insignifiant.

trigger *n* gâchette *f*; **~ off** *vt* déclencher.

trigonometry *n* trigonométrie *f*.

trill *n* trille *f*; * *vi* triller.

trim *adj* net, soigné; bien tenu; en parfait état; * *vt* arranger; tailler; orner.

trimmings *npl* ornements *mpl*.

Trinity *n* Trinité *f*.

trinket *n* bibelot *m*, babiole *f*; colifichet *m*.

trio *n* (*mus*) trio *m*.

trip *vt* faire trébucher; * *vi* trébucher; faire un faux pas; **~ up** *vi* trébucher; *vt* faire trébucher; * *n* faux pas *m*; voyage *m*.

tripe *n* tripes *fpl*; bêtises *fpl*.

triple *adj* triple; * *vt vi* tripler.

triplets *npl* triplés *mpl*.

triplicate *n* copie en trois exemplaires *f*.

tripod *n* trépied *m*.

trite *adj* banal; usé.

triumph *n* triomphe *m*; * *vi* triompher.

triumphal *adj* triomphal.

triumphant *adj* triomphant; victorieux; **~ly** *adv* triomphalement.

trivia *npl* futilités *fpl*.

trivial *adj* insignifiant, sans importance; **~ly** *adv* banalement.

triviality *n* banalité *f*.

trolley *n* chariot *m*.

trombone *n* trombone *m*.

troop *n* bande *f*; **~s** *npl* troupes *fpl*.

trooper *n* soldat de cavalerie *m*.

trophy *n* trophée *m*.

tropical *adj* tropical.

trot *n* trot *m*; * *vi* trotter.

trouble *vt* affliger; tourmenter; * *n* problème *m*; ennui *m*; difficulté *f*; affliction, peine *f*.

troubled *adj* inquiet; agité.

troublemaker *n* agitateur *m* -trice *f*.

troubleshooter *n* médiateur *m*.

troublesome *adj* pénible.

trough *n* abreuvoir *m*; auge *f*.

troupe *n* troupe *f*.

trousers *npl* pantalon *m*.

trout *n* truite *f*.

trowel *n* truelle *f*.

truce *n* trêve *f*.

truck *n* camion *m*; wagon *m*.

truck driver *n* routier *m*.

truck farm *n* jardin maraîcher *m*.

truculent *adj* brutal, agressif.

trudge *vi* marcher lourdement.

true *adj* vrai, véritable; sincère; exact.

truelove *n* bien-aimé *m* -e *f.*

truffle *n* truffe *f.*

truly *adv* vraiment; sincèrement.

trump *n* atout *m.*

trumpet *n* trompette *f.*

trunk *n* malle *f*, coffre *m*; trompe *f.*

truss *n* botte *f*; * *vt* botteler; trousser.

trust *n* confiance *f*; trust *m*; fidéicommis *m*; * *vt* avoir confiance en; confier à.

trusted *adj* de confiance.

trustee *n* fidéicommissaire *m*, curateur *m* -trice *f.*

trustful *adj* confiant.

trustily *adj* fidèlement.

trusting *adj* confiant.

trustworthy *adj* digne de confiance.

trusty *adj* fidèle, loyal; sûr.

truth *n* vérité *f*; **in ~** en vérité.

truthful *adj* véridique; qui dit la vérité.

truthfulness *n* véracité *f.*

try *vt* essayer, tâcher, chercher à; expérimenter; mettre à l'épreuve; tenter; juger; * *vi* essayer; **~ on** *vt* essayer; **~ out** *vt* essayer; * *n* tentative *f*; essai *m.*

trying *adj* pénible; fatigant.

tub *n* cuve *f*, bac *m*; baignoire *f.*

tuba *n* tuba *m.*

tube *n* tube *m*; métro *m.*

tuberculosis *n* tuberculose *f.*

tubing *n* tuyaux *mpl.*

tuck *n* pli *m*; * *vt* mettre.

tucker *vt* (US) fatiguer.

Tuesday *n* mardi *m.*

tuft *n* touffe *f*; houppe *f.*

tug *vt* remorquer; * *n* remorqueur *m.*

tuition *n* cours, enseignement *m.*

tulip *n* tulipe *f.*

tumble *vi* tomber, faire une chute; se jeter; * *vt* renverser; culbuter; * *n* chute *f*; culbute *f.*

tumbledown *adj* délabré.

tumbler *n* verre *m.*

tummy *n* ventre *m.*

tumour *n* tumeur *f.*

tumultuous *adj* tumultueux.

tuna *n* thon *m.*

tune *n* air *m*; accord *m*; harmonie *f*; * *vt* accorder; syntoniser.

tuneful *adj* mélodieux, harmonieux.

tuner *n* syntoniseur *m.*

tunic *n* tunique *f.*

tuning fork *n* (*mus*) diapason *m.*

tunnel *n* tunnel *m*; * *vt* creuser un tunnel dans.

turban *n* turban *m.*

turbine *n* turbine *f.*

turbulence *n* turbulence, agitation *f.*

turbulent *adj* turbulent, agité.

tureen *n* soupière *f.*

turf *n* gazon *m*; * *vt* gazonner.

turgid *adj* gonflé.

turkey *n* dinde *f.*

turmoil *n* agitation *f*; trouble *m.*

turn *vi* (se) tourner; devenir; changer; se retourner; se changer, se transformer; **~ around** se retourner; tourner; **~ back** revenir; **~ down** *vt* rejeter; rabattre; **~ in** aller se coucher; **~ off** *vi* tourner; *vt* éteindre; fermer; **~ on** *vt* allumer; ouvrir; **~ out** s'avérer; **~ over** *vi* se retourner; *vt* tourner; **~ up** *vi* arriver; se présenter; *vt* monter; * *n* tour *m*; tournure *f*; virage *m*; tendance *f.*

turncoat *n* renégat *m.*

turning *n* embranchement *m.*

turnip *n* navet *m.*

turn-off *n* sortie (d'autoroute) *f*; embranchement *m.*

turnout *n* production *f.*

turnover *n* chiffre d'affaires *m.*

turnpike *n* barrière *f* de péage.

turnstile *n* tourniquet *m.*

turntable *n* platine *f.*

turpentine *n* (essence de) térébenthine *f.*

turquoise *n* turquoise *f.*

turret *n* tourelle *f.*

turtle *n* tortue marine *f.*
turtledove *n* tourterelle *f.*
tusk *n* défense *f.*
tussle *n* lutte *f.*
tutor *n* professeur particulier *m;* directeur d'études *m;* * *vt* enseigner, donner des cours particuliers à.
tuxedo *n* smoking *m.*
twang *n* vibration *f;* ton nasillard *m.*
tweezers *npl* pince à épiler *f.*
twelfth *adj n* douzième *mf.*
twelve *adj n* douze *m.*
twentieth *adj n* vingtième *mf.*
twenty *adj n* vingt *m.*
twice *adv* deux fois.
twig *n* brindille *f;* * *vi* piger.
twilight *n* crépuscule *m.*
twin *n* jumeau *m* -elle *f.*
twine *vi* s'enrouler; serpenter; * *n* ficelle *f.*
twinge *vt* élancer; * *n* élancement *m;* remords *m.*
twinkle *vi* scintiller; clignoter.
twirl *vt* faire tournoyer; * *vi* tournoyer; * *n* tournoiement *m.*
twist *vt* tordre, tortiller; entortiller; * *vi* serpenter; * *n* torsion

f; tournant *m;* rouleau *m.*
twit *n* (*sl*) crétin *m* -e *f.*
twitch *vi* avoir un mouvement nerveux; * *n* tic *m.*
twitter *vi* gazouiller; * *n* gazouillis *m.*
two *adj n* deux *m.*
two-door *adj* à deux portes.
two-faced *adj* hypocrite.
twofold *adj* double; * *adv* au double.
two-seater *n* voiture/avion à deux places *f/m.*
twosome *n* paire *f;* couple *m.*
tycoon *n* magnat *m.*
type *n* type *m;* caractère *m;* exemple *m;* * *vi* taper à la machine.
typecast *adj* enfermé dans un rôle.
typeface *n* police *f* de caractère.
typescript *n* texte dactylographié *m.*
typewriter *n* machine à écrire *f.*
typewritten *adj* dactylographié.
typical *adj* typique.
tyrannical *adj* tyrannique.
tyranny *n* tyrannie *f.*
tyrant *n* tyran *m.*
tyre *n* pneu *m.*

U

ubiquitous *adj* doué d'ubiquité.
udder *n* pis *m.*
ugh *excl* pouah!, berk!
ugliness *n* laideur *f.*
ugly *adj* laid; inquiétant.
ulcer *n* ulcère *m.*
ulterior *adj* ultérieur.
ultimate *adj* final; ~ly *adv* finalement; à la fin.
ultimatum *n* ultimatum *m.*
ultramarine *n, adj* outremer *m.*
ultrasound *n* ultrason *m.*
umbilical cord *n* cordon ombilical *m.*
umbrella *n* parapluie *m.*

umpire *n* arbitre *m.*
umpteen *adj* un très grand nombre de, beaucoup de.
unable *adj* incapable.
unaccompanied *adj* non accompagné, seul.
unaccomplished *adj* inaccompli, inachevé.
unaccountable *adj* inexplicable.
unaccountably   *adv* inexplicablement.
unaccustomed *adj* inaccoutumé, inhabituel.
unacknowledged *adj* non reconnu; (resté) sans réponse.

unacquainted *adj* qui ignore, qui n'a pas connaissance de.

unadorned *adj* sans ornement.

unadulterated *adj* pur; sans mélange.

unaffected *adj* sincère; non affecté.

unaided *adj* sans aide.

unaltered *adj* inchangé.

unambitious *adj* sans ambition.

unanimity *n* unanimité *f*.

unanimous *adj* ~**ly** *adv* unanime(ment).

unanswerable *adj* incontestable.

unanswered *adj* sans réponse.

unapproachable *adj* inaccessible.

unarmed *adj* non armé, désarmé.

unassuming *adj* sans prétention, modeste.

unattached *adj* indépendant; libre.

unattainable *adj* inaccessible.

unattended *adj* sans surveillance.

unauthorised *adj* sans autorisation.

unavoidable *adj* inévitable.

unavoidably *adv* inévitablement.

unaware *adj* ignorant; inconscient.

unawares *adv* à l'improviste; par mégarde.

unbalanced *adj* déséquilibré; non soldé.

unbearable *adj* insupportable.

unbecoming *adj* malséant, déplacé, peu seyant.

unbelievable *adj* incroyable.

unbend *vi* se détendre; * *vt* redresser.

unbiased *adj* impartial.

unblemished *adj* sans tache, sans défaut.

unborn *adj* à naître, pas encore né.

unbreakable *adj* incassable.

unbroken *adj* non brisé; intact; ininterrompu; indompté.

unbutton *vt* déboutonner.

uncalled-for *adj* injustifié.

uncanny *adj* mystérieux.

unceasing *adj* incessant, continu.

unceremonious *adj* brusque.

uncertain *adj* incertain, douteux.

uncertainty *n* incertitude *f*.

unchangeable *adj* immuable.

unchanged *adj* inchangé.

unchanging *adj* invariable, immuable.

uncharitable *adj* peu charitable.

unchecked *adj* non maîtrisé.

unchristian *adj* peu chrétien.

uncivil *adj* impoli, grossier.

uncivilised *adj* barbare, non civilisé.

uncle *n* oncle *m*.

uncomfortable *adj* inconfortable; incommode; désagréable.

uncomfortably *adv* inconfortablement; mal; désagréablement.

uncommon *adj* rare, extraordinaire.

uncompromising *adj* intransigeant.

unconcerned *adj* indifférent.

unconditional *adj* inconditionnel, absolu.

unconfined *adj* illimité, sans bornes.

unconfirmed *adj* non confirmé.

unconnected *adj* sans rapport.

unconquerable *adj* invincible, insurmontable.

unconscious *adj* inconscient; ~**ly** *adv* inconsciemment, sans s'en rendre compte.

unconstrained *adj* non contraint, libre.

uncontrollable *adj* irrésistible; qui ne peut être maîtrisé.

unconventional *adj* peu conventionnel.

unconvincing *adj* peu convaincant.

uncork *vt* déboucher.

uncorrected *adj* non corrigé.

uncouth *adj* grossier.

uncover *vt* découvrir.

uncultivated *adj* inculte.

uncut *adj* non taillé, intégral.

undamaged *adj* non endommagé, indemne.

undaunted *adj* intrépide.

undecided *adj* indécis.

undefiled *adj* pur, immaculé.

undeniable *adj* indéniable, incontestable; ~**bly** *adv* incontestablement.

under *prep* sous; dessous; moins de; selon; * *adv* au-dessous, en dessous.

under-age *adj* mineur.

undercharge *vt* ne pas faire payer assez.

underclothing *n* sous-vêtements *mpl*.

undercoat *n* première couche *f*.

undercover *adj* secret, clandestin.

undercurrent *n* courant sous-marin *m*.

undercut *vt* vendre moins cher que.

underdeveloped *adj* sous-développé, insuffisamment développé.

underdog *n* opprimé *m* -e *f*.

underdone *adj* pas assez cuit.

underestimate *vt* sous-estimer.

undergo *vt* subir; supporter.

undergraduate *n* étudiant(e) en licence *m(f)*.

underground *n* mouvement clandestin *m*.

undergrowth *n* broussailles *fpl*, sous-bois *m*.

underhand *adv* en cachette; * *adj* secret, clandestin.

underlie *vi* être à la base de.

underline *vt* souligner.

undermine *vt* saper.

underneath *adv* (en) dessous; * *prep* sous, au-dessous de.

underpaid *adj* sous-payé.

underprivileged *adj* défavorisé.

underrate *vt* sous-estimer.

undersecretary *n* sous-secrétaire *mf*.

undershirt *n* (US) maillot de corps *m*.

undershorts *npl* (US) caleçon *m*.

underside *n* dessous *m*.

understand *vt* comprendre.

understandable *adj* compréhensible.

understanding *n* compréhension *f*; intelligence *f*; entendement *m*; accord *m*; * *adj* compréhensif.

understatement *n* affirmation en dessous de la vérité *f*.

undertake *vt* entreprendre.

undertaking *n* entreprise *f*; engagement *m*.

undervalue *vt* sous-estimer.

underwater *adj* sous-marin; * *adv* sous l'eau.

underwear *n* sous-vêtements *mpl*, dessous *mpl*.

underworld *n* pègre *f*.

underwrite *vt* souscrire à; assurer contre.

underwriter *n* assureur *m*.

undeserved *adj* immérité; ~**ly** *adv* à tort, indûment.

undeserving *adj* peu méritant.

undesirable *adj* peu souhaitable.

undetermined *adj* indéterminé; indécis.

undigested *adj* non digéré.

undiminished *adj* non diminué.

undisciplined *adj* indiscipliné.

undisguised *adj* non déguisé.

undismayed *adj* non découragé.

undisputed *adj* incontesté.

undisturbed *adj* non dérangé, paisible.

undivided *adj* indivisé, entier.

undo *vt* défaire; détruire.

undoing *n* ruine *f*.

undoubted *adj* ~**ly** *adv* indubitable(ment).

undress *vi* se déshabiller.

undue *adj* excessif; injuste.

undulating *adj* ondulant.

unduly *adv* trop, excessivement.

undying *adj* éternel.

unearth *vt* déterrer.

unearthly *adj* surnaturel.

uneasy *adj* inquiet; troublé, gêné.

uneducated *adj* sans instruction.

unemployed *adj* au chômage.

unemployment *n* chômage *m*.

unending *adj* interminable.

unenlightened *adj* peu éclairé.

unenviable *adj* peu enviable.

unequal *adj* ~ly *adv* iné-gal(ement).

unequalled *adj* inégalé.

unerring *adj* ~ly *adv* infailli-ble(ment).

uneven *adj* inégal; impair; ~ly *adv* inégalement.

unexpected *adj* inattendu; ino-piné; ~ly *adv* de manière inat-tendue; inopinément.

unexplored *adj* inexploré.

unfailing *adj* infaillible, certain.

unfair *adj* injuste; inéquitable; ~ly *adv* injustement.

unfaithful *adj* infidèle.

unfaithfulness *n* infidélité *f*.

unfaltering *adj* ferme, assuré.

unfamiliar *adj* peu familier, peu connu.

unfashionable *adj* démodé; ~bly *adv* sans se préoccuper de la mode.

unfasten *vt* détacher, défaire.

unfathomable *adj* insondable, impénétrable.

unfavourable *adj* défavorable.

unfeeling *adj* insensible, impi-toyable.

unfinished *adj* inachevé, incom-plet.

unfit *adj* inapte; impropre.

unfold *vt* déplier; révéler; * *vi* s'ouvrir.

unforeseen *adj* imprévu.

unforgettable *adj* inoubliable.

unforgivable *adj* impardonnable.

unforgiving *adj* implacable.

unfortunate *adj* malheureux, malchanceux; ~ly *adv* malheu-reusement, par malheur.

unfounded *adj* sans fondement.

unfriendly *adj* inamical.

unfruitful *adj* stérile; infruc-tueux.

unfurnished *adj* non meublé.

ungainly *adj* gauche.

ungentlemanly *adj* peu galant.

ungovernable *adj* ingouverna-ble, indomptable.

ungrateful *adj* ingrat; peu recon-naissant; ~ly *adv* avec ingrati-tude.

ungrounded *adj* infondé.

unhappily *adv* malheureusemnt.

unhappiness *n* tristesse *f*.

unhappy *adj* malheureux.

unharmed *adj* indemne, sain et sauf.

unhealthy *adj* malsain; maladif.

unheard-of *adj* inédit, sans pré-cédent.

unheeding *adj* insouciant; dis-trait.

unhook *vt* décrocher; dégrafer.

unhoped(-for) *adj* inespéré.

unhurt *adj* indemne.

unicorn *n* licorne *f*.

uniform *adj* uniforme; ~ly *adv* uniformément; * *n* uniforme *m*.

uniformity *adj* uniformité *f*.

unify *vt* unifier.

unimaginable *adj* inimaginable.

unimpaired *adj* non diminué, intact.

unimportant *adj* sans impor-tance.

uninformed *adj* mal informé.

uninhabitable *adj* inhabitable.

uninhabited *adj* inhabité, dé-sert.

uninjured *adj* indemne, sain et sauf.

unintelligible *adj* inintelligible.

unintelligibly *adj* inintelligiblement.

unintentional *adj* involontaire.

uninterested *adj* indifférent.

uninteresting *adj* inintéressant.

uninterrupted *adj* ininter-rompu, continu.

uninvited *adj* sans être invité.

union *n* union *f*; syndicat *m*.

unionist *n* syndicaliste *mf*.

unique *adj* unique, exceptionnel.

unison *n* unisson *m*.

unit *n* unité *f.*

unitarian *n* unitarien *m* -ne *f.*

unite *vt* unir; * *vi* s'unir.

unitedly *adv* conjointement, ensemble.

United States (of America) *npl* États-Unis *mpl.*

unity *n* unité, harmonie *f*, accord *m.*

universal *adj* ~**ly** *adv* universel(lement).

universe *n* univers *m.*

university *n* université *f.*

unjust *adj* ~**ly** *adv* injuste(ment).

unkempt *adj* négligé; débraillé.

unkind *adj* peu aimable; méchant.

unknowingly *adv* inconsciemment.

unknown *adj* inconnu.

unlawful *adj* illégal, illicite; ~**ly** *adv* illégalement.

unlawfulness *n* illégalité *f.*

unleash *vt* lâcher, déchaîner.

unless *conj* à moins que/de, sauf.

unlicensed *adj* illicite.

unlike *adj* différent, dissemblable.

unlikelihood *n* improbabilité *f.*

unlikely *adj* improbable; invraisemblable; *adv* improbablement.

unlimited *adj* illimité.

unlisted *adj* ne figurant pas sur une liste/sur l'annuaire.

unload *vt* décharger.

unlock *vt* ouvrir, déverrouiller.

unluckily *adv* malheureusement.

unlucky *adj* malchanceux.

unmanageable *adj* difficile, peu maniable, impossible.

unmannered *adj* mal élevé, impoli.

unmannerly *adj* rustre.

unmarried *adj* célibataire, qui n'est pas marié.

unmask *vt* démasquer.

unmentionable *adj* qu'il ne faut pas mentionner.

unmerited *adj* immérité.

unmindful *adj* oublieux, indifférent.

unmistakable *adj* indubitable ~**ly** *adv* sans aucun doute.

unmitigated *adj* absolu.

unmoved *adj* insensible, impassible.

unnatural *adj* non naturel; pervers; affecté.

unnecessary *adj* inutile, superflu

unneighbourly *adj* peu aimable avec ses voisins, peu sociable.

unnoticed *adj* inaperçu.

unnumbered *adj* innombrable.

unobserved *adj* inaperçu.

unobtainable *adj* impossible à obtenir; introuvable.

unobtrusive *adj* discret.

unoccupied *adj* inoccupé.

unoffending *adj* inoffensif, innocent.

unofficial *adj* non officiel.

unorthodox *adj* hétérodoxe; peu orthodoxe.

unpack *vt* défaire; déballer.

unpaid *adj* non payé.

unpalatable *adj* désagréable au goût.

unparalleled *adj* incomparable; sans pareil.

unpleasant *adj* ~**ly** *adv* désagréable(ment).

unpleasantness *n* caractère désagréable *m.*

unplug *vt* débrancher.

unpolished *adj* non ciré; fruste, rude.

unpopular *adj* impopulaire.

unpractised *adj* inexpérimenté, inexercé.

unprecedented *adj* sans précédent.

unpredictable *adj* imprévisible.

unprejudiced *adj* impartial.

unprepared *adj* qui n'est pas préparé.

unprofitable *adj* inutile; peu rentable.

unprotected *adj* sans protection; exposé.

unpublished *adj* inédit.

unpunished *adj* impuni.

unqualified *adj* non qualifié; inconditionnel.

unquestionable *adj* incontestable, indiscutable; **~ly** *adv* indiscutablement, sans conteste.

unquestioned *adj* incontesté, indiscuté.

unravel *vt* débrouiller.

unread *adj* qui n'a pas été lu; inculte.

unreal *adj* irréel.

unrealistic *adj* irréaliste.

unreasonable *adv* déraisonnable.

unreasonably *adj* déraisonnablement.

unregarded *adj* négligé; dont on fait peu de cas.

unrelated *adj* sans rapport; sans lien de parenté.

unrelenting *adj* implacable.

unreliable *adj* peu fiable.

unremitting *adj* inlassable, constant.

unrepentant *adj* impénitent.

unreserved *adj* sans réserve; franc; **~ly** *adv* sans réserve.

unrest *n* agitation *f*; troubles *mpl*.

unrestrained *adj* non contenu; non réprimé.

unripe *adj* vert, pas mûr.

unrivalled *adj* sans égal, sans pareil.

unroll *vt* dérouler.

unruliness *n* indiscipline *f*; turbulence *f*.

unruly *adj* indiscipliné.

unsafe *adj* dangereux, peu sûr.

unsatisfactory *adj* peu satisfaisant.

unsavoury *adj* désagréable, insipide.

unscathed *adj* indemne.

unscrew *vt* dévisser.

unscrupulous *adj* sans scrupules.

unseasonable *adj* hors de saison, inopportun.

unseemly *adj* inconvenant.

unseen *adj* invisible; inaperçu.

unselfish *adj* généreux.

unsettle *vt* perturber.

unsettled *adj* perturbé; instable; variable.

unshaken *adj* inébranlable, ferme.

unshaven *adj* non rasé.

unsightly *adj* disgracieux, laid.

unskilled *adj* inexpérimenté.

unskilful *adj* maladroit, malhabile.

unsociable *adj* insociable, sauvage.

unspeakable *adj* ineffable, indicible.

unstable *adj* instable.

unsteadily *adv* d'un pas chancelant; d'une manière mal assurée.

unsteady *adj* instable.

unstudied *adj* naturel; spontané.

unsuccessful *adj* infructueux, vain; **~ly** *adv* sans succès.

unsuitable *adj* peu approprié; inopportun.

unsure *adj* peu sûr.

unsympathetic *adj* peu compatissant.

untamed *adj* sauvage.

untapped *adj* non exploité.

untenable *adj* insoutenable.

unthinkable *adj* inconcevable.

unthinking *adj* irréfléchi, étourdi.

untidiness *n* désordre *m*.

untidy *adj* en désordre; peu soigné.

untie *vt* dénouer, défaire.

until *prep* jusqu'à; * *conj* jusqu'à ce que.

untimely *adj* intempestif.

untiring *adj* infatigable.

untold *adj* jamais révélé; indicible; incalculable.

untouched *adj* intact.

untoward *adj* fâcheux; inconvenant.

untried *adj* qui n'a pas été essayé *ou* mis à l'épreuve.

untroubled *adj* tranquille, paisible.

untrue *adj* faux.

untrustworthy *adj* indigne de confiance.

untruth *n* mensonge *m*, fausseté *f*.

unused *adj* neuf, inutilisé.

unusual *adj* inhabituel, exceptionnel; ~ly *adv* exceptionnellement, rarement.

unveil *vt* dévoiler.

unwavering *adj* inébranlable.

unwelcome *adj* importun.

unwell *adj* indisposé, souffrant.

unwieldy *adj* peu maniable.

unwilling *adj* peu disposé; ~ly *adv* de mauvaise grâce.

unwillingness *n* mauvaise grâce, mauvaise volonté *f*.

unwind *vt* dérouler; * *vi* se détendre.

unwise *adj* imprudent.

unwitting *adj* involontaire.

unworkable *adj* impraticable.

unworthy *adj* indigne.

unwrap *vt* défaire.

unwritten *adj* non écrit.

up *adv* en haut, en l'air; levé; * *prep* au haut de; plus loin.

upbringing *n* éducation *f*.

update *vt* mettre à jour.

upheaval *n* bouleversement *m*.

uphill *adj* difficile, pénible; * *adv* en montant.

uphold *vt* soutenir.

upholstery *n* tapisserie *f*.

upkeep *n* entretien *m*.

uplift *vt* élever.

upon *prep* sur.

upper *adj* supérieur; (plus) élevé.

upper-class *adj* aristocratique.

upper-hand *n* (*fig*) dessus *m*.

uppermost *adj* le plus haut, le plus élevé; **to be ~** prédominer.

upright *adj* droit, vertical; droit, honnête.

uprising *n* soulèvement *m*.

uproar *n* tumulte, vacarme *m*.

uproot *vt* déraciner.

upset *vt* renverser; déranger, bouleverser; * *n* désordre *m*; bouleversement *m*; * *adj* vexé; bouleversé.

upshot *n* résultat *m*; aboutissement *m*; conclusion *f*.

upside-down *adv* sens dessus dessous.

upstairs *adv* en haut (d'un escalier).

upstart *n* parvenu *m* -e *f*.

uptight *adj* très tendu.

up-to-date *adj* à jour.

upturn *n* amélioration *f*.

upward *adj* ascendant; **~s** *adv* vers le haut; en montant.

urban *adj* urbain.

urbane *adj* courtois.

urchin *n* gamin *m*; **sea ~** oursin *m*.

urge *vt* pousser; * *n* impulsion *f*; désir ardent *m*.

urgency *n* urgence *f*.

urgent *adj* urgent.

urinal *n* urinoir *m*.

urinate *vi* uriner.

urine *n* urine *f*.

urn *n* urne *f*.

us *pn* nous.

usage *n* utilisation *f*; usage *m*.

use *n* usage *m*; utilisation *f*, emploi *m*; * *vt* se servir de, utiliser.

used *adj* usagé.

useful *adj* ~ly *adv* utile(ment).

usefulness *n* utilité *f*.

useless *adj* ~ly *adv* inutile(ment).

uselessness *n* inutilité *f*.

user-friendly *adj* facile à utiliser.

usher *n* huissier *m*; placeur *m*.

usherette *n* ouvreuse *f*.

usual *adj* habituel, courant; ~ly *adv* habituellement.

usurer *n* usurier *m* -ière *f*.

usurp *vt* usurper.

usury *n* usure *f*.

utensil *n* ustensile *m*.

uterus *n* utérus *m*.

utilise *vt* utiliser.

utility *n* utilité *f*.

utmost *adj* extrême, le plus grand; dernier.

utter *adj* complet; absolu; total;
* *vt* prononcer; proférer; émettre.

utterance *n* expression *f*.
utterly *adv* complètement, tout à
fait.

V

vacancy *n* chambre libre *f*.
vacant *adj* vacant; inoccupé; libre.
vacant lot *n* (US) terrain vague
m.
vacate *vt* quitter; démissionner.
vacation *n* vacances *fpl*.
vacationer *n* vacancier *m* -ière
f.
vaccinate *vt* vacciner.
vaccination *n* vaccination *f*.
vaccine *n* vaccin *f*.
vacuous *adj* vide.
vacuum *n* vide *m*.
vacuum bottle *n* thermos *m*.
vagina *n* vagin *m*.
vagrant *n* vagabond *m* -e *f*.
vague *adj* ~**ly** *adv* vague(ment).
vain *adj* vain, inutile; vaniteux.
valet *n* valet de chambre *m*.
valiant *adj* courageux, brave.
valid *adj* valide, valable.
valley *n* vallée *f*.
valour *n* courage *m*, bravoure *f*.
valuable *adj* précieux, de valeur;
~**s** *npl* objets de valeur *mpl*.
valuation *n* évaluation, estimation *f*.
value *n* valeur *f*; * *vt* évaluer; tenir à, apprécier.
valued *adj* précieux, estimé.
valve *n* soupape *f*.
vampire *n* vampire *m*.
van *n* camionnette *f*.
vandal *n* vandale *mf*.
vandalise *vt* saccager.
vandalism *n* vandalisme *m*.
vanguard *n* avant-garde *f*.
vanilla *n* vanille *f*.
vanish *vi* disparaître, se dissiper.
vanity *n* vanité *f*.

vanity case *n* vanity-case *m*.
vanquish *vt* vaincre.
vantage point *n* position avan-
tageuse *f*.
vapour *n* vapeur *f*.
variable *adj* variable; changeant.
variance *n* désaccord, différend
m.
variation *n* variation *f*.
varicose vein *n* varice *f*.
varied *adj* varié.
variety *n* variété *f*.
variety show *n* spectacle de va-
riétés *m*.
various *adj* divers, différent.
varnish *n* vernis *m*; * *vt* vernir.
vary *vt* *vi* varier; *vi* changer.
vase *n* vase *m*.
vast *adj* vaste; immense.
vat *n* cuve *f*.
vault *n* voûte *f*; cave *f*, caveau *m*;
saut *m*; * *vi* sauter.
veal *n* veau *m*.
veer *vi* (*mar*) virer.
vegetable *adj* végétal; * *n* végétal *m*; ~**s** *pl* légumes *mpl*.
vegetable garden *n* (jardin) potager *m*.
vegetarian *n* végétarien *m* -ne *f*.
vegetate *vi* végéter.
vegetation *n* végétation *f*.
vehemence *n* véhémence, fougue
f.
vehement *adj* véhément, violent;
~**ly** *adv* avec véhémence.
vehicle *n* véhicule *m*.
veil *n* voile *m*; * *vt* voiler, dissimuler.
vein *n* veine *f*; nervure *f*; disposition *f*.
velocity *n* vitesse *f*.

velvet n velours m.

vending machine n distributeur automatique m.

vendor n vendeur m.

veneer n placage m; vernis m.

venerable adj vénérable.

venerate vt vénérer.

veneration n vénération f.

venereal adj vénérien.

vengeance n vengeance f.

venial adj véniel.

venison n venaison f.

venom n venin m.

venomous adj vénéneux; ~ly adv avec animosité.

vent n orifice m; conduit m; * vt (fig) décharger.

ventilate vt aérer.

ventilation n ventilation, aération f.

ventilator n ventilateur m.

ventriloquist n ventriloque mf.

venture n entreprise f; * vi s'aventurer; * vt risquer, hasarder.

venue n lieu m (de réunion).

veranda(h) n véranda f.

verb n (gr) verbe m.

verbal adj verbal, oral; ~ly adv verbalement.

verbatim adv textuellement, mot pour mot.

verbose adj verbeux.

verdant adj verdoyant.

verdict n (law) verdict m; jugement m.

verification n vérification f.

verify vt vérifier.

veritable adj véritable.

vermin n vermine f.

vermouth n vermout(h) m.

versatile adj doué de talents multiples; versatile.

verse n vers m; verset m.

versed adj versé.

version n version f.

versus prep contre.

vertebra n vertèbre f.

vertebral adj vertébral.

vertebrate adj n vertébré m.

vertex n sommet m.

vertical adj ~ly adv vertical(ement).

vertigo n vertige m.

verve n verve f, brio m.

very adj vrai, véritable; exactement, même; * adv très, fort, bien.

vessel n récipient m; vase m; navire m.

vest n gilet m.

vestibule n vestibule m.

vestige n vestige m.

vestment n vêtement de cérémonie m; chasuble f.

vestry n sacristie f.

veteran adj n vétéran m.

veterinarian n vétérinaire mf.

veterinary adj vétérinaire.

veto n véto m; * vt opposer son véto à.

vex vt contrarier.

vexed adj contrarié.

via prep via, par.

viaduct n viaduc m.

vial n fiole, ampoule f.

vibrate vi vibrer.

vibration n vibration f.

vicarious adj par personne interposée.

vice n vice m; défaut m; étau m.

vice-chairman n vice-président m.

vice versa adv vice versa.

vicinity n voisinage m, proximité f.

vicious adj méchant; ~ly adv méchamment.

victim n victime f.

victimise vt prendre pour victime.

victor n vainqueur m.

victorious adj victorieux.

victory n victoire f.

video n vidéo f; vidéocassette f; magnétoscope m.

video tape n bande vidéo f.

viewer n téléspectateur m -trice f.

vie vi rivaliser.

view n vue f; perspective f; opi-

424

nion *f*; panorama *m*; * *vt* voir; examiner.

viewfinder *n* viseur *m*.

viewpoint *n* point de vue *m*.

vigil *n* veille *f*; vigile *f*.

vigilance *n* vigilance *f*.

vigilant *adj* vigilant, attentif.

vigorous *adj* vigoureux; ~ly *adv* vigoureusement.

vigour *n* vigueur *f*; énergie *f*.

vile *adj* vil, infâme; exécrable.

vilify *vt* diffamer.

villa *n* pavillon *m*; maison de campagne *f*.

village *n* village *m*.

villager *n* villageois *m* -e *f*.

villain *n* scélérat *m*.

vindicate *vt* venger, défendre.

vindication *n* défense *f*; justification *f*.

vindictive *adj* vindicatif.

vine *n* vigne *f*.

vinegar *n* vinaigre *m*.

vineyard *n* vignoble *m*.

vintage *n* millésime *m*; époque *f*.

vinyl *n* vinyle *m*.

viola *n* (*mus*) viole *f*.

violate *vt* violer.

violation *n* violation *f*.

violence *n* violence *f*.

violent *adj* violent; ~ly *adv* violemment.

violet *n* (*bot*) violette *f*.

violin *n* (*mus*) violon *m*.

violinist *n* violoniste *mf*.

violoncello *n* (*mus*) violoncelle *m*.

viper *n* vipère *f*.

virgin *n*, *adj* vierge *f*.

virginity *n* virginité *f*.

Virgo *n* Vierge *f* (signe du zodiaque).

virile *adj* viril.

virility *n* virilité *f*.

virtual *adj* virtuel; quasiment; ~ly *adv* de fait, pratiquement.

virtue *n* vertu *f*.

virtuous *adj* vertueux.

virulent *adj* virulent.

virus *n* virus *m*.

vis-à-vis *prep* vis-à-vis.

viscous *adj* visqueux, gluant.

visibility *n* visibilité *f*.

visible *adj* visible.

visibly *adv* visiblement.

vision *n* vision *f*; vue *f*.

visit *vt* visiter; * *n* visite *f*.

visitation *n* visite *f*.

visiting hours *npl* heures *fpl* de visite.

visitor *n* visiteur *m* -euse *f*; touriste *mf*.

visor *n* visière *f*.

vista *n* vue, perspective *f*.

visual *adj* visuel.

visual aid *n* support visuel *m*.

visualise *vt* s'imaginer.

vital *adj* vital; essentiel; indispensable; ~ly *adv* vitalement; ~s *npl* organes vitaux *mpl*.

vitality *n* vitalité *f*.

vital statistics *npl* statistiques démographiques *fpl*.

vitamin *n* vitamine *f*.

vitiate *vt* vicier.

vivacious *adj* vif.

vivid *adj* vif; vivant; frappant; ~ly *adv* de façon éclatante; de façon frappante.

vivisection *n* vivisection *f*.

vocabulary *n* vocabulaire *m*.

vocal *adj* vocal.

vocation *n* vocation *f*; profession *f*, métier *m*; ~al *adj* professionnel.

vocative *n* vocatif *m*.

vociferous *adj* bruyant.

vogue *n* vogue *f*; mode *f*.

voice *n* voix *f*; * *vt* exprimer.

void *adj* vide; * *n* vide *m*.

volatile *adj* volatile; versatile.

volcanic *adj* volcanique.

volcano *n* volcan *m*.

volition *n* volonté *f*.

volley *n* volée *f*; salve *f*; grêle *f*.

volleyball *n* volley-ball *m*.

voltage *n* voltage *m*.

voluble *adj* volubile, loquace.

volume *n* volume *m*.

voluntarily adv volontairement.

voluntary adj volontaire.

volunteer n volontaire mf; * vi se porter volontaire.

voluptuous adj voluptueux.

vomit vt vi vomir; * n vomissement m.

voracious adj ~ly adv vorace(ment).

vortex n tourbillon m.

vote n vote, suffrage m; voix f; * vt voter.

voter n électeur m -trice f.

voting n vote m.

voucher n bon m.

vow n vœu m; * vt jurer.

vowel n voyelle f.

voyage n voyage par mer m; traversée f.

vulgar adj vulgaire; grossier.

vulgarity n grossièreté f; vulgarité m.

vulnerable adj vulnérable.

vulture n vautour m.

W

wad n tampon m; bouchon m, liasse f.

waddle vi se dandiner.

wade vi patauger.

wading pool n petit bassin (pour enfants) m.

wafer n gaufrette f; plaque f.

waffle n gaufre f.

waft vt porter, apporter; * vi flotter.

wag vt vi remuer.

wage n salaire m.

wage earner n salarié m -e f.

wager n pari m; * vt parier.

wages npl salaire m.

waggle vt remuer.

waggon n chariot m; (rail) wagon m.

wail n gémissement m, plainte f; * vi gémir.

waist n taille f.

waistline n taille f.

wait vi attendre; * n attente f; arrêt m.

waiter n serveur m.

waiting list n liste d'attente f.

waiting room n salle d'attente f.

waive vt renoncer à.

wake vi se réveiller; * vt réveiller; * n veillée f; (mar) sillage m.

waken vt réveiller; * vi se réveiller.

walk vi marcher, aller à pied; * vt parcourir; * n promenade f; marche f.

walker n marcheur m -euse f.

walkie-talkie n talkie-walkie m.

walking n marche à pied f.

walking stick n canne f.

walkout n grève f surprise.

walkover n (sl) victoire facile f, gâteau m.

walkway n passage pour piétons m.

wall n mur m; muraille f; paroi f.

walled adj muré.

wallet n portefeuille m.

wallflower n (bot) giroflée f.

wallow vi se vautrer.

wallpaper n papier peint m.

walnut n noix f; noyer m.

walrus n morse m.

waltz n valse f.

wan adj pâle.

wand n baguette (magique) f.

wander vi errer; aller sans but.

wane vi décroître.

want vt vouloir; demander; * vi manquer; * n besoin m; manque m.

wanting *adj* manquant, qui manque, qui fait défaut.

wanton *adj* lascif; capricieux.

war *n* guerre *f*.

ward *n* salle *f*; pupille *mf*.

wardrobe *n* garde-robe *f*, penderie *f*.

warehouse *n* entrepôt *m*.

warfare *n* guerre *f*.

warhead *n* ogive *f*.

warily *adv* avec circonspection.

wariness *n* circonspection, prudence *f*.

warm *adj* chaud; chaleureux; * *vt* réchauffer; ~ **up** *vi* se réchauffer; s'échauffer; s'animer; *vt* réchauffer.

warm-hearted *adj* affectueux.

warmly *adv* chaudement, chaleureusement.

warmth *n* chaleur *f*.

warn *vt* prévenir; avertir.

warning *n* avertissement *m*.

warning light *n* voyant lumineux *m*.

warp *vi* se voiler; * *vt* voiler; fausser.

warrant *n* garantie *f*; mandat *m*.

warranty *n* garantie *f*.

warren *n* terrier *m*.

warrior *n* guerrier *m* -ière *f*.

warship *n* navire de guerre *m*.

wart *n* verrue *f*.

wary *adj* prudent, circonspect.

wash *vt* laver; * *vi* se laver; * *n* lavage *m*; lessive *f*.

washable *adj* lavable.

washbowl *n* lavabo *m*.

washcloth *n* gant de toilette *m*.

washer *n* rondelle *f*.

washing *n* linge à laver *m*; lessive *f*.

washing machine *n* machine à laver *f*.

washing-up *n* vaisselle *f*.

wash-out *n* (*sl*) fiasco *m*.

washroom *n* toilettes *fpl*.

wasp *n* guêpe *f*.

wastage *n* gaspillage *m*; perte *f*.

waste *vt* gaspiller; dévaster, saccager; perdre; * *vi* se perdre; * *n* gaspillage *m*; détérioration *f*; terre inculte *f*; déchets *mpl*.

wasteful *adj* gaspilleur; prodigue; ~**ly** *adv* avec prodigalité.

waste paper *n* vieux papiers *mpl*.

waste pipe *n* tuyau d'échappement *m*.

watch *n* montre *f*; surveillance *f*; garde *f*; * *vt* regarder; observer; surveiller; faire attention à; * *vi* regarder; monter la garde.

watchdog *n* chien de garde *m*.

watchful *adj* vigilant; ~**ly** *adv* avec vigilance.

watchmaker *n* horloger *m*.

watchman *n* veilleur de nuit *m*; gardien *m*.

watchtower *n* tour de guet *f*.

watchword *n* mot de passe *m*; mot d'ordre *m*.

water *n* eau *f*; * *vt* arroser, mouiller; * *vi* pleurer, larmoyer.

water closet *n* W.C. *mpl*.

watercolour *n* aquarelle *f*.

waterfall *n* cascade *f*.

water heater *n* chauffe-eau *m invar*.

watering-can *n* arrosoir *m*.

water level *n* niveau de l'eau *m*.

waterlily *n* nénuphar *m*.

water line *n* ligne de flottaison *f*.

waterlogged *adj* imprégné d'eau.

water main *n* conduite principale d'eau *f*.

watermark *n* filigrane *m*.

watermelon *n* pastèque *f*.

watershed *n* (*fig*) moment *m* critique.

watertight *adj* étanche.

waterworks *npl* usine hydraulique *f*.

watery *adj* aqueux; détrempé; délavé.

wave *n* vague *f*; lame *f*; onde *f*; * *vi* faire signe de la main; onduler; * *vt* agiter.

wavelength *n* longueur d'ondes *f*.

waver *vi* vaciller, osciller.

wavering *adj* hésitant.

wavy *adj* ondulé.

wax *n* cire *f*; * *vt* cirer; * *vi* croître.

wax paper *n* papier paraffiné *m*.

waxworks *n* musée de cire *m*.

way *n* chemin *m*; voie *f*; route *f*; manière *f*; direction *f*; **to give ~** céder.

waylay *vt* attaquer, arrêter au passage.

wayward *adj* capricieux.

we *pn* nous.

weak *adj* **~ly** *adv* faible(ment).

weaken *vt* affaiblir.

weakling *n* personne faible *f*.

weakness *n* faiblesse *f*; point faible *m*.

wealth *n* richesse *f*; abondance *f*.

wealthy *adj* riche.

wean *vt* sevrer.

weapon *n* arme *f*.

wear *vt* porter; user; * *vi* s'user; **~ away** *vt* user; *vi* s'user; **~ down** *vt* user; épuiser; **~ off** *vi* s'effacer; **~ out** *vi* s'user; s'épuiser; *vt* user; * *n* usage *m*; usure *f*.

weariness *n* lassitude *f*; fatigue *f*; ennui *m*.

wearisome *adj* fatigant.

weary *adj* las, fatigué; ennuyeux.

weasel *n* belette *f*.

weather *n* temps *m*; * *vt* surmonter.

weather-beaten *adj* ayant souffert des intempéries.

weathercock *n* girouette *f*.

weather forecast *n* prévisions météorologiques *fpl*.

weave *vt* tisser; entrelacer.

weaving *n* tissage *m*.

web *n* tissu *m*; toile *f* d'araignée; palmure *f*.

wed *vt* épouser; * *vi* se marier.

wedding *n* mariage *m*; noces *fpl*.

wedding day *n* jour du mariage *m*.

wedding dress *n* robe de mariée *f*.

wedding present *n* cadeau de mariage *m*.

wedding ring *n* alliance *f*.

wedge *n* cale *f*; * *vt* caler; enfoncer.

wedlock *n* mariage *m*.

Wednesday *n* mercredi *m*.

wee *adj* petit.

weed *n* mauvaise herbe *f*; * *vt* désherber.

weedkiller *n* désherbant *m*.

weedy *adj* envahi par les mauvaises herbes.

week *n* semaine *f*; **tomorrow ~** demain en huit; **yesterday ~** il y a eu une semaine hier.

weekday *n* jour de semaine, jour ouvrable *m*.

weekend *n* week-end *m*, fin de semaine *f*.

weekly *adj* de la semaine, hebdomadaire; * *adv* chaque semaine, par semaine.

weep *vt vi* pleurer.

weeping willow *n* saule pleureur *m*.

weigh *vt vi* peser.

weight *n* poids *m*.

weightily *adv* pesamment.

weightlifter *n* haltérophile *m*.

weighty *adj* lourd; important.

welcome *adj* opportun; **~!** bienvenue !; * *n* accueil *m*; * *vt* accueillir.

weld *vt* souder; * *n* soudure *f*.

welfare *n* bien-être *m*; assistance sociale *f*.

welfare state *n* État-providence *m*.

well *n* source *f*; fontaine *f*; puits *m*; * *adj* bien, bon; * *adv* bien; **as ~ as** aussi bien que, en plus de, comme.

well-behaved *adj* bien élevé, sage.

well-being *n* bien-être *m*.

well-bred *adj* bien élevé.

well-built *adj* bien bâti, solide.

well-deserved *adj* bien mérité.

well-dressed *adj* bien habillé.

well-known *adj* connu, célèbre.

well-mannered *adj* poli, bien élevé.

well-meaning *adj* bien intentionné.

well-off adj aisé, dans l'aisance.

well-to-do adj aisé, riche.

well-wisher n admirateur m
-trice f.

wench n jeune fille, jeune femme
f.

west n ouest, Occident m; * adj
ouest, de/à l'ouest; * adv vers/à
l'ouest.

westerly, western adj (d')ouest.

westward adv vers l'ouest.

wet adj mouillé, humide; * n humidité f; * vt mouiller.

wetnurse n nourrice f.

wet suit n combinaison de plongée f.

whack vt donner un grand coup
à; * n grand coup m.

whale n baleine f.

wharf n quai m.

what pn qu'est-ce qui,(qu'est-ce)
que, quoi; que, qui; ce qui, ce
que; quel(le), que; * adj quel(s),
quelle(s); * excl quoi! comment!.

whatever pn quoi que; tout; n'importe quoi.

wheat n blé m.

wheedle vt cajoler, câliner.

wheel n roue f; volant m; gouvernail m; * vt tourner; pousser,
rouler; * vi tourner en rond,
tournoyer.

wheelbarrow n brouette f.

wheelchair n fauteuil roulant m.

wheelclamp n sabot m.

wheeze vi respirer bruyamment.

when adv, conj quand.

whenever adv quand; chaque fois
que.

where adv où; * conj où; any~
n'importe où; **every~** partout.

whereabout(s) adv où.

whereas conj tandis que; attendu
que.

whereby pn par lequel (laquelle),
au moyen duquel (de laquelle).

wherever adv où que.

whereupon conj sur quoi; après
quoi.

wherewithal npl ressources fpl.

whet vt aiguiser.

whether conj si.

which pn lequel, laquelle; celui/
celle(s)/ceux que, celui/celle(s)/
ceux qui; ce qui, ce que; quoi, ce
dont * adj quel(s), quelle(s).

whiff n bouffée, odeur f.

while n moment m; **a ~** quelque
temps; * conj pendant que; alors
que; quoique.

whim n caprice m.

whimper vi gémir, pleurnicher.

whimsical adj capricieux, fantasque.

whine vi gémir, se plaindre; * n
gémissement m, plainte f.

whinny vi hennir.

whip n fouet m; cravache f; * vt
fouetter; battre.

whipped cream n crème fouet-
tée f.

whirl vi tourbillonner, tournoyer;
aller à toute allure; * vt faire
tourbillonner, faire tournoyer.

whirlpool n tourbillon m.

whirlwind n tornade f.

whisper vi chuchoter; murmurer.

whispering n chuchotement m;
murmure m.

whistle vi siffler; * n sifflement
m.

white adj blanc; pâle; * n blanc
m; blanc d'œuf m.

white elephant n bibelot m.

white-hot adj chauffé à blanc.

white lie n petit mensonge, mensonge innocent m.

whiten vt vi blanchir.

whiteness n blancheur f; pâleur f.

whitewash n blanc de chaux m;
* vt blanchir à la chaux; disculper.

whiting n merlan m.

whitish adj blanchâtre.

who pn qui.

whoever pn quiconque, qui que
ce soit, quel(le) que soit.

whole adj tout, entier; intact,
complet; sain; * n tout m; ensemble m.

wholehearted *adj* sincère.
wholemeal *adj* complet.
wholesale *n* vente en gros *f.*
wholesome *adj* sain, salubre.
wholewheat *adj* complet.
wholly *adv* complètement.
whom *pn* qui; que.
whooping cough *n* coqueluche *f.*
whore *n* putain *f.*
why *n* pourquoi *m*; * *conj* pourquoi; * *excl* eh bien!, tiens!
wick *n* mèche *f.*
wicked *adj* méchant, mauvais; ~**ly** *adv* méchamment.
wickedness *n* méchanceté, perversité *f.*
wicker *n* osier *m*; * *adj* en osier.
wide *adj* large, ample; grand; ~**ly** *adv* partout; **far and** ~ de tous côtés.
wide-awake *adj* bien réveillé.
widen *vt* élargir, agrandir.
wide open *adj* grand ouvert.
widespread *adj* très répandu.
widow *n* veuve *f.*
widower *n* veuf *m.*
width *n* largeur *f.*
wield *vt* manier, brandir.
wife *n* femme *f*; épouse *f.*
wig *n* perruque *f.*
wiggle *vt* agiter; * *vi* s'agiter.
wild *adj* sauvage, féroce; désert; fou; furieux.
wilderness *n* étendue déserte *f.*
wild life *n* faune *f.*
wildly *adv* violemment; furieusement; follement.
wilful *adj* délibéré; entêté.
wilfulness *n* obstination *f.*
wiliness *n* ruse, astuce *f.*
will *n* volonté *f*; testament *m*; * *vt* vouloir.
willing *adj* prêt, disposé; ~**ly** *adv* volontiers, de bon cœur.
willingness *n* bonne volonté *f*, empressement *m.*
willow *n* saule *m.*
willpower *n* volonté *f.*
wilt *vi* se fâner.

wily *adj* astucieux.
win *vt* gagner, conquérir; remporter. –
wince *vi* tressaillir.
winch *n* treuil *m.*
wind *n* vent *m*; souffle *m*; gaz *mpl.*
wind *vt* enrouler; envelopper; donner un tour de; * *vi* serpenter.
windfall *n* fruit abattu par le vent *m*; (*fig*) aubaine *f.*
winding *adj* tortueux.
windmill *n* moulin à vent *m.*
window *n* fenêtre *f.*
window box *n* jardinière *f.*
window cleaner *n* laveur(-euse) *m(f)* de carreaux.
window ledge *n* appui *m* de fenêtre.
window pane *n* carreau *m.*
window sill *n* rebord *m* de fenêtre.
windpipe *n* trachée *f* artère.
windscreen *n* pare-brise *m invar.*
windscreen washer *n* lave-glace *m invar.*
windscreen wiper *n* essuie-glace *m invar.*
windy *adj* venteux.
wine *n* vin *m.*
wine cellar *n* cave (à vin) *f.*
wine glass *n* verre à vin *m.*
wine list *n* carte des vins *f.*
wine merchant *n* négociant en vins *m.*
wine tasting *n* dégustation de vins *f.*
wing *n* aile *f.*
winged *adj* ailé.
winger *n* ailier *m.*
wink *vi* faire un clin d'œil; * *n* clin d'œil *m*; clignement *m.*
winner *n* gagnant *m* -e *f*; vainqueur *m.*
winning post *n* poteau d'arrivée *m.*
winter *n* hiver *m*; * *vi* hiverner.
winter sports *npl* sports d'hiver *mpl.*

wintry *adj* d'hiver, hivernal.

wipe *vt* essuyer; effacer.

wire *n* fil *m*; télégramme *m*; * *vt* installer des fils électriques à; télégraphier.

wiring *n* installation électrique *f*.

wiry *adj* effilé et nerveux.

wisdom *n* sagesse, prudence *f*.

wisdom teeth *npl* dents de sagesse *fpl*.

wise *adj* sage, avisé, judicieux, prudent.

wisecrack *n* bon mot *m*, plaisanterie *f*.

wish *vt* souhaiter, désirer; * *n* souhait, désir *m*.

wishful *adj* désireux.

wisp *n* brin *m*; mince volute *f*.

wistful *adj* nostalgique, rêveur.

wit *n* esprit *m*, intelligence *f*.

witch *n* sorcière *f*.

witchcraft *n* sorcellerie *f*.

with *prep* avec; à; de; contre.

withdraw *vt* retirer; rappeler; annuler; * *vi* se retirer.

withdrawal *n* retrait *m*.

withdrawn *adj* réservé.

wither *vi* se flétrir, se faner.

withhold *vt* détenir, retenir, empêcher.

within *prep* à l'intérieur de; * *adv* dedans; à l'intérieur.

without *prep* sans.

withstand *vt* résister à.

witless *adj* sot, stupide.

witness *n* témoin *m*; témoignage *m*; * *vt* être témoin de; attester.

witness stand *n* barre des témoins *f*.

witticism *n* mot d'esprit *m*.

wittily *adv* spirituellement.

wittingly *adv* sciemment, à dessein.

witty *adj* spirituel, plein d'esprit.

wizard *n* sorcier, magicien *m*.

wobble *vi* trembler.

woe *n* malheur *m*; affliction *f*.

woeful *adj* triste, malheureux; **~ly** *adv* tristement.

wolf *n* loup *m*; **she ~** louve *f*.

woman *n* femme *f*.

womanish *adj* de femme.

womanly *adj* féminin, de femme.

womb *n* utérus *m*.

women's lib *n* mouvement de libération de la femme *m*.

wonder *n* merveille *f*; miracle *m*; émerveillement *m*; * *vi* s'émerveiller.

wonderful *adj* merveilleux; **~ly** *adv* merveilleusement.

wondrous *adj* merveilleux.

won't *abrev* de **will not**.

wont *n* coutume *f*.

woo *vt* faire la cour à.

wood *n* bois *m*.

wood alcohol *n* alcool méthylique *m*.

wood carving *n* sculpture sur bois *f*.

woodcut *n* gravure sur bois *f*.

woodcutter *n* bûcheron *m*.

wooded *adj* boisé.

wooden *adj* de bois, en bois.

woodland *n* région boisée *f*.

woodlouse *n* cloporte *m*.

woodman *n* forestier *m*; garde-forestier *m*.

woodpecker *n* pic *m*.

woodwind *n* (*mus*) bois *mpl*.

woodwork *n* menuiserie *f*.

woodworm *n* ver du bois *m*.

wool *n* laine *f*.

woollen *adj* de laine.

woollens *npl* lainages *mpl*.

woolly *adj* laineux, de laine.

word *n* mot *m*; parole *f*; * *vt* exprimer; rédiger.

wordiness *n* verbosité *f*.

wording *n* formulation *f*.

word processing *n* traitement *m* de texte.

word processor *n* machine *f* à traitement de texte.

wordy *adj* verbeux.

work *vi* travailler; opérer; fonctionner; fermenter; * *vt* (faire) travailler, faire fonctionner; façonner; * **~ out** *vi* marcher; * *vt* résoudre; * n travail m; œuvre f; ouvrage m; emploi m.

workable adj exploitable.

workaholic n drogué du travail m.

worker n travailleur m -euse f; ouvrier m -ère f.

workforce n main-d'œuvre f.

working-class adj ouvrier.

workman n ouvrier, artisan m.

workmanship n exécution f; qualité du travail f.

workmate n camarade de travail mf.

workshop n atelier m.

world n monde m; * adj du monde; mondial.

worldliness n mondanité f; attachement aux choses matrielles m.

worldly adj mondain; terrestre.

worldwide adj mondial.

worm n ver m.

worn-out adj épuisé; usé.

worried adj inquiet.

worry vt inquiéter; n souci m.

worrying adj inquiétant.

worse adj adv pire; * n le pire.

worship n culte m; adoration f; **your ~** Monsieur le Maire, Monsieur le Juge; * vt adorer, vénérer.

worst adj le pire; * adv le plus mal; * n le pire m.

worth n valeur f, prix m; mérite m.

worthily adv dignement, à juste titre.

worthless adj sans valeur; inutile.

worthwhile adj qui vaut la peine; louable.

worthy adj digne; louable.

would-be adj soi-disant.

wound n blessure f; * vt blesser.

wrangle vi se disputer; * n dispute f.

wrap vt envelopper.

wrath n colère f.

wreath n couronne, guirlande f.

wreck n naufrage m; ruines fpl; destruction f; épave f; * vt causer le naufrage de; démolir.

wreckage n naufrage m; épave f, débris mpl.

wren n roitelet m.

wrench vt tordre; forcer; tourner violemment; * n clé f; torsion violente f.

wrest vt arracher.

wrestle vi lutter.

wrestling n lutte f.

wretched adj malheureux, misérable.

wriggle vi remuer, se tortiller.

wring vt tordre; essorer; arracher.

wrinkle n ride f; * vt rider; * vi se rider.

wrist n poignet m.

wristband n manchette de chemise f.

wristwatch n montre-bracelet f.

writ n écriture f; assignation f; acte judiciaire m.

write vt écrire; composer; ~ **down** consigner par écrit; ~ **off** annuler; réduire; ~ **up** rédiger.

write-off n perte f.

writer n écrivain m; auteur m.

writhe vi se tordre.

writing n écriture f; œuvres fpl; écrit m.

writing desk n bureau m.

writing paper n papier à lettres m.

wrong n mal m; injustice f; tort m; injure f; * adj mauvais, mal; injuste; inopportun; faux, erroné; * adv mal, inexactement; * vt faire du tort à, léser.

wrongful adj injuste.

wrongly adv injustement.

wry adj ironique, narquois.

X

xenon *n* xénon *m*.
xenophobe *n* xénophobe *mf*.
xenophobia *n* xénophobie *f*.
xenophobic *adj* xénophobique.

Xmas *abbr* Noël *m*.
X-ray *n* rayon X *m*.
xylophone *n* xylophone *m*.

Y

yacht *n* yacht *m*.
yachting *n* navigation de plaisance *f*.
Yankee *n* yankee *m*.
yard *n* yard (0,914 m) *m*; cour *f*.
yardstick *n* critère d'évaluation *m*.
yarn *n* longue histoire *f*; fil *m*.
yawn *vi* bâiller; * *n* bâillement *m*.
yawning *adj* béant.
yeah *adv* oui, ouais (*fam*).
year *n* année *f*.
yearbook *n* annuaire *m*.
yearling *n* animal âgé d'un an *m*.
yearly *adj adv* annuel(lement).
yearn *vi* languir.
yearning *n* désir ardent *m*.
yeast *n* levure *f*.
yell *vi* hurler; * *n* hurlement *m*.
yellow *adj n* jaune *m*.
yellowish *adj* jaunâtre.
yelp *vi* japper, glapir; * *n* jappement *m*.
yes *adv, n* oui *m*.
yesterday *adv, n* hier (*m*).
yet *conj* pourtant; cependant; * *adv* encore.
yew *n* if *m*.

yield *vt* donner, produire; rapporter; * *vi* se rendre; céder; * *n* production *f*; récolte *f*; rendement *m*.
yoga *n* yoga *m*.
yog(h)urt *n* yaourt *m*.
yoke *n* joug *m*.
yolk *n* jaune d'œuf *m*.
yonder *adv* là-bas.
you *pn* vous; tu; te; toi.
young *adj* jeune; ~er *adj* plus jeune.
youngster *n* jeune *mf*.
your(s) *pn* ton, ta, tes; votre, vos; le tien, la tienne, les tiens, les tiennes; le/la vôtre, les vôtres; **sincerely ~s** je vous prie d'agréer, Monsieur/Madame, l'expression de mes sentiments les meilleurs.
yourself *pn* toi-même; vous-même(s).
youth *n* jeunesse, adolescence *f*; jeune homme *m*.
youthful *adj* jeune.
youthfulness *n* jeunesse *f*.
yuppie (*adj*) *n* (de) jeune cadre dynamique *m*.

Z

zany *adj* farfelu.
zap *vt* flinguer.
zeal *n* zèle *m*; ardeur *f*.
zealous *adj* zélé.

zebra *n* zèbre *m*.
zenith *n* zénith *m*.
zero *n* zéro *m*.
zest *n* enthousiasme *m*.

zigzag *n* zigzag *m*.
zinc *n* zinc *m*.
zip, zipper *n* fermeture éclair *f*.
zip code *n* code postal *m*.
zodiac *n* zodiaque *m*.
zone *n* zone *f*; secteur *m*.

zoo *n* zoo *m*.
zoological *adj* zoologique.
zoologist *n* zoologiste *mf*.
zoology *n* zoologie *f*.
zoom *vi* vrombir.
zoom lens *n* zoom *m*.

Verbes Irréguliers en Anglais

	Prétérit	Participe passé		Prétérit	Participe passé
arise	arose	arisen	dream	dreamed, dreamt	dreamed, dreamt
awake	awoke	awaked, awoke	drink	drank	drunk
be [I am, you/we/they are, he/she/it is, *gérondif* being]			drive	drove	driven
			dwell	dwelt, dwelled	dwelt, dwelled
	was, were	been	eat	ate	eaten
bear	bore	borne	fall	fell	fallen
beat	beat	beaten	feed	fed	fed
become	became	become	feel	felt	felt
begin	began	begun	fight	fought	fought
behold	beheld	beheld	find	found	found
bend	bent	bent	flee	fled	fled
beseech	besought, beseeched	besought, beseeched	fling	flung	flung
			fly [he/she/it flies]		
beset	beset	beset		flew	flown
bet	bet, betted	bet, betted	forbid	forbade	forbidden
bid	bade, bid	bid, bidden	forecast	forecast	forecast
bite	bit	bitten	forget	forgot	forgotten
bleed	bled	bled	forgive	forgave	forgiven
bless	blessed, blest	blessed, blest	forsake	forsook	forsaken
			forsee	foresaw	foreseen
blow	blew	blown	freeze	froze	frozen
break	broke	broken	get	got	got, (US) gotten
breed	bred	bred			
bring	brought	brought			
build	built	built	give	gave	given
burn	burnt, burned	burnt, burned	go [he/she/it goes]		
				went	gone
burst	burst	burst	grind	ground	ground
buy	bought	bought	grow	grew	grown
can	could	(been able)	hang	hung, hanged	hung, hanged
cast	cast	cast			
catch	caught	caught	have [I/you/we/they have, he/she/it has, *gérondif* having]		
choose	chose	chosen			
cling	clung	clung		had	had
come	came	come	hear	heard	heard
cost	cost	cost	hide	hid	hidden
creep	crept	crept	hit	hit	hit
cut	cut	cut	hold	held	held
deal	dealt	dealt	hurt	hurt	hurt
dig	dug	dug	keep	kept	kept
do [he/she/it does]			kneel	knelt	knelt
	did	done	know	knew	known
draw	drew	drawn	lay	laid	laid

435

	Prétérit	Participe passé		Prétérit	Participe passé
lead	led	led	shed	shed	shed
lean	leant, leaned	leant, leaned	shine	shone	shone
			shoot	shot	shot
leap	leapt, leaped	leapt, leaped	show	showd	shown, showed
learn	learnt, learned	learnt, learned	shrink	shrank	shrunk
			shut	shut	shut
leave	left	left	sing	sang	sung
lend	lent	lent	sink	sank	sunk
let	let	let	sit	sat	sat
lie [*gérondif* lying]			slay	slew	slain
	lay	lain	sleep	slept	slept
light	lighted, lit	lighted, lit	slide	slid	slid
			sling	slung	slung
lose	lost	lost	smell	smelt, smelled	smelt, smelled
make	made	made			
may	might	-	sow	sowed	sown, sowed
mean	meant	meant			
meet	met	met	speak	spoke	spoken
mistake	mistook	mistaken	speed	sped, speeded	sped, speeded,
mow	mowed	mowed, mown	spell	spelt, spelled	spelt, spelled
must	(had to)	(had to)			
overcome	overcame	overcome	spend	spent	spent
pay	paid	paid	spill	spilt, spilled	spilt, spilled
put	put	put			
quit	quit, quitted	quit, quitted	spin	spun	spun
			spit	spat	spat
read	read	read	split	split	split
rid	rid	rid	spoil	spoilt	spoilt
ride	rode	ridden	spread	spread	spread
ring	rang	rung	spring	sprang	sprung
rise	rose	risen	stand	stood	stood
run	ran	run	steal	stole	stolen
saw	sawed	sawn, sawed	stick	stuck	stuck
			sting	stung	stung
say	said	said	stink	stank	stunk
see	saw	seen	stride	strode	stridden
seek	sought	sought	strike	struck	struck
sell	sold	sold	strive	strove	striven
send	sent	sent	swear	swore	sworn
set	set	set	sweep	swept	swept
sew	sewed	sewn, sewed	swell	swelled	swelled, swollen
shake	shook	shaken	swim	swam	swum
shall	should	-	swing	swung	swung
shear	sheared	sheared, shorn	take	took	taken
			teach	taught	taught

	Prétérit	Participe passé		Prétérit	Participe passé
tear	tore	torn	weave	wove,	wove, woven
tell	told	told	wed	wedded	wed,
think	thought	thought			wedded
throw	threw	thrown	weep	wept	wept
thrust	thrust	thrust	win	won	won
tread	trod	trodden,	wind	wound	wound
		trod	withdraw	withdrew	withdrawn
understand	understood	understood	withhold	withheld	withheld
upset	upset	upset	withstand	withstood	withstood
wake	woke	woken	wring	wrung	wrung
wear	wore	worn	write	wrote	written

French Verbs

Regular

infinitive	donner	finir	vendre
	to give	to finish	to sell
present participle	donnant	finissant	vendant
past participle	donné	fini	vendu
present	je donne	je finis	je vends
	tu donnes	tu finis	tu vends
	il donne	il finit	il vend
	nous donnons	nous finissons	nous vendons
	vous donnez	vous finissez	vous vendez
	ils donnent	ils finissent	ils vendent
imperfect	donnais	finissais	vendais
	donnais	finissais	vendais
	donnait	finissait	vendait
	donnions	finissions	vendions
	donniez	finissiez	vendiez
	donnaient	finissaient	vendaient
future	donnerai	finirai	vendrai
	donneras	finiras	vendras
	donnera	finira	vendra
	donnerons	finirons	vendrons
	donnerez	finirez	vendrez
	donneront	finiront	vendront
conditional	donnerais	finirais	vendrais
	donnerais	finirais	vendrais
	donnerait	finirait	vendrait
	donnerions	finirions	vendrions
	donneriez	finiriez	vendriez
	donneraient	finiraient	vendraient
past historic	donnai	finis	vendis
	donnas	finis	vendis
	donna	finit	vendit
	donnâmes	finîmes	vendîmes
	donnâtes	finîtes	vendîtes
	donnèrent	finirent	vendirent
present	donne	finisse	vende
subjunctive	donnes	finisses	vendes

	donne	finisse	vende
	donnions	finissions	vendions
	donniez	finissiez	vendiez
	donnent	finissent	vendent
imperfect	donnasse	finisse	vendisse
subjunctive	donnasses	finisses	vendisses
	donnât	finît	vendît
	donnassions	finissions	vendissions
	donnassiez	finissiez	vendissiez
	donnassent	finissent	vendissent

Auxiliary verbs

infinitive		*conditional*	
être	**avoir**	serais	aurais
to be	*to have*	serais	aurais
present participle		serait	aurait
étant	ayant	serions	aurions
past participle		seriez	auriez
été	eu	seraient	auraient
present		*past historic*	
je suis	j'ai	fus	eus
tu es	tu as	fus	eus
il est	il a	fut	eut
nous sommes	nous avons	fûmes	eûmes
vous êtes	vous avez	fûtes	eûtes
ils sont	ils ont	furent	eurent
imperfect		*present subjunctive*	
étais	avais	sois	aie
étais	avais	sois	aies
était	avait	soit	ait
étions	avions	soyons	ayons
étiez	aviez	soyez	ayez
étaient	avaient	soient	aient
future		*imperfect subjunctive*	
serai	aurai	fusse	eusse
seras	auras	fusses	eusses
sera	aura	fût	eût
serons	aurons	fussions	eussions
serez	aurez	fussiez	eussiez
seront	auront	fussent	eussent

Irregular Verbs

acheter	**acquérir**	**aller**	**appeler**
to buy	*to acquire*	*to go*	*to call*
present			
achète	acquiers	vais	appelle
achètes	acquiers	vas	appelles
achète	acquiert	va	appelle
achetons	acquérons	allons	appelons
achetez	acquérez	allez	appelez
achètent	acquièrent	vont	appellent
imperfect			
achetais	acquérais	allais	appelais
achetais	acquérais	allais	appelais
achetait	acquérait	allait	appelait
achetions	acquérions	allions	appelions

| achetiez | acquériez | alliez | appeliez |
| achetaient | acquéraient | allaient | appelaient |

future

achèterai	acquerrai	irai	appellerai
achèteras	acquerras	iras	appelleras
achètera	acquerra	ira	appellera
achèterons	acquerrons	irons	appellerons
achèterez	acquerrez	irez	appellerez
achèteront	acquerront	iront	appelleront

conditional

achèterais	acquerrais	irais	appellerais
achèterais	acquerrais	irais	appellerais
achèterait	acquerrait	irait	appellerait
achèterions	acquerrions	irions	appellerions
achèteriez	acquerriez	iriez	appelleriez
achèteraient	acquerraient	iraient	appelleraient

past historic

achetai	acquis	allai	appelai
achetas	acquis	allas	appelas
acheta	acquit	alla	appela
achetâmes	acquîmes	allâmes	appelâmes
achetâtes	acquîtes	allâtes	appelâtes
achetèrent	acquirent	allèrent	appelèrent

present subjunctive

achète	acquière	aille	appelle
achètes	acquières	ailles	appelles
achète	acquière	aille	appelle
achetions	acquérions	allions	appelions
achetiez	acquériez	alliez	appeliez
achètent	acquièrent	aillent	appellent

imperfect subjunctive

achetasse	acquisse	allasse	appelasse
achetasses	acquisses	allasses	appelasses
achetât	acquît	allât	appelât
achetassions	acquissions	allassions	appelassions
achetassiez	acquissiez	allassiez	appelassiez
achetassent	acquissent	allassent	appelassent

| **appuyer** | **s'asseoir** | **battre** | **boire** |
| *to lean* | *to sit down* | *to hit* | *to drink* |

present

appuie	m'assieds	bats	bois
appuies	t'assieds	bats	bois
appuie	s'assied	bat	boit
appuyons	nous asseyons	battons	buvons
appuyez	vous asseyez	battez	buvez
appuient	s'asseyent	battent	boivent

imperfect

appuyais	m'asseyais	battais	buvais
appuyais	t'asseyais	battais	buvais
appuyait	s'asseyait	battait	buvait
appuyions	nous asseyions	battions	buvions
appuyiez	vous asseyiez	battiez	buviez
appuyaient	s'asseyaient	battaient	buvaient

future

| appuierai | m'assiérai | battrai | boirai |

appuieras	t'assiéras	battras	boiras
appuiera	s'assiéra	battra	boira
appuierons	nous assiérons	battrons	boirons
appuierez	vous assiérez	battrez	boirez
appuieront	s'assiéront	battront	boiront

conditional

appuierais	m'assiérais	battrais	boirais
appuierais	t'assiérais	battrais	boirais
appuierait	s'assiérait	battrait	boirait
appuierions	nous assiérions	battrions	boirions
appuieriez	vous assiériez	battriez	boiriez
appuieraient	s'assiéraient	battraient	boiraient

past historic

appuyai	m'assis	battis	bus
appuyas	t'assis	battis	bus
appuya	s'assit	battit	but
appuyâmes	nous assîmes	battîmes	bûmes
appuyâtes	vous assîtes	battîtes	bûtes
appuyèrent	s'assirent	battirent	burent

present subjunctive

appuie	m'asseye	batte	boive
appuies	t'asseyes	battes	boives
appuie	s'asseye	batte	boive
appuyions	nous asseyions	battions	buvions
appuyiez	vous asseyiez	battiez	buviez
appuient	s'asseyent	battent	boivent

imperfect subjunctive

appuyasse	m'assisse	battisse	busse
appuyasses	t'assisses	battisses	busses
appuyât	s'assît	battît	bût
appuyassions	nous assissions	battissions	bussions
appuyassiez	vous assissiez	battissiez	bussiez
appuyassent	s'assissent	battissent	bussent

| **commencer** | **conduire** | **connaître** | **courir** |
| *to begin* | *to drive* | *to know* | *to run* |

present

commence	conduis	connais	cours
commences	conduis	connais	cours
commence	conduit	connaît	court
commençons	conduisons	connaissons	courons
commencez	conduisez	connaissez	courez
commencent	conduisent	connaissent	courent

imperfect

commençais	conduisais	connaissais	courais
commençais	conduisais	connaissais	courais
commençait	conduisait	connaissait	courait
commencions	conduisions	connaissions	courions
commenciez	conduisiez	connaissiez	couriez
commençaient	conduisaient	connaissaient	couraient

future

commencerai	conduirai	connaîtrai	courrai
commenceras	conduiras	connaîtras	courras
commencera	conduira	connaîtra	courra
commencerons	conduirons	connaîtrons	courrons
commencerez	conduirez	connaîtrez	courrez

commenceront	conduiront	connaîtront	courront
conditional			
commencerais	conduirais	connaîtrais	courrais
commencerais	conduirais	connaîtrais	courrais
commencerait	conduirait	connaîtrait	courrait
commencerions	conduirions	connaîtrions	courrions
commenceriez	conduiriez	connaîtriez	courriez
commenceraient	conduiraient	connaîtraient	courraient
past historic			
commençai	conduisis	connus	courus
commenças	conduisis	connus	courus
commença	conduisit	connut	courut
commençâmes	conduisîmes	connûmes	courûmes
commençâtes	conduisîtes	connûtes	courûtes
commencèrent	conduisirent	connurent	coururent
present subjunctive			
commence	conduise	connaisse	coure
commences	conduises	connaisses	coures
commence	conduise	connaisse	coure
commencions	conduisions	connaissions	courions
commenciez	conduisiez	connaissiez	couriez
commencent	conduisent	connaissent	courent
imperfect subjunctive			
commençasse	conduisisse	connusse	courusse
commençasses	conduisisses	connusses	courusses
commençât	conduisît	connût	courût
commençassions	conduisissions	connussions	courussions
commençassiez	conduisissiez	connussiez	courussiez
commençassent	conduisissent	connussent	courussent

couvrir	**craindre**	**croire**	**devoir**
to cover	*to fear*	*to believe*	*to owe, to have to*
present			
couvre	crains	crois	dois
couvres	crains	crois	dois
couvre	craint	croit	doit
couvrons	craignons	croyons	devons
couvrez	craignez	croyez	devez
couvrent	craignent	croient	doivent
imperfect			
couvrais	craignais	croyais	devais
couvrais	craignais	croyais	devais
couvrait	craignait	croyait	devait
couvrions	craignions	croyions	devions
couvriez	craigniez	croyiez	deviez
couvraient	craignaient	croyaient	devaient
future			
couvrirai	craindrai	croirai	devrai
couvriras	craindras	croiras	devras
couvrira	craindra	croira	devra
couvrirons	craindrons	croirons	devrons
couvrirez	craindrez	croirez	devrez
couvriront	craindront	croiront	devront
conditional			
couvrirais	craindrais	croirais	devrais
couvrirais	craindrais	croirais	devrais

couvrirait	craindrait	croirait	devrait
couvririons	craindrions	croirions	devrions
couvririez	craindriez	croiriez	devriez
couvriraient	craindraient	croiraient	devraient

past historic

couvris	craignis	crus	dus
couvris	craignis	crus	dus
couvrit	craignit	crut	dut
couvrîmes	craignîmes	crûmes	dûmes
couvrîtes	craignîtes	crûtes	dûtes
couvrirent	craignirent	crurent	durent

present subjunctive

couvre	craigne	croie	doive
couvres	craignes	croies	doives
couvre	craigne	croie	doive
couvrions	craignions	croyions	devions
couvriez	craigniez	croyiez	deviez
couvrent	craignent	croient	doivent

imperfect subjunctive

couvrisse	craignisse	crusse	dusse
couvrisses	craignisses	crusses	dusses
couvrît	craignît	crût	dût
couvrissions	craignissions	crussions	dussions
couvrissiez	craignissiez	crussiez	dussiez
couvrissent	craignissent	crussent	dussent

| **dire** | **écrire** | **envoyer** | **faire** |
| *to say* | *to write* | *to send* | *to do; to make* |

present

dis	écris	envoie	fais
dis	écris	envoies	fais
dit	écrit	envoie	fait
disons	écrivons	envoyons	faisons
dites	écrivez	envoyez	faites
disent	écrivent	envoient	font

imperfect

disais	écrivais	envoyais	faisais
disais	écrivais	envoyais	faisais
disait	écrivait	envoyait	faisait
disions	écrivions	envoyions	faisions
disiez	écriviez	envoyiez	faisiez
disaient	écrivaient	envoyaient	faisaient

future

dirai	écrirai	enverrai	ferai
diras	écriras	enverras	feras
dira	écrira	enverra	fera
dirons	écrirons	enverrons	ferons
direz	écrirez	enverrez	ferez
diront	écriront	enverront	feront

conditional

dirais	écrirais	enverrais	ferais
dirais	écrirais	enverrais	ferais
dirait	écrirait	enverrait	ferait
dirions	écririons	enverrions	ferions
diriez	écririez	enverriez	feriez
diraient	écriraient	enverraient	feraient

past historic

dis	écrivis	**envoyai**	fis
dis	écrivis	**envoyas**	fis
dit	écrivit	**envoya**	fit
dîmes	écrivîmes	**envoyâmes**	fîmes
dîtes	écrivîtes	**envoyâtes**	fîtes
dirent	écrivirent	**envoyèrent**	firent

present subjunctive

dise	écrive	**envoie**	fasse
dises	écrives	**envoies**	fasses
dise	écrive	**envoie**	fasse
disions	écrivions	**envoyions**	fassions
disiez	écriviez	**envoyiez**	fassiez
disent	écrivent	**envoient**	fassent

imperfect subjunctive

disse	écrivisse	**envoyasse**	fisse
disses	écrivisses	**envoyasses**	fisses
dît	écrivît	**envoyât**	fît
dissions	écrivissions	**envoyassions**	fissions
dissiez	écrivissiez	**envoyassiez**	fissiez
dissent	écrivissent	**envoyassent**	fissent

fuir	**haïr**	**jeter**	**lire**
to flee	*to hate*	*to throw*	*to read*

present

fuis	hais	jette	lis
fuis	hais	jettes	lis
fuit	hait	jette	lit
fuyons	haïssons	jetons	lisons
fuyez	haïssez	jetez	lisez
fuient	haïssent	jettent	lisent

imperfect

fuyais	haïssais	jetais	lisais
fuyais	haïssais	jetais	lisais
fuyait	haïssait	jetait	lisait
fuyions	haïssions	jetions	lisions
fuyiez	haïssiez	jetiez	lisiez
fuiront	haïssaient	jetaient	lisaient

future

fuirai	haïrai	jetterai	lirai
fuiras	haïras	jetteras	liras
fuira	haïra	jettera	lira
fuirons	haïrons	jetterons	lirons
fuirez	haïrez	jetterez	lirez
fuiront	haïront	jetteront	liront

conditional

fuirais	haïrais	jetterais	lirais
fuirais	haïrais	jetterais	lirais
fuirait	haïrait	jetterait	lirait
fuirions	haïrions	jetterions	lirions
fuiriez	haïriez	jetteriez	liriez
fuiraient	haïraient	jetteraient	liraient

past historic

fuis	haïs	jetai	lus
fuis	haïs	jetas	lus
fuit	haït	jeta	lut

fuîmes	haïmes	jetâmes	lûmes
fuîtes	haïtes	jetâtes	lûtes
fuirent	haïrent	jetèrent	lurent

present subjunctive

fuie	haïsse	jette	lise
fuies	haïsses	jettes	lises
fuie	haïsse	jette	lise
fuyions	haïssions	jetions	lisions
fuyiez	haïssiez	jetiez	lisiez
fuient	haïssent	jettent	lisent

imperfect subjunctive

fuisse	haïsse	jetasse	lusse
fuisses	haïsses	jetasses	lusses
fuît	haït	jetât	lût
fuissions	haïssions	jetassions	lussions
fuissiez	haïssiez	jetassiez	lussiez
fuissent	haïssent	jetassent	lussent

manger	**mettre**	**mourir**	**mouvoir**
to eat	*to put*	*to die*	*to drive, to move*

present

mange	mets	meurs	meus
manges	mets	meurs	meus
mange	met	meurt	meut
mangeons	mettons	mourons	mouvons
mangez	mettez	mourez	mouvez
mangent	mettent	meurent	meuvent

imperfect

mangeais	mettais	mourais	mouvais
mangeais	mettais	mourais	mouvais
mangeait	mettait	mourait	mouvait
mangions	mettions	mourions	mouvions
mangiez	mettiez	mouriez	mouviez
mangeaient	mettaient	mouraient	mouvaient

future

mangerai	mettrai	mourrai	mouvrai
mangeras	mettras	mourras	mouvras
mangera	mettra	mourra	mouvra
mangerons	mettrons	mourrons	mouvrons
mangerez	mettrez	mourrez	mouvrez
mangeront	mettront	mourront	mouvront

conditional

mangerais	mettrais	mourrais	mouvrais
mangerais	mettrais	mourrais	mouvrais
mangerait	mettrait	mourrait	mouvrait
mangerions	mettrions	mourrions	mouvrions
mangeriez	mettriez	mourriez	mouvriez
mangeraient	mettraient	mourraient	mouvraient

past historic

mangeai	mis	mourus	mus
mangeas	mis	mourus	mus
mangea	mit	mourut	mut
mangeâmes	mîmes	mourûmes	mûmes
mangeâtes	mîtes	mourûtes	mûtes
mangèrent	mirent	moururent	murent

present subjunctive

mange	mette	meure	meuve
manges	mettes	meures	meuves
mange	mette	meure	meuve
mangions	mettions	mourions	mouvions
mangiez	mettiez	mouriez	mouviez
mangent	mettent	meurent	meuvent

imperfect subjunctive

mangeasse	misse	mourusse	musse
mangeasses	misses	mourusses	musses
mangeât	mît	mourût	mût
mangeassions	missions	mourussions	mussions
mangeassiez	missiez	mourussiez	mussiez
mangeassent	missent	mourussent	mussent

naître	**partir**	**plaire**	**pouvoir**
to be born	*to leave*	*to please*	*to be able; can*

present

nais	pars	plais	peux
nais	pars	plais	peux
naît	part	plaît	peut
naissons	partons	plaisons	pouvons
naissez	partez	plaisez	pouvez
naissent	partent	plaisent	peuvent

imperfect

naissais	partais	plaisais	pouvais
naissais	partais	plaisais	pouvais
naissait	partait	plaisait	pouvait
naissions	partions	plaisions	pouvions
naissiez	partiez	plaisiez	pouviez
naissaient	partaient	plaisaient	pouvaient

future

naîtrai	partirai	plairai	pourrai
naîtras	partiras	plairas	pourras
naîtra	partira	plaira	pourra
naîtrons	partirons	plairons	pourrons
naîtrez	partirez	plairez	pourrez
naîtront	partiront	plairont	pourront

conditional

naîtrais	partirais	plairais	pourrais
naîtrais	partirais	plairais	pourrais
naîtrait	partirait	plairait	pourrait
naîtrions	partirions	plairions	pourrions
naîtriez	partiriez	plairiez	pourriez
naîtraient	partiraient	plairaient	pourraient

past historic

naquis	partis	plus	pus
naquis	partis	plus	pus
naquit	partit	plut	put
naquîmes	partîmes	plûmes	pûmes
naquîtes	partîtes	plûtes	pûtes
naquirent	partirent	plurent	purent

present subjunctive

naisse	parte	plaise	puisse
naisses	partes	plaises	puisses

naisse	parte	plaise	puisse
naissions	partions	plaisions	puissions
naissiez	partiez	plaisiez	puissiez
naissent	partent	plaisent	puissent

imperfect subjunctive

naquisse	partisse	plusse	pusse
naquisses	partisses	plusses	pusses
naquît	partît	plût	pût
naquissions	partissions	plussions	pussions
naquissiez	partissiez	plussiez	pussiez
naquissent	partissent	plussent	pussent

préférer	**prendre**	**recevoir**	**rire**
to prefer	*to take*	*to receive*	*to laugh*

present

préfère	prends	reçois	ris
préfères	prends	reçois	ris
préfère	prend	reçoit	rit
préférons	prenons	recevons	rions
préférez	prenez	recevez	riez
préfèrent	prennent	reçoivent	rient

imperfect

préférais	prenais	recevais	riais
préférais	prenais	recevais	riais
préférait	prenait	recevait	riait
préférions	prenions	recevions	riions
préfériez	preniez	receviez	riiez
préféraient	prenaient	recevaient	riaient

future

préférerai	prendrai	recevrai	rirai
préféreras	prendras	recevras	riras
préférera	prendra	recevra	rira
préférerons	prendrons	recevrons	rirons
préférerez	prendrez	recevrez	rirez
préféreront	prendront	recevront	riront

conditional

préférerais	prendrais	recevrais	rirais
préférerais	prendrais	recevrais	rirais
préférerait	prendrait	recevrait	rirait
préférerions	prendrions	recevrions	ririons
préféreriez	prendriez	recevriez	ririez
préféreraient	prendraient	recevraient	riraient

past historic

préférai	pris	reçus	ris
préféras	pris	reçus	ris
préféra	prit	reçut	rit
préférâmes	prîmes	reçûmes	rîmes
préférâtes	prîtes	reçûtes	rîtes
préférèrent	prirent	reçurent	rirent

present subjunctive

préfère	prenne	reçoive	rie
préfères	prennes	reçoives	ries
préfère	prenne	reçoive	rie
préférions	prenions	recevions	riions
préfériez	preniez	receviez	riiez
préfèrent	prennent	reçoivent	rient

446

imperfect subjunctive

préférasse	prisse	reçusse	risse
préférasses	prisses	reçusses	risses
préférât	prît	reçût	rît
préférassions	prissions	reçussions	rissions
préférassiez	prissiez	reçussiez	rissiez
préférassent	prissent	reçussent	rissent

savoir	**suffire**	**suivre**	**tenir**
to know	*to be enough*	*to follow*	*to hold*

present

sais	suffis	suis	tiens
sais	suffis	suis	tiens
sait	suffit	suit	tient
savons	suffisons	suivons	tenons
savez	suffisez	suivez	tenez
savent	suffisent	suivent	tiennent

imperfect

savais	suffisais	suivais	tenais
savais	suffisais	suivais	tenais
savait	suffisait	suivait	tenait
savions	suffisions	suivions	tenions
saviez	suffisiez	suiviez	teniez
savaient	suffisaient	suivaient	tenaient

future

saurai	suffirai	suivrai	tiendrai
sauras	suffiras	suivras	tiendras
saura	suffira	suivra	tiendra
saurons	suffirons	suivrons	tiendrons
saurez	suffirez	suivrez	tiendrez
sauront	suffiront	suivront	tiendront

conditional

saurais	suffirais	suivrais	tiendrais
saurais	suffirais	suivrais	tiendrais
saurait	suffirait	suivrait	tiendrait
saurions	suffirions	suivrions	tiendrions
sauriez	suffiriez	suivriez	tiendriez
sauraient	suffiraient	suivraient	tiendraient

past historic

sus	suffis	suivis	tins
sus	suffis	suivis	tins
sut	suffit	suivit	tint
sûmes	suffîmes	suivîmes	tînmes
sûtes	suffîtes	suivîtes	tîntes
surent	suffirent	suivirent	tinrent

present subjunctive

sache	suffise	suive	tienne
saches	suffises	suives	tiennes
sache	suffise	suive	tienne
sachions	suffisions	suivions	tenions
sachiez	suffisiez	suiviez	teniez
sachent	suffisent	suivent	tiennent

imperfect subjunctive

susse	suffisse	suivisse	tinsse
susses	suffisses	suivisse	tinsses
sût	suffît	suivît	tînt

sussions	suffissions	suivissions	tinssions
sussiez	suffissiez	suivissiez	tinssiez
sussent	suffissent	suivissent	tinssent

valoir	**venir**	**vivre**	**voir**
to be worth	*to come*	*to live*	*to see*

present

vaux	viens	vis	vois
vaux	viens	vis	vois
vaut	vient	vit	voit
valons	venons	vivons	voyons
valez	venez	vivez	voyez
valent	viennent	vivent	voient

imperfect

valais	venais	vivais	voyais
valais	venais	vivais	voyais
valait	venait	vivait	voyait
valions	venions	vivions	voyions
valiez	veniez	viviez	voyiez
valaient	venaient	vivaient	voyaient

future

vaudrai	viendrai	vivrai	verrai
vaudras	viendras	vivras	verras
vaudra	viendra	vivra	verra
vaudrons	viendrons	vivrons	verrons
vaudrez	viendrez	vivrez	verrez
vaudront	viendront	vivront	verront

conditional

vaudrais	viendrais	vivrais	verrais
vaudrais	viendrais	vivrais	verrais
vaudrait	viendrait	vivrait	verrait
vaudrions	viendrions	vivrions	verrions
vaudriez	viendriez	vivriez	verriez
vaudraient	viendraient	vivraient	verraient

past historic

valus	vins	vécus	vis
valus	vins	vécus	vis
valut	vint	vécut	vit
valûmes	vînmes	vécûmes	vîmes
valûtes	vîntes	vécûtes	vîtes
valurent	vinrent	vécurent	virent

present subjunctive

vaille	vienne	vive	voie
vailles	viennes	vives	voies
vaille	vienne	vive	voie
valions	venions	vivions	voyions
valiez	veniez	viviez	voyiez
vaillent	viennent	vivent	voient

imperfect subjunctive

valusse	vinsse	vécusse	visse
valusses	vinsses	vécusses	visses
valût	vînt	vécût	vît
valussions	vinssions	vécussions	vissions
valussiez	vinssiez	vécussiez	vissiez
valussent	vinssent	vécussent	vissent

IMPRIMÉ EN UNION EUROPÉENNE
le 5 octobre 1995
P/048-95 — Dépôt légal, juin 1995